JN183718

がんのリハビリテーション診療ベストプラクティス

第2版

編集　日本がんリハビリテーション研究会

金原出版株式会社

作成委員一覧

日本がんリハビリテーション研究会

阿部　恭子* 東京医療保健大学千葉看護学部 看護学科
安藤　牧子* 慶應義塾大学病院 リハビリテーション科
生駒　一憲† 北海道大学病院 リハビリテーション科
井上順一朗* 神戸大学医学部附属病院 国際がん医療・研究センター
加賀谷　斉† 藤田医科大学医学部 リハビリテーション医学Ⅰ講座
影近　謙治† 富山県リハビリテーション病院・こども支援センター リハビリテーション科
加藤　雅志† 国立がん研究センター がん対策情報センターがん医療支援部
小林　毅* 日本医療科学大学保健医療学部 リハビリテーション学科作業療法学専攻
佐浦　隆一* 大阪医科大学総合医学講座 リハビリテーション医学教室
高倉　保幸* 埼玉医科大学保健医療学部 理学療法学科
田沼　明* 順天堂大学医学部附属静岡病院 リハビリテーション科
辻　哲也* 慶應義塾大学医学部 リハビリテーション医学教室
鶴川　俊洋* 青仁会池田病院 リハビリテーション科
道免　和久† 兵庫医科大学 リハビリテーション医学教室
古澤　義人† 東北大学大学院医学系研究科 肢体不自由学分野
増島麻里子† 千葉大学大学院 看護学研究科
増田　芳之† ファミリーホスピス茅ヶ崎ハウス
三木　恵美* 関西医科大学 リハビリテーション学部設置準備室
水落　和也* 神奈川県立がんセンター リハビリテーションセンター
水間　正澄† 医療法人社団輝生会 初台リハビリテーション病院
宮越　浩一* 亀田総合病院 リハビリテーション科
村岡　香織* 北里大学北里研究所病院 リハビリテーション科

その他

飯野　由恵* 国立がん研究センター東病院 骨軟部腫瘍・リハビリテーション科
熊野　宏治* パナソニック健康保険組合松下記念病院 診療技術部 リハビリテーション療法室
杉浦　英志* 名古屋大学大学院医学系研究科 総合保健学専攻
立松　典篤* 名古屋大学大学院医学系研究科 総合保健学専攻

*執筆，†査読（五十音順，敬称略）

刊行にあたって

がんは，わが国において，疾病対策上の最重要課題として対策が進められ，少なくとも半数以上のがん患者が長期生存可能な時代となった。がんの治療を終えた，あるいは治療を受けつつあるがん生存者が年に60万人ずつ増加している現在，がんが「不治の病」であった時代から「がんと共存」する時代になりつつある。

がん患者にとっては，がん自体に対する不安は当然大きいが，がんの直接的影響や手術・化学療法・放射線療法などによる身体障害に対する不安も同程度に大きい。しかし，これまでは，がんそのもの，あるいはその治療過程において受けた身体的なダメージに対しては，積極的な対応がなされてこなかった。その一因は，がん患者のリハビリテーション診療に関する包括的なガイドラインが存在せず，適切なリハビリテーションプログラムが組み立てられないことにあった。

そこで，「厚生労働科学研究補助金（第3次対がん総合戦略研究事業）がんのリハビリテーションガイドライン作成のためのシステム構築に関する研究（2010年度～2012年度：主任研究者 辻哲也）」において研究事業が実施され，日本リハビリテーション医学会診療ガイドライン委員会 がんのリハビリテーションガイドライン策定委員会と協働して，診療ガイドラインの策定作業に取り組み，2013年に『がんのリハビリテーションガイドライン』が刊行された。また，2013年に日本リハビリテーション医学会は，日本癌治療学会がん診療ガイドライン委員会にリハビリテーション分科会として参画することが承認され，『がんのリハビリテーションガイドライン』は同学会のホームページに掲載されている。2014年にはMinds（公益財団法人日本医療機能評価機構）ホームページへ掲載された。

がんのリハビリテーション診療においては，腫瘍の存在する解剖学的部位の障害や治療の有害事象・後遺症に対する問題が主に扱われるが，近年では，後遺症や合併症の軽減を目的とした治療前（prehabilitation）や治療中の対応，がん治療中や治療後の就労支援，がん関連倦怠感（cancer related fatigue；CRF），がん関連認知機能障害（cancer-related cognitive impairment；CRCI），がん悪液質（cancer cachexia），骨転移により生じ得る骨関連事象（skeletal related event；SRE）のマネジメント，緩和ケアが主体となる時期の症状緩和や在宅での療養生活への支援，高齢者のがん診療における役割など，がん患者に影響を及ぼす幅広い問題に対してもニーズは急速に拡大しつつある。発展を続けているがん医療において，実地の臨床に即したがんのリハビリテーション診療の指針を提供するためには，数年単位での診療ガイドライン改訂が必要と考えられ，「国立研究開発法人日本医療研究開発機構（AMED）革新的がん医療実用化研究事業 外来がんリハビリテーションの効果に関する研究事業（2016年度～2018年度：研究開発代表者 辻哲也）」の一環として，日本リハビリテーション医学会診療ガイドライン委員会 がんのリハビリテーションガイドライン改訂委員会と協働して，改訂作業に取り組み，2019年6月に『がんのリハビリテーション診療ガイドライン 第2版』が刊行された。

がんのリハビリテーション診療の領域をさらに発展させていくためには，研究（Research）を推進し，それに裏付けされた診療ガイドライン（Guideline）を策定し，その診療ガイドラインに基づいた臨床研修（Training）を実施し，専門的スタッフを育成することで医療の質を担保し，そのうえで医療を実践する（Practice）ことが必要である。そこで，日本がんリハビリテーション研究会の活動の一環として，がんのリハビリテーション診療に関わる医療者が，臨床研修や実際の医療を実践していくための手引きとなるプラクティカルガイドとして，『がんのリハビリテーションベストプラクティス』を2014年に刊行した。今回，『がんのリハビリテーション診療ガイドライン 第2版』が刊行されたことから，改訂版として，『がんのリハビリテーション診療ベストプラクティス 第2版』を企画した。『がんのリハビリテーション診療ガイドライン 第2版』に準拠した最良の実践方法（ベストプラクティス）を解説した本書の刊行である。

全国のがん医療に携わる方々に，診療ガイドラインとともに本書をご活用いただき，治癒を目指した治療から生活の質（QOL）を重視したケアまで，切れ目のない支援が可能になることを心から期待したい。

2020年11月

日本がんリハビリテーション研究会
理事長 **辻 哲也**

目　次

第11章　進行がん・末期がん

本書の見方・使い方

●刊行目的

がんに限らず，あらゆる疾患のリハビリテーション診療において不可欠なのは，適切なリハビリテーションプログラムを立案し，質の高いリハビリテーション診療を実践することである。そのためには，包括的な診療ガイドラインの確立が必須となるが，診療ガイドラインはその性質上，CQ から導き出される診療の指針（推奨グレード）とそのエビデンスを示すものであり，具体的にどのようなリハビリテーション診療を実践していくべきかを解説したものではない。そこで，日本がんリハビリテーション研究会では，がんのリハビリテーション診療に関わる医療者が，現場でそれらを実践してくための手引きとして本書を企画した。

●読者対象

がんのリハビリテーション診療に関わるすべての医療者（医師，歯科医師，看護師，理学療法士，作業療法士，言語聴覚士，義肢装具士，管理栄養士，臨床心理士/公認心理師，歯科衛生士など）を主な対象と想定した。

●利用にあたっての留意点

本書は日本リハビリテーション医学会の『がんのリハビリテーション診療ガイドライン 第 2 版』（金原出版，2019 年）に基づく最良の実践方法（ベストプラクティス）を解説したプラクティカルガイドであるが，実際の臨床現場でこれに従うことを強制するものでも，本書で解説されないがんのリハビリテーション診療を制限するものでもない。ベストプラクティスを適用するか否かの最終判断および治療結果に対する責任は，治療担当者が負うべきものである。また，本書の記載内容は，同診療ガイドラインの改訂にあわせて再検討される必要がある。

●本書の構造

本書の章立ては前掲の診療ガイドラインの目次を踏襲し，全 11 章の構成とした。「章」の下位項目として診療ガイドラインの各 CQ 毎に具体的な実践方法（●なぜ必要なのか？●対象となるのはどのような患者か？●誰がいつどこで行うのか？●どのような方法で行うのか？●リハビリテーション治療の効果は？）に言及し，ベストプラクティスとしてまとめて解説した。まだ十分なエビデンスの蓄積がない一部のリハビリテーション治療については，現状，考え得る最良の実践方法を解説した。

各 CQ とそれに対する回答（推奨文）については，診療ガイドラインの記述を全文引用し，推奨の程度が一目でわかるよう努めた。推奨の強さ・エビデンスの確実性（強さ）ついては，以下の表を参照されたい。初版ガイドラインでは，エビデンスの確実性（強さ）を示すエビデンスレベルに基づいて推奨が決定されたが，改訂版では，エビデンスの確実性（強さ）だけでなく，リハビリテーション治療の益と害のバランス，患者の価値観や好み，コスト（患者の負担）や臨床適応性（全国の医療施設で実施可能か）を勘案して推奨が決定された点が初版と異なることに留意されたい。

●エビデンスの確実性（強さ）

A（強）	効果の推定値が推奨を支持する適切さに強く確信がある
B（中）	効果の推定値が推奨を支持する適切さに中等度の確信がある
C（弱）	効果の推定値が推奨を支持する適切さに対する確信は限定的である
D（とても弱い）	効果の推定値が推奨を支持する適切さにほとんど確信できない

●推奨の強さ

1．強く推奨する	推奨した治療によって得られる益が大きく，かつ，治療によって生じうる害や負担を上回ると考えられる
2．弱く推奨する（提案する）	推奨した治療によって得られる益の大きさは不確実である，または，治療によって生じ得る害や負担と拮抗していると考えられる

第 1 章

総　論

1 がんのリハビリテーション医療の概要

がんのリハビリテーション医療とは？

日本リハビリテーション医学会では，「がんのリハビリテーション医療とは，がん治療の一環としてリハビリテーション科医，リハビリテーション専門職により提供される医学的ケアであり，がん患者の身体的，認知的，心理的な障害を診断・治療することで自立度を高め，QOL を向上させるものである」と，がんのリハビリテーション医療を定義している[1)]。

がんのリハビリテーション診療は，臨床腫瘍科医，リハビリテーション科医の指示により，医療ソーシャルワーカー，臨床心理士/公認心理師，理学療法士，がん専門看護師，作業療法士，言語聴覚士のコアメンバーと，その他がん患者特有の問題に対処するさまざまな専門職からなるチームにより提供される[2)]。

対象となる障害

がん患者では，がんの進行もしくはその治療の過程で，高次脳機能障害，発声障害，摂食嚥下障害，運動麻痺，不動や悪液質の進行による筋萎縮・筋力低下，拘縮，神経障害性疼痛，四肢長管骨や脊椎の切迫骨折・病的骨折，上下肢の浮腫など，さまざまな機能障害が生じ，それらの障害によって移乗動作や歩行，ADL，IADL に制限を生じ，QOL の低下をきたす恐れがある。

がんのリハビリテーション診療の対象となる障害を表 1–1[3)] に示した。原発巣・治療目的別に，がん自体による障害と治療過程において起こり得る障害とに大別される。

病期による分類

がんのリハビリテーション診療は，予防的，回復的，維持的および緩和的リハビリテーション治療の 4 つの段階に分けられる（図 1–1）[3,4)]。周術期や治癒を目指した化学療法・放射線療法から進行がん・末期がん患者まで，いずれの段階においてもリハビリテーション治療が必要である。

押さえておきたいポイント

がんのリハビリテーション診療を行ううえで，関わる医療者すべてが共通の認識として押さえておきたいポイントは以下の通りである。

・あらゆる病期（予防・回復・維持・緩和）にリハビリテーション治療は必要である。
・周術期（術前・術後早期から）のリハビリテーション治療により合併症や後遺症の軽減を図ることができる。
・化学療法・造血幹細胞移植中・後のリハビリテーション治療は体力の回復だけでなく，有害事象の軽減などさまざまな波及効果がある。
・骨転移の早期発見・治療とリハビリテーション治療は，余命を活動性高く過ごすうえで重要である。
・がん終末期においては，リハビリテーション治療は ADL や療養生活の質の維持・向上に有用である。

表 1-1　がんのリハビリテーション診療の対象となる障害の種類

1．がんそのものによる障害
1）がんの直接的影響 ・骨転移 ・脳腫瘍（脳転移）に伴う片麻痺，失語症など ・脊髄・脊椎腫瘍（脊髄・脊椎転移）に伴う四肢麻痺，対麻痺など ・腫瘍の直接浸潤による神経障害（腕神経叢麻痺，腰仙骨神経叢麻痺，神経根症） ・がん悪液質 ・がん関連認知機能障害 2）がんの間接的影響（遠隔効果） ・癌性末梢神経炎（運動性・感覚性多発性末梢神経炎） ・悪性腫瘍随伴症候群（小脳性運動失調，筋炎に伴う筋力低下など）
2．主に治療の過程において起こり得る障害
1）全身性の機能低下，廃用症候群 ・化学放射線療法，造血幹細胞移植後 2）手術 ・骨・軟部腫瘍術後（患肢温存術後，四肢切断術後） ・乳がん術後の肩関節拘縮 ・乳がん・子宮がん手術（腋窩・骨盤内リンパ節郭清）後のリンパ浮腫 ・頭頸部がん術後の摂食嚥下・構音障害，発声障害 ・頸部リンパ節郭清後の肩甲帯周囲の運動障害 ・開胸・開腹術後の呼吸器合併症 3）化学療法 ・末梢神経障害など 4）放射線療法 ・横断性脊髄炎，腕神経叢麻痺，摂食嚥下障害など

（辻哲也．がんのリハビリテーション．日医雑誌．2011; 140: 55-59. より引用改変）

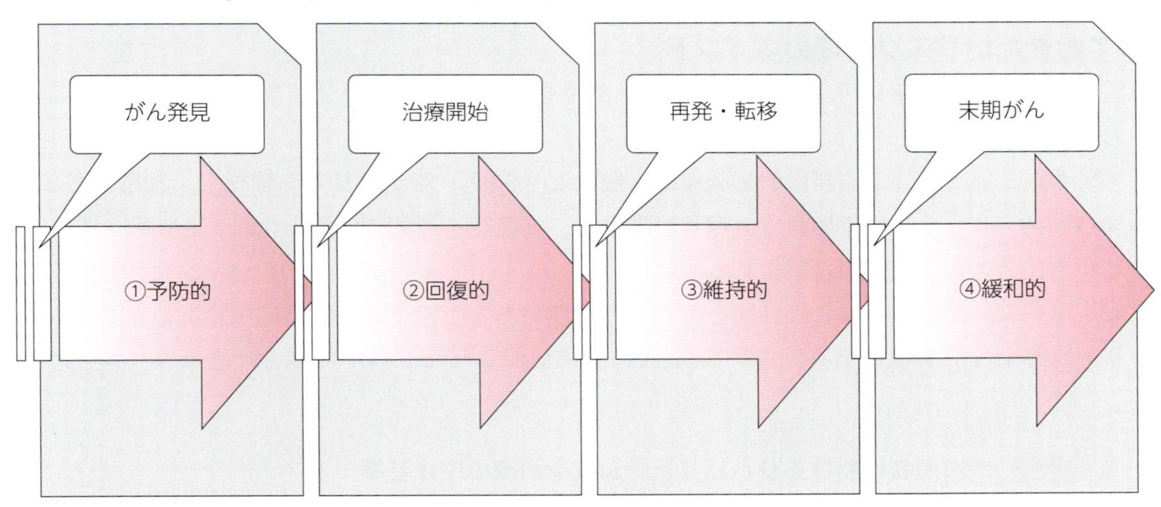

図 1-1　がんのリハビリテーション診療の病期別の目的

①予防的：がんの診断後の早期（手術，放射線，化学療法の前から）に開始される。機能障害はまだないが，その「予防を目的」とする。
②回復的：機能障害，能力低下の存在する患者に対して，「最大限の機能回復」を図る。
③維持的：腫瘍が増大し，機能障害が進行しつつある患者の「セルフケア，運動能力を維持・改善」することを試みる。自助具の使用，動作のコツ，拘縮，筋力低下など廃用予防の訓練も含む。
④緩和的：末期のがん患者に対して，その「要望（demands）」を尊重しながら，身体的，精神的，社会的にも「QOLの高い生活」が送られるように援助する。

（辻哲也．がんのリハビリテーション．日医雑誌．2011; 140: 55-59. および Dietz JH. Rehabilitation oncology. John Wiley & Sons, New York, 1981. を元に作成）

リスク管理

●リハビリテーション治療の進め方

がん患者は治療の過程において，化学放射線療法に伴う骨髄抑制による易感染・出血傾向・貧血，四肢や脊椎の転移による切迫骨折・病的骨折，電解質異常や高アンモニア血症，脳腫瘍の増大による意識障害，廃用や抗がん剤の有害事象による起立性低血圧，術後の深部静脈血栓症や腫瘍塞栓による肺梗塞や脳梗塞，がんの進行による播種性血管内凝固症候群（disseminated intravascular coagulation syndrome；DIC），術後や薬剤投与によるせん妄や幻覚等の精神症状など，リハビリテーション治療を行ううえでのさまざまなリスクを抱えている。リハビリテーションプログラムの作成やリハビリテーション処方を行う際には，これらのリスクを踏まえて，きめ細かい対応を行う必要がある。

全身状態は，病状の進行や治療内容によって刻々と変化していくため，原発巣や治療目的別の院内キャンサーボードへの参加，がんのリハビリテーションチーム内でのカンファレンスにおける意見交換や定期的なリハビリテーション診察，訓練場面の観察を通じて，リハビリテーション処方の変更を随時実施するべきである。

●リハビリテーション治療中止基準

表 1-2[5)] は，がん患者が安全にリハビリテーション治療を行えるかどうかの目安である。これらの所見をすべて満たしていなくとも必要な訓練は継続するが，その場合にはリハビリテーション科医はリハビリテーション処方の際に運動負荷量や運動の種類の詳細な指示・注意事項を明記する必要がある。特に，進行がん・末期がん患者では，全身状態の観察を注意深く行い，問題のあるときには躊躇せず訓練を中断する。

日本リハビリテーション医学会の『リハビリテーション医療における安全管理・推進のためのガイドライン 第2版』の「運動負荷を伴う訓練を実施するための基準」も参考にするとよい。

●知っておきたいリスク管理のポイント

進行がん・末期がん患者のリハビリテーション治療を実施するうえでは，さまざまなリスクについて知っておく必要がある。

パルスオキシメーターによる経皮的動脈血酸素飽和度（SpO_2）測定はリスク管理上，有用であるので，実際のリハビリテーション治療場面で医療者が携帯し，安静時・運動時の酸素化能と心拍数をモニターできることが，リスク管理の面から望まれる。

化学療法中や放射線療法中は骨髄抑制を生じる可能性があるので，血液所見に注意を払う。白血球の減少により，易感染性が問題となる（表 1-3）。特に好中球が 500/μL 以下の場合は感染のリスクが高いの

表 1-2　がん患者におけるリハビリテーション治療の中止基準

1. 血液所見：ヘモグロビン 7.5g/dL 以下，血小板 20,000/μL 以下，白血球 3,000/μ 以下
2. 骨転移
3. 有腔内臓（腸・膀胱・尿管），血管，脊髄の圧迫
4. 持続する疼痛，呼吸困難，運動障害を伴う胸膜，心嚢，腹膜，後腹膜への浸出液貯留
5. 中枢神経系の機能低下，意識障害，頭蓋内圧亢進
6. 低・高カリウム血症，低ナトリウム血症，低・高カルシウム血症
7. 起立性低血圧
8. 110/分以上の頻脈，心室性不整脈
9. 38.3℃以上の発熱

(Vargo MM, Riutta JC, Franklin DJ. Rehabilitation for patients with cancer diagnoses. Frontera WR (ed) : Delisa's Physical Medicine and Rehabilitation : Principles and Practice, 5th Ed. Lippincott Williams and Wilkins, pp1151-78, 2010. より引用改変)

表 1-3　好中球減少と感染のリスク

好中球（/uL）	感染のリスク
1,500～1,000	軽度のリスク
1,000～500	中等度のリスク（感染の頻度が高くなる）
500 以下	重度のリスク（重症感染症が増加する）
100 以下	致命的感染症（敗血症）が起こりやすくなる

抗がん剤投与開始から 7～14 日目に最低値に至る
減少程度・持続期間は治療内容や患者の状態（PS，前治療歴，年齢，骨髄浸潤の有無など）により変動する

表 1-4　血小板数と出血のリスク

血小板（/uL）	定義
100,000 以下	通常は無症状
50,000 以下	出血傾向が出現
20,000 以下	重大な出血のリスクが上昇
10,000 以下	重篤な出血のリスクが上昇 頭蓋内出血，重症消化管出血，気道出血など

抗がん剤投与後 1 週目から減少し，2～3 週目に最低値に至る

表 1-5　血小板数に応じた運動プログラム

血小板（/uL）	運動プログラム
150,000～450,000	制限なく普通の活動
50,000～150,000	漸増筋力増強訓練，水泳，自転車
30,000～50,000	中等度活動運動・関節可動域訓練，低負荷での筋力増強訓練（0.5～1.0kg，重くない抵抗・等速性），ウォーキング，水中運動，エルゴメーター
20,000～30,000	セルフケア，低負荷（自動・他動）での運動，機能・動作訓練
20,000 以下	主治医の許可のもと，ウォーキングとセルフケア（耐久性やバランスの安全を保つために必要であれば介助下），最小限の注意深い運動・活動，必要最小限の ADL のみ

で，クリーンルーム管理などの感染予防の対策を実施した後，リハビリテーション治療を行う。血小板が減少すると出血が問題となる（表 1-4）。30,000/μL 以上であれば特に運動の制限は必要ないが，10,000～20,000/μL では有酸素運動を主体にして筋力増強訓練は行わないようにする。10,000/μL 以下の場合には，積極的な運動は行うべきではない。強い負荷での筋力増強訓練も筋肉内出血・関節内出血を引き起こす可能性があるので注意する。血小板数に応じた運動プログラム例を表 1-5 に示した[6]。ヘモグロビンが減少すると，貧血症状が問題となる（表 1-6）。ヘモグロビン値が 7～10g/dL のときは，運動前後の脈拍数・SpO_2 や動悸，息切れなどの自覚症状に注意し，7g/dL 未満のときには積極的な運動は行うべきではない。表 1-7 に知っておきたいリスク管理のポイントをまとめた。

表1-6 ヘモグロビン濃度と貧血症状

ヘモグロビン濃度（g/dL）	貧血症状
9～10	皮膚・口唇・口腔粘膜・眼瞼結膜の蒼白
8～9	心拍数の増加，動悸，息切れ
7～8	頭痛，めまい，耳鳴，倦怠感，四肢冷感，思考能力低下，心拍出量の低下，酸素不足
6～7	心雑音
3～6	口内炎，筋肉のこむらがえり，食欲不振，悪心，便秘，低体温（全身の酸素欠乏による）
3 以下	心不全，浮腫，昏睡（生命にとって危険な状態）

抗がん剤投与後 2 週目以降に減少する

表 1-7 知っておきたいリスク管理のポイント

化学療法中	1） 化学療法後には，臥床に伴う心肺系・筋骨格系の廃用，ヘモグロビン値の低下，多量の水分負荷もしくは心毒性に伴う心機能の軽度低下などが原因で，安静時に頻脈となることが多い。運動負荷の目安については，動悸，息切れなどの自覚症状に注意しながら，安静時よりも 10～20/分多い心拍数を目安に少しずつ負荷量を増加させていくとよい。 2） アンスラサイクリン系薬剤であるドキソルビシン（アドリアマイシン®）やダウノルビシン（ダウノマイシン®）などの使用によって用量依存性に心機能障害が出現する。 3） シスプラチン，シクロホスファミド，アンスラサイクリン系薬剤，イリノテカン投与で悪心・嘔吐が出現しやすくリハビリテーション治療を阻害する可能性がある。セロトニン受容体拮抗剤などの投与で症状緩和を図る。 4） シスプラチン，タキサン系薬剤などの投与によって末梢神経障害が発生する。通常は治療終了後数カ月～数年で消失もしくは軽快するが，ときに不可逆的な障害が起こる。
放射線療法中	1） 急性反応（照射期間中もしくは照射直後に発生）には全身反応と局所反応がある。全身反応である放射線宿酔は照射後早期にみられる吐き気，食欲不振，倦怠感など二日酔い様の症状をいう。全脳や腹部の広い範囲を照射した場合に起きやすい。局所反応には脳や気道などの浮腫，皮膚炎，口腔咽頭粘膜の障害，消化管障害，喉頭浮腫がある。 2） 晩期反応（半年以降に出現）には，神経系（脳壊死，脊髄障害，末梢神経障害），皮下硬結，リンパ浮腫，骨（大腿骨頭壊死，肋骨骨折），口腔・唾液腺（口腔内乾燥症，開口障害），咽頭・喉頭の障害などがみられる。頭頸部や乳癌の術後照射の後には，結合組織の増生による皮下の硬結により頸部や肩の運動制限をきたすことがある。早期からのリハビリテーション治療が有用である。
血栓・塞栓症	1） がん患者では凝固・線溶系の異常をきたしている場合があり，長期の安静臥床もあいまって血栓・塞栓症を生じるリスクが高い。下肢の深部静脈血栓（deep venous thrombosis；DVT）の臨床症候は，局所浮腫，発赤，腓腹部の疼痛，熱感，Homans 徴候（腓腹部の把握痛，足関節の他動的背屈により腓腹部に痛みが出現）である。 2） DVT により静脈系に生じた血栓が塞栓子となり，血流に乗って運ばれ肺動脈が閉塞すると，肺血栓塞栓症（pulmonary thromboembolism；PTE）を生じる。完全に閉塞すると肺組織が壊死し肺梗塞をきたす。自覚症状として突然の呼吸困難，胸痛，咳，血痰，意識低下，動悸，頻呼吸を認めるが，突然ショック症状で発症する場合も多い。長期間の安静臥床後に初めて離床を試みる際には注意を要する。 3） DVT は D-dimer 高値，超音波検査，造影 CT で診断される。PTE の診断には胸部 CT，肺血流・肺換気シンチグラフィ，心電図（右心負荷），動脈血ガス分析（低酸素血症），胸部 X 線（部分的透過性亢進）を行う。 4） DVT が発見されれば抗凝固療法（ヘパリン，ワルファリン）を開始する。リスクが高い場合には下大静脈フィルターを挿入し肺塞栓症を予防する。PTE の治療には抗凝固療法と血栓溶解療法，および残っている深部静脈血栓が遊離して新たな肺塞栓を生じることを防ぐための安静を要する。病状が安定するまで，下肢リンパドレナージは禁忌となる。 5） DVT，PTE の予防には，弾性ストッキング・弾性包帯（下肢を圧迫することで表在静脈に流れる血液を減少させて，深部静脈の血流量を増やし，血栓形成を抑える），間欠的空気圧迫法（foot pump；足底部を反復的に圧迫することにより，足底部からの静脈血流を保つ），足関節自動運動（下肢血流停滞を予防する），安静期間の短縮を行う。

表 1-7　知っておきたいリスク管理のポイント（続き）

胸水・腹水	1）がん性胸膜炎によって胸水が貯留している患者で安静時に呼吸苦を生じている場合には，呼吸法の指導やベッド上の体位の工夫が有効である。また，安静時には酸素化に問題がなくとも，軽度の動作によってすぐに動脈血酸素飽和度が下がってしまうことがある。このような場合にはできるだけ少ないエネルギーで動作を遂行できるように指導する必要がある。呼吸困難のため補助呼吸筋を使用している場合には，上肢動作により補助呼吸筋の使用が妨げられ，呼吸困難を悪化させてしまうので注意を要する。 2）四肢に浮腫がみられる患者で胸水や腹水が貯留している場合には，圧迫やドレナージによって胸水や腹水が増悪することがあり注意が必要である。このような場合には，呼吸困難や腹部膨満感といった自覚症状の悪化，動脈血酸素飽和度の低下などに注意しながら対処していく。特に，尿量が少ない場合には慎重な対応が求められる。
骨転移	1）骨転移は脊椎，骨盤や四肢長管骨近位部に好発する。初発症状として罹患部位の疼痛を生じるので，進行がん患者が四肢・体幹の痛みを訴えた場合には骨転移を念頭に骨シンチグラフィ，CT，MRI，単純 X 線などの検査でその有無をチェックする。初期に対処しないと病的骨折を起こし，脊椎では脊髄圧迫症状により四肢麻痺や対麻痺を生じ，余命期間の ADL は著しく低下してしまう。 2）骨転移に対する治療方針は，腫瘍の放射線感受性，骨転移発生部位と患者の予想される生命予後などにより決定される。多くの場合で放射線照射が第一選択となるが，大腿骨や上腕骨などの長管骨転移では，病的骨折を生じると QOL の著しい低下をきたすため手術対象となることも多い。 3）リハビリテーション治療に際しては全身の骨転移の有無，病的骨折や神経障害の程度を評価，骨折のリスクを認識し，訓練プログラムを組み立てる。特に，長管骨や脊椎の骨転移のある場合には，転移部に急な衝撃や大きなモーメント，捻転力が加わらないように留意する。リハビリテーション治療開始にあたっては，患者，家族への病的骨折のリスクについての説明を十分に行い，承諾を得る必要がある。 4）多職種参加（原発巣の治療科医，腫瘍専門整形外科医，放射線治療科・診断科医，リハビリテーション科医，看護師，理学療法士，作業療法士，医療ソーシャルワーカーなど）の骨転移カンファレンスを開催し，骨転移の治療方針・リハビリテーション治療の方針を検討すると円滑なマネジメントが可能となる。
悪液質	1）がんに伴う悪液質は，食欲不振と進行性の異化亢進に伴う全身性機能低下であり，宿主の細胞レベルにおける代謝異常によると考えられている。炎症性サイトカインや腫瘍壊死因子（tumor necrosis factor；TNF）などによる宿主の異化反応は，骨格筋の蛋白を減少させるため，筋断面積が縮小し筋力や筋持久力の低下を引き起こし，廃用症候群をきたしやすい。さらに，治療に伴う安静臥床は筋骨格系，心肺系などの廃用をもたらし，日常生活のさらなる制限をもたらすという悪循環に陥ってしまう。 2）がんの進行による悪液質の増悪は避けられないが，体力消耗状態のリハビリテーション治療として，易疲労に注意しながら低負荷・頻回の筋力増強訓練や関節可動域訓練・ストレッチングを実施し，機能維持に努める必要がある。運動療法とともに，栄養面のサポートも必要である。

●精神心理的問題

がん患者では，精神心理的問題を抱えていることが多い。リハビリテーション治療が心理支持的に働き，良い効果をもたらすこともあるが，逆に訓練中に不安や焦燥感などを表出したり，意欲の低下からうまくリハビリテーション治療が進まなくなったりする場合もあるので，必要に応じて精神腫瘍科医や臨床心理士/公認心理師へのコンサルテーションを行う。

がん告知に関しては，告知の有無をリハビリテーション治療開始時に把握し，担当リハビリテーション専門職に周知徹底する必要がある。また，例えば，原発巣である乳がんは告知されていても，骨転移や脳転移については告知をされていないこともあるので，告知の内容についても注意する[7]。

がん治療の効果判定

● Time to event による治療効果の判定

手術療法の治療効果判定は，再発や死亡などのイベントが発生するまでの確率と期間（time to event）

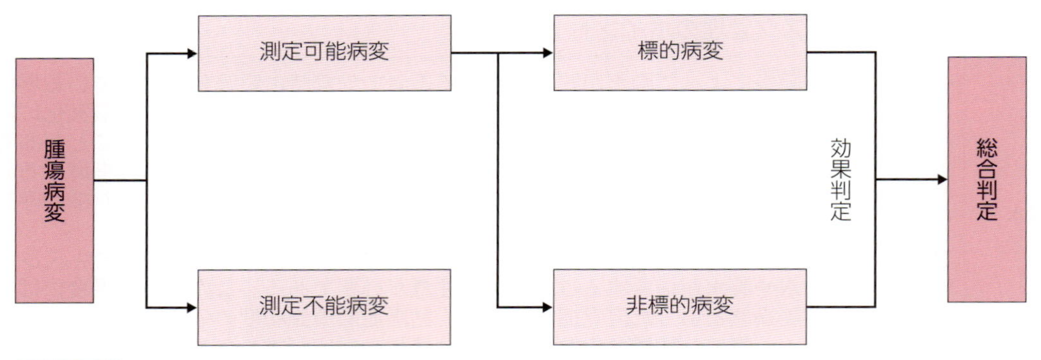

図 1-2　RECIST ガイドラインによる治療効果判定の流れ

・測定可能病変：少なくとも 1 方向で正確な測定が可能であり，かつ CT で長径が 10mm 以上の腫瘍病変，または短径が 15mm 以上のリンパ節病変。
・測定不能病変：小病変および胸水などの真の測定不能病変を含む測定可能病変以外のすべての病変。
・標的病変：ベースライン評価において 2 個以上の測定可能病変を認める場合，すべての浸潤臓器を代表する合計が 5 個（各臓器につき最大 2 病変）までの病変を標的病変として選択し，測定断面における最大径を記録する。
・非標的病変：標的病変以外のすべての病変。
（Japan Clinical Oncolcgy Group. 固形がんの治療効果判定のための新ガイドライン（RECIST ガイドライン）―改訂版 version 1.1 ―日本語訳 JCOG 版 ver.1.0. を参考に作成）

で評価される[8]。下記①～④に示すこれらの評価は，手術療法以外の治療法でも用いられる。

①無再発生存期間：再発（局所再発や遠隔転移）の発生率や発生するまでの期間
②無症状で過ごした期間：がんに起因する症状が出現するまでの期間
③疾患特異的生存率：がんによる死亡の確率，死亡までの生存期間
④全生存率：あらゆる原因による死亡の確率，死亡までの生存期間

●固形がんに対する腫瘍縮小効果の判定

固形がんに対する化学療法・放射線療法による腫瘍縮小効果の客観的な判定基準としては，「固形がんの治療効果判定のための新ガイドライン（new response evaluation criteria in solid tumors；revised RECIST guideline）」（以下，RECIST ガイドライン）が世界的に普及しており，わが国では日本臨床腫瘍研究グループ（Japan Clinical Oncology Group；JCOG）による日本語訳 JCOG 版が広く活用されている（図 1-2）[9]。

そこでは，治療効果判定の基準となる「標的病変」は，「すべての浸潤臓器の代表として 1 臓器につき最大 5 カ所，合計 10 病変まで選択し，ベースラインにおいて測定し記録する」と説明されている。標的病変以外のすべての病変は「非標的病変」とされる（表 1-8）[9]。

●血液腫瘍に対する腫瘍縮小効果の判定

血液腫瘍に対する化学療法，放射線療法による治療効果は，血液学的寛解，細胞遺伝学的寛解，分子生物学的寛解により判定する[10]。表 1-9[10] に具体的な判定基準を示した。

●治療による有害事象評価

治療効果の判定とともに有害事象の評価も，治療継続の是非を検討する重要な基準となる。国際的な評価基準であるアメリカ NCI（National Cancer Institute）の CTCAE（common toxicity criteria for adverse events）が，がん化学療法の臨床試験における有害事象評価のスタンダードとして広く用いられており，臨床現場でも導入する施設が増えている。最新版は CTCAE ver.5.0 である（2020 年 4 月時点）。日本語版は，有害事象共通用語規準 v5.0 日本語訳 JCOG 版（略称：CTCAE v5.0-JCOG）として，JCOG

表 1-8 腫瘍縮小効果の判定基準（RECIST 基準）

A. 標的病変に対する RECIST 基準	
完全奏効 （complete response；CR）	・すべての標的病変の消失 ・標的病変としたすべてのリンパ節病変の短径が 10mm 未満に縮小
部分奏効 （partial response；PR）	・ベースライン径和に比して，標的病変の径和が 30% 以上減少
安定 （stable disease；SD）	・経過中の最小の径和に比して，PR に相当する縮小がなく，PD に相当する増大がない
進行 （progressive disease；PD）	・経過中の最小の径和に比して，標的病変の径和が 20% 以上増加，かつ径和が絶対値でも 5mm 以上増加
B. 非標的病変に対する RECIST 基準	
完全奏効 （complete response；CR）	・すべての標的病変の消失かつ腫瘍マーカーの正常化，すべてのリンパ節は病的腫大とみなされないサイズ（短径が 10mm 未満）とならなければならない
非 CR/非 PD （Non-CR/Non-PD）	・1 つ以上の非標的病変の残存かつ/または腫瘍マーカー値が基準値上限を超える
進行 （progressive disease；PD）	・既存の非標的病変の明らかな増悪

（Japan Clinical Oncology Group. 固形がんの治療効果判定のための新ガイドライン（RECIST ガイドライン）―改訂版 version 1.1―日本語訳 JCOG 版 ver.1.0. を参考に作成）

表 1-9 血液腫瘍に対する治療効果判定

血液学的寛解	骨髄標本で腫瘍細胞が消失した状態。以下の基準を満たす状態が最低 4 週間持続することを指す ・骨髄の芽球が 5% 以下 ・骨髄に正常赤芽球系・顆粒球系・巨核球を認める ・末梢血には芽球を認めない ・好中球 1,000/μL 以上 ・血小板 100,000/μL 以上
細胞遺伝学的寛解	染色体検査により腫瘍細胞が検出されなくなった状態
分子生物学的寛解	遺伝子検査で腫瘍細胞特有の遺伝子が消失した状態

（澤田武志，前田義治．がん化学療法の効果判定方法．佐々木常雄，岡元るみ子（編）：新がん化学療法ベスト・プラクティス．照林社，2012. より引用）

表 1-10 CTCAE v5.0-JCOG のグレードの一般的基準

グレード	一般的基準
1	軽症；症状がない，または軽度の症状がある；臨床所見または検査所見のみ；治療を要さない
2	中等症；最小限/局所的/非侵襲的治療を要する；年齢相応の身の回り以外の日常生活動作の制限
3	重症または医学的に重大であるが，直ちに生命を脅かすものではない；入院または入院期間の延長を要する；身の回りの日常生活動作の制限
4	生命を脅かす；緊急処置を要する
5	有害事象による死亡

グレード説明文中のセミコロン（；）は「または」を意味する。

（有害事象共通用語規準 v5.0 日本語訳 JCOG 版．より引用）

によって作成・公開されている[11)]。表 1-10 に CTCAE v5.0-JCOG のグレードの一般的基準を示した。

（辻　哲也）

引用文献

1) 辻哲也．がんに対するリハビリテーション医療の意義．日本リハビリテーション医学会（監）．リハビリテーション医学・医療コアテキスト．pp248-51，医学書院，2018.
2) Fialka-Moser V, Crevenna R, Korpan M, et al. Cancer rehabilitation: particularly with aspects on physical impairments. J Rehabil Med. 2003; 35: 153-62.
3) 辻哲也．がんのリハビリテーション．日医雑誌．2011; 140: 55-59.
4) Dietz JH. Rehabilitation oncology. John Wiley & Sons, New York, 1981.
5) Vargo MM, Riutta JC, Franklin DJ. Rehabilitation for patients with cancer diagnoses. Frontera WR（ed）: Delisa's Physical Medicine and Rehabilitation: Principles and Practice, 5th Ed. Lippincott Williams and Wilkins, pp1151-78, 2010.
6) A Stampas, Smith RG, Savodnik A, et al. Cancer Rehabilitation, Principles and Practice. Demos Medical Publishing, pp393-403, 2009.
7) 辻哲也，木村彰男．リスク管理．辻哲也，里宇明元，木村彰男（編）：癌（がん）のリハビリテーション．pp451-53，金原出版，2006.
8) 鳶巣賢一．癌治療の効果判定と治療の流れ．辻哲也，里宇明元，木村彰男（編）：癌（がん）のリハビリテーション．pp34-8, 金原出版，2006.
9) Japan Clinical Oncology Group. 固形がんの治療効果判定のための新ガイドライン（RECIST ガイドライン）—改訂版 version 1.1 —日本語訳 JCOG 版 ver.1.0. http://www.jcog.jp/doctor/tool/RECISTv11J_20100810.pdf（最終アクセス日：2020 年 7 月 28 日）
10) 澤田武志，前田義治．がん化学療法の効果判定方法．佐々木常雄，岡元るみ子（編）：新がん化学療法ベスト・プラクティス．照林社，2012.
11) 有害事象共通用語規準 v5.0 日本語訳 JCOG 版. http://www.jcog.jp/doctor/tool/CTCAEv5J_20190905_v22_1.pdf（最終アクセス日：2020 年 7 月 22 日）

2 がん患者の評価

チェックポイント

- ✓ がんのリハビリテーション診療を実施するためには，PS（Performance Status），すなわち実際の身体機能の状態やセルフケア能力の評価が必要である。
- ✓ がんのリハビリテーション診療における評価は，がんのリハビリテーション診療に関わるすべての職種が，その専門性に応じて，リハビリテーション治療開始前やリハビリテーション治療経過中に定期的に実施し，情報共有する。
- ✓ PS や機能障害の評価法としては，がん医療の現場では，ECOG PS および KPS（Karnofsky Performance Status）が用いられている。
- ✓ ADL の評価法としては，Barthel 指数（BI），機能的自立度評価法（FIM）が用いられる。
- ✓ 既存の評価尺度では，リハビリテーション治療の効果を検討していくうえでは不十分である。がん患者特有の症状や機能障害を的確に評価することができる評価尺度の開発・普及が望まれる。

関連 CQ・推奨グレード

CQ 02

がん患者の身体機能，ADL，QOL 評価の方法は？

▶ 推 奨

1. がん患者にリハビリテーション治療を行うにあたり，がんの病態や治療戦略，機能障害(Performance Status)，能力低下〔活動制限，ADL 障害〕，社会的不利（参加制約）を評価することを推奨する。
2. 汎用され，信頼性・妥当性が検証されている以下の評価尺度を用いることを推奨する。
   1）機能障害（PS 等）：
      - ・ECOG PS
      - ・KPS
   2）ADL：
      - ・BI
      - ・FIM
      - ・Katz Index
   IADL：
      - ・Lawton IADL Scale

ベストプラクティス

●なぜ必要なのか？

がんのリハビリテーション診療を実施するためには，PS（Performance Status），すなわち実際の身体機能の状態やセルフケア能力を的確に評価し，機能予後の予測やリハビリテーション治療の効果判定をしていく必要がある。PS は主要な生命予後の予測因子であり，治療の効果と有害事象の指標としても重要である。また，ADL 評価はリハビリテーションプログラムを計画するうえで必須となる。

QOL やがん患者で生じやすい倦怠感・心理的問題の評価も，療養生活の質を評価するうえでは重要である。

●誰がいつどこで行うのか？

がんのリハビリテーション診療を実施するにあたっては，がんのリハビリテーション診療に関わる職種による診察や評価をもとに問題点が抽出・整理され，目標設定（機能予後・ADL・転帰先・期間），治療の方針（リハビリテーションプログラム），職種別の役割をカンファレンスで決定する（⇒ p250：図 11-1）。リハビリテーション科医がリハビリテーション処方を作成した後，リハビリテーション医療（理学療法・作業療法・言語聴覚療法・リハビリテーション看護）が患者に提供され，リハビリテーション治療効果の評価を行う。症例の経過に応じてカンファレンスは随時開催され，リハビリテーション処方が更新されていく。このプロセスが繰り返されて，長期目標に向かってリハビリテーション治療が継続される。

したがって，がんのリハビリテーション診療における評価は，がんのリハビリテーション診療に関わるすべての職種が，その専門性に応じて，リハビリテーション治療開始前やリハビリテーション治療経過中に定期的に実施し，カンファレンスを通じて情報共有することが必須となる。情報共有の手段として，総合医療管理システム（電子カルテシステム）は大きな武器となる。

●機能障害の評価は，どのような方法で行うのか？

1．ECOG PS（Eastern Cooperative Oncology Group Performance Status）（表 1-11）[1)]

評定尺度は 5 段階である。主に化学療法など積極的治療期における身体機能の評価のために，がん医療の現場で広く普及している評価法である[1, 2)]。治療の適応基準の判断，治療効果の指標，生存期間の予測

表 1-11　ECOG Performance Status 日本語版

スコア	定義
0	全く問題なく活動できる。 発病前と同じ日常生活が制限なく行える。
1	肉体的に激しい活動は制限されるが，歩行可能で軽作業や座っての作業は行うことができる。 例：軽い家事，事務作業
2	歩行可能で自分の身の回りのことはすべて可能だが作業はできない。 日中の 50%以上はベッド外で過ごす。
3	限られた自分の身の回りのことしかできない。 日中の 50%以上をベッドか椅子で過ごす。
4	全く動けない。 自分の身の回りのことは全くできない。 完全にベッドか椅子で過ごす。

(Oken MM, Creech RH, Tormey DC, et al. Toxicity and response criteria of the Eastern Cooperative Oncology Group. Am J Clin Oncol. 1982; 5: 649-55. より引用改変)

表 1-12 Karnofsky Performance Status（KPS）

%	症状	介助の要・不要
100	正常，臨床症状なし	正常な活動可能，特別のケアを要していない
90	軽い臨床症状があるが正常の活動可能	
80	かなりの臨床症状があるが努力して正常の活動可能	
70	自分自身の世話はできるが正常の活動・労働は不可能	労働不可能，家庭での療養可能，日常の行動の大部分に病状に応じて介助が必要
60	自分に必要なことはできるが時々介助が必要	
50	病状を考慮した看護および定期的な医療行為が必要	
40	動けず，適切な医療および看護が必要	自分自身のことをすることが不可能，入院治療が必要，疾患が急速に進行していく時期
30	全く動けず入院が必要だが死はさしせまっていない	
20	非常に重症，入院が必要で精力的な治療が必要	
10	死期が切迫している	
0	死	—

（Karnofsky DA, Ableman WH, Craver LF, et al. The use of nitrogen mustard in the palliative treatment of carcinoma. Cancer. 1948; 1: 634-56. より引用改変）

因子として有用性が示されている[3)]。

利点は簡便に短時間で評価できることである。欠点は，感度が低く，がんのリハビリテーション治療の効果判定には不十分なことである。また，病的骨折や運動麻痺などの機能障害のために活動性が制限されている場合には，たとえ全身状態が良好であっても低いグレードになってしまうことに注意が必要である。

再テスト法による信頼性の検証[4,5)]や予測的妥当性の検証が実施されている[6)]。ECOG PS はパブリックドメイン（公有）であるため，知的財産権は発生しないが，複製する場合には，引用元の明示が義務づけられている。

2. KPS（Karnofsy Performance Status）（表 1-12）[7)]

病状や労働，日常生活の介助状況により，100％（正常）から 0％（死）まで，11 段階で採点を行う。1948 年に初めて報告された評価法[7)]であるが，現在でも ECOG PS と並んでがん患者の身体機能の評価として，世界的に広く用いられている。治療の適応基準の判断，治療効果の指標，生存期間の予測因子として有用性が示されている[8,9)]。

利点は単純で短時間での測定が可能であり，ECOG PS よりも評定尺度がやや細かく詳細な評価が可能なことである。欠点は，古典的な評価法であるため，現在の医療状況にうまく適合しない点が挙げられる。例えば，30％以下では入院治療が必要とされているが，現在の医療状況では在宅での医療・看護が選択される場合も十分に考えられ，採点に苦慮する場合がある。

再テスト法による信頼性の検証[9-11)]や構成概念妥当性の検証がなされている[10,11)]。著作権はなく，引用元を記載すれば，制限なく利用できる。

3. PPS（Palliative Performance Scale）（表 1-13）[12)]

KPS の問題点を考慮し，現状の医療状況と矛盾しないように KPS を修正したものである。小項目として，移動・活動性・セルフケア・食物摂取・意識状態を各々評価し，KPS と同様に 11 段階で採点する。信頼性・妥当性についての検証もなされており，末期がん患者の新たな身体機能評価法として注目されている[12,13)]。

表 1-13 Palliative Performance Scale (PPS)

%	移 動	活動性	セルフケア	食物摂取	意識状態
100	正常	正常 病状変化なし	自立	正常	正常
90	正常	正常 いくらか病状変化あり	自立	正常	正常
80	正常	正常（努力が必要） いくらか病状変化あり	自立	正常/低下	正常
70	低下	通常の仕事困難 いくらか病状変化あり	自立	正常/低下	正常
60	低下	趣味や家事困難 かなり病状進行あり	たまに介助が必要	正常/低下	正常/混乱
50	大部分車椅子	どんな作業も困難 広範に病状進行	かなり介助が必要	正常/低下	正常/混乱
40	大部分ベッド	どんな作業も困難 広範に病状進行	大部分介助	正常/低下	正常/混乱/傾眠
30	すべてベッド	どんな作業も困難 広範に病状進行	すべて介助	低下	正常/混乱/傾眠
20	すべてベッド	どんな作業も困難 広範に病状進行	すべて介助	ごく少量	正常も/混乱/傾眠
10	すべてベッド	どんな作業も困難 広範に病状進行	すべて介助	口腔ケアのみ	傾眠/昏睡
0	死	−	−	−	−

(Anderson F, Downing GM, Hill J, et al. Palliative performance scale (PPS)：a new tool. J Palliat Care. 1996; 12: 5-11. より引用改変)

4. その他の評価法

既存の評価尺度では，がん患者の身体機能を多面的に評価できず，がん自体およびその治療に伴うさまざまな身体症状を詳細に評価することが困難であるため，リハビリテーション治療の効果を検討していくうえでは不十分である。がん患者特有の症状や機能障害を的確に評価することができる評価尺度の開発・普及が望まれる。

2001 年に開発された EFAT-2 (Edmonton Functional Assessment Tool)[14] は直接的に身体機能に影響するバランス，動作，移動，疲労，意欲，ADL などの項目を含み，末期がん患者の個々の障害を評価することができるという特徴がある[9]。しかし，いくつかの項目では採点方法が明確でないため，採点の方法について，著者への照会を要する。

わが国で近年開発された cFAS (Cancer Functional Assessment Set)（表 1-14）[15] は，がん患者の機能障害に焦点を当て，関節可動域，筋力，感覚機能，バランス，最大動作能力，活動性の各領域を 4 段階もしくは 6 段階で評価するものである。cFAS を用いると，がん患者の身体機能の障害の程度を詳細に知

表1-14 Cancer Functional Assessment Set（cFAS）

最大動作能力	起き上がり	機能的自立度 0：全介助～最大介助 1：中等介助 2：軽介助 3：見守り 4：補装具を要する 5：自立	0 1 2 3 4 5
	立ち上がり		0 1 2 3 4 5
	移乗		0 1 2 3 4 5
	50m 歩行		0 1 2 3 4 5
	階段昇降		0 1 2 3 4 5
筋力	上肢	握力	右 0 1 2 3 4 5
			左 0 1 2 3 4 5
	体幹	座位からの起き上がり	0 1 2 3
	下肢	股関節屈曲（MMT）	右 0 1 2 3 4 5
			左 0 1 2 3 4 5
		膝関節伸展（MMT）	右 0 1 2 3 4 5
			左 0 1 2 3 4 5
		足関節背屈（MMT）	右 0 1 2 3 4 5
			左 0 1 2 3 4 5
バランス	立位	開眼片脚立位	右 0 1 2 3 4 5
			左 0 1 2 3 4 5
		閉眼閉脚立位	0 1 2 3
関節可動域	肩関節	他動的外転	右 0 1 2 3
			左 0 1 2 3
	足関節	他動的背屈	右 0 1 2 3
			左 0 1 2 3
感覚	上肢	0：重度 1：中等度の障害 2：軽度の障害 3：正常	0 1 2 3
	下肢		0 1 2 3
活動性	主な活動範囲	0：ベッド上 1：自室内 2：病棟内・屋内 3：院内・屋外	0 1 2 3
合計			102 点

(Miyata C, Tsuji T, Tanuma A, et al. Cancer functional assessment set: a new tool for functional evaluation in cancer. Am J Phys Med Rehabil. 2014; 93: 656-64. より引用改変)

ることができ，リハビリテーションプログラムの作成やリハビリテーション治療効果の判定に役立つ。また，病的骨折や運動麻痺などの機能障害のために活動性が制限されているのか，悪液質の進行により全身状態が悪化し活動性が制限されているのかを区別して評価することができる。信頼性・妥当性・反応性の検証もなされており，今後，広く使用されていくことが期待される。なお，cFASを用いた研究を公表する場合には，引用元を明示する必要がある。

表 1-15 Barthel 指数

評価項目	採点基準（得点）
食事	0，5，10
清拭	0，5
整容	0，5
更衣	0，5，10
排便コントロール	0，5，10
排尿コントロール	0，5，10
トイレ動作	0，5，10
移乗動作（ベッド⇔椅子）	0，5，10，15
移動（歩行もしくは車椅子）	0，5，10，15
階段	0，5，10
総得点（完全自立）	100 点

(Mahoney FI, Barthel DW. Functional evaluation: the barthel index. Md State Med J. 1965; 14: 61-5. より引用改変)

●機能障害の評価は，どのような方法で行うのか？

1. Barthel 指数（Barthel Index；BI）（表 1-15）[16)]

Barthel 指数は 1965 年に開発されて以降，国内外において数多くの研究に用いられてきた実績があり，現在でも簡便な ADL 評価法として汎用されている[16)]。

緩和医療の領域では，Yoshioka[17)] がホスピス入院中の終末期患者のうち，ADL に障害のあった 239 名に対して，Barthel 指数の移乗，移動項目で評価し，リハビリテーション治療開始時のスコアが 12.4 点，ADL 訓練を行い到達した最高スコアが 19.9 点であったことを報告している。

2. 機能的自立度評価法（Functional Independence Measure；FIM）（表 1-16）[18)]

運動項目 13 項目と認知項目 5 項目から構成され，各項目 7 段階で評価する ADL 評価法である。認知項目を有するため，高次脳機能障害，精神心理面の問題がある場合も良い適応となる。介護量（burden of care）の測定を目的とし，患者が実際の日常生活で行っている動作や振る舞いを採点する[18)]。

評価尺度は既存の ADL 評価法よりも詳細であるが，各項目の最高点と最低点および評定尺度の基準が統一されているので評価しやすい。FIM の信頼性，妥当性に関してはメタアナリシスを含む多くの論文で検証され，良好な結果が得られている[19)]。

がん医療の領域では，入院時と退院時の FIM の比較で，運動項目は全患者について改善を認め[20, 21)]，認知項目についても，頭蓋内腫瘍と終末期の症状緩和目的以外の患者では改善を認めたことが報告されている[21)]。

3. Katz Index（表 1-17）[22)]

6 項目（入浴，更衣，トイレ，移乗，排泄，食事）から構成され，各項目 2 段階（自立か介助）で評価する ADL 評価法である[22, 23)]。1960 年代に開発された評価法であるが，簡便で採点が容易であることから，がん治療分野の臨床研究において現在も用いられている。

4. Lawton IADL Scale（表 1-18）[24)]

手段的 ADL については，重要な項目が年齢・性別・生活環境（家庭内での役割・住居の状態・生活スタイル）などによって異なるため，国際的に統一した評価スケールの開発は難しいが，がん治療分野の臨

表 1-16 機能的自立度評価法（FIM）

運動項目		認知項目	
セルフケア	①食事	コミュニケーション	⑭理解
	②整容		⑮表出
	③清拭（入浴）	社会的認知	⑯社会的交流
	④更衣（上半身）		⑰問題解決
	⑤更衣（下半身）		⑱記憶
	⑥トイレ動作	**採点基準**	
排泄コントロール	⑦排尿管理	介助者不要	7 点：完全自立
	⑧排便管理		6 点：修正自立
移乗	⑨ベッド・椅子・車椅子	介助者必要	5 点：監視・準備
	⑩トイレ		4 点：最小介助
	⑪浴槽・シャワー		3 点：中等度介助
移動	⑫歩行・車椅子		2 点：最大介助
	⑬階段		1 点：全介助

（千野直一（監訳）．FIM 医学的リハビリテーションのための統一データセット利用の手引き 第 3 版．慶應義塾大学リハビリテーション医学教室，1997．より引用改変）

表 1-17 Katz Index

評価	6 項目のうちの介助項目
A	なし（すべて自立）
B	1 項目
C	入浴ともう 1 つの項目
D	入浴，更衣ともう 1 つの項目
E	入浴，更衣，トイレともう 1 つの項目
F	入浴，更衣，トイレ，移乗ともう 1 つの項目
G	6 項目すべて
その他	2 項目以上，しかし CDEF パターンではない

6 項目は，入浴，更衣，トイレ，移乗，排尿・排便，食事。Katz より，介助項目に言い換えて和訳。

項目	自立の内容
入浴（スポンジ，シャワー，浴槽）	（背中または麻痺肢のような）1 カ所のみの介助，または介助なし
更衣	服を取ってきてファスナーを含めて自分で着る，靴ひも結びは除く
トイレに行く	トイレに行き，トイレに移り，服の始末をし，排泄の後に拭く
移乗	器具を使ってもよいから，ベッドの乗り降り，椅子の乗り戻りが自立している
排泄（禁制）	排尿と排便が完全に自己コントロールされている
食事	皿などから食物を取って口に運ぶ，あらかじめ刻むなどの準備は評価外

（園田茂．日常生活動作（活動）の評価．千野直一（編）現代リハビリテーション．金原出版，2009．より引用改変）

表 1-18 Lawton IADL Scale

	項目	採点
A	電話を使用する能力	
	1. 自分から電話をかける（電話帳を調べたり，ダイアル番号を回すなど）	1
	2. 2〜3 のよく知っている番号にかける	1
	3. 電話に出るが自分からかけることはない	1
	4. 全く電話を使用しない	0
B	買い物	
	1. すべての買い物は自分で行う	1
	2. 小額の買い物は自分で行える	0
	3. 買い物に行くときはいつも付き添いが必要	0
	4. 全く買い物はできない	0
C	食事の準備	
	1. 適切な食事を自分で計画し準備し給仕する	1
	2. 材料が供与されれば適切な食事を準備する	0
	3. 準備された食事を温めて給仕する。あるいは食事を準備するが適切な食事内容を維持しない	0
	4. 食事の準備と給仕をしてもらう必要がある	0
D	家事	
	1. 家事を 1 人でこなす，あるいはときに手助けを要する（例：重労働など）	1
	2. 皿洗いやベッドの支度などの日常的仕事はできる	1
	3. 簡単な日常的仕事はできるが，妥当な清潔さの基準を保てない	1
	4. すべての家事に手助けを必要とする	1
	5. すべての家事に関わらない	0
E	洗濯	
	1. 自分の選択は完全に行う	1
	2. 靴下のすすぎなど簡単な洗濯をする	1
	3. すべて他人にしてもらわなければならない	0
F	移動の形式	
	1. 自分で公的機関を利用して旅行したり自家用車を運転する	1
	2. タクシーを利用して旅行するが，その他の公的輸送機関は利用しない	1
	3. 付き添いがいたり皆と一緒なら公的輸送機関で旅行する	1
	4. 付き添いか皆と一緒で，タクシーか自家用車に限り旅行する	0
	5. 全く旅行しない	0

表1-18 Lawton IADL Scale 採点（続き）

G	自分の服薬管理	
	1. 正しいときに正しい量の薬を飲むことに責任がもてる	1
	2. あらかじめ薬が分けて準備されていれば飲むことができる	0
	3. 自分の薬を管理できない	0
H	財産取り扱い能力	
	1. 経済的問題を自分で管理して（予算，小切手書き，掛金支払い，銀行へ行く）一連の収入を得て，維持する	1
	2. 日々の小銭は管理するが，預金や大金などでは手助けを必要とする	0
	3. 金銭の取り扱いができない	0

（日本老年医学会（編）. 健康長寿診療ハンドブック. p137, メジカルビュー社, 2011. より引用改変）

床研究では，1960年代に開発されたLawton IADL Scale[25]が一般的に用いられている。電話の使用，買い物，食事の支度，家事，洗濯，移動手段，服薬の管理，財産管理の8項目から構成される[24, 25]。

● QOLの評価は，どのような方法で行うのか？

QOL評価には，SF-36（MOS 36-Item Short-Form Health Survey）[26]など，がん以外にも広く使用されている評価尺度とともに，がんに特異的な尺度であるFACT（Functional Assesment of Cancer Therapy ⇒ p304）[27]，EORTC QLQ（European Organization for Research and Treatment of Cancer Quality of Life Questionnaire）[28]（⇒ p302），QOL-ACD（Quality of Life Questionnaire for Cancer Patients Treated with Anticancer Drugs）[29]（⇒ p306）などが用いられる。

がん特異的尺度は，身体面・機能面・心理面・社会面といったQOLの領域（これらの領域群を健康関連QOLとよぶ）を含み，これにがん種・治療法・症状別にモジュールや下位尺度を追加した形式をとることが多い。

●倦怠感の評価は，どのような方法で行うのか？

アメリカ総合がんセンターネットワーク（National Comprehensive Cancer Network；NCCN）のガイドラインでは，がんに伴う倦怠感は「がんやがん治療に伴う永続的，主観的な疲れであり，肉体的，精神的，感情的な側面をもっている感覚で，エネルギーが少なくなっている状態」と定義されている[30]。がん治療中や治療後の多くの患者に出現する症状であり，原疾患の進行により身体機能が低下すると自覚的な倦怠感は増強する。

日本語では「がんに関連した疲労感」「疲労感」などと訳されることもあるが，緩和ケアなどの場面では，「倦怠感」と表現していることが多い。また，患者向けには，「からだのつらさ・きもちのつらさ」といった表現も，ほぼ同等の概念として用いられている[31]。

簡易的な評価法にはno fatigueからworst fatigueを10段階で示すNRS（Numerical Rating Scale）[32]や，0～100の自覚的スケールであるSAS（Symptom Assessment Scale）[33]がある。倦怠感が身体面・感情面・認知面にどのような影響を与えるかを多角的に評価する評価法には，BFI（Brief Fatigue Inventory ⇒ p307）[34, 35]およびCFS（Cancer Fatigue Scale）[36, 37]などがある。

●心理的問題の評価は，どのような方法で行うのか？

がん患者は，がんの診断によるストレス，がんの進行や再発，治療内容に対する不安，疼痛，入院や治

表 1-19 飢餓と悪液質の違い

	飢餓	悪液質
体重	減少	減少
脂肪組織	減少	減少
骨格筋	維持	減少
炎症蛋白質の合成	維持	増加
安静時エネルギー消費量	減少	増加

(Chasen MR, Bhargava R. A descriptive review of the factors contributing to nutritional compromise in patients with head and neck cancer. Support Care Cancer. 2009; 17: 1345-51. より引用改変)

療に伴う経済的負担，社会的立場の変化など，その背景に QOL を低下させる多くの要因を抱えている。

がん患者の抑うつや不安などの精神心理面の評価には，つらさと支障の寒暖計（Distress and Impact Thermometer；DIT）[38]，HADS（Hospital Anxiety and Depression Scale）[39]，POMS（Profile of Mood States）[40] が用いられる。

●悪液質の評価は，どのような方法で行うのか？

がん悪液質は「通常の栄養サポートでは完全に回復することができず，進行性の機能障害に至る，骨格筋量の持続的な減少（脂肪量減少の有無を問わない）を特徴とする多因子性の症候群」[41] と定義される。

飢餓も体重の減少を伴うが，脂肪組織の減少が主であり骨格筋の大きな喪失を伴わない。一方，がん悪液質では，骨格筋の合成と分解のバランスが負に傾き，骨格筋の多大な喪失を呈するとともに，安静時のエネルギー消費も亢進する点が大きな違いである（表 1-19）[42]。がん悪液質は進行がん患者の 80%に認められ [43]，化学療法の効果の減弱，有害事象や治療中断の増加，さらには生存率にまで影響を及す。

中枢神経系に作用し食欲不振を生じるとともに，腫瘍産生因子である proteolysis-inducing factor（PIF）や炎症性サイトカイン（TNF-α，IL-1，IL-6 など）が筋蛋白・筋線維の分解を促進し，筋崩壊が生じ，筋萎縮・筋力低下を呈する。その結果，不動や活動性の低下による廃用性筋萎縮が進行し，さらに身体活動が制限され，体力・持久力の低下を生じるという悪循環に陥る。

悪液質は，EPCRC（European Palliative Care Research Collaborative）による悪液質ガイドラインにより，前悪液質，悪液質，不応性悪液質の 3 つの段階に分類することができる（表 1-20）[41]。進行がん患者においては，食欲不振の症状の有無とともに，スクリーニング評価として，体重減少，BMI，筋量・筋力低下（サルコペニア）の有無を定期的に評価し，悪液質に対する早期から適切なマネジメントを実施することが，限られた余命の間の倦怠感などの症状や身体機能の低下を生じさせないうえで重要である [44]。

●高齢がん患者の評価は，どのような方法で行うのか？

高齢化社会の進展に伴い，高齢がん患者の数は年々増加している。高齢がん患者では，加齢に伴い併存疾患の数が増加すると同時に，尿失禁，転倒，体重減少，めまい，視力低下など高齢者特有のさまざまな病態（いわゆる老年症候群）を呈する。さらには，内服薬の増加，認知機能の低下や抑うつなどの精神心理的な問題，家族形態や経済状況などの社会的問題も存在するなど，高齢がん患者は多くの点で非高齢がん患者と異なる [45]。高齢がん患者は，ベースとなる機能的能力のレベルが多様な集団であり，がん以外の慢性疾患と共存し，治療がより複雑化する可能性がある。したがって，高齢者のアセスメントでは，医学的な原病の問題だけでなく，身体・心理・社会的な評価も含め，老年医学やリハビリテーション診療と

表 1-20 EPCRC によるがん悪液質のステージ分類

	がん悪液質		
ステージ	前悪液質 (pre-cachexia)	悪液質 (cachexia)	不応性悪液質 (refractory cachexia)
治療	集学的な（薬物・運動・栄養・心理療法など） 早期治療が必要とされる		緩和的治療を主体とする
臨床的特徴	・過去６カ月間の体重減少≦5% ・食欲不振・代謝異常	・経口摂取不良／全身性炎症を伴う	・悪液質の症状に加え，異化亢進し，抗がん治療に抵抗性を示す ・PS 不良（WHO の基準で PS 3 または 4） ・予測生存期間＜3 カ月
診断基準		①過去６カ月間の体重減少＞5% ② BMI＜20，体重減少＞2% ③サルコペニア*，体重減少＞2% 上記①～③のいずれか	

＊DXA（dual energy X-ray absorptiometry），BIA（bioelectrical impedance analysis），CT，上腕三頭筋面積などにより診断

(Fearon K, Strasser F, Anker SD, et al. Definition and classification of cancer cachexia: an international consensus. Lancet Oncol. 2011; 12: 489-95. および内藤立暁．がん悪液質：機序と治療の進歩（Cancer cachexia: mechanisms and progress in treatment）．日本がんサポーティブケア学会 Cachexia 部会．pp10-4，2018．より引用改変)

協働して，集学的チームでケアに取り組むことが重要である[46]。高齢がん患者に対してリハビリテーション治療を行うと，生理的・身体的・精神的健康が改善することが示されている[47]。

したがって，高齢がん患者においては治療前の段階で，身体的・精神的・社会的な機能を把握し，適切な治療選択を行うことが重要となる。そのためには，治療前に高齢がん患者の全身状態を総合的に判断することが重要となるが，そのためのツールとして高齢者機能評価（geriatric assessment；GA）がある。GA は，①身体機能，②併存症，③薬剤，④栄養，⑤認知機能，⑥気分，⑦社会支援，⑧老年症候群を基本的な構成因子（ドメイン）としている。

高齢がん患者では，治療前やリハビリテーション治療の開始時に GA を行い，治療方針やリハビリテーション治療の方針決定を行う必要があるが，GA のすべてのドメインを網羅するには長時間を要するため，少ない質問項目による評価法により機能障害の有無をスクリーニングするとよい。定量評価が可能な GA の代表的なスクリーニングツールとして，G8（Geriatric 8），VES-13（Vulnerable Elders Survey-13），fTRST（Flemish version of the Triage Risk Screening Tool），Mini-Cog がある。各々のツールの評価するドメインを表 1-21[45, 48] に示した。G8（表 1-22）[49] は世界中で最も広く用いられているスクリーニングツールである。短時間（3 分程度）で評価が可能で，既存の GA ツールをゴールドスタンダードとした場合の G8，fTRST，VES-13 等 17 種類のスクリーニングツールの感度，特異度を比較し，G8 が最も有用なスクリーニングツールであることが示されている[48]。G8 では，8 項目の合計点数が 14 点以下の場合に異常と判定される。

（辻　哲也）

表 1-21 スクリーニングツール

	G8	VES-13	fTRST	MINI-Cog
身体機能	△	○	○	—
併存症	—	—	—	—
薬剤	△	—	△	—
栄養	○	—	△	—
認知機能	—	—	○	○
気分	△	—	△	—
社会支援	—	—	—	—
老年症候群	—	—	—	—
時間（分）	3	3	3	5

G8；Geriatric 8, VES-13；Vulnerable Elders Survey-13, fTRST；Flemish version of the Triage Risk Screening Tool
※○：良く評価できる，△：評価が不十分，—：評価不能
(Japan Clinical Oncology Group. JCOG 高齢者研究ポリシー. および Decoster L, van Puyvelde K, Mohile S. Screening tools for multidimensional health problems warranting a geriatric assessment in older cancer patients: an update on SIOG recommendations. Ann Oncol. 2015; 26: 288-300. より引用改変)

表 1-22 G8 スクリーニングツール

項目	スコア
①食欲不振，消化不良，噛むことまたは嚥下困難により過去3カ月で食欲は落ちたか？	0＝著しい低下 1＝中等度の低下 2＝正常
②この3カ月間の体重減少	0＝3kg 以上の減少 1＝わからない 2＝1～3kg の減少 3＝減少なし
③自力で歩けるか？	0＝ベッドや椅子の上での動作 1＝ベッドや椅子から動けるが，外出不可能 2＝外出可能
④神経心理障害	0＝重度の認知症やうつ 1＝中等度の認知症やうつ 2＝障害なし
⑤ BMI（kg/m^2）	0＝BMI＜19 1＝19≦BMI＜21 2＝21≦BMI＜23 3＝BMI≧23
⑥1日3剤以上服薬しているか？	0＝はい 1＝いいえ
⑦同世代の人と比較した健康状態	0.0＝よくない 0.5＝わからない 1.0＝よい 2.0＝よりよい
⑧年齢	0＝85 歳を超える 1＝80～85 歳 2＝80 歳未満

(Kenis C, Decoster L, Van Puyvelde K, et al. Performance of two geriatric screening tools in older patients with cancer. J Clin Oncol. 2014; 32: 19-26. より引用改変)

引用文献

1) Oken MM, Creech RH, Tormey DC, et al. Toxicity and response criteria of the Eastern Cooperative Oncology Group. Am J Clin Oncol. 1982; 5: 649-55.
2) Zubrod CG, Schneiderman M, Frei E, et al. Appraisal of methods for the study of chemotherapy of cancer in man: Comparative therapeutic trial of nitrogen mustard and triethylene thiophosphoramide. J Chron Dis. 1960; 11: 7-33.
3) Viganò A, Dorgan M, Buckingham J, et al. Survival prediction in terminal cancer patients: a systematic review of the medical literature. Palliat Med. 2000; 14: 363-74.
4) Conill C, Verger E, Salamero M. Performance status assessment in cancer patients. Cancer. 1990; 65: 1864-6.
5) Sørensen JB, Klee M, Palshof T, et al. Performance status assessment in cancer patients. An interobserver variability study. Br J Cancer. 1993; 67: 773-5.
6) Buccheri G, Ferrigno D, Tamburini M. Karnofsky and ECOG performance status scoring in lung cancer: a prospective, longitudinal study of 536 patients from a single institution. Eur J Cancer. 1996; 32A: 1135-41.
7) Karnofsky DA, Ableman WH, Craver LF, et al. The use of nitrogen mustard in the palliative treatment of carcinoma. Cancer. 1948; 1: 634-56.
8) Yates JW, Chalmer B, McKegney FP. Evaluation of patients with advanced cancer using the Karnofsky performance status. Cancer. 1980; 45: 2220-4.
9) Conill C, Verger E, Salamero M. Performance status assessment in cancer patients. Cancer. 1990; 65: 1864-6.
10) Yates JW, Chalmer B, McKegney FP. Evaluation of patients with advanced cancer using the Karnofsky performance status. Cancer. 1980; 45: 2220-4.
11) Schag CC, Heinrich RL, Ganz PA. Karnofsky performance status revisited: reliability, validity, and guidelines. J Clin Oncol. 1984; 2: 187-93.
12) Anderson F, Downing GM, Hill J, et al. Palliative performance scale（PPS）: a new tool. J Palliat Care. 1996; 12: 5-11.
13) Virik K, Glare P. Validation of the palliative performance scale for inpatients admitted to a palliative care unit in Sydney, Australia. J Pain Symptom Manage. 2002; 23: 455-7.
14) Kaasa T, Wessel J. The Edmonton Functional Assessment Tool: further development and validation for use in palliative care. J Palliat Care. 2001; 17: 5-11.
15) Miyata C, Tsuji T, Tanuma A, et al. Cancer functional assessment set: a new tool for functional evaluation in cancer. Am J Phys Med Rehabil. 2014; 93: 656-64.
16) Mahoney FI, Barthel DW. Functional evaluation: the barthel index. Md State Med J. 1965; 14: 61-5.
17) Yoshioka H. Rehabilitation for the terminal cancer patient. Am J Phys Med Rehabil. 1994; 73: 199-206.
18) 千野直一（監訳）．FIM 医学的リハビリテーションのための統一データセット利用の手引き 第 3 版．慶應義塾大学リハビリテーション医学教室，1997.
19) 辻哲也．ADL 評価のための機能的自立度評価法．医事新報．2001; 4050: 93-95.
20) Marciniak CM, Sliwa JA, Spill G, et al. Functional outcome following rehabilitation of the cancer patient. Arch Phys Med Rehabil. 1996; 77: 54-7.
21) Cole RP, Scialla SJ, Bednarz L. Functional recovery in cancer rehabilitation. Arch Phys Med Rehabil. 2000; 81: 623-7.
22) 園田茂．日常生活動作（活動）の評価．千野直一（編）．現代リハビリテーション．金原出版，2009.
23) Katz S, Ford AB, Moskowitz RW, et al. Studies of illness in the aged. The index of ADL: A standardized measure of biological and psychosocial function. JAMA. 1963; 185: 914-9.
24) 日本老年医学会（編）．健康長寿診療ハンドブック．p137，メジカルビュー社，2011.
https://www.jpn-geriat-soc.or.jp/gakujutsu/pdf/public_handbook.pdf（最終アクセス日：2020 年 7 月 29 日）
25) Lawton MP, Brody EM. Assessment of older people: self-maintaining and instrumental activities of daily living. Gerontologist. 1969; 9: 179-86.
26) Ware JE, Sherbourne CD. The MOS 36-item short form health survey（SF-36）: conceptual framework and item selection. Med Care. 1992; 30: 473-83.
27) Cella DF, Tulsky DS, Gray G, et al. The functional assessment of cancer therapy scale; development and validation of the general measure. J Clin Oncol. 1993; 11: 570-9.
28) Aaronson NK, Ahmedzai S, Bergman B, et al. European organization for research and treatment of cancer QLQ-C30; A quality-of-life instrument of use in international clinical trials in oncology. J Natl Cancer Inst. 1993; 85: 365-76.
29) Kurihara M, Shimizu H, Tsuboi K, et al. Development of quality of life questionnaire in Japan: quality of life assessment of cancer patients receiving chemotherapy. Psychooncology. 1999; 8: 355-63.
30) NCCN Clinical Practice Guidelines in Oncology（NCCN Guidelines）, Cancer-Related Fatigue Version1. 2014.
https://s3.amazonaws.com/pfizerpro.com/fixtures/oncology/docs/NCCNFatigueGuidelines.pdf（最終確認日：2020 年 7 月 22 日）

31) 日本リハビリテーション医学会 がんのリハビリテーションガイドライン策定委員会．がんのリハビリテーションガイドライン．p12，金原出版，2013.
32) Butt Z, Wagner LI, Beaumont JL, et al. Use of a single-item screening tool to detect clinically significant fatigue, pain, distress, and anorexia in ambulatory cancer practice. J Pain Symptom Manage. 2008; 35: 20-30.
33) Sutherland HJ, Walker P, Till JE. The development of a method for determining oncology patients' emotional distress using linear analogue scales. Cancer Nurs. 1988; 11: 303-8.
34) Mendoza TR, Wang XS, Cleeland CS, et al. The rapid assessment of fatigue severity in cancer patients-use of Brief fatigue inventry. Cancer. 1999; 85: 1186-96.
35) Okuyama T, Wang XS, Akechi T, et al. Validation study of the Japanese version of the brief fatigue inventory. J Pain Symptom Manage. 2003; 25: 106-17.
36) Portenoy RK, Miaskowski C. Assessment and management of cancer-related fatigue. In: Berger A, Portenoy RK, Weissman DE（eds）: Principals and Practice of Supportive Oncology. pp109-18, Lippincott-Raven, 1998.
37) Okuyama T, Akechi T, Kugaya A, et al. Development and validation of the cancer fatigue scale: a brief, three-dimentional, self-rating scale for assessment of fatigue in cancer patients. J Pain Symptom Manege. 2000; 19: 5-14.
38) Akizuki N, Yamawaki S, Akechi T, et al. Development of an Impact Thermometer for use in combination with the Distress Thermometer as a brief screening tool for adjustment disorders and/or major depression in cancer patients. J Pain Symptom Manage. 2005; 29: 91-9.
39) Kugaya A, Akechi T, Okuyama T, et al. Screening for psychological distress in Japanese cancer patients. Jpn J Clin Oncol. 1998; 28: 333-8.
40) 横山和仁，荒記俊一，川上憲人，他．POMS（感情プロフィール検査）日本語版の作成と信頼性および妥当性の検討．日公衛誌．1990; 37: 913-8.
41) Fearon K, Strasser F, Anker SD, et al. Definition and classification of cancer cachexia: an international consensus. Lancet Oncol. 2011; 12: 489-95.
42) Chasen MR, Bhargava R. A descriptive review of the factors contributing to nutritional compromise in patients with head and neck cancer. Support Care Cancer. 2009; 17: 1345-51.
43) Argilés JM, Busquets S, Stemmler B, et al. Cancer cachexia: understanding the molecular basis. Nat Rev Cancer. 2014; 14: 754-62.
44) 内藤立暁．がん悪液質：機序と治療の進歩（Cancer cachexia: mechanisms and progress in treatment）．日本がんサポーティブケア学会 Cachexia 部会．pp10-4，2018.
45) Japan Clinical Oncology Group. JCOG 高齢者研究ポリシー．http://www.jcog.jp/basic/policy/A_020_0010_39.pdf（最終アクセス日：2020 年 7 月 29 日）
46) 辻哲也．がんのリハビリテーション診療．日本がんサポーティブケア学会，厚生労働科学研究費補助金がん対策推進総合研究事業「高齢者がん診療指針策定に必要な基盤整備に関する研究」（H-30-がん対策-一般-007），高齢者がん医療協議会（コンソーシアム）（編）：高齢者がん医療 Q&A　総論，pp73-94，2020.
47) Penedo FJ, Schneiderman N, Dahn JR, et al. Physical activity intervention in the elderly: cancer and comorbidity. Cancer Invest. 2004; 22: 51-67.
48) Decoster L, van Puyvelde K, Mohile S, Screening tools for multidimensional health problems warranting a geriatric assessment in older cancer patients: an update on SIOG recommendations. Ann Oncol. 2015; 26: 288-300.
49) Kenis C, Decoster L, Van Puyvelde K, et al. Performance of two geriatric screening tools in older patients with cancer. J Clin Oncol. 2014; 32: 19-26.

第 2 章

肺がん

1 リハビリテーション治療の効果（術前）

チェックポイント

- ✓ 肺がんにおいては，運動耐容能の向上を目指したリハビリテーション治療（運動療法）を術前から行うことが重要である。
- ✓ 吸気筋力訓練（IMT）や，慢性閉塞性肺疾患（COPD）など呼吸器系の基礎疾患がある場合にはそれに対応した呼吸指導を，運動療法と同じく術前から行う。
- ✓ 肺を拡張させる手技，間欠的陽圧呼吸に関しては，術後の実施のために慣れておくという目的が主であり，術前 1～2 週前からの導入がよいと考えられる。

関連 CQ・推奨グレード

CQ 01

肺がん患者に対して，術前にリハビリテーション治療（運動療法，呼吸リハビリテーション）を行うことは，行わない場合に比べて推奨されるか？

▶ 推 奨

肺がん患者に対して，術前にリハビリテーション治療（運動療法，呼吸リハビリテーション）を行うことを提案する。

■グレード **2B**　■推奨の強さ **弱い推奨**　■エビデンスの確実性 **中**

ベストプラクティス

●なぜ必要なのか？

肺がんにおいては，基礎疾患や肺がんそのものの進行により，術前から呼吸機能や運動耐容能が低下している症例が多い。さらに手術により呼吸機能が低下し，咳嗽も困難になりやすく，術後の呼吸器合併症のリスクが高くなる。特に，肺がんの手術では，術後の疼痛が強く，遷延することが多く，術後のリハビリテーション治療の効果があがりにくいことが報告されているため，術前のリハビリテーション治療の必要性が高い。

●対象となるのはどのような患者か？

基本的には，胸腔鏡下手術が予定されている患者も含め，手術を予定される患者すべてが対象となる。慢性閉塞性肺疾患（chronic obstructive pulmonary disease；COPD）などを合併している場合にはより必要性は高いと考えられるが，合併症のない肺がん患者も対象となる。

●誰がいつどこで行うのか？

海外で報告されている術前のリハビリテーション治療は，入院して毎日，7日～4週間，集中して運動療法，呼吸筋訓練や呼吸リハビリテーションを行っているものが多い。ただしそれらの報告でも，術前リハビリテーション治療の実施のために，その期間手術を待機することに関しては賛否がある。また，7日程度の実施と，4週間の実施で有効性が大きく異なるともいえないことから，わが国においては，診断がつき，治療の方向性が決まったところから，外来での術前リハビリテーション治療を開始し，できれば7～8回程度（期間が1週間なら毎日，もっと長くあれば週2～3回）実施できるようにするような体制で行うことが望ましいと考えられる。外来で行う場合には，理学療法士の指導・監督下で行われていることが多く，また望ましいと考えられるが，他の運動療法と同様，1～2回の指導の後は在宅での継続を指導する，などの方法もあると考えられる。

●どのような方法で行うのか？

術前のリハビリテーション治療は，「preoperative exercise training」とよばれ，有酸素運動，全身の筋力増強訓練に加え，呼吸リハビリテーションが行われる。

1. 有酸素運動と筋力増強訓練

治療中・後の運動療法と同様の方法で，中～高強度のエルゴメーター・トレッドミルなどの有酸素運動20～30分と，エクササイズバンドなどを用いた上下肢筋力増強訓練を行う。短期間で，入院して行う場合には，1日2～3回で毎日，など集中して実施してもよい。

2. 呼吸リハビリテーション

呼吸リハビリテーションには，深呼吸指導・インセンティブスパイロメトリーを用いた肺を拡張させる手技，吸気筋力訓練（inspiratory muscle training；IMT），胸郭理学療法やストレッチング指導，口すぼめ呼吸などの呼吸指導，間欠的陽圧呼吸などが含まれるが，それぞれ単独実施での合併症予防のエビデンスは確立していない。COPDの合併や術前の呼吸機能障害の有無，術後のリハビリテーション治療提供体制により，術前の実施内容を調整していくことが必要と考えられるが，1回15～30分程度になるように，以下のような内容・組み合わせが勧められる。①IMTに関しては，一定期間以上の実施が有効と考えられるため，運動療法開始時から始めて運動療法と同様に継続する。②COPDなど呼吸器系の基礎疾患がある場合には，それに対応した胸郭理学療法やストレッチング指導，口すぼめ呼吸などの呼吸指導を，運動療法開始時から始める。③深呼吸指導や，インセンティブスパイロメトリーを用いた肺を拡張させる手技，間欠的陽圧呼吸に関しては，術後の実施のために慣れておくという目的が主であるため，数回以上の術前リハビリテーション治療が予定される場合には，途中からの開始でもよい。

それぞれの実施方法について示す。

1）吸気筋力訓練（IMT）

患者にあわせた圧を設定し，一定の抵抗下での吸気訓練を行う（スレッショルドIMT®；図2-1）。術前患者に対する適切な設定圧・繰り返し回数についてはまだ定められていないが，COPD患者等への実践から，設定圧は最大吸気圧（PImax）の20～30%，1回15分（もしくは30施行程度）を1日2回が妥当と考えられる。

2）胸郭理学療法・ストレッチング指導，口すぼめ呼吸指導

胸郭変形やCOPDなどにより，胸郭コンプライアンスが低下していると考えられる場合には，胸郭理学療法と，頸部～肩甲帯を含めたストレッチング指導を行う（図2-2）。また，運動療法の耐容性を改善させるためにも，補助呼吸筋使用の抑制や口すぼめ呼吸の指導などの呼吸指導を行う。

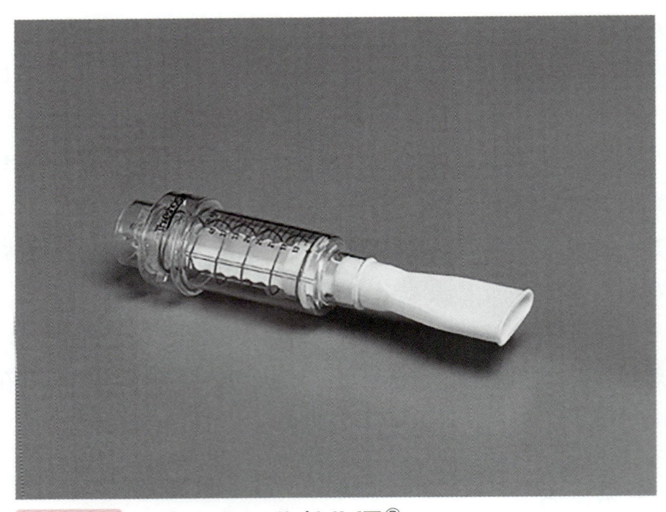

図 2-1　スレッショルド IMT®

（チェスト株式会社 web サイトより引用）

3）深呼吸指導や，インセンティブスパイロメトリーを用いた肺を拡張させる手技

・腹式呼吸指導（図 2-3）

息を鼻から吸い，ゆっくり口から吐くよう指導する。腹部に手を当てて，吸気時には腹部を膨らませ，呼気時には腹部を凹ませることを意識させる。座位または背臥位にて行う。

・インセンティブスパイロメトリー指導

インセンティブスパイロメーターは流速型ではなく，コーチ 2®（スミスメディカル），ボルダイン®（フィリップス・レスピロニクス）などの容量型を使用する。十分な呼気の後にマウスピースをくわえ，ゆっくり深く吸気を行う。図 2-4 のインセンティブスパイロメーターの場合はスマイルマークの中にインジケーターが留まるよう意識しながら吸気を行う。可能な範囲で吸気を行った後はマウスピースを口から離して 5～6 秒間息を止め，最後にゆっくり呼気を行う。術前は 1 日 50 回程度（1 セット 10 回を 1 日 5 セット，1 セット 5 回を 1 日 10 セットなど）行うようにする。胸郭を広げるために使用するので前屈位とならないよう注意する（図 2-5）。

インセンティブスパイロメーターは，医療者が「吸気目標値」を設定し，それを達成するよう練習する。目標値は，「なるべく高く」ではなく，医療者が本人に「良い姿勢で，ゆっくりと 5 秒くらいかけて，深く吸気」を指導し，それができていると確認できたとき（ベストパフォーマンス時）の値を設定する。それにより，患者は 1 人で練習するとき「姿勢を崩すなどして無理に吸気しており，値は上がるが適切でない」「充分に吸気できていない」などがフィードバックでき，適切な呼吸練習ができる。また，術後にどのようにこの練習が反映されるのか，術後のインセンティブスパイロメーターの使い方などについて術前から説明しておくことが必要である（⇒ p32「リハビリテーション治療の効果（術後）」の項参照）

4）排痰指導

術後は創部痛で有効な咳嗽が困難なことがあるので，ハフィングを指導する。鼻からゆっくり大きな吸気を行い，口を開いて「ハッ，ハッ」と強く速い呼気を行う。このとき，創部を手やクッションなどで圧迫することも疼痛の抑制に有効である。

●リハビリテーション治療の効果は？

術前リハビリテーション治療の効果を検証している海外の報告は期間や方法にばらつきがあるが，運動療法と呼吸リハビリテーションを少なくとも 5 日以上行っている報告のメタアナリシスでは，介入群で術後呼吸器合併症が減少し，入院期間や胸腔ドレーン留置期間が対照群に比して有意に短縮されていること

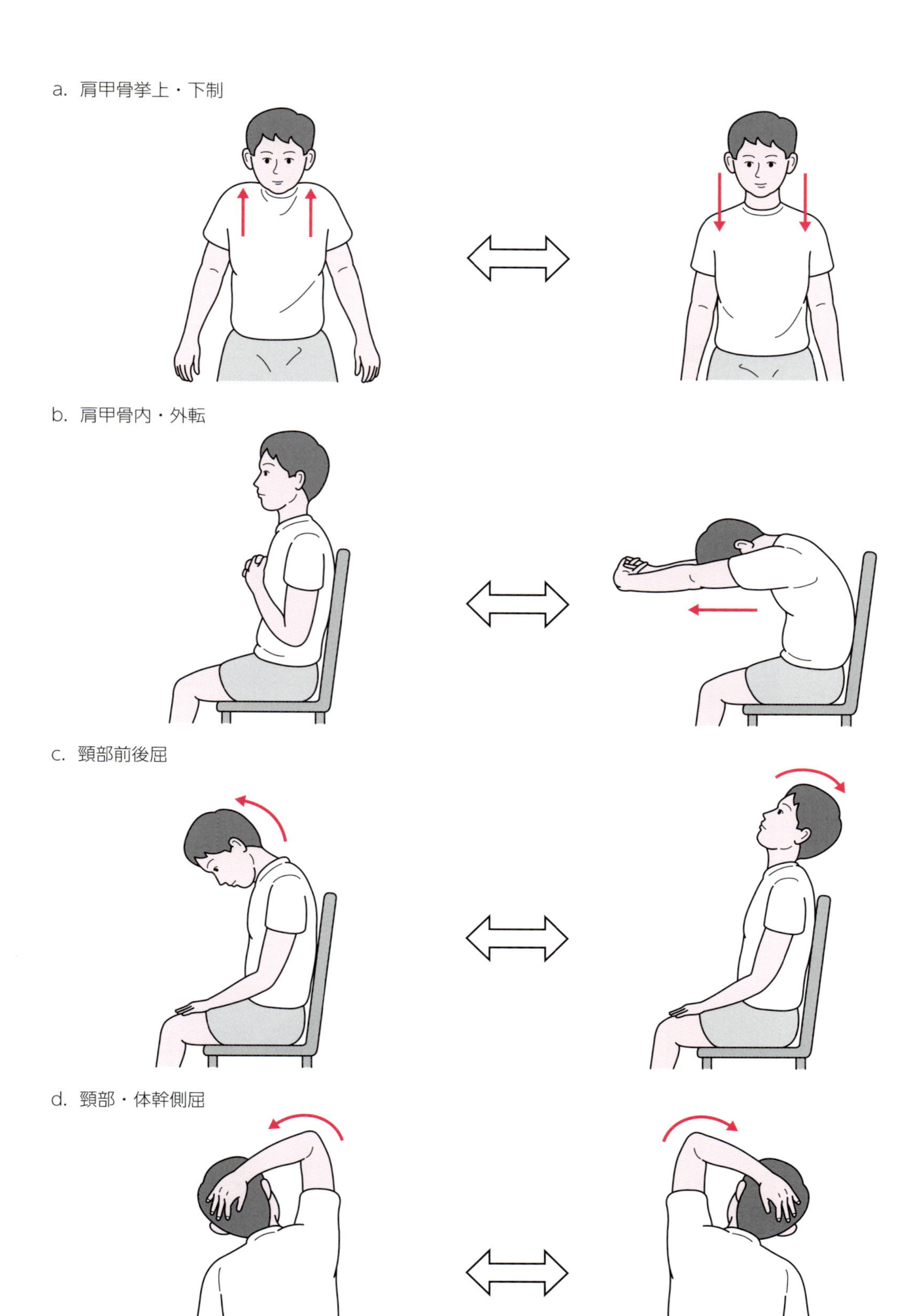

図 2-2　頸部・肩甲帯ストレッチング

が示された[1)]。COPD 合併例のみ[2)]，70 歳以上の患者のみ[3)] など対象を限定している報告も，特に対象を限定していない報告[4,5)] でも，合併症の減少を認めている。最高酸素摂取量や 6 分間歩行テストで評価された運動耐容能の改善も認めている[6)]。呼吸機能も，報告によりアウトカム指標に差はあるものの，介入後・術前の肺活量[4)] や，術後の最大呼気流量[3)]，術後 1 カ月の肺活量[6)] などが，介入群で対照群に比

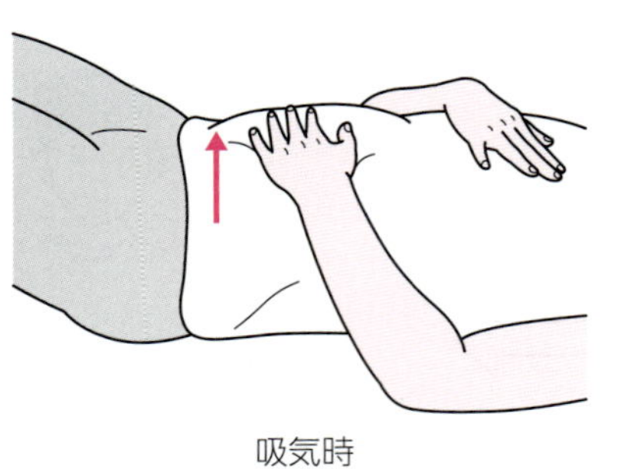

吸気時

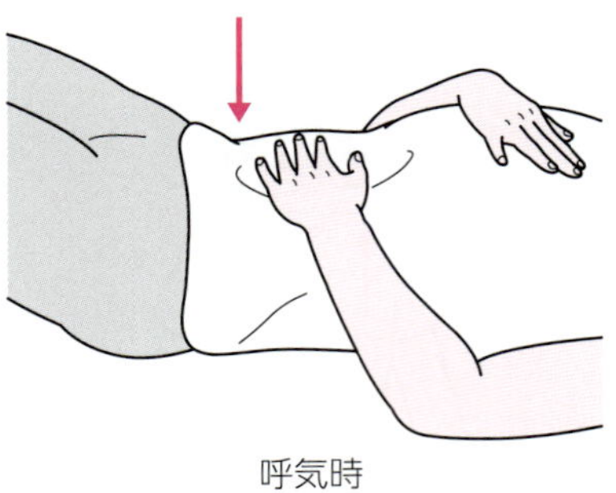

呼気時

図 2-3　腹式呼吸指導

座位で指導することも多いが，腹部の動きを感じにくいときは，まず背臥位で指導するとよい場合もある。

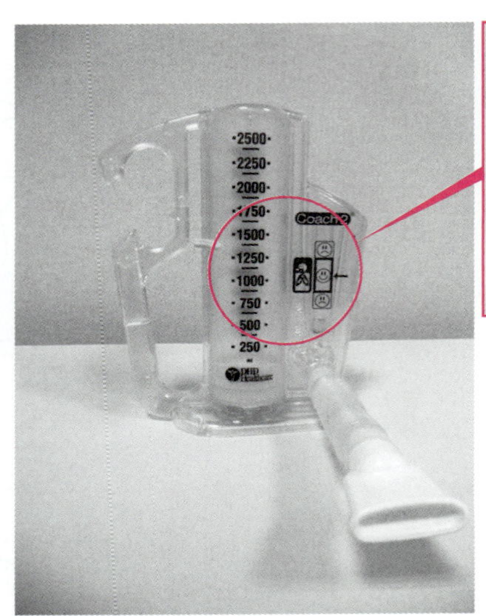

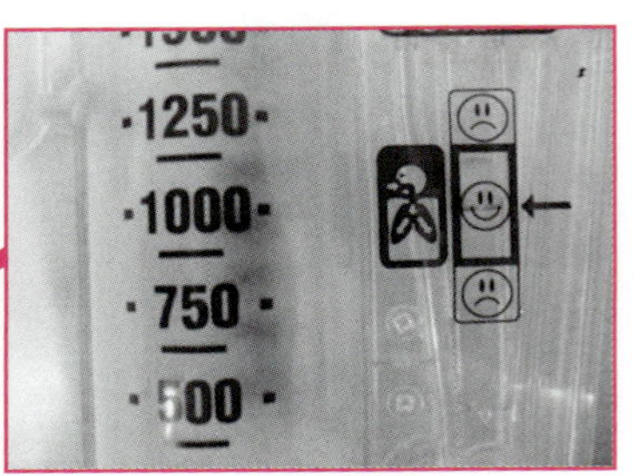

吸気時

図 2-4　インセンティブスパイロメーター（コーチ 2®）

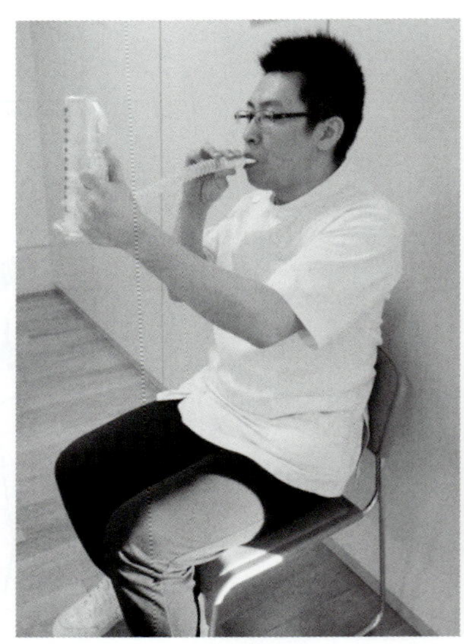

良い姿勢

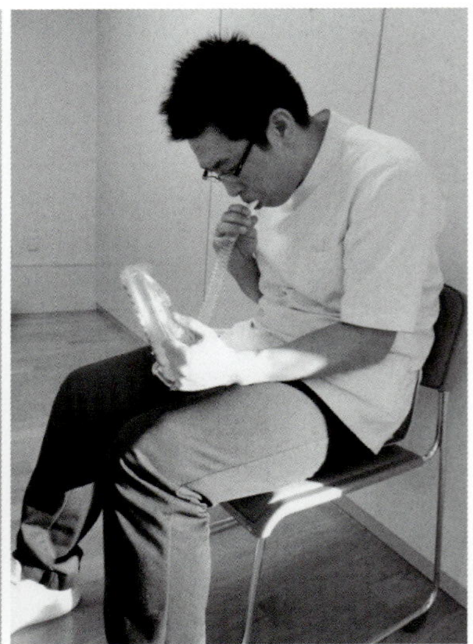

悪い姿勢

図 2-5　インセンティブスパイロメーター使用時の姿勢

べ有意に良いことが示されている。

肺がん術前のリハビリテーション治療での有害事象の報告は認めず，アドヒアランスも良好である。多くの患者が実施を希望すると考えられるが，長期の術前リハビリテーション治療は手術の実施時期を遅らせることになるため，医学的な益と害，および患者の価値感や希望のバランスを評価する必要がある。

（村岡香織・田沼　明）

引用文献

1) Cavalheri V, Granger C. Preoperative exercise training for patients with non-small cell lung cancer. Cochrane Database Syst Rev. 2017: CD012020.
2) Benzo R, Wigle D, Novotny P, et al. Preoperative pulmonary rehabilitation before lung cancer resection: results from two randomized studies. Lung Cancer. 2011; 74: 441-5.
3) Lai Y, Su J, Qiu P, et al. Systematic short-term pulmonary rehabilitation before lung cancer lobectomy: a randomized trial. Interact Cardiovasc Thorac Surg. 2017; 25: 476-83.
4) Pehlivan E, Turna A, Gurses A, et al. The effects of preoperative short-term intense physical therapy in lung cancer patients: a randomized controlled trial. Ann Thorac Cardiovasc Surg. 2011; 17: 461-8.
5) Karenovics W, Licker M, Ellenberger C, et al. Short-term preoperative exercise therapy does not improve long-term outcome after lung cancer surgery: a randomized controlled study. Eur J Cardiothorac Surg. 2017; 52: 47-54.
6) Morano MT, Araujo AS, Nascimento FB, et al. Preoperative pulmonary rehabilitation versus chest physical therapy in patients undergoing lung cancer resection: a pilot randomized controlled trial. Arch Phys Med Rehabil. 2013; 94: 53-8.

肺がん（術後）

2 リハビリテーション治療の効果（術後）

チェックポイント

- ✓ 術後は，疼痛に留意しながら，運動療法を行い運動耐容能の改善を目指す。
- ✓ 呼吸リハビリテーションプログラムを，術後の状態にあわせて再開し，退院後も継続して行えるように指導する。

関連 CQ・推奨グレード

CQ 02

肺がん患者に対して，術後にリハビリテーション治療（運動療法）を行うことは，行わない場合に比べて推奨されるか？

▶ **推 奨**

肺がん患者に対して，術後にリハビリテーション治療（運動療法）を行うことを提案する。

■グレード 2C　■推奨の強さ 弱い推奨　■エビデンスの確実性 弱

ベストプラクティス

●なぜ必要なのか？

術前の項でも述べたように，肺がん患者は術前から呼吸機能や運動耐容能が低下しているうえ，手術でさらに呼吸機能が低下して呼吸苦を生じやすく，疼痛も遷延することが多いとされ，QOL が大きく低下しやすい。そのため，術後の身体能力や QOL を維持・改善させるためのリハビリテーション治療が必要である。

●対象となるのはどのような患者か？

開胸もしくは胸腔鏡補助下手術（video-assisted thoracic surgery；VATS）術後の患者が対象となる。肺がん術後のリハビリテーション治療の効果を検証した報告では，ほとんどすべて，開胸および胸腔鏡補助下手術症例両者を含んでいる。

●誰がいつどこで行うのか？

1．誰が行うのか？

多くは監督下で行われており，退院後の指導も含め，日本ではリハビリテーション専門職が行うことが多いと考えられるが，疼痛の専門家やソーシャルワーカーへの定期的な受診をリハビリテーションプログラムに組み込み，良いアウトカムを得ている報告もあり[9]，多職種の関与がより有効であると考えられる。

2. いつ・どこで行うのか？

術後のリハビリテーション治療の開始時期は，大きく2つに分けられる。1つは，術後入院中から積極的な運動療法を開始し，入院中は監督下で，退院後は在宅を中心として行う。もう1つは術後1～3カ月後くらいから積極的な運動療法を開始するものであり，監督下もしくは在宅中心で行われる。

日本では，術後早期からリハビリテーション治療を始めることが多いと考えられ，退院時に在宅中心で継続できるかどうか・監督下で行った方がよいかを判断のうえ，指導もしくは監督下運動療法（外来でのリハビリテーション治療など）の予定を立てる。特に，入院中のリハビリテーション治療場面において，呼吸苦や疼痛が強いなど運動療法が在宅では継続困難であると考えられた場合には，外来でのリハビリテーション治療継続を積極的に勧め，さらなる身体機能の低下や活動性低下を防ぐことが必要である。実施期間については，呼吸苦と疼痛により充分なリハビリテーション治療ができないことが多いため，術前のリハビリテーション治療よりも長い期間，12週程度は必要であるとメタアナリシスで述べられている。

●どのような方法で行うのか？

術後のリハビリテーション治療は，早期離床援助に加え，積極的な運動療法および呼吸リハビリテーションが行われる。

1. 有酸素運動と筋力増強訓練

中～高強度のエルゴメーター・トレッドミルなどの有酸素運動5～30分と，エクササイズバンドなどを用いた上下肢筋力増強訓練が行われる。術後早期に始める場合には，有酸素運動5分程度と短い時間から開始することが望ましい。退院後から始める場合には，他の疾患の運動療法と同様，20分程度から漸増する。また，運動時の呼吸苦マネジメント指導などを行いながら運動療法を行う。

2. 呼吸リハビリテーション

術前同様，胸郭理学療法，インセンティブスパイロメトリーを用いた肺を拡張させる手技，IMTなどが行われる。インセンティブスパイロメトリーについては，術後には術前に達成できていた数値の50%未満になることが多いが，それを急いで術前に戻すことが目標ではなく，経時的に，繰り返し医療者がベストパフォーマンス時を目標値として設定し直し，医療者がいないときにも適切な呼吸を再現できることを目指す。個々の呼吸訓練手技のいずれかを行うというわけではなく，呼吸リハビリテーションプログラムとしてさまざまな手技を組み合わせ，さらに動作時（運動療法時など）の呼吸法指導などもあわせて行う。

このように，肺がん術後のリハビリテーション治療は，有酸素運動を早期から始めるが，短時間から始めること，呼吸指導しながら運動療法を行うこと，呼吸リハビリテーションをプログラムとして包括的に行うこと，それらを長期間継続すること（少なくとも自主トレーニングを継続すること）がポイントとなる。

●リハビリテーション治療の効果は？

術後リハビリテーション治療の効果を検証している海外の報告は，期間や方法にばらつきがあるが，運動療法と呼吸リハビリテーションを少なくとも4週間以上行っている報告[1-4]をメタアナリシスすると，介入群で運動耐容能の改善を認めている。また，筋力を評価した報告でも，下肢筋力や筋量の有意な改善が示されている[3]。一方，QOLは一部の項目（身体機能やメンタルヘルス，呼吸困難スコア）では介入群で有意に良いという報告もあるが[3]，全般的QOLは有意差がないとする報告も多い。このように，運動耐容能の改善があるにもかかわらず，QOLの改善が小さいのは，下記に挙げた「疼痛」が影響していると考えられている。

呼吸機能は，1秒率など主要なアウトカムでは有意差が出ていないが，呼吸リハビリテーションを中心に有酸素運動時の呼吸法の指導を加えて入院中から実施し，退院後も6カ月に渡り自主トレーニングのフィードバックを行う「呼吸リハビリテーションプログラム」では，介入後の呼吸苦スコアや努力性肺活量の改善がみられている[5)]。

有害事象については，1つの報告で，術後リハビリテーション治療による疼痛の悪化が報告されている[6)]。疼痛はむしろ改善するという報告[5)]もあるものの，肺がん術後の運動療法時には疼痛が問題になることは多くの報告で考察されており，運動療法を継続することだけでは疼痛の軽減につながりにくい可能性が示唆される。監督下で行うと在宅での実施より疼痛が少ないといった報告[7)]もあり，適切な負荷量や方法を設定すること，疼痛の専門家への定期的な受診といった疼痛に配慮したプログラム・システムづくりが必要と考えられる。

（村岡香織・田沼　明）

引用文献

1) Arbane G, Tropman D, Jackson D, et al. Evaluation of an early exercise intervention after thoracotomy for non-small cell lung cancer（NSCLC）, effects on quality of life, muscle strength and exercise tolerance: randomised controlled trial. Lung Cancer. 2011; 71: 229-34.
2) Arbane G, Douiri A, Hart N, et al. Effect of postoperative physical training on activity after curative surgery for non-small cell lung cancer: a multicentre randomised controlled trial. Physiotherapy. 2014; 100: 100-7.
3) Edvardsen E, Skjonsberg OH, Holme I, et al. High-intensity training following lung cancer surgery: a randomised controlled trial. Thorax. 2015; 70: 244-50.
4) Salhi B, Haenebalcke C, Perez-Bogerd S, et al. Rehabilitation in patients with radically treated respiratory cancer: a randomised controlled trial comparing two training modalities. Lung Cancer. 2015; 89: 167-74.
5) Kim SK, Ahn YH, Yoon JA, et al. Efficacy of systemic postoperative pulmonary rehabilitation after lung resection surgery. Ann Rehabil Med. 2015; 39: 366-73.
6) Stigt JA, Uil SM, van Riesen SJ, et al. A randomized controlled trial of postthoracotomy pulmonary rehabilitation in patients with resectable lung cancer. J Thorac Oncol. 2013; 8: 214-21.
7) Brocki BC, Andreasen J, Nielsen LR, et al. Short and long-term effects of supervised versus unsupervised exercise training on health-related quality of life and functional outcomes following lung cancer surgery — a randomized controlled trial. Lung Cancer. 2014; 83: 102-8.

第 3 章

消化器がん

消化器がん（術前）

1 リハビリテーション治療の効果（術前）

チェックポイント

- ✓ 術後の合併症の予防を主たる目的として，運動療法や呼吸リハビリテーションを行う。
- ✓ 特に PS（Performance Status）が低下している患者では，運動療法の指導やその継続をサポートすることが必要である。
- ✓ 食道がん術前には，特に必要性が高い。

関連 CQ・推奨グレード

CQ 01

消化器がんで腹部手術を行う予定の患者に対して，術前にリハビリテーション治療（運動療法，呼吸リハビリテーション）を行うことは，行わない場合に比べて推奨されるか？

▶ 推 奨

消化器がんで腹部手術を行う予定の患者に対して，術前にリハビリテーション治療（運動療法，呼吸リハビリテーション）を行うことを提案する。

■グレード **2C**　■推奨の強さ **弱い推奨**　■エビデンスの確実性 **弱**

ベストプラクティス

●なぜ必要なのか？

消化器がん患者には高齢者も多いことから，縫合不全・肺炎など術後の合併症が起こりやすく，術後の運動耐容能の低下も大きくなるリスクが大きい。最小侵襲手術や手術期の栄養管理に加えて早期離床などの重要性を示した ERAS（Enhanced Recovery after Surgery）プロトコルももともとは結腸がんを対象にしているように，消化器がん周術期の合併症のリスクを減らすことは重要な問題として関心が払われてきた。また，手術を行うにあたっては PS（Performance Status）が，適応判断や術式の選択に大きな影響を与えており，身体活動が低いと外科的治療そのものの機会を失うこととなる。

このように，外科的治療の選択肢を失わない，術後合併症リスクを減らす，運動耐容能を維持・改善させるためには，より積極的に術前からリハビリテーション治療を行うことが必要であると考えられる。

●対象となるのはどのような患者か？

術前の呼吸練習や生活指導（活動性を低下させない，術後早期離床の説明など）は，開腹・腹腔鏡下問わず手術を予定される患者すべてが対象となる。特に術前に呼吸機能障害が指摘された患者は，呼吸リハビリテーションを中心とした個別のリハビリテーション治療の適応となる。また，術前の PS が低い症例や，生活指導時に身体活動の維持が困難と考えられた症例についても，運動療法を中心とした個別のリハビリテーション治療の適応になるといえる。
食道がんに関しては，より積極的な術前リハビリテーション治療が有効であったという報告があり，すべての術前患者を対象にすることが望ましいと考えられる。

●誰がいつどこで行うのか？

術前の呼吸練習や生活指導については，診断がついたとき，もしくは治療方針が決まり入院説明などを行う際に医師や看護師によって行われる。消化器がんに限らないが，一般的にがんの診断後には身体活動が低下し，手術までにPSを低下させてしまうリスクがあることから，診断時に活動性の維持などだけでも腫瘍治療医が生活指導することが望ましい。
術前の運動療法は，海外では2〜4週間在宅中心に行った報告が中心である[1,2]（一般的に，運動療法は監督下で行う方が在宅中心よりも有効性が高いが，実施可能性という点から消化器がんで術前に監督下の運動療法を定期的に行ったという報告は少ない）。日本でも，運動療法については保険診療で実施できないので，PSが低下している・低下するリスクが大きい患者をスクリーニングし（⇒p11），疾患別リハビリテーション診療の対象になるかどうかなどを判断し，対象となる場合には疾患別リハビリテーション診療を行い在宅での運動療法につなげる，といったシステムが望ましい。疾患別リハビリテーション診療の対象にはならない場合には，指導パンフレットなどを用いて指導する。
食道がんについては，わが国の報告で，入院で1週間以上術前リハビリテーション治療を行っている[3]。

●どのような方法で行うのか？

術前の呼吸リハビリテーションについては，呼吸機能障害がある患者に関してはそのリハビリテーション治療方法に従う。呼吸機能障害がない患者に対する術前呼吸リハビリテーションは，肺がん術前（⇒p26）に準じて行う。
PSが低下している患者に対する疾患別リハビリテーション診療については，それぞれの病態に応じて行うが，その患者・身体機能に応じて運動負荷がかけられる方法を検討し，運動療法につなげていくことを目指す。運動療法は，前述のように実施可能性から在宅中心で行われることが多いが，PSが低下し積極的な運動療法の適応となる患者では，負荷量や方法を適切に指示することが必要となる（⇒p288）。
食道がんについては，積極的な呼吸リハビリテーションを併用し，入院・監督下で運動療法が行うことが望ましい[4]。

●リハビリテーション治療の効果は？

消化器がん患者を対象とした報告では，運動耐容能の改善は認められたが[1]，術後の合併症頻度に関しては有意差を認めていない[1,4]。その理由として，消化器がん患者の多様性の大きさ（患者背景も術式も），介入が在宅中心のものが多くアドヒアランスが低いことが指摘されている。食道がん術前患者に対して，入院で呼吸リハビリテーションと運動療法を行った報告では，合併症スコアの低下が報告されている[3]。
有害事象の報告は認めない。

（村岡香織・田沼　明）

引用文献

1) Gillis C, Li C, Lee L, et al. Prehabilitation versus rehabilitation: a randomized control trial in patients undergoing colorectal resection for cancer. Anesthesiology. 2014; 121: 937-47.
2) Carli F, Charlebois P, Stein B, et al. Randomized clinical trial of prehabilitation in colorectal surgery. Br J Surg. 2010; 97: 1187-97.
3) Yamana I, Takeno S, Hashimoto T, et al. Randomized controlled study to evaluate the efficacy of a preoperative respiratory rehabilitation program to prevent postoperative pulmonary complications after esophagectomy. Dig

Surg. 2015; 32: 331-7.
4) Dronkers JJ, Lamberts H, Reutelingsperger IM, et al. Preoperative therapeutic programme for elderly patients scheduled for elective abdominal oncological surgery: a randomized controlled pilot study. Clin Rehabil. 2010; 24: 614-22.

消化器がん（術後）

2 リハビリテーション治療の効果（術後）

チェックポイント

- ✓ 術後には，早期離床援助に加えて，入院中から運動療法を行い，身体活動や運動耐容能を維持・改善させる。
- ✓ 退院後も継続できるような指導や，フォロー体制が必要である。

関連 CQ・推奨グレード

CQ 02

消化器がん術後患者に対して，リハビリテーション治療（運動療法）を行うことは，行わない場合に比べて推奨されるか？

▶ 推 奨

消化器がん術後患者に対して，リハビリテーション治療（運動療法）を行うことを提案する。

■グレード **2C**　■推奨の強さ **弱い推奨**　■エビデンスの確実性 **弱**

ベストプラクティス

●なぜ必要なのか？

消化器がん患者の術後リハビリテーション治療に関しては，合併症予防が主な関心事となっており，早期離床援助といった周術期のサポートが多く報告されてきた。それらは定着してきているが，高齢者が多い消化器がん患者においては，身体機能・運動耐容能を維持・改善させるため，術直後からサバイバー期にかけて，より積極的なリハビリテーション治療が必要とされる。

●対象となるのはどのような患者か？

開腹・腹腔鏡下問わず術後の患者が対象となる。

●誰がいつどこで行うのか？

1. 誰が行うのか？

化学療法での通院時や，術後患者のフォロー外来などでの受診時に，身体活動性・倦怠感・QOLなどの確認を，腫瘍治療医や看護師，その他多職種で行っていく。退院後に身体機能・運動耐容能の低下が強いと判断されれば，積極的なリハビリテーション治療の対象として，リハビリテーション専門職が関与していく。

2. いつ・どこで行うのか？

術後のリハビリテーション治療の開始時期は，肺がん術後（⇒ p32）と同様大きく2つに分けられる。

1つは，術後入院中から積極的な運動療法を開始し，入院中は監督下で，退院後は在宅を中心として行う。もう1つは術後1〜3カ月後くらいから積極的な運動療法を開始するものであり，監督下もしくは在宅中心で行われる。

入院中からリハビリテーション治療が開始され身体機能・運動耐容能の低下が残る例では，退院後も運動療法を在宅中心で継続できるかどうか・監督下で行った方がよいかを判断のうえ，在宅での運動指導もしくは監督下運動療法（外来でのリハビリテーション治療など）の予定を立てる。退院時に問題がない例でも，その後の化学療法の開始などで身体機能や運動耐容性が低下するリスクはあり，上記のようなフォロー時にチェックして必要時には運動指導や運動療法を実施できるような体制づくりが望ましい。

●どのような方法で行うのか？

術後入院中のリハビリテーション治療は，早期離床援助に加え，術後1〜2日目から有酸素運動や筋力増強訓練など積極的な運動療法が行われている報告もあり，患者の状態にあわせて積極的に拡大する。退院後の運動療法も，他の運動療法の実施方法と同様であるが，最高心拍数の85〜95%の高強度での運動療法を実施している報告もある[1)]。

●リハビリテーション治療の効果は？

術後積極的に運動療法を行い，退院後も3カ月程度継続した報告では，入院中の倦怠感の改善はあるが，その後は倦怠感・QOLに有意差はなかった[2)]。術前の項でも述べたように，消化器がん患者は多様性が大きく，もともとの運動耐容能や身体活動性の低下が少ない患者を含めた研究報告では，介入による効果が出にくいことが指摘されている。

退院後1〜3カ月後から運動療法を開始しているものでは，運動耐容能・QOLで対照群と有意差がなかったが[3, 4)]，高強度で行うと中強度で行った場合に比して運動耐容能は良い傾向で，除脂肪体重の改善を認めた[4)]。

高強度の運動療法でも有害事象はなく，高いアドヒアランスであったと報告されている。

（村岡香織・田沼　明）

引用文献

1) Devin JL, Sax AT, Hughes GI, et al. The influence of high-intensity compared with moderate-intensity exercise training on cardiorespiratory fitness and body composition in colorectal cancer survivors: a randomized controlled trial. J Cancer Surviv. 2016; 10: 467-79.
2) Houborg KB, Jensen MB, Rasmussen P, et al. Postoperative physical training following colorectal surgery: a randomised, placebo-controlled study. Scand J Surg. 2006; 95: 17-22.
3) Lin KY, Shun SC, Lai YH, et al. Comparison of the effects of a supervised exercise program and usual care in patients with colorectal cancer undergoing chemotherapy. Cancer Nurs. 2014; 37: e21-9.
4) Courneya KS, Friedenreich CM, Quinney HA, et al. A randomized trial of exercise and quality of life in colorectal cancer survivors. Eur J Cancer Care（Engl）. 2003; 12: 347-57.

第 4 章

前立腺がん

前立腺がん

1 リハビリテーション治療の効果

チェックポイント

- ✓ アンドロゲン遮断療法により生じやすい筋肉量低下などの問題点に対して，筋力増強訓練を中心とした運動療法が有用である。
- ✓ 適切に骨転移の把握・評価を行えば，骨関連有害事象なく運動療法は実施できる。

関連 CQ・推奨グレード

CQ 01

前立腺がん患者に対して，リハビリテーション治療（運動療法）を行うことは，行わない場合に比べて推奨されるか？

▶ **推 奨**

前立腺がん患者に対して，リハビリテーション治療（運動療法）を行うことを提案する。

■グレード 2B　■推奨の強さ 弱い推奨　■エビデンスの確実性 中

ベストプラクティス

●なぜ必要なのか？

前立腺がんでは長期間のホルモン療法（アンドロゲン遮断療法：Androgen deprivation therapy；ADT）を要することが多く，筋肉量の低下，倦怠感，心理的影響，身体機能や QOL の低下が起こる。これらを改善させ，心大血管疾患のリスクを軽減させるために，運動療法を中心とするリハビリテーション治療が必要とされる。

●対象となるのはどのような患者か？

ADT や放射線療法中，治療後の患者が対象となる。骨転移のある患者も対象になる。

●誰がいつどこで行うのか？

1．誰が行うのか？

治療に伴う有害事象の説明や，それに対して活動性を維持すること，運動療法を行うことなどの指導は，外来で腫瘍治療医や看護師により行われることが多いと考えられる。その後加療中の外来受診時に，身体活動性・倦怠感・QOL などの確認を行い，身体機能の低下がある（廃用含む），骨転移など活動性や運動の実施に影響がある問題があると判断されれば，積極的なリハビリテーション治療の対象として，リハビリテーション専門職が関与していく。

2．いつ・どこで行うのか？

運動に関して治療前から説明し，治療中から行うことが望ましい。大きな身体機能の低下がない・骨転移がない例では，在宅中心に行うように指導する。身体機能の低下がある場合には，必要に応じて個別のリハビリテーション治療を行い，その後在宅や通所リハビリテーション施設，ジムなどで継続できるようにする。骨転移がある，または出現した場合には，安全な生活動作や運動方法の実施を外来でのリハビリテーション治療で指導する。

●どのような方法で行うのか？

有酸素運動と筋力増強訓練を組み合わせた運動療法を行うが，特に筋力増強訓練の継続を促す。海外の報告では，フットボールなどスポーツを行ったり，パートナーと一緒にグループ訓練を行うなど，楽しんで継続できる工夫がされているものもある。また，骨転移がない（少なくとも骨盤や脊椎に）ことが確認されている患者に関しては，骨粗鬆症予防のためのハイインパクト運動を含むプログラムを取り入れる。すなわち，ジョギングや荷重を追加してのウォーキングやダンスなどを，筋力増強訓練とあわせて行う。逆に骨転移がある患者では，その部位や程度に応じて，運動の種類や負荷を調整する。

●リハビリテーション治療の効果は？

ADT 中・後の運動療法を中心としたリハビリテーション治療で，身体活動性，QOL，倦怠感，筋力の改善，除脂肪体重の増加，うつ症状・不安の改善が報告されている[1-26]。ハイインパクト運動を含むプログラムでは，骨量の低下の抑制も報告されている[23]。ただしこれらの結果（効果）は，監督下で，高いアドヒアランスで運動療法を行って得られているものであり，わが国で実現可能性が高い方法（基本的には在宅中心）で同等の効果を得るためには，長期にわたる運動療法を安全に，不安なく継続できるよう，定期的な評価と必要に応じて個別に再指導できる体制が必要と考えられる。

また，骨転移がある患者においても，有害事象はなかったと報告されている[11]。

（村岡香織・田沼　明）

引用文献

1) Bourke L, Smith D, Steed L, et al. Exercise for men with prostate cancer: a systematic review and metaanalysis. Eur Urol. 2016; 69: 693-703.
2) Bourke L, Doll H, Crank H, et al. Lifestyle intervention in men with advanced prostate cancer receiving androgen suppression therapy: a feasibility study. Cancer Epidemiol Biomarkers Prev. 2011; 20: 647-57.
3) Bourke L, Gilbert S, Hooper R, et al. Lifestyle changes for improving disease-specific quality of life in sedentary men on long-term androgen-deprivation therapy for advanced prostate cancer: a randomized controlled trial. Eur Urol. 2014; 65: 865-72.
4) Galvão DA, Taaffe DR, Spry N, et al. Combined resistance and aerobic exercise program reverses muscle loss in men undergoing androgen suppression therapy for prostate cancer without bone metastases: a randomized controlled trial. J Clin Oncol. 2010; 28: 340-7.
5) Cormie P, Galvão DA, Spry N, et al. Can supervised exercise prevent treatment toxicity in patients with prostate cancer initiating androgen-deprivation therapy: a randomised controlled trial. BJU Int. 2015; 115: 256-66.
6) Uth J, Hornstrup T, Schmidt JF, et al. Football training improves lean body mass in men with prostate cancer undergoing androgen deprivation therapy. Scand J Med Sci Sports. 2014; 24（Suppl 1）: 105-12.
7) Nilsen TS, Raastad T, Skovlund E, et al. Effects of strength training on body composition, physical functioning, and quality of life in prostate cancer patients during androgen deprivation therapy. Acta Oncol. 2015; 54: 1805-13.
8) Segal RJ, Reid RD, Courneya KS, et al. Randomized controlled trial of resistance or aerobic exercise in men receiving radiation therapy for prostate cancer. J Clin Oncol. 2009; 27: 344-51.
9) Monga U, Garber SL, Thornby J, et al. Exercise prevents fatigue and improves quality of life in prostate cancer patients undergoing radiotherapy. Arch Phys Med Rehabil. 2007; 88: 1416-22.
10) Hojan K, Kwiatkowska-Borowczyk E, Leporowska E, et al. Physical exercise for functional capacity, blood immune function, fatigue, and quality of life in high-risk prostate cancer patients during radiotherapy: a prospective,

randomized clinical study. Eur J Phys Rehabil Med. 2016; 52: 489-501.
11) Cormie P, Newton RU, Spry N, et al. Safety and efficacy of resistance exercise in prostate cancer patients with bone metastases. Prostate Cancer Prostatic Dis. 2013; 16: 328-35.
12) Galvão DA, Spry N, Denham J, et al. A multicentre year-long randomised controlled trial of exercise training targeting physical functioning in men with prostate cancer previously treated with androgen suppression and radiation from TROG 03.04 RADAR. Eur Urol. 2014; 65: 856-64.
13) Jones LW, Hornsby WE, Freedland SJ, et al. Effects of nonlinear aerobic training on erectile dysfunction and cardiovascular function following radical prostatectomy for clinically localized prostate cancer. Eur Urol. 2014; 65: 852-5.
14) Winters-Stone KM, Lyons KS, Dobek J, et al. Benefits of partnered strength training for prostate cancer survivors and spouses: results from a randomized controlled trial of the Exercising Together project. J Cancer Surviv. 2016; 10: 633-44.
15) Culos-Reed SN, Robinson JW, Lau H, et al. Physical activity for men receiving androgen deprivation therapy for prostate cancer: benefits from a 16-week intervention. Support Care Cancer. 2010; 18: 591-9.
16) Livingston PM, Craike MJ, Salmon J, et al. Effects of a clinician referral and exercise program for men who have completed active treatment for prostate cancer: A multicenter cluster randomized controlled trial（ENGAGE）. Cancer. 2015; 121: 2646-54.
17) Vashistha V, Singh B, Kaur S, et al. The effects of exercise on fatigue, quality of life, and psychological function for men with prostate cancer: systematic review and meta-analyses. Eur Urol Focus. 2016; 2: 284-95.
18) Segal RJ, Reid RD, Courneya KS, et al. Resistance exercise in men receiving androgen deprivation therapy for prostate cancer. J Clin Oncol. 2003; 21: 1653-9.
19) Buffart LM, Galvão DA, Chinapaw MJ, et al. Mediators of the resistance and aerobic exercise intervention effect on physical and general health in men undergoing androgen deprivation therapy for prostate cancer. Cancer. 2014; 120: 294-301.
20) Windsor PM, Nicol KF, Potter J. A randomized, controlled trial of aerobic exercise for treatment-related fatigue in men receiving radical external beam radiotherapy for localized prostate carcinoma. Cancer. 2004; 101: 550-7.
21) Keilani M, Hasenoehrl T, Baumann L, et al. Effects of resistance exercise in prostate cancer patients: a metaanalysis. Support Care Cancer. 2017; 25: 2953-68.
22) Park SW, Kim TN, Nam JK, et al. Recovery of overall exercise ability, quality of life, and continence after 12-week combined exercise intervention in elderly patients who underwent radical prostatectomy: a randomized controlled study. Urology. 2012; 80: 299-305.
23) Winters-Stone KM, Dobek JC, Bennett JA, et al. Skeletal response to resistance and impact training in prostate cancer survivors. Med Sci Sports Exerc. 2014; 46: 1482-8.
24) Newby TA, Graff JN, Ganzini LK, et al. Interventions that may reduce depressive symptoms among prostate cancer patients: a systematic review and meta-analysis. Psychooncology. 2015; 24: 1686-93.
25) Berglund G, Petersson LM, Eriksson KC, et al. "Between Men" : a psychosocial rehabilitation programme for men with prostate cancer. Acta Oncol. 2007; 46: 83-9.
26) Carmack Taylor CL, Demoor C, Smith MA, et al. Active for life after cancer: a randomized trial examining a lifestyle physical activity program for prostate cancer patients. Psychooncology. 2006; 15: 847-62.

前立腺がん（骨盤底筋筋力訓練）

2 骨盤底筋筋力訓練の効果

チェックポイント

- ✓ 尿失禁のリスクがある，前立腺がん術後患者に対し，術前からもしくは術後すぐから骨盤底筋筋力訓練を行う。
- ✓ 患者が行いやすい姿勢や方法を選択し，繰り返し指導し，継続のサポートをする。

関連 CQ・推奨グレード

CQ 02

尿失禁のリスクがある前立腺がん術後患者に対して，リハビリテーション治療（骨盤底筋筋力訓練）を行うことは，行わない場合に比べて推奨されるか？

▶ **推 奨**

尿失禁のリスクがある前立腺がん術後患者に対して，リハビリテーション治療（骨盤底筋筋力訓練）を行うことを提案する。

■グレード **2B**　■推奨の強さ **弱い推奨**　■エビデンスの確実性 **中**

ベストプラクティス

●なぜ必要なのか？

前立腺がんに対する前立腺全摘術においては，外尿道括約筋やその支配神経が障害されやすく，術後尿失禁が起きやすい。術後尿失禁への保存的な療法には，骨盤底筋筋力訓練，電気刺激，磁気刺激などがあるが，電気刺激，磁気刺激の有効性のエビデンスについてはまだ限定的であり，現在でも骨盤底筋筋力訓練が主な療法として行われており，尿失禁の改善・QOL の改善に重要な役割を果たしていると考えられる。

●対象となるのはどのような患者か？

前立腺全摘術を予定されている患者もしくは術後の患者全員が対象となる。開腹術・腹腔鏡下など術式は問わない。

●誰がいつどこで行うのか？

1．誰が行うのか？

海外では，「排泄ケア専門の理学療法士や看護師」などとされていることが多いが，日本では皮膚・排泄ケア認定看護師を中心に，看護師もしくは排泄ケアチームのリハビリテーション専門職が行うことが多いと考えられる。

2. いつ・どこで行うのか？

術前から，もしくは術後尿道カテーテル抜去後すぐから行う。術前の指導は外来で，術後に関しては入院中に行われる。退院後は主に在宅で継続するように指導されるが，可能な限り外来で再指導や監督下の訓練を行うことが望ましい。

●どのような方法で行うのか？

骨盤底筋（主に肛門挙筋）の収縮力を高めて，外尿道括約筋による尿禁制を補助することが主な目的であり，背臥位，座位，四つ這い位，立位などのさまざまな方法があり（図 4-1，4-2），患者のライフスタイルの中で行いやすいときに行いやすい方法で行うとよい。骨盤底筋には Type I 線維と Type Ⅱ線維が混在していると考えられているため，持続的な筋収縮（5 秒程度より）と瞬発的な筋収縮を組み合わせた運動を行う。具体的には肛門を締める動作を 1 セット 10〜20 回程度で 1 日 4 セット（朝・昼・晩・就寝前）を目安として行う。表面筋電図，エコー，直腸内圧などによるバイオフィードバックを併用して指導する。定期的に尿失禁を確認，再指導を行いながら，尿失禁がなくなるまで継続する。有酸素運動・筋力増強訓練といった運動療法も同時に行うことで骨盤底筋筋力訓練のみより失禁が改善したという報告もあり，運動指導もあわせて行うことが望ましい。

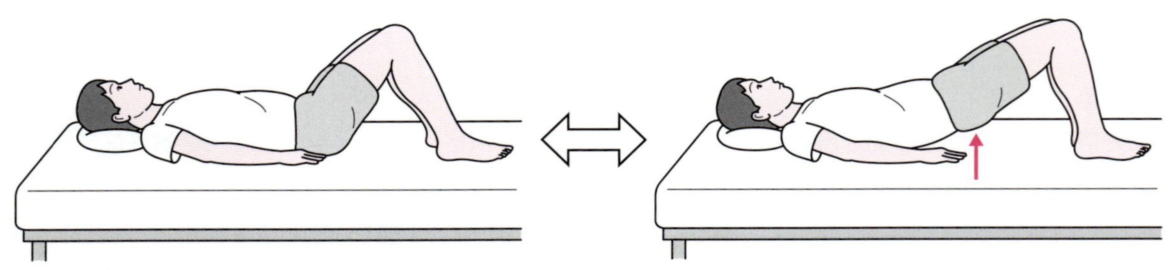

図 4-1　骨盤底筋体操（背臥位）

単に背臥位で行うだけでもよいが，右図のように殿部を挙上させる動作と組み合わせて行われる場合もある。

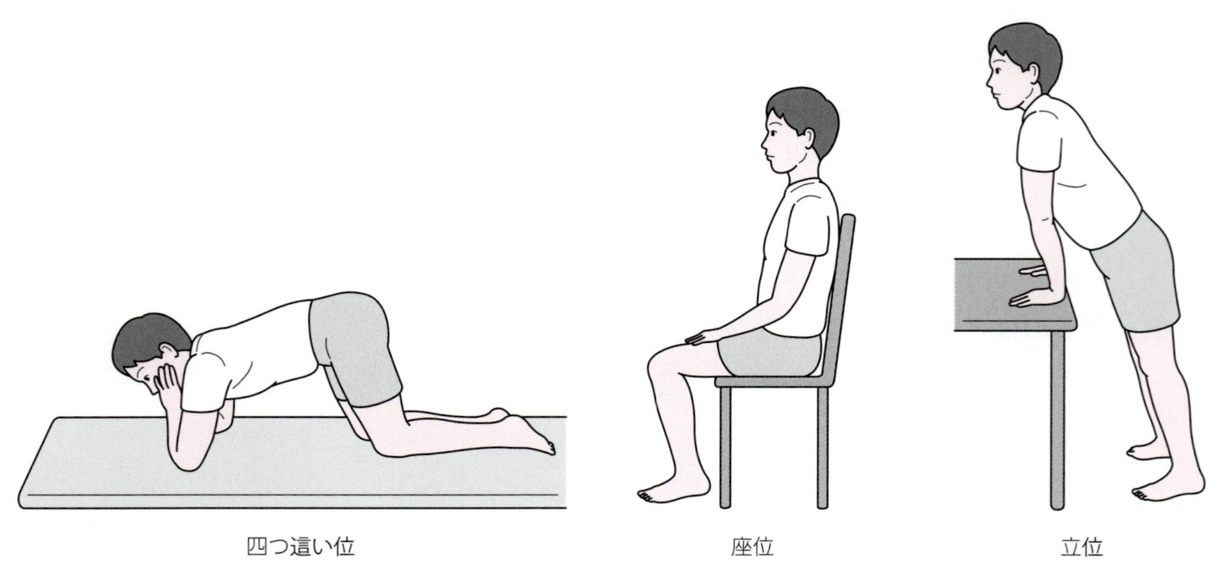

図 4-2　骨盤底筋体操（四つ這い位・座位・立位）

四つ這い位では肘と膝をつき，顎を手の上に乗せた状態で行う。座位では床につけた足を肩幅に開き，頭部を起こした状態で行う。立位では肘を伸展させた状態でテーブルなどに手をつき，上肢に体重をかけながら行う。どの姿勢においても肩や腹部の力を抜くことが基本である。

●リハビリテーション治療の効果は？

術前から，もしくは術後患者全員に骨盤底筋筋力訓練を行うことは，術後3カ月時点，6カ月時点や12カ月時点の尿失禁がある患者数や尿失禁スコアを改善させた[1-4]。一方，術後4〜6週などの時点で尿失禁がある患者に対して骨盤底筋筋力訓練を行うことは，尿失禁改善の効果が示されている報告はあるものの[1]，大規模な研究で有意差が示されず効果は不確実である[5-10]。両者の差は，開始時期の違いによるとも考えられるが，対象者の違いによるところもあると考えられる。つまり，術後4週以上尿失禁が続く，尿道括約筋やその支配神経への障害が強い群のみを対象にすると，骨盤底筋筋力訓練では改善が得られにくいと考えられる。

有害事象については，報告されていない。

（村岡香織・田沼　明）

引用文献

1) Burgio KL, Goode PS, Urban DA, et al. Preoperative biofeedback assisted behavioral training to decrease post-prostatectomy incontinence: a randomized, controlled trial. J Urol. 2006; 175: 196-201.
2) Overgård M, Angelsen A, Lydersen S, et al. Does physiotherapist-guided pelvic floor muscle training reduce urinary incontinence after radical prostatectomy? A randomised controlled trial. Eur Urol. 2008; 54: 438-48.
3) Ribeiro LH, Prota C, Gomes CM, et al. Long-term effect of early postoperative pelvic floor biofeedback on continence in men undergoing radical prostatectomy: a prospective, randomized, controlled trial. J Urol. 2010; 184: 1034-9.
4) Park SW, Kim TN, Nam JK, et al. Recovery of overall exercise ability, quality of life, and continence after 12-week combined exercise intervention in elderly patients who underwent radical prostatectomy: a randomized controlled study. Urology. 2012; 80: 299-305.
5) Glazener C, Boachie C, Buckley B, et al. Urinary incontinence in men after formal one-to-one pelvic-floor muscle training following radical prostatectomy or transurethral resection of the prostate（MAPS）: two parallel randomised controlled trials. Lancet. 2011; 378: 328-37.
6) Dubbelman Y, Groen J, Wildhagen M, et al. The recovery of urinary continence after radical retropubic prostatectomy: a randomized trial comparing the effect of physiotherapist-guided pelvic floor muscle exercises with guidance by an instruction folder only. BJU Int. 2010; 106: 515-22.
7) Franke JJ, Gilbert WB, Grier J, et al. Early post-prostatectomy pelvic floor biofeedback. J Urol. 2000; 163: 191-3.
8) Moore KN, Griffiths D, Hughton A. Urinary incontinence after radical prostatectomy: a randomized controlled trial comparing pelvic muscle exercises with or without electrical stimulation. BJU Int. 1999; 83: 57-65.
9) Moore KN, Valiquette L, Chetner MP, et al. Return to continence after radical retropubic prostatectomy: a randomized trial of verbal and written instructions versus therapist-directed pelvic floor muscle therapy. Urology. 2008; 72: 1280-6.
10) Floratos DL, Sonke GS, Rapidou CA, et al. Biofeedback vs verbal feedback as learning tools for pelvic muscle exercises in the early management of urinary incontinence after radical prostatectomy. BJU Int. 2002; 89: 714-9.

第 5 章

頭頸部がん

頭頸部がん

1 治療効果を確認する評価の方法

チェックポイント

- ✓ 頭頸部がんに対する手術が行われた場合ならびに化学放射線療法が行われた場合，口腔構音機能の評価を行いながら，リハビリテーション治療を実施する。
- ✓ 頭頸部がんに対する手術が行われた場合ならびに化学放射線療法が行われた場合，摂食嚥下障害の程度および誤嚥の有無の評価を行いながら，リハビリテーション治療を実施する。
- ✓ 摂食嚥下障害および誤嚥の有無の客観的評価として，嚥下造影検査（VF）・嚥下内視鏡検査（VE）を定期的に行うことの意義は大きい。
- ✓ 頸部リンパ節郭清術後の副神経麻痺による肩関節機能障害に対し，術前から肩関節機能の評価を行い，術後も評価を継続しながらリハビリテーション治療を進行する。
- ✓ 頭頸部がん患者に対しては，QOL の測定尺度評価を行いながらリハビリテーション治療を行うことが勧められる。

関連 CQ・推奨グレード

CQ 01

頭頸部がんに対する治療（手術，化学放射線療法）が行われた患者に対して，リハビリテーション治療を行った場合にその治療効果を確認する評価の方法は？

▶ 推 奨

がんのリハビリテーション診療ガイドライン第 2 版では，頭頸部がんのリハビリテーション領域における機能障害の多様性や評価項目の幅広さから，CQ01 に対する推奨グレードは決定されていない。

■グレード ―　■推奨の強さ ―　■エビデンスの確実性 ―

ベストプラクティス

●なぜ必要なのか？

頭頸部がんに対して切除および再建術が行われた場合ならびに化学放射線療法が行われた場合，原疾患ならびに治療方法は何か，治療に伴い喪失または温存された神経や筋・組織はどこか，治療後にどの程度の発声発語の問題点があるか，摂食嚥下障害を有するか，誤嚥の危険性があるか，などの情報収集・評価を行い，必要に応じて画像検査などで客観的に評価することはリハビリテーション治療を進めるうえで重要である。

また，頸部リンパ節郭清術（以下，郭清術）が施行される際には副神経の温存・切断にかかわらず僧帽筋麻痺が出現する可能性があるため，肩関節・上肢機能に対してリハビリテーション治療が重要になる。

がん患者の治療過程においてQOLが重要視されているが，頭頸部がん領域は治療期間が長いこと，喪失する機能も大きいことから，詳細な評価が必要である。

対象となるのはどのような患者か？

基本的には頭頸部がんを有し，手術または化学放射線療法が行われる（行われた）患者には前述の評価が必要と思われる。

誰がいつどこで行うのか？

1．誰が行うのか？

治療過程における構音および摂食嚥下の問題に関しては，基本的には耳鼻咽喉科（頭頸部外科）主治医または手術担当医が行うことが多い。最近ではチーム医療の観点から，リハビリテーション科医・歯科口腔外科医・形成外科医・放射線科医などが評価を担当することもある。詳細な客観的評価は言語聴覚士が担当することが多い。言語聴覚士が不在の病院では，主治医の指示のもとに看護師や摂食・嚥下障害看護認定看護師が対応することもある。

郭清術後の肩関節機能障害に関しては，リハビリテーション科医または整形外科医の評価のもとで理学療法士または作業療法士が評価とリハビリテーション治療を行う。

ADLおよびQOLの評価に関しては，評価を行う職種まで明確にしている報告はなく，一般的にはどの職種がどのような評価を行うのかという概念が，まだ十分に普及していないことが推測される。脳卒中などの他疾患リハビリテーション診療と同様にリハビリテーション専門職や看護師が評価する。

2．いつ行うのか？

一般的に各種評価は主となる治療（手術，化学放射線療法）開始前と治療直後，もしくは入院時と退院時，またはリハビリテーション治療開始時と終了時などの期間ごとに行われる。

3．どこで行うのか？

医師・看護師およびリハビリテーション専門職で可能な各種評価は，病室もしくはリハビリテーション室で実施される。嚥下造影検査（videofluoroscopic examination of swallowing；VF）は放射線透視室で，嚥下内視鏡検査（videoendoscopic evaluation of swallowing；VE）は病室もしくは耳鼻咽喉科診察室などで実施される。

どのような方法で行うのか？

1．音声・構音・音響に関連する評価

構音機能の評価は，聴覚的評価として構音検査（音節，単語，文章）や明瞭度検査（音節，単語，文章，会話）などがある。

構音検査は，運動障害性構音障害患者用の検査を代用して行われる。

明瞭度検査には発話明瞭度検査や会話明瞭度検査，100単音節明瞭度検査や単語明瞭度検査，25単音節明瞭度検査などがある。会話明瞭度検査は，会話の全体的な印象を含めて実用的な明瞭度を5段階（①すべてわかる～⑤全くわからない）で評価する順序尺度である。100単音節明瞭度検査は，日本語の100単音節を無作為に配列し，ひらがなで表記したリストを患者に音読させ，録音する。これを5名の健聴者が聴き取り，結果が正解ならば1，異なっていれば0としてそれぞれ合計し，5名の平均値を求める。これを単音節明瞭度として百分率で表し，構音障害の程度を数値化することができる[1]。

構音検査は個々の音の正確性を評価して構音訓練の指針を得るために，明瞭度検査は明瞭性（音節）と了解度（単語，文章，会話）を評価して発声発語の実用性の向上を図るために行う[2]。

音響分析は，間接的に共鳴腔の形態，構音器官の動態などを評価できる方法であり，聴覚的評価を裏付ける手段として用いられる[3]。オンラインで公開されている音響分析のフリーソフトなどを用いることに

より，音声の特徴を客観的，定量的に測定することができる。

構音動態の評価としては，視診以外の方法としてパラトグラフィなどがある。パラトグラフィは，発音や嚥下時の舌と口蓋の接触状態を観察する方法であり，スタティック（静的）パラトグラフィとダイナミック（動的）パラトグラフィがある。スタティックパラトグラフィは，歯科材料で作製した人工口蓋の表面に粉末を散布して口腔内に装着し，発音や嚥下の後に取り出して観察を行うものである。舌が接触して湿った部分を接触範囲と解釈する。この方法は，舌接触補助床を作製する際にも利用されることがある[4)]。

2. 摂食嚥下機能に関連する評価

外科的治療の場合は切除部位から障害される嚥下機能と観察される現象を評価し，間接訓練や代償的手段を考慮する（表 5-1）[5)]。

スクリーニング検査としては，反復唾液嚥下テスト（repetitive saliva swallowing test ; RSST）や改訂水飲みテスト（modified water swallowing test ; MWST），フードテストなどが挙げられる。これらのテストについては摂食嚥下療法を扱う多くの教科書に掲載されている。また嚥下機能評価基準（MTF スコア）[6, 8)]（表 5-2）[8)] は術後の摂食嚥下障害の簡便な客観的評価として用いられている[6-8)]。

経過評価・治療プログラム作成および誤嚥の有無の評価においては，VF および VE の 2 種類の画像評価が代表的である。定量的嚥下評価の方法として，VE では嚥下内視鏡検査のスコア評価基準（兵頭スコア）[9)]，VF では AsR スコア[10)] や OPSE（oropharyngeal swallow efficiency）[11)] が挙げられる。その他，

表 5-1 頭頸部がんの切除範囲に応じた対応

<table>
<tr><th colspan="2">切除部位</th><th>障害される嚥下機能</th><th>観察される現象</th><th>間接訓練</th><th>代償的手法</th></tr>
<tr><td rowspan="4">口腔</td><td>口唇，頬粘膜</td><td>捕食，食塊保持・形成（咀嚼）・移送</td><td>流涎，食塊流出，食塊形成不全</td><td>口唇閉鎖訓練，口唇・頬のストレッチング</td><td></td></tr>
<tr><td>硬口蓋（上顎）</td><td>食塊形成・移送</td><td>食塊形成不全，鼻咽腔逆流</td><td></td><td rowspan="2">義歯・プロテーゼ作製</td></tr>
<tr><td>下顎，顎関節</td><td>捕食，食塊保持・形成・移送</td><td>食塊形成不全，口腔残留</td><td>開口・閉口訓練</td></tr>
<tr><td>可動部舌，口腔底</td><td>食塊形成・移送，頭部挙上</td><td>食塊形成不全，口腔残留</td><td rowspan="2">舌可動域訓練・筋力増強訓練，開口訓練，頭部挙上訓練，メンデルソン手技，構音訓練</td><td>体幹角度調整，PAP 作製</td></tr>
<tr><td rowspan="3">中咽頭</td><td>舌根</td><td>食塊保持・形成・移送，咽頭内圧上昇，喉頭閉鎖</td><td rowspan="2">早期咽頭流入，咽頭残留</td><td rowspan="2">頸部回旋，反復嚥下，交互嚥下，咳による喀出</td></tr>
<tr><td>扁桃，咽頭側壁</td><td>食塊保持，咽頭内圧上昇</td><td>頭部挙上訓練，メンデルソン手技</td></tr>
<tr><td>軟口蓋</td><td>鼻咽腔閉鎖，咽頭内圧上昇</td><td>鼻咽腔逆流，咽頭残留</td><td>ブローイング訓練</td><td>プロテーゼ作製</td></tr>
<tr><td>喉頭</td><td>喉頭蓋，声帯</td><td>喉頭閉鎖</td><td>喉頭侵入・誤嚥</td><td>息こらえ嚥下法，プッシング・プリング訓練</td><td>息こらえ嚥下法，顎引き嚥下，咳による喀出</td></tr>
<tr><td>下咽頭</td><td>梨状陥凹，咽頭後壁，輪状後部</td><td>咽頭内圧上昇，食道入口部開大</td><td>咽頭残留，食道入口部通過障害</td><td>頭部挙上訓練，メンデルソン手技，バルーン法</td><td>頸部回旋，反復嚥下，交互嚥下，顎突出嚥下法，咳による喀出</td></tr>
<tr><td colspan="2">部位にかかわらず適用</td><td></td><td></td><td>頸部可動域訓練</td><td>食形態調整</td></tr>
</table>

（二藤隆春，佐藤拓，荻野亜希子．頭頸部がん治療後の摂食嚥下障害―評価とアプローチの実際―．MED REHABIL．240: 165-8, 2019．より引用）

表 5-2　嚥下機能評価基準（MTF スコア）

	0 点	1 点	2 点	3 点	4 点	5 点
方法		経管のみ	経管主，経口少し	経口主（食物工夫）	経口主（注意要）	経口主（正常）
時間	経管栄養	50 分前後あるいはそれ以上	40 分前後	30 分前後	20 分前後	10 分前後
食形態		Ⅰ：液体	Ⅱ：流動	Ⅲ：半流動	Ⅳ：軟性食	Ⅴ：常食

問診法で採点，15 点満点が正常

（藤本保志，丸尾貴志，小澤喜久子，他．術後嚥下機能の評価と機能温存の工夫．耳鼻と臨．2013; 59（Suppl. 1）: s85-95．より引用改変）

頭頸部がんの摂食嚥下機能評価に VF および VE が用いられていた文献でのキーワードとしては，早期咽頭流入，咽頭残留，気道への食材の流入，一時的な観察不能期の平均持続時間，嚥下時の後壁運動率，口腔相・咽頭相の通過時間，嚥下反射惹起時間，喉頭蓋閉鎖時間，咽頭後壁の厚み，などが評価可能項目として挙がっていた。また，画像評価としては，誤嚥の経時的な評価としてシンチグラフィを用いる施設もある。気管支炎や肺炎などの評価として，胸部 X 線写真，胸部 CT 撮影，血液検査所見をチェックすることも重要である。

3．肩関節機能に関連する評価

郭清術後に生じる肩関節機能低下も重要な機能障害の一つである。一般的に用いられる関節可動域・筋力・上腕/前腕周径などの評価に加えて，肩の疼痛そのものの尺度を VAS（Visual Analog Scale）で表す。また，疼痛に伴う能力障害を質問紙表で評価したものとしては，SDQ（the Shoulder Disability Questionnaire）[12] という yes/no で回答する 16 項目からなる評価法があり，「障害なし（0 点）」から「すべて障害あり（100 点）」まで評価可能である。また，上肢全般の操作性能力を，上肢障害評価表（the Disability of Arm, Shoulder and Hand ; DASH）[13] で評価している報告がある。肩関節機能障害による抑うつ状態を，主にがん系疾患罹患時に使用される CES-D（the Center for Epidemiological Studies Depression Scale）[14] という 20 項目から構成される質問紙表で評価した報告がある。0～60 点評価で，16 点以上は抑うつ状態と評価される。

4．QOL に関連する評価

頭頸部がん領域で使用された報告のある QOL 測定尺度としては，RAND-36[14]，EORTC（European Organization for Research and Treatment of Cancer）QLQ-C30[15]（⇒ p302）およびその下位評価項目で頭頸部がん患者に特化した EORTC QLQ-H&N35（表 5-3）[16] が代表的である。EORTC QLQ-H&N35 では，痛み，嚥下，味覚，会話，食事の楽しみ，体重の変化などを調査し，得点が低い方が QOL の状態が良い。さらに SF-36（MOS 36-Item Short-Form Health Survey）v2，SIP（Sickness Impact Profile），HADS（Hospital Anxiety and Depression Scale）[17] が用いられた報告がある。頭頸部がん患者治療開始後 1 年間の QOL アンケート調査（EORTC QLQ-C30 および EORTC QLQ-H&N35）では，手術を含むさまざまな治療により QOL スコアは悪化していたという報告もある[18]。

●各種評価法の効果は？

頭頸部がん術後の発声発語の評価は独自性の強いものはなく，運動性構音障害に用いる評価を応用していることが多いが，現時点では時間的な回復の推移を客観的に提示することが十分に可能である。頭頸部がん患者の摂食嚥下機能を VF・VE で評価することは，頭頸部がん領域における摂食嚥下障害の経時的変化，誤嚥の有無に基づいた治療計画作成，治療効果判定，形態学的改善，予後評価に貢献している。郭清術後の肩関節の症状に関するリハビリテーション治療において，機能障害・能力障害・QOL などの評

表 5-3 EORTC QLQ-H&N35

- Pain
- Swallowing
- Senses
- Speech
- Social eating
- Social contact
- Sexuality
- Problems with teeth
- Problems opening mouth
- Dry mouth
- Sticky saliva
- Coughed
- Felt ill
- Painkillers
- Nutritional supplements
- Feeding tube
- Loss weight
- Gained weight

(Bjordal K, Hammerlid E, Ahlner-Elmqvist M, et al. Quality of life in head and neck cancer patients: validation of the European organization for research and treatment of cancer quality of life question-naire-H&N35. J Clin Oncol. 1999; 17: 1008-19. より引用改変)

価を可能な限り術前および治療後に行うこと，また忘れがちではあるが，利き手や左右差も十分に確認しておくことが重要である。QOL 評価は，がん治療全体にも関わることであるが重要なアウトカム項目である。特に頭頸部がんは喪失する機能が大きく，QOL は低下することが予想され，近年はわが国でも QOL 評価を用いた頭頸部がん患者のリハビリテーション治療の報告が散見される。

（飯野由恵・鶴川俊洋・神田　亨）

引用文献

1) 熊倉勇美．機能評価と訓練．溝尻源太郎，熊倉勇美（編著）：口腔・中咽頭がんのリハビリテーション―構音障害，摂食・嚥下障害．pp85-7，医歯薬出版，2000.
2) 今井智子．詳細な検査と評価．小寺富子（監），言語聴覚療法臨床マニュアル　改訂第 2 版，pp388-9，協同医書出版社，2004.
3) 道健一（編）．言語聴覚士のための臨床歯科医学・口腔外科学．pp131-7，医歯薬出版，2000.
4) 今井智子．補助診断と機能訓練への応用．溝尻源太郎，熊倉勇美（編著）：口腔・中咽頭がんのリハビリテーション―構音障害，摂食・嚥下障害．pp99-112，医歯薬出版，2000.
5) 二藤隆春，佐藤拓，荻野亜希子．頭頸部がん治療後の摂食嚥下障害―評価とアプローチの実際―．MED REHABIL. 240: 165-8, 2019.
6) 藤本保志，松浦秀博，川端一嘉，他．口腔・中咽頭がん術後嚥下機能の評価 嚥下機能評価基準（Swallowing Ability Scale）の妥当性について．日耳鼻会報．1997; 100: 1401-7.
7) 中山明仁，八尾和雄，西山耕一郎，他．喉頭癌に対する Cricohyoidoepiglottopexy 後の嚥下機能の検討．日耳鼻会報．2002; 105: 8-13.
8) 藤本保志，丸尾貴志，小澤喜久子，他．術後嚥下機能の評価と機能温存の工夫．耳鼻と臨．2013; 59（Suppl. 1): s85-95.
9) 兵頭政光，西窪加緒里，弘瀬かほり．嚥下内視鏡検査におけるスコア評価基準（試案）の作成とその臨床的意義．日耳鼻．2010; 113: 670-8.
10) Randemaker AW, Pauloski BR, Logemann JA, et al. Oropharyngeal swallow efficiency as a representative measure of swallowing function. J Speech Hear Res. 1994; 37: 314-25.
11) 藤本保志，吉川峰加，若井健二，他．頭頸部癌治療後の嚥下造影の簡易評価法 AsR スコアの提案．嚥下医学．2012; 1: 153-8.
12) van Wouwe M, de Bree R, Kuik DJ, et al. Shoulder morbidity after non-surgical treatment of the neck. Radiother

Oncol. 2009; 90: 196-201.
13) Carr SD, Bowyer D, Cox G. Upper limb dysfunction following selective neck dissection: a retrospective questionnaire study. Head Neck. 2009; 31: 789-92.
14) van Wilgen CP, Dijkstra PU, van der Laan BF, et al. Shoulder and neck morbidity in quality of life after surgery for head and neck cancer. Head Neck. 2004; 26: 839-44.
15) Aaronson NK, Ahmedzai S, Bergman B, et al. European organization for research and treatment of cancer QLQ-C30; A quality-of-life instrument of use in international clinical trials in oncology. J Natl Cancer Inst. 1993; 85: 365-76.
16) Bjordal K, Hammerlid E, Ahlner-Elmqvist M, et al. Quality of life in head and neck cancer patients: validation of the European organization for research and treatment of cancer quality of life question-naire-H&N35. J Clin Oncol. 1999; 17: 1008-19.
17) Finizia C, Bergman B. Health-related quality of life in patients with laryngeal cancer: a post-treatment comparison of different modes of communication. Laryngoscope. 2001; 111: 918-23.
18) Bjordal K, Ahlner-Elmqvist M, Hammerlid E, et al. A prospective study of quality of life in head and neck cancer patients. Part II: Longitudinal data. Laryngoscope. 2001; 111: 1440-52.

舌がん・口腔がん（術後）

2 摂食嚥下療法，音声言語訓練の効果

チェックポイント

- ✓ 舌がん・口腔がんの手術では，切除の範囲によって術後の口腔機能障害・舌運動障害による摂食嚥下障害・構音障害が生じ，QOL の低下へつながることがある。
- ✓ 舌がん・口腔がんの術後患者へ摂食嚥下療法を行うにあたり，口腔機能評価や摂食嚥下機能の客観的評価が重要である。
- ✓ 舌がん・口腔がんの切除後・再建後患者の構音障害や摂食嚥下障害に対して，音声言語訓練および摂食嚥下療法を行うことは発話明瞭度および摂食嚥下機能の再獲得のために必要である。
- ✓ 発話明瞭度のさらなる改善および嚥下再獲得の目的で歯科補綴装置作製を行うこともある。

関連 CQ・推奨グレード

CQ 02

舌がん・口腔がんに対する手術が行われる患者に対して，術後のリハビリテーション治療（摂食嚥下療法）を行うことは，行わない場合に比べて推奨されるか？

▶ 推 奨

舌がん・口腔がんに対する手術が行われる患者に対して，術後のリハビリテーション治療（摂食嚥下療法）を行うことを提案する。

■グレード **2D**　■推奨の強さ**弱い推奨**　■エビデンスの確実性**とても弱い**

CQ 05

舌がん・口腔がんに対する手術が行われる患者に対して，術後のリハビリテーション治療（音声言語訓練）を行うことは，行わない場合に比べて推奨されるか？

▶ 推 奨

舌がん・口腔がんに対する手術が行われる患者に対して，術後のリハビリテーション治療（音声言語訓練）を行うことを提案する。

■グレード **2D**　■推奨の強さ**弱い推奨**　■エビデンスの確実性**とても弱い**

ベストプラクティス

●なぜ必要なのか？

舌がんの手術は腫瘍の大きさや部位によって術式が選択され，主に舌部分切除術・舌半側切除術・舌（亜）全摘術に分類される。舌部分切除術～舌半側切除術までは会話に大きな支障をきたさないが，舌（亜）

全摘術の場合は舌の可動性はかなり制限され，術後の口腔機能障害・舌運動障害による構音障害が永続的に生じ，QOL が低下するといわれている。また，舌がんおよび口腔がんの術後に顕在化する摂食嚥下障害の程度も構音障害と同様に腫瘍の切除範囲に左右され，術後の摂食嚥下障害発生率は約 75％という報告がある[1)]。これらの障害に対してリハビリテーション治療を実践することが必要である。

●対象となるのはどのような患者か？

基本的には手術対象全患者の術前術後にがんのリハビリテーション診療の経験のある言語聴覚士が関わることが望ましいが，施設の人的資源の事情によっては舌部分切除患者には指導またはリハビリテーション治療を行わない場合もある。

●誰がいつどこで行うのか？

1．誰が行うのか？

摂食嚥下障害，構音障害に対応できる言語聴覚士が，術前から退院後までの評価・訓練・助言・指導を行うことが望ましい。さらに摂食嚥下療法は多職種でのチームアプローチが欠かせない。頭頸部外科医や形成外科医，リハビリテーション科医らとの協働が必要である。また，直接訓練に際しては，病棟においても姿勢代償手技・嚥下方法の指導などを看護師と協働して行うことが望ましい。食形態やカロリー調整は管理栄養士，口腔ケアや歯科補綴装置作製・調整は歯科口腔外科医および歯科衛生士・歯科技工士により行われる必要がある。

2．いつ行うのか？

術後に生じる摂食嚥下障害や構音障害を予測して，術前からリハビリテーション治療の説明を行う。術後は創部や全身状態に問題のないことを確認し間接訓練を導入，スピーチカニューレ変更後に VF や VE で客観的評価を実施し，直接訓練を開始する。

3．どこで行うのか？

間接訓練や構音訓練は，入院中にベッドサイドやリハビリテーション室などで行われる。直接訓練は，体幹角度調整（リクライニング位）の使用や吸引が可能な環境であることから，ベッドサイドで行われる場合が多い。再建皮弁の形態や嚥下・構音機能は経過に伴い変化するため，退院後も皮弁の形態や機能障害のチェック，体重・栄養状態の確認，歯科補綴装置の調整などを外来でフォローできることが望ましい。歯科口腔外科がない施設の場合は，外部の歯科口腔外科医に補綴装置の作製や調整を依頼する。

●どのような方法で行うのか？

1．術前リハビリテーション治療の導入ならびに術後評価

術前にカルテから情報収集を行い，原疾患，病期，予定術式を確認し，切除範囲，皮弁の種類等から術後の障害像を予測する。口腔がんの手術法については，『頭頸部癌取扱い規約』ならびに『口腔癌取扱い規約』に定義されている[2,3)]。術前は顎・口唇・舌・軟口蓋の運動時の左右差や運動範囲制限の有無などの口腔機能（表 5-4）[4)] を確認し，会話の様子から構音障害の有無や認知面を評価する。摂食嚥下機能に関しては，問診票や一般的なスクリーニング検査（RSST，MWST など）を活用して主観的・客観的評価を行う。術前から患者と関わることにより，術後の不安軽減や信頼関係の構築につながり，術後のリハビリテーション治療をスムーズに進めやすい。

術後は手術内容（切除範囲，舌根の有無，神経切除の有無，皮弁再建の有無，気管切開の有無など）の情報収集を行い，術後 2～3 日目に口腔器官の運動範囲を確認する。創部の状態が落ち着けば，視診による形態と機能の評価を行い，4 日目以降から間接訓練を導入する。皮弁のボリュームは経過に伴う萎縮を見越して大きめに再建されるため，形態や大きさを経時的に評価する。創部に問題がなく，主治医の許可のもと VE や VF などで摂食嚥下機能の客観的な評価を行い，結果に基づいて直接訓練を進めていく。あ

表 5-4　発語器官の形態と機能の評価（舌・軟口蓋切除例）

発語器官	検査項目	
口唇	安静時	形態，麻痺の有無，閉鎖の状態，偏位の有無
	運動時	突出，丸め，左右口角引き
舌	安静時	残存舌と再建舌の形態・ボリューム，偏位の有無
	運動時*	舌挺出，舌尖挙上，舌後方挙上，左右口角接触，残存舌と再建舌の協調性
下顎	安静時	形態，偏位の有無
	運動時	開閉時の偏位の有無，上下顎間の開口域の測定
軟口蓋	安静時	残存軟口蓋と再建軟口蓋の形態・ボリューム，偏位の有無
	運動時	/ a /発声時の挙上，口蓋咽頭間距離
上顎	安静時	形態
その他	歯牙の状態，義歯装着の有無，流涎の有無	

＊舌運動を観察するときは，下顎での代償に注意する

（今井智子．詳細な検査と評価．小寺富子（監），言語聴覚療法臨床マニュアル　改訂第２版，pp388-9，協同医書出版社，2004．より引用）

表 5-5　舌がん術後の主な間接訓練・直接訓練内容

間接訓練	直接訓練
・頸部関節可動域訓練 ・口腔運動 ・構音訓練 ・アイスマッサージ ・息こらえ嚥下法 ・メンデルソン手技 ・頭部挙上訓練	・ミキサーとろみ食から開始 （半側切除は固形物で開始可能な場合あり） ・圧送り込み法 ・流し込み嚥下法 ・嚥下補助具の利用 （カテーテル付ドレッシングボトルやＫスプーン） ・舌接触補助床など補綴物の利用

（神田亨．がんの摂食・嚥下リハビリテーション．総合リハ．2012; 40: 1103-12．より引用改変）

る程度皮弁の状態が落ち着く時期（術後４週前後）に 100 単音節明瞭度検査などの客観的な評価がなされることが望ましい。

2．舌がん術後の摂食嚥下療法

通常は，４日目以降に口腔ケアや間接訓練を状態に応じて行う（表 5-5）[5]。頸部関節可動域訓練では，ドレーン留置や血管吻合により，頸部安静や圧迫禁止部位があるため，必ず医師に安静度を確認してから開始する。認知機能が保たれている患者には自主トレーニングを指導する。しかし，患部を動かすことへの不安から自主トレーニングが行えない患者もいるため，どの程度まで練習を行ってもよいのかを正確に伝え，自主トレーニングが行える環境を整えることも重要である。スピーチカニューレ変更後に VE や VF で客観的評価を行い，結果に基づいた直接訓練を開始する。舌がんは切除範囲が可動部半側以上や舌根部を含めた切除になると摂食嚥下機能に問題が生じてくる。舌での送り込みや食塊形成が不良となる口腔期の障害と舌骨上筋群の切離や頸部郭清術，気管カニューレ留置などの影響による喉頭挙上不全などの咽頭期の障害が起こる。舌骨上筋群の切離範囲が広範な場合などは，術後の摂食嚥下機能（喉頭挙上）を考慮して喉頭挙上術や輪状咽頭筋切断術などが併用される場合もある。舌可動部切除のように舌根部が残存している場合は，舌根部を含めて切除する例よりも摂食嚥下機能や構音機能は保たれやすい。

1）舌半側切除術後

舌半側切除術後の間接訓練は，残存舌を含めた口腔器官の基礎運動訓練や構音訓練など口腔期に対するアプローチと，アイスマッサージや頭部挙上訓練，息こらえ嚥下法など咽頭期に対するアプローチを行う。直接訓練では，口腔内の再建皮弁のボリュームや合併切除の有無などによって，ミキサー食から開始する場合とゼリーやソフト食から開始する場合がある。再建皮弁のボリュームが大きい場合は，残存舌の可動性が制限され固形物の摂取が困難であるため，ミキサー食から開始する。送り込みが不良の場合は，吸引力を利用して咽頭へ送り込む方法である圧送り込み法を利用する場合もある。術後経過中に皮弁が萎縮することで残存舌の可動性が良くなり，徐々に食上げ可能となる。初めから健側の残存舌がある程度活用できる状態であれば，ゼリーやソフト食/粥きざみ食などから開始できる場合もある。健側から捕食するように指導するが，口腔内に残留するため水分との交互嚥下を行う必要がある。再建皮弁の状態にあわせて徐々に食事量や食形態を上げていく。舌半側切除術後は健側に歯牙があり咀嚼可能な状態であれば，食事は最終的に常食に近い食形態まで上げられることが多い。

2）舌（亜）全摘術後

舌（亜）全摘術後の間接訓練では，口腔期に対するアプローチの中に直接訓練で利用する圧送り込み法の練習も取り入れる場合もある。咽頭期に対してはアイスマッサージや息こらえ嚥下法，メンデルソン手技などの随意的嚥下法や頭部挙上訓練を必要に応じて行う。舌亜全摘術後の嚥下法としては，①圧送り込み法，②流し込み嚥下法（dump and swallow），③カテーテル付ドレッシングボトル[6]などの嚥下補助具の使用などがあり，これらに頸部屈曲位や複数回嚥下，交互嚥下，随意的な咳など複数を組み合わせる。

直接訓練では通常ミキサーとろみ状のものから開始し，座位で摂取できる場合もあるが，難しい場合は圧送り込み法（図 5-1，5-2）や体幹角度調整（リクライニング位）を使用して摂取を行う。再建した舌は可動できず舌での送り込みは不良となるため，吸啜の際の吸引力を利用して咽頭へ送り込む「すすり飲み」にて摂取してもらうようにする。舌がん術後患者は術後口腔内に貯留した唾液を飲み込むために自然とすすり飲みを行っており，嚥下のタイミングを会得すれば実用性の高い飲み込み方である。術後早期より間接訓練としてアイスマッサージ時の唾液嚥下を利用したすすり飲み（圧送り込み法）を訓練し，初回のVF時に圧送り込み法でも評価できることが望ましい。スピーチカニューレが留置されている場合は，スピーチバルブの開閉部をテープで止めて（閉鎖時に呼吸苦の有無の確認が必要），吸啜動作時に吸気を口から取り込めるように配慮する。切除範囲や皮弁の状態，合併切除の有無などによって，吸啜動作が困難となる，嚥下反射惹起遅延により吸啜動作でむせる，といった症例もあるため，難しい場合は他の方法を検討する。

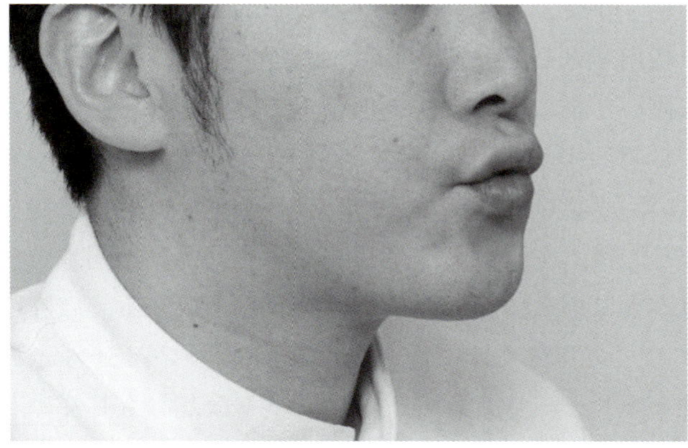

図 5-1　圧送り込み法・実施の様子

圧送り込み法で口腔内のものを吸啜動作を利用して咽頭へ送り込む。

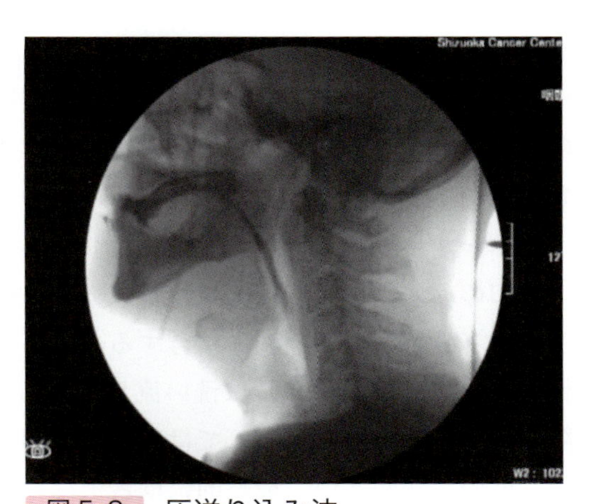

図 5-2　圧送り込み法

舌可動部亜全摘術後，圧送り込み法でとろみ水を咽頭へ送り込んでいる様子。

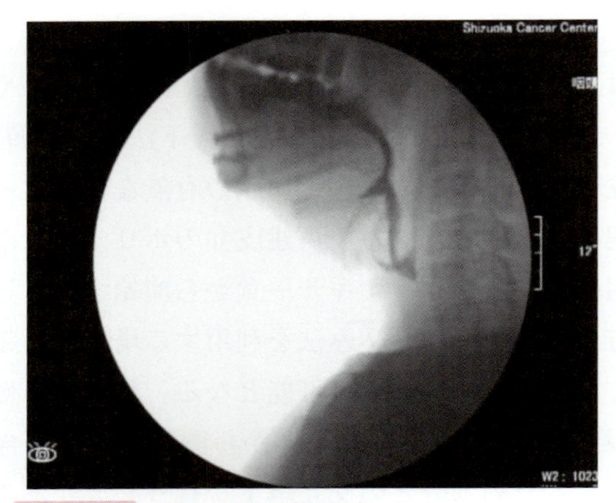

図 5-3　流し込み嚥下法

舌亜全摘術後，流し込み嚥下法で頸部を後屈して重力を利用し咽頭へ送り込んでいる様子。

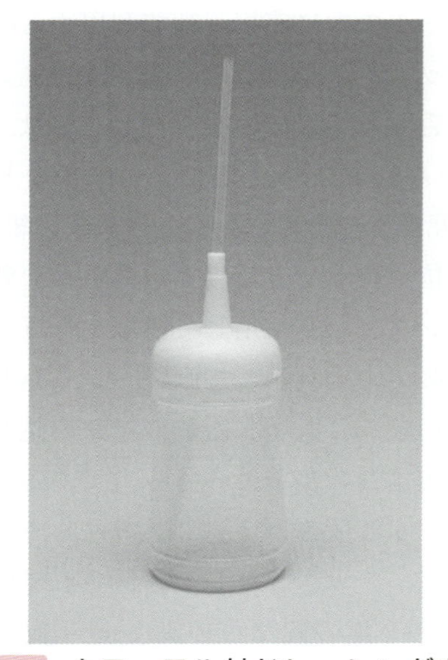

図 5-4　カテーテル付ドレッシングボトル

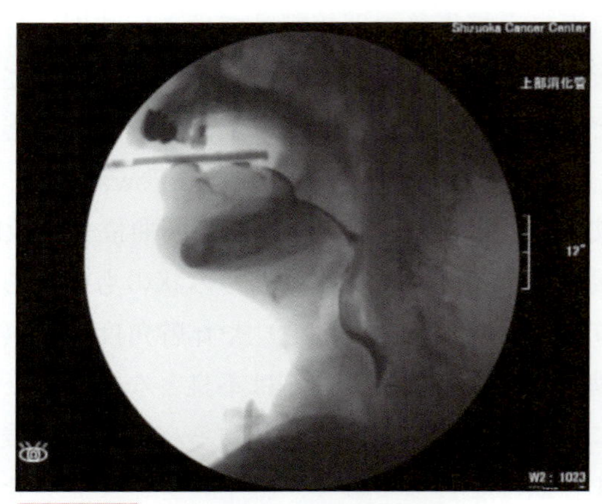

図 5-5　送り込みの代償手段

舌亜全摘術後，カテーテル付ドレッシングボトルを利用して奥舌にとろみ水を注入し，送り込みを代償している様子。

その他，頸部を後屈して重力を利用して咽頭へ送り込む流し込み嚥下法（図 5-3）や，直接奥舌へ注入することで送り込み動作を補うカテーテル付ドレッシングボトルなどの嚥下補助具（図 5-4，図 5-5）を利用する方法もあり，患者に適した方法を用いる。市販のドレッシングボトルに 12〜16Fr 程度のカテーテルを挿入して利用できるが，吸い飲みなどで代用できる場合もある。また，症例によっては代償手段の一つとして，柄の長いスプーンで食物を奥舌に置いて摂取する方法を用いることもある。

食形態は，とろみ水やミキサーとろみ状の形態から開始することが多い。主食は五分粥ミキサーや七分粥ミキサーから始めると適切な粘度で飲み込みやすい。まずはミキサーとろみ食と不足分は経管栄養で補い，経口のみの栄養摂取・経鼻胃管抜去を目指す。その後，主食はミキサー粥から七分粥〜全粥，副食はきざみとろみ食程度へ徐々に移行する。きざみとろみ食は粥と一緒に流し込みながら摂取する，口腔内に残留した食塊を液体摂取時に洗い流しながら摂取する（交互嚥下），というパターンが多い。3〜4 週間の入院中の食形態のゴールとしては，主食全粥・副食ミキサー〜きざみ食，水分とろみなし（もしくはとろみ）程度の状態が多い。最終的には舌根部を含んだ残存舌が多いと常食に近い食形態まで食上げできる場合もあるが，なかにはミキサー食で留まる場合もあり，舌全摘術後が最も機能が悪い。再建皮弁は時間経過による萎縮だけでなく，体重減少や術後の化学放射線療法も萎縮の要因となるため，退院時や外来での

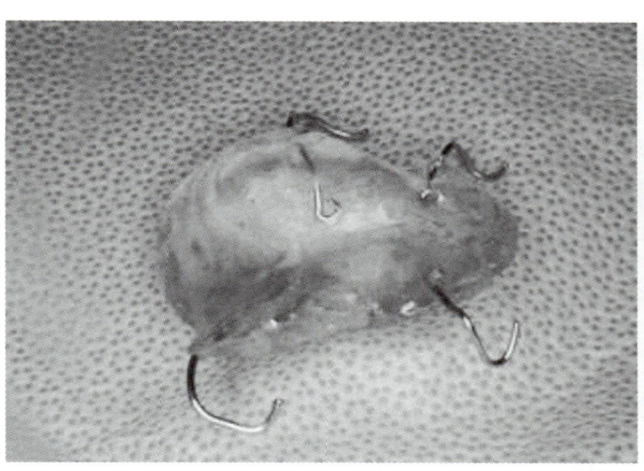
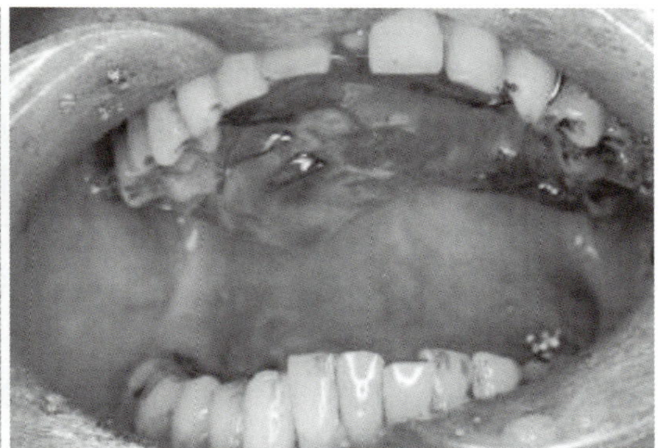

図 5-6 舌接触補助床（PAP）と装着時の口腔内所見

指導時は食形態とともに栄養管理の必要性についても指導を行うことが大切である。舌全摘術後などで嚥下機能が悪く，短期間に経口摂取を確立できないが中長期的には経口摂取へ移行できる可能性がある場合には，入院期間の短縮を図り，嚥下機能の改善にもつながる間欠的口腔食道経管栄養法を導入することもある。間欠的口腔食道経管栄養法には適応基準があるため，「間欠的口腔食道経管栄養法の標準的手順[7]」を参照し，医師や看護師らと検討することが必要である。

3. 舌がん術後の歯科補綴装置

このように術後は，個々の摂食嚥下状態にあった嚥下方法や食形態を指導して経口摂取を進めていくが，必要があれば創部が落ち着いた時期に歯科補綴装置である舌接触補助床（palatal augmentation prosthesis；PAP）（図 5-6）の作製も検討する。口腔期では，舌は口蓋に接し，陽圧をかけて食塊を咽頭に送り込むが，術後に舌の容積が足りない場合は舌が口蓋に届かず嚥下困難になる。この場合はPAPを装着すると口蓋に厚みが生じ，舌と口蓋が接触することで嚥下が容易になる。PAPは主に上顎に装着するが，下顎を含めた両顎補助床の使用に関する症例報告もある[8]。いずれも作製にあたっては，主治医，歯科口腔外科医らとの協働が大切である。

4. 舌切除以外の口腔がん術後の摂食嚥下障害

口腔がんの中でも口腔底がんや下顎歯肉がんなどで下顎骨の切除が必要な場合，下顎区域切除以上の切除範囲や再建方法によって術後の開口範囲や咬合に影響があるため，食形態に配慮が必要である。舌骨上筋群の切離や頸部リンパ節郭清術後の顎下部腫脹，気管カニューレ留置などの影響により咽頭期の問題がある場合は，誤嚥にも注意が必要である。口腔底の切除・再建後は舌に手術侵襲が及んでいなくても，再建皮弁の上に舌が乗っているような状態や舌が腫脹する場合もあり，舌の可動域に影響が生じる。術直後は舌での食塊形成や送り込みが困難な時期もあるため，食形態の調整が必要である。下顎歯肉がん術後は切除範囲や再建方法にもよるが，健側の歯牙や義歯により咀嚼・食塊形成が可能となれば最終的には常食摂取に至ることが多い。

5. 舌がん術後の構音障害の特徴

舌半側切除で適切な再建が行われていれば，構音はほぼ日常生活に支障ない程度に保たれる。しかし，亜全摘以上の切除になると筋皮弁で再建をしても残存舌の可動性が制限され，発話明瞭度は低下し，日常生活上のコミュニケーションに支障が出てくることが多い。摂食嚥下障害のために唾液の貯留があるとさらに明瞭度は低下し，咽頭まで切除範囲が及び鼻咽腔閉鎖不全があるとより明瞭度は低下する。切除部位別でみると，切除部位が側方型の場合は残存舌が代償的に働くことにより実用的な構音が産生されやすいが，前方型切除では残存舌による構音が産生されにくいため，同程度の切除範囲でも側方型よりも明瞭度の低下が大きく，摂食嚥下障害も重症化する。

構音点別では，舌尖の切除は歯茎音（舌尖音）に，舌根部の切除は軟口蓋音（奥舌音）に影響して明瞭度が低下する。歯茎音（舌尖音）／t, d／は口唇音に，軟口蓋音（奥舌音）／k, g／は声門音／h／や母音に異聴される傾向を示す。構音方法別では，破裂音や破擦音の明瞭度が低下し，摩擦音に異聴される傾向を示す。舌と口蓋の十分な接触と声道閉鎖後の素早い呼気の開放が必要な破裂音産生は，舌のボリュームと可動性の低下した舌切除患者では障害されやすい。術後の経時的変化については，術後6カ月～1年で明瞭度は安定する場合が多い。しかし，筋皮弁再建例では術後経過や体重減少，術後化学放射線療法などにより皮弁が萎縮するために，術直後よりも明瞭度が低下する場合もある。

6. 舌がん術後の音声言語訓練

舌がん術後の構音障害に対する治療は，外科的治療，補綴的治療，言語治療に大別される。外科的治療は手術によって構音機能を改善する方法で，舌切除例では二次的再建術などがある。補綴的治療は歯科補綴装置によって構音機能を改善する方法であり，舌切除例に適用されるのは，主として前述したPAPである。PAPは口腔内の創部が安定し主治医の許可が得られたら，歯科口腔外科に作製を依頼する。一般的に嚥下や構音に悪い癖がつく前の術後4～6週以内に作製することが勧められているが，創部の状態や再建皮弁の萎縮変化，術後化学放射線療法に配慮して時期を決めていく。PAP装着により嚥下をしやすくなる場合が多いが，一方で嚥下時の違和感が強く会話するときだけ装着している例もある。また，流涎が多くなることで常時装着に至らない例もある。

言語治療としては，術後4日目以降より構音器官の基礎運動訓練（口唇，頬，残存舌の運動）などを開始し，直接音に働きかける構音訓練を組み合わせて行う。構音訓練は，基本的に構音位置づけ法（phonetic placement）を用いるとよい。図や鏡などを用いて構音位置や構音方法を具体的に示し，視覚的な手がかりをもとに構音指導を行う。訓練音の選択は，構音検査などの結果から聴覚的に歪みの大きい音や明瞭度の低下している音を選択する。ただし，急性期で気持ちが落ち込んでいる場合は，心理的負担に配慮して簡単な音や障害されていない音，改善が期待できる音から始める。訓練は音レベルから始め，音節，単語，文，会話と進めていく。

残存舌の範囲が広く，構音に必要な可動性が十分ある場合には残存舌と口蓋とで正常に近い音が産生できる代償運動を指導する。一方，残存舌が少なく可動性がない場合には残存舌による音の産生が困難なため，舌以外の口唇・下顎・歯などを用いた代償構音の指導を行うか，PAPの適応を検討する。一般的な代償構音には，/t, d/を上顎前歯と下口唇で産生する方法，/k, g/を咽頭破裂音に置き換える方法がある。筋皮弁で再建された場合，皮弁は将来の萎縮を見越して当初は大きめのボリュームで再建されていることが多く，その場合は残存舌が皮弁に押しやられて本来の可動性を失っていることもある。ある程度の期間が経過すると皮弁が萎縮し，残存舌の可動性が出てくるため，このような皮弁の変化を予測して計画を立てていくことも重要である。

また，明瞭度に影響する構音以外の要因として発話速度，声の大きさ，発声発語意欲，唾液の処理などがあり，それらの改善を促すことも必要である。発話速度や声の大きさについては，患者の発話を録音しフィードバックさせながら，意識的に発話速度をゆっくりすること，声を大きくすることを指導する。唾液については，流涎を気にして口型をはっきり大きく示せないことが明瞭度を著しく低下させてしまう要因となる。これには舌での送り込みが困難な場合，吸引力で唾液を咽頭へ送り込むすすり飲みをして，しっかり口腔内の唾液を嚥下してからはっきり大きく口を動かして会話するよう指導する。

7. 口腔ケアの重要性

術前術後の口腔ケア治療プログラムが舌・口腔・下咽頭などの頭頸部がん再建手術後の肺炎を含む術後有害事象の発生リスクを軽減したという報告[9]がある。術後の経口摂取やリハビリテーション治療を効果的に進め，術後有害事象の予防につながる口腔ケアは重要である。特に歯科口腔外科医による口腔ケア治療プログラムの重要性が，がん診療の医科歯科連携につながっている。術前治療（歯科治療，口腔内歯石除去，口腔粘膜清掃方法指導など），術後早期治療（唾液除去，口腔清拭，愛護的口腔粘膜処置，歯磨き，含嗽など）を実施していく。皮弁のボリュームが多く口腔内に十分な水分を取り込みにくい，下顎縁枝麻痺により口唇閉鎖が不十分となり含嗽時に流出してしまう，など術後口腔ケアが難しい場合もあるため，口唇を用手的に閉鎖させるなど工夫が必要である。

●リハビリテーション治療の効果は？

舌がん術後患者に対してエキスパートチームによる術後の摂食嚥下療法を10日間（1日30分）実施した観察研究[10]（水飲みテストにおける摂食嚥下機能評価）では，50％未満の切除群は50％以上の切除群と比べて摂食嚥下機能の改善が良好であり，さらにがんの初期ステージ群は進行ステージ群よりも改善が良好であった。舌がん術後患者を摂食嚥下療法群（1日30分，週6回，2週間）と対照群に分けた非ランダム化比較研究[11]ではQOLをMDADI（MD Anderson Dysphagia Inventory）scoreで評価しており，介入群の方がQOLの有意な向上を示していた。舌亜全摘出以上の切除患者に対し，摂食嚥下機能回復のための集学的治療（術前呼吸機能訓練，遊離腹直筋皮弁を用いた再建術の実施，術後舌接触補助床装着構音訓練）を行った報告[12]では，気管カニューレ抜去は平均約12日，抜去からほぼ10日前後で直接的嚥下訓練の開始が可能であり，最終的に全例五分粥以上の食事形態の経口摂取が可能となった。舌・口腔底・下顎歯肉がんの術後1～2週後に直接的嚥下訓練ができなかった患者に対しPAP装着訓練を行う施設において，術後状態がPAP使用訓練の有無に関連するか否かを後方視的に調査した報告[13]では，PAP装着群に筋皮弁使用例・両側頸部郭清例が多く，非装着群に縫縮・片側頸部郭清が多かった。PAP装着と摂食嚥下機能の関連性について超音波装置を用いて検討した報告[14]では，PAP装着時の方が舌と口蓋の接触時間は短くなり，術後の嚥下に関する舌運動を補助していた。またPAP装着による舌と口蓋の接触回復により，食塊形成が良好となり，咽頭への送り込みのタイミングが改善され誤嚥が軽減し，機能回復につながったという報告[15]もある。ただし，PAPの装着は術後必ずしも必要なものではなく，再建舌の形態が隆起型で良好な場合は使用しないこともあるため，嚥下・構音機能にあわせて医師・歯科口腔外科医・言語聴覚士で作製の可否を検討することが大切である。なおこれらの摂食嚥下療法の報告の中に，その経過中に有害事象（肺炎など）の直接的な増悪などに関する記載は認めなかった。

舌全摘術・舌亜全摘術・舌部分切除術患者の術後の発話明瞭度（母音，音節，連続した母音-子音-母音，自発会話など）を点数化し，構音訓練（術後2～8週間，平均5週間で開始；3～6カ月継続，舌運動訓練，音読訓練，会話訓練，録音による聴覚的フィードバック）の前後で比較したところ，舌部分切除術症例では訓練後の変化はなかったが，舌全摘術・舌亜全摘術後など舌切除範囲が広い症例では，発話明瞭度に改善を認めた[1]。また，舌がん切除後症例に比較的早期からPAPを装着し，3カ月間使用した訓練後の発話明瞭度の評価（母音の明瞭度，音節の正確さ，4つのカテゴリーの文章朗読の明瞭さ，などの専門家による聞き取り評価）では，PAP装着時の方がPAP非装着時よりも，発話明瞭度は良好であった[16]。口腔がん術後に早期にPAPを装着させ構音訓練（発声訓練，術後1～6カ月，1日および1週間の訓練量は不詳）を実施したところ，6カ月の経過で100音節明瞭度検査の結果が向上（70％以上の明瞭度の再獲得）した[12]。舌がん術後症例36名に比較的術後早期からPAPを装着し，3カ月間使用した音声言語訓練の後の自発話の発話明瞭度の評価では，PAP装着時の方がPAP非装着時よりも発話明瞭度は良好であった[17]。なお，これらの音声言語訓練施行中に口腔器官の過用・疼痛・皮弁の異常などで音声言語機能がさらに低下し，その結果としての発声機会の喪失や代償手段（ジェスチャーや筆談など）への移行など，有害事象を明確に記載した報告は認めなかった。

『がんのリハビリテーション診療ガイドライン第2版』の第5章「頭頸部がん」CQ02・CQ05に関しては，重要なアウトカムに対するエビデンスレベルはDであったが，臨床上の有用性は高く安全性は保たれている点，益と害のバランスに確実性がある（益の確実性が高い）点，費用の妥当性と臨床適応性の高さがある点が総合的に考慮され，「摂食嚥下療法・音声言語訓練を行うことを提案する（弱い推奨）」と記載されている。

（飯野由恵・鶴川俊洋・神田　亨）

引用文献

1) Suarez-Cunqueiro MM, Schramm A, Schoen R, et al. Speech and swallowing impairment after treatment for oral and oropharyngeal cancer. Arch Otolaryngol Head Neck Surg. 2008; 134: 1299-304.
2) 日本頭頸部癌学会（編）．頭頸部癌取扱い規約．pp36-7，金原出版，2019.
3) 日本口腔腫瘍学会（編）．口腔癌取扱い規約．pp8-10，金原出版，2019.
4) 今井智子．詳細な検査と評価．小寺富子（監），言語聴覚療法臨床マニュアル　改訂第2版，pp388-9，協同医書出版社，2004.
5) 神田亨．がんの摂食・嚥下リハビリテーション．総合リハ．2012; 40: 1103-12.
6) 神田亨．がんのリハビリテーション－言語聴覚士の立場から．地域リハ．2009; 4: 418-22.
7) 日本摂食嚥下リハビリテーション学会 医療検討委員会．間欠的口腔食道経管栄養法の標準的手順．日摂食嚥下リハ会誌．2015; 19: 234-8.
8) 小山祐司，出江紳一，石田暉，他．舌運動障害に対する嚥下補助床の使用経験 口腔底腫瘍術後の一例．リハ医．1998; 35: 245-8.
9) 大田洋二郎．口腔ケア介入は頭頸部進行癌における再建手術の術後合併症率を減少させる―静岡県立静岡がんセンターにおける挑戦．歯界展望．2005; 106: 766-72.
10) Zhang L, Huang Z, Wu H, et al. Effect of swallowing training on dysphagia and depression in postoperative tongue cancer patients. Eur J Oncol Nurs. 2014; 18: 626-9.
11) Zhen Y, Wang J, Tao D, et al. Efficacy survey of swallowing function and quality of life in response to therapeutic intervention following rehabilitation treatment in dysphagic tongue cancer patients. Eur J Oncol Nurs. 2012; 16: 54-8.
12) 横尾聡．口腔癌広範切除症例に対する嚥下機能再建の意義．日口腔科会誌．2008; 57: 1-18.
13) 関谷秀樹，濱田良樹，園山智生，他．口腔悪性腫瘍術後の摂食嚥下障害に対する舌接触補助床を用いた機能回復法の有効性の検討（第1報）舌接触補助床使用群と非使用群の術後状態における比較．顎顔面補綴．2009; 32: 100-5.
14) Okayama H, Tamura F, Kikutani T, et al. Effects of a palatal augmentation prosthesis on lingual function in postoperative patients with oral cancer: coronal section analysis by ultrasonography. Odontology. 2008; 96: 26-31.
15) Shibano S, Yamawaki M, Nakane A, et al: Palatal augmentation prosthesis（PAP）influences both the pharyngeal and orak phases of swallowing. Deglution. 2012; 1: 204-9.
16) de Carvalho-Teles V, Sennes LU, Gielow I. Speech evaluation after palatal augmentation in patients undergoing glossectomy. Arch Otolaryngol Head Neck Surg. 2008; 134: 1066-70.
17) Furia CL, Kowalski LP, Latorre MR, et al. Speech intelligibility after glossectomy and speech rehabilitation. Arch Otolaryngol Head Neck Surg. 2001; 127: 877-83.

咽頭がん（術後）

3 摂食嚥下療法の効果（咽頭がん）

チェックポイント

- ✓ 中咽頭がんに対して，舌根部を含む広範囲の中咽頭切除および組織移植を行った場合は，摂食嚥下障害が問題となるため摂食嚥下療法が重点的に実施される。
- ✓ 下咽頭がんに対する手術は，喉頭を温存するか否かにより術後摂食嚥下障害のタイプが大きく異なる。
- ✓ 術後の摂食嚥下機能再獲得に向けて間接訓練，直接訓練，歯科補綴装置作製が必要である。
- ✓ 下咽頭喉頭頸部食道を切除した場合，遊離空腸移植にて再建され，永久気管孔の形成により誤嚥は物理的に生じなくなるが，術後の摂食嚥下療法は必要である。

関連 CQ・推奨グレード

CQ 03

咽頭がん・喉頭がんに対する手術が行われる患者に対して，術前後にリハビリテーション治療（摂食嚥下療法）を行うことは，行わない場合に比べて推奨されるか？

▶ 推 奨

咽頭がん・喉頭がんに対する手術が行われる患者に対して，術前後にリハビリテーション治療（摂食嚥下療法）を行うことを提案する。

■グレード 2C　■推奨の強さ 弱い推奨　■エビデンスの確実性 弱

ベストプラクティス

●なぜ必要なのか？

上咽頭がんでは軟口蓋や咽頭側壁切除により，鼻咽腔閉鎖不全，咽頭内圧低下により鼻逆流や咽頭残留を生じる。鼻逆流で経口摂取が進まない，咽頭残留物を誤嚥するなどの摂食嚥下障害が起こる。これらの症状に対し，摂食嚥下療法や補綴物により閉鎖不全を補うなどのアプローチが必要となる。

中咽頭がんに対して舌根部や側壁，後壁を含む中咽頭切除および有茎・遊離皮弁移植を行った場合，舌根部後方移動および側壁・後壁の咽頭収縮による嚥下圧形成が著明に障害され，鼻腔への逆流，咽頭残留（図 5-7），誤嚥など摂食嚥下障害が生じる[1]。これらの症状に対しても摂食嚥下療法が必要となる。

下咽頭がんに対する手術は，喉頭を温存する「下咽頭部分切除術」と喉頭を全部合併切除する「咽頭喉頭食道摘出術」に大きく分けられ，喉頭を温存するか否かにより，術後の摂食嚥下障害のタイプが大きく異なる。腫瘍が下咽頭に留まっているか，喉頭へ広がっていても程度が軽い場合には「下咽頭部分切除術」が用いられる。下咽頭がん，特に梨状陥凹がんは食塊が食道へ移送されるまさに入り口に位置するため，切除や場合によって再建も加わると移送経路の形態的変化を生じ，器質的嚥下障害を生じることになる。

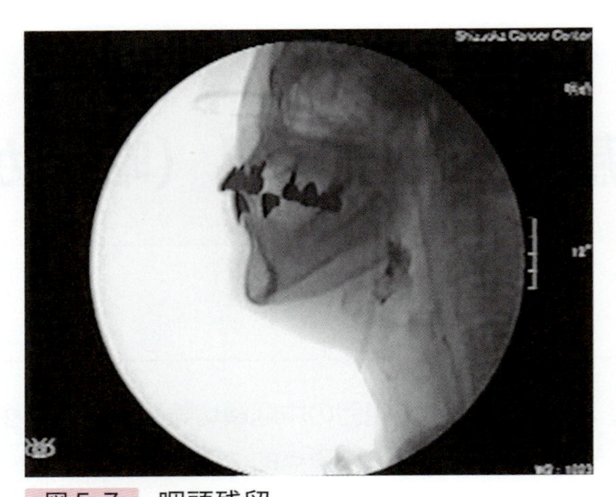

図 5-7　咽頭残留
中咽頭がん術後は，喉頭蓋谷に食塊が残留してしまうことがある。

また，食道入口部開大のタイミングがずれる可能性もあり，運動障害性の嚥下障害も混在する。誤嚥のタイプには挙上期型・下降期型が混在するとされている[2]。このため誤嚥を回避する嚥下方法や環境設定を習得する必要があり，摂食嚥下療法が必要である。

また，これら咽頭がんの摘出術施行に頸部リンパ節郭清術があわせて施行される場合は，郭清レベルによっては舌骨上筋群の切離が加わり，喉頭挙上範囲の制限を生じる。それに伴い，食道入口部開大不全も生じるため，より誤嚥しやすい状態が術後しばらくは続くことになり，咽頭残留や誤嚥を回避しながら経口摂取する方法を習得するため摂食嚥下療法がさらに重要な役割を果たすことになる。

さらに近年，表在がんや比較的早期の浸潤がんに対し全身麻酔下で内視鏡的咽喉頭手術（endoscopic laryngo-pharyngeal surgery；ELPS）や経口的鏡視下腫瘍手術（transoral videolaryngoscopic surgery；TOVS）が行われるようになったが，術後合併症として一過性の嚥下障害が挙げられている。ELPS 後の嚥下障害の病態は，咽頭粘膜剝離後の咽頭収縮筋の機能障害，粘膜の感覚入力が減退することによる嚥下反射惹起遅延などである[3]。これらの嚥下障害に対しても，誤嚥を回避する嚥下方法や姿勢，食事形態などの，環境設定を行うなど，摂食嚥下療法が必要となる。

進行下咽頭がんでは下咽頭・喉頭と頸部食道までの合併切除となる「咽頭喉頭食道摘出術」が行われることが多い。この場合は永久気管孔が造設され，食道は代表的な再建方法である遊離空腸移植とよばれる方法にて再建される。このような構造となれば誤嚥は物理的に生じなくなるが，鼻咽腔逆流や空腸の浮腫による通過障害などが生じることがあるため，術後の段階的な摂食を進めるうえでの摂食嚥下療法は必要である。

●対象となるのはどのような患者か？

基本的には咽頭がんの手術を受けるすべての患者がリハビリテーション治療の対象であると考える。頻度や内容は部位や術式および施設の人的資源の事情によると思われる。

●誰がいつどこで行うのか？

1．誰が行うのか？

摂食嚥下障害，構音障害の双方に対応できる言語聴覚士を中心に，多職種（頭頸部外科医，形成外科医，リハビリテーション科医，理学療法士，作業療法士，看護師，管理栄養士，歯科口腔外科医，歯科衛生士など）でのチームアプローチで対応していく。

2. いつ行うのか？

術後に生じる摂食嚥下障害を予測して，術前からリハビリテーション治療の説明をしておいた方が術後のリハビリテーション治療の開始がスムーズであるといわれている。特に咽頭喉頭食道摘出術の場合は術後コミュニケーションの問題も生じるので，術前からの信頼関係構築は重要である。術後は創部や全身状態に問題なければ4日目を目安に間接訓練を導入，7日目を目安にVFやVEで客観的評価を実施し，検査結果によって直接訓練を開始していく。

3. どこで行うのか？

術前は心理面やプライバシーの問題を考慮してリハビリテーション室で評価を行うのが理想的である。術後早期にはベッドサイドでのリハビリテーション治療が中心となり，徐々にリハビリテーション室でのトレーニング実施時間をとるようにしていく。間接訓練は入院中にリハビリテーション室などで行われることが多いが，必要があれば病棟でも食前アイスマッサージや嚥下体操などが行われる。直接訓練は病棟で行われる場合が多い。退院後も必要があれば自宅での自主トレーニングを指導し，自宅でも継続してもらう。退院後も再建皮弁の状態や機能障害のチェック，歯科補綴装置の調整などを外来で行うことが望ましい。

●どのような方法で行うのか？

1. 咽頭がん術後の摂食嚥下療法

咽頭がん術後の摂食嚥下療法は，主に咽頭期に関する嚥下器官に対して行われる。上咽頭がんに対する間接訓練では鼻咽腔閉鎖に対するブローイング訓練，中・下咽頭がんに対する間接訓練では舌根部や咽頭収縮筋に対する筋力増強目的に前舌保持嚥下訓練，努力嚥下法，昭大式嚥下法などを行う。また喉頭挙上制限に対しては，頭部挙上訓練，誤嚥予防として（強い）息こらえ嚥下法を行う。食道入口部開大不全に対しては，機械的に開大を促すバルーン法を用いることもある。摂食訓練に関しては，上咽頭がんでは鼻つまみ嚥下を用いることが多い。中・下咽頭がんの摂食訓練では，頸部回旋法（図5-8），食品調整，スライス型ゼリー丸のみ法，一口量の調整，体幹角度調整，chin down，一側嚥下，健側傾斜姿勢，複数回嚥下などそれぞれの症例に適した嚥下方法を嚥下造影検査や嚥下内視鏡検査で評価し，指導する。摂食嚥下療法の詳細については，日本摂食嚥下リハビリテーション学会の「訓練法のまとめ（2014版）」を参照されたい。また，上咽頭がん術後の軟口蓋周囲の欠損部位に関しては，軟口蓋挙上装置（図5-9）や栓塞子などの歯科補綴装置を利用して摂食嚥下機能の改善を図る。

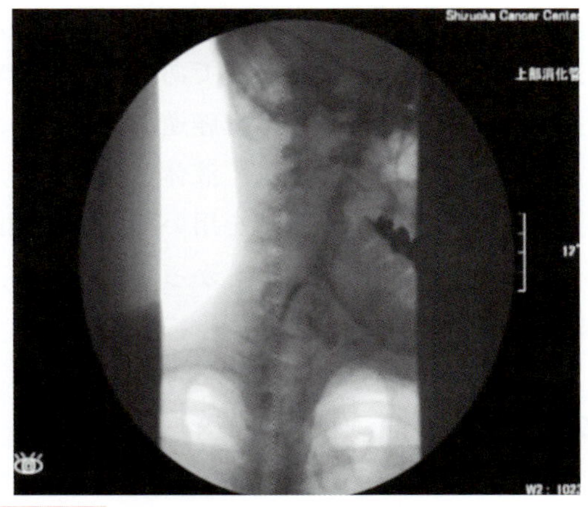

図5-8　横向き嚥下法施行時のVF所見

左横向き嚥下法にて左梨状陥凹に残留した食塊を健側である右側へ通過させている（左下咽頭輪状後部がん，下咽頭部分切除術後）。

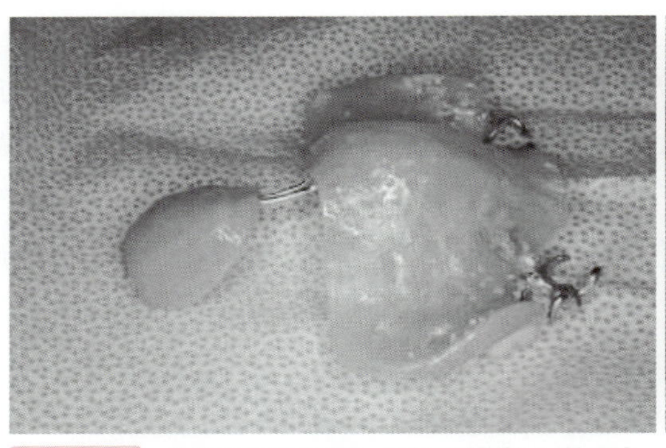
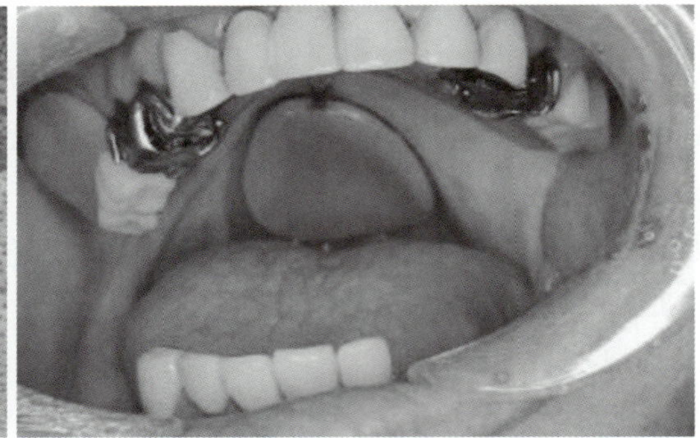

図 5-9　歯科補綴装置（軟口蓋挙上装置）と装着時の口腔内所見
欠損がある場合は栓塞子の役割も担う。

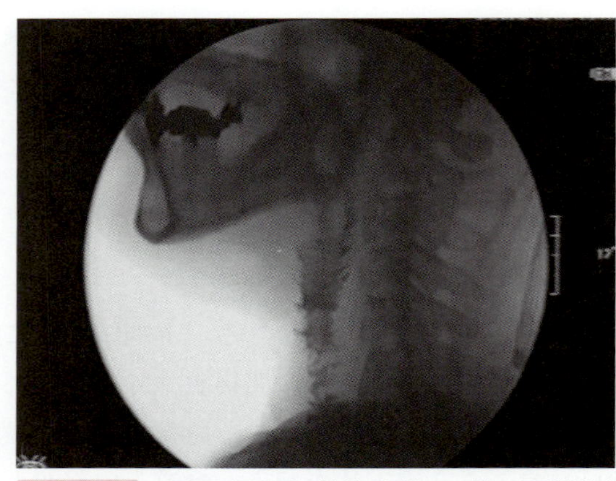
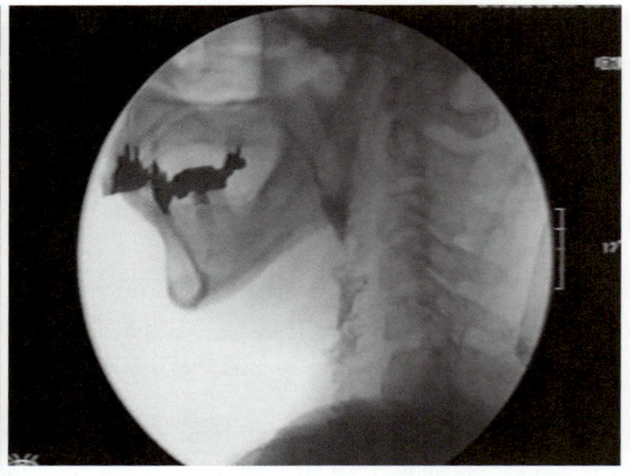

図 5-10　咽頭喉頭食道摘出後の嚥下困難例
再建空腸を通過している状態（左）と鼻腔逆流している状態（右）。

2. 咽頭喉頭食道摘出後の摂食嚥下療法

咽頭に加え，喉頭を全摘出する咽頭喉頭食道摘出後の場合は，気管と食道は完全に分離されるため経口摂取での誤嚥の危険性はない。しかし，遊離空腸再建例の場合，移植後も再建材料である空腸の運動が残存し，空腸自体が食塊の通過を留めてしまうことが原因で，液体を勢いよく飲み込もうとすると鼻腔へ逆流してしまったり，固形物がなかなか頸部食道を通過せず通過困難感がみられたりするような一過性嚥下障害が起こることがある（図 5-10）[4]。特に放射線療法後の咽頭喉頭食道摘出患者は空腸の浮腫が生じやすく，通過障害や鼻咽腔逆流が生じやすい。このような場合は，再建空腸が食塊を通過させるという食道の役割に慣れるまでの時間の経過と経口摂取の訓練が必要である。訓練内容としては，基本的に一口量を少なくしてゆっくり食べるよう指導する。特に液体では鼻腔逆流しやすいため，勢いよく飲み込まないよう一口量に注意する。固形物の通過困難感があるときは，液体と交互嚥下するように指導すると比較的通過しやすい場合が多い。また，頸部回旋や鼻つまみ嚥下を用いて，より咽頭付近の食塊通過時の内圧を上げることが有効な場合もある。術後早期には飲み込みにくかった場合でも，大抵は時間の経過とともに嚥下困難感は軽減し，最終的には問題なく常食摂取できるようになる。

●リハビリテーション治療の効果は？

中咽頭がん 9 例を含む 27 例の頭頸部がん患者に対する介入研究の報告では，摂食嚥下療法を行った群で口腔機能の一部と疾患特異的 QOL の一部に改善が得られている[5]。訓練内容は直接訓練と口腔器官の筋力強化・可動域拡大を中心に行い，実施期間は術後 10 日前後から訓練を開始し，術後 3 カ月まで訓練を継続している。ELPS 術後においては，嚥下造影検査結果をもとに，食事開始時の食形態を工夫したことが肺炎発症を予防できている可能性にも触れている[3)]。また，摂食嚥下療法中における誤嚥の増加など，有害事象の報告は認めていない。

逆に，的確な摂食嚥下療法をもってしても術後の誤嚥の克服が困難あるいは経口摂取困難な期間が長期化すると予想される症例には，特別な摂食嚥下療法の必要性が低い喉頭全摘出術まで考慮する方がQOLの観点から良いのではないかという意見も報告されている[6)]。

『がんのリハビリテーション診療ガイドライン第2版』の第5章「頭頸部がん」CQ03においては重要なアウトカムに対するエビデンスレベルはCであり，臨床上の有用性の報告がある点，益と害のバランスも確実性がある（益の確実性が高い）点，患者の価値観・希望の確実性がある（一致している）点，費用の妥当性と臨床適応性の高さがある点が総合的に考慮され，「摂食嚥下療法を行うことを提案する（弱い推奨）」と記載されている。咽頭がんの術後症例のみのリハビリテーション治療の有用性を検討した研究は少ない。しかし，前述の報告にもあるように言語聴覚士による訓練や嚥下造影検査などの画像評価が摂食嚥下機能改善，肺炎予防につながっている。今後も耳鼻咽喉科（頭頸部外科）との積極的な連携を行い，エビデンスを蓄積していくことが望まれる。

（安藤牧子・鶴川俊洋・神田　亨）

引用文献

1) 千年俊一，濱川幸世，前田明輝，他．中咽頭癌切除再建術後の機能代償に関する研究．日気管食道会報．2010; 61: 1-7.
2) 吉田知之，堀口利之．頭頸部癌術後の嚥下障害 その評価と対策－下咽頭梨状陥凹癌部分切除例．耳鼻と臨．2001; 47: 115-8.
3) 山野貴史，高木靖寛，小野陽一郎，他．咽頭癌に対するELPS術後の嚥下機能に関する検討．嚥下医学．2013; 2: 228-33.
4) 河野辰幸，吉野邦英，滝口透，他．遊離空腸による咽頭食道再建例における移植空腸自律運動の経時的変化と嚥下障害．日気管食道会報．1987; 38: 415-21.
5) 小野二美，上月正博，志賀清人，他．頭頸部癌治療後の摂食嚥下リハビリテーションが摂食嚥下機能とQOLに及ぼす効果．頭頸部癌．2010; 36: 111-8.
6) 藤井隆，吉野邦俊，上村裕和，他．舌根部癌治療に際しての喉頭全摘．頭頸部外．2004; 14: 99-103.

喉頭がん（術後）

4 摂食嚥下療法の効果（喉頭がん）

チェックポイント

- ✓ 喉頭がんに対する術式としては，腫瘍の部位や大きさによって喉頭部分切除術・喉頭亜全摘術・喉頭全摘出術などが選択される。
- ✓ 喉頭垂直部分切除術では喉頭の挙上障害などによる摂食嚥下障害が生じるため，摂食嚥下療法が必要となる。
- ✓ 喉頭亜全摘術後は元来の約 1/4 の残存喉頭で嚥下機能を再獲得しなければならず，摂食嚥下療法は必須である。
- ✓ 今後はがんの早期発見や術式の進歩によって，喉頭全摘出術後患者よりも喉頭温存術後患者への摂食嚥下療法を実施する機会が増えてくる可能性がある。

関連 CQ・推奨グレード

CQ 03

咽頭がん・喉頭がんに対する手術が行われる患者に対して，術前後にリハビリテーション治療（摂食嚥下療法）を行うことは，行わない場合に比べて推奨されるか？

▶ 推 奨

咽頭がん・喉頭がんに対する手術が行われる患者に対して，術前後にリハビリテーション治療（摂食嚥下療法）を行うことを提案する。

■グレード 2C　■推奨の強さ 弱い推奨　■エビデンスの確実性 弱

ベストプラクティス

●なぜ必要なのか？

喉頭がんに対する術式としては，腫瘍の部位や大きさによって「喉頭部分切除術」「喉頭亜全摘術」「喉頭全摘出術」が選択される。

喉頭の前方に腫瘍が限局している例では発声機能を残すため，「喉頭部分切除術」が施行される。同手術では甲状軟骨を切り開き，声帯前方およびその周囲の組織を切除するが，声帯は温存されるので発話は可能である。代表的な喉頭部分切除術として，喉頭垂直部分切除術や喉頭蓋や仮声帯上方の病変に適応される喉頭水平部分切除術がある。これらの手術侵襲により，声門閉鎖不全，気道内圧低下，喉頭周囲の知覚低下が生じ，不顕性誤嚥や嚥下反射惹起遅延を起こしやすくなる。特に物性上，流速の速い液体は誤嚥が起こる可能性が高くなる。誤嚥のタイプは，前咽頭期型（嚥下前）誤嚥・喉頭挙上期型（嚥下中）誤嚥・喉頭下降期型（嚥下後）誤嚥のどれもが起こり得るため，摂食嚥下療法が必要となる。

「喉頭亜全摘術」は，輪状軟骨および披裂部を除く甲状軟骨およびその内方の組織を切除した後に舌骨

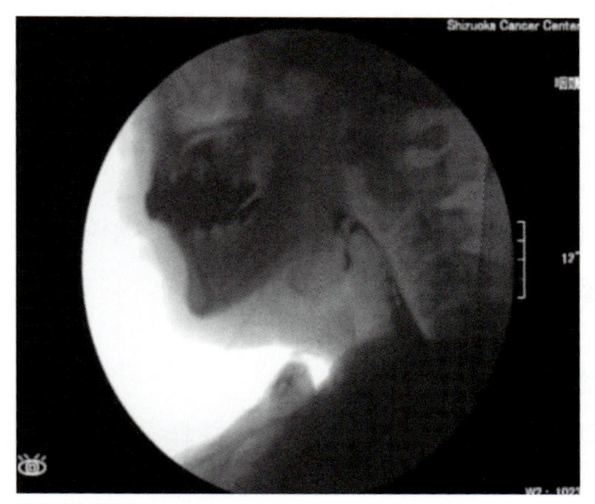

図 5-11　喉頭亜全摘術後の誤嚥所見
とろみ水での喉頭挙上期型喉頭侵入

と輪状軟骨を組み合わせるように接合・固定して再建する術式である。両側声帯を含む甲状軟骨全体を切除するため，残存喉頭は元来の1/4程度となり，声門閉鎖不全による喉頭挙上期型誤嚥や咽頭内圧低下により生じた咽頭残留物による喉頭下降期型誤嚥を生じるリスクがある。特に液体で誤嚥するリスクが高い(図 5-11)。術後4週間程度で経口摂取が確立する場合もあるが，嚥下機能の改善には時間がかかることもあり，直接訓練の開始までに4～6週間程度かかることもある[1]。特に放射線療法の既往がある場合は，改善に時間がかかり，摂食嚥下療法を必要とする。

一方，「喉頭全摘出術」では永久気管孔が造設され，気管と口腔は分離されるため誤嚥の問題なく摂食嚥下機能は維持される。このような機序のため，喉頭全摘出術後の摂食嚥下障害について摂食嚥下療法の必要性を論じているものはない。ただ，喉頭全摘出者は誤嚥のリスクはないものの，味覚・嗅覚障害といった感覚障害から人前での食事に困難を感じているなど嚥下に関連した問題を抱えていることが指摘されており[2]，嗅覚の訓練もあわせて行うなど，リハビリテーション治療の余地が考えられる。

●対象となるのはどのような患者か？

基本的には喉頭がんの手術を受けるすべての患者がリハビリテーション治療の対象であると考える。頻度や内容は部位や術式および施設の人的資源の事情によると思われる。

●誰がいつどこで行うのか？

1. 誰が行うのか？

摂食嚥下障害，構音障害の双方に対応できる言語聴覚士を中心に，多職種（頭頸部外科医，形成外科医，リハビリテーション科医，理学療法士，作業療法士，看護師，管理栄養士，歯科口腔外科医，歯科衛生士など）でのチームアプローチで対応していく[3]。

2. いつ行うのか？

術後に生じる摂食嚥下障害を予測して，術前からリハビリテーション治療の説明をしておいた方が術後のリハビリテーション治療開始がスムーズであるといわれ，術前からの信頼関係構築は重要である。喉頭部分切除術後は，基本的に嚥下機能は良好であり，喉頭瘻への垂れ込みがなければ術翌日にも経口摂取が開始される[4]（創部の安静を図るために，術後早期には喉頭運動を控えることが多いため，口腔・咽頭がん術後よりもリハビリテーション治療の開始が遅く，間接訓練や検査は術後7～10日目に開始されることが多い）。

退院前には在宅での食事内容や注意点を患者とその家族へ指導して，退院後も機能障害をチェックし，外来でとろみ解除などを行うことが可能な体制が望ましい。

3. どこで行うのか？

術前は心理面やプライバシーの問題を考慮して，リハビリテーション室で評価を行うのが理想的である。術後早期にはベッドサイドでのリハビリテーション治療が中心となり，徐々にリハビリテーション室でのトレーニング実施時間をとるようにしていく。間接訓練は入院中にリハビリテーション室などで行われることが多いが，必要があれば病棟でも食前アイスマッサージや嚥下体操などが行われる。直接訓練は病棟で行われる場合が多い。

●どのような方法で行うのか？

喉頭垂直部分切除術は術後に喉頭瘻（図 5-12）が形成されるため，喉頭挙上や声門下圧の低下などにより，誤嚥が生じやすくなる（図 5-13）。

また，喉頭水平部分切除術で喉頭蓋切除が行われると，前述の通り気道防御機構が障害を受ける可能性が高くなる（図 5-14）。訓練としては，気道防御を高める間接訓練や摂食訓練を継続的に行う。具体的には，息こらえ嚥下法，または強い息こらえ嚥下法や chin down である。これらの訓練を進めると喉頭閉鎖が強化され，喉頭挙上期型の誤嚥などが減少する（図 5-15a，5-15b）。喉頭瘻造設中は，息こらえ

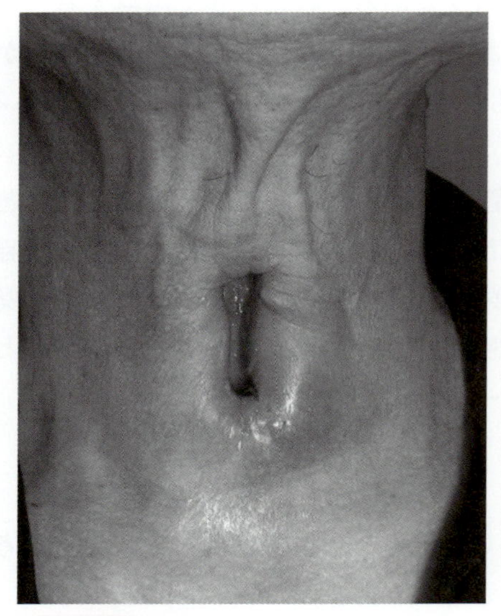

図 5-12 喉頭垂直部分切除術後の喉頭瘻

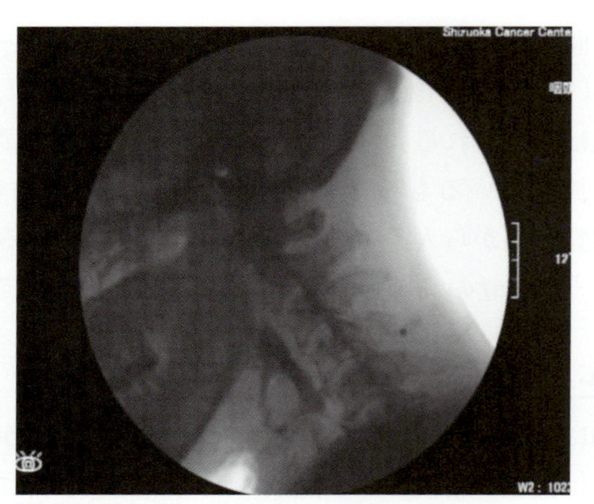

図 5-13 喉頭垂直部分切除術後の誤嚥所見

とろみ水での喉頭挙上期型誤嚥

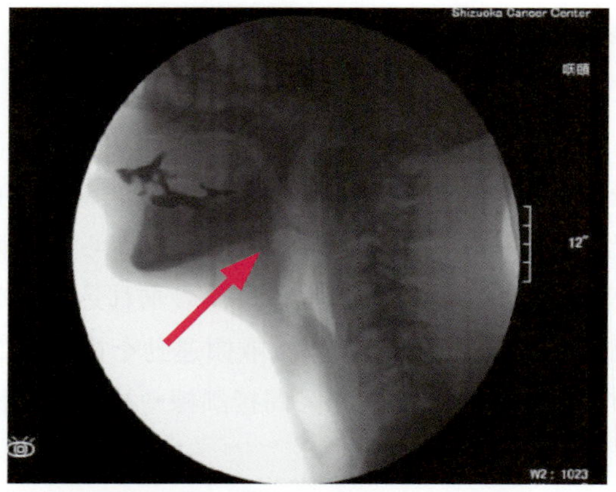

図 5-14 喉頭水平部分切除術後の側面像

喉頭蓋が欠損している

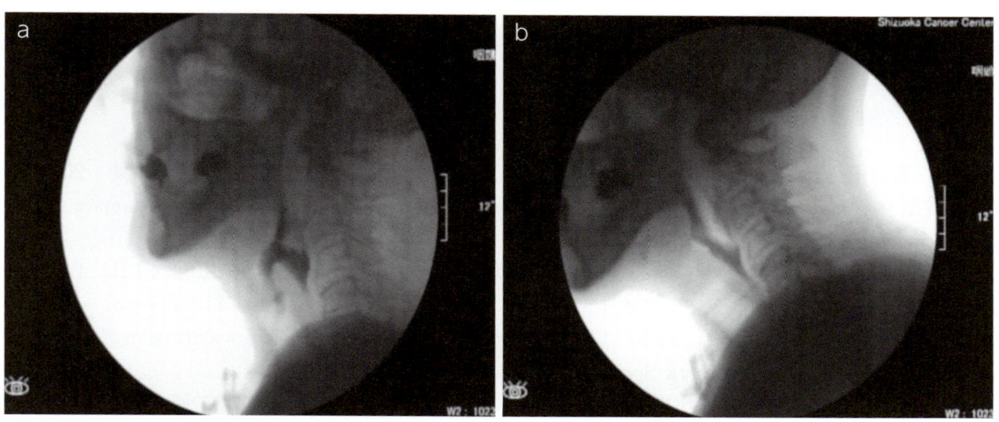

図 5-15 喉頭水平部分切除術後の嚥下造影所見

a. 訓練前：とろみ水での喉頭挙上期型誤嚥
b. 訓練後：喉頭閉鎖が代償でき，とろみ水を誤嚥せずに飲めている

嚥下法などを実施しても瘻から呼気が流出し気管内が陰圧となってしまうため，息こらえや嚥下反射惹起のタイミングで用手的に喉頭瘻を塞いで嚥下すると誤嚥予防に効果的である。嚥下法としては，他に患側への頸部回旋法も有効なことがある[5)]。喉頭がん術後は喉頭周囲の知覚低下により不顕性誤嚥を起こすことが多いため，いずれの訓練方法も VF など画像評価で有効であることを確認して導入することが望ましい。喉頭瘻の閉鎖は皮弁の血流が安定してから行われ，最短で 3 週間程度で可能であるが，2～3 カ月後に再発がないことを確認してから行っているとの報告もある[4)]。

直接訓練はゼリーや粥など凝集性の高いものから開始する。液体は増粘剤を使用し凝集性を高くして使用し，訓練の経過とともに徐々に粘度を下げていく。放射線療法の既往がある喉頭亜全摘術後などでは摂食嚥下機能が悪く短期間に経口摂取を確立できないが，中長期的には経口摂取へ移行できる可能性がある場合には，間欠的口腔食道経管栄養法を導入することもある。

●リハビリテーション治療の効果は？

喉頭部分切除術周術期の摂食嚥下療法（息こらえ嚥下法，強い息こらえ嚥下法，努力嚥下，舌前方保持嚥下法，喉頭閉鎖，メンデルソン手技）において，後方視的に術後のみ摂食嚥下療法を行っていた群と術前後に摂食嚥下療法を行うようになった群を比較検討した報告によると，有効な摂食嚥下再獲得までの日数は，術後のみ摂食嚥下療法を行った群（27.76±5.2 日）に対し，術前後ともに摂食嚥下療法を行った群（16.38±2.9 日）は約 10 日間有意に短く，結果として経鼻胃管の使用期間が短縮されている[6)]。近年では前述したような喉頭亜全摘出術後の摂食嚥下療法の症例報告も認める[7)]。なお，摂食嚥下療法中における誤嚥の増加などの有害事象の報告は認めていない。

『がんのリハビリテーション診療ガイドライン第 2 版』の第 5 章「頭頸部がん」CQ03 においては重要なアウトカムに対するエビデンスレベルは C であり，臨床上の有用性の報告がある点，益と害のバランスも確実性がある（益の確実性が高い）点，患者の価値観・希望の確実性がある（一致している）点，費用の妥当性と臨床適応性の高さがある点が総合的に考慮され，「摂食嚥下療法を行うことを提案する（弱い推奨）」と記載されている。今後は術式のさらなる進歩によって，喉頭全摘出後患者よりも喉頭温存患者への摂食嚥下療法を実施する機会が増えてくる可能性があるので，ますます術前後リハビリテーション治療の重要性が増すと予測する。退院後外来での「がん患者リハビリテーション料」の算定ができない関係上，外来診療では自主トレーニング指導（摂食嚥下指導，食形態の調整）に留まることも多いと思われるが，手術内容に応じた摂食嚥下療法の長期的なエビデンスの構築が望まれる。

（安藤牧子・鶴川俊洋・神田　亨）

引用文献

1) 横堀学，中山明仁，清野由輩，他．喉頭亜全摘術の術後嚥下機能再獲得に対するチーム医療．耳鼻・頭頸外科．2009; 81: 257-64.
2) 須永恵梨子，只浦寛子，倉方奈々，他．喉頭摘出者の QOL に関わる要因．日摂食嚥下リハ会誌．2019; 23: 161-70.
3) Sessions DG, Zill R, Schwartz SL. Deglutition after conservation surgery for cancer of the larynx and hypopharynx. Otolaryngol Head Neck Surg. 1979; 87: 779-96.
4) 浅田行紀．喉頭・気管手術 喉頭腫瘍手術 外切開による喉頭部分切除術．JOHNS．2019; 35: 1211-4.
5) 藤本保志．頭頸部がん－病態に応じたリハビリテーション．MED REHABIL. 2017; 212: 217-23.
6) Cavalot AL, Ricci E, Schindler A, et al. The importance of preoperative swallowing therapy in subtotal laryngectomies. Otolaryngol Head Neck Surg. 2009; 140: 822-5.
7) 中山明仁，八尾和雄，西山耕一郎，他．喉頭癌に対する Cricohyoidoepiglottopexy 後の嚥下機能の検討．日耳鼻会報．2002; 105: 8-13.

喉頭全摘出後（術後）

5 代用音声訓練の効果

チェックポイント

- ✓ 喉頭全摘出後患者の音声の喪失は重要な問題である。
- ✓ 代用音声として，電気式人工喉頭，食道発声，シャント発声が一般的に用いられる。
- ✓ 電気式人工喉頭は喉頭全摘出後に最も広く用いられている代用音声の方法である。
- ✓ 食道発声はその習得には時間を要し，実用使用は必ずしも容易ではない。
- ✓ 喉頭全摘出後患者に対するシャント発声は，術後早期に音声コミュニケーションを習得でき，患者満足度も高い。

関連 CQ・推奨グレード

CQ 06

咽頭がん・喉頭がんに対する手術が行われる患者に対して，術後のリハビリテーション治療（音声言語訓練）を行うことは，行わない場合に比べて推奨されるか？

▶ 推 奨

咽頭がん・喉頭がんに対する手術が行われる患者に対して，術後のリハビリテーション治療（音声言語訓練）を行うことを提案する。

■グレード 2C　■推奨の強さ弱い推奨　■エビデンスの確実性弱

ベストプラクティス

●なぜ必要なのか？

頭頸部がん全般において，治療後に生じるコミュニケーション障害に関して治療前から評価・カウンセリングを行うことが重要だといわれている。そこには，正常発声機能の解説，頭頸部がん治療後に起こり得る一般的な言語障害・コミュニケーション障害の説明，術後コミュニケーションの再獲得方法の説明などが含まれる。その中でも最も問題となるのが，喉頭全摘出後の音声の喪失である。

●対象となるのはどのような患者か？

喉頭全摘出後患者への代用音声訓練は必須ではあるが，頻度や期間などは医療機関でのばらつきが予想される。その他の手術に関する音声言語訓練も必要であるが，全患者をリハビリテーション治療対象とするのは，対応する言語聴覚士の数から推測すると現実的ではないかもしれない。

●誰がいつどこで行うのか？

1．誰が行うのか？

喉頭全摘出後患者への代用音声訓練は患者会に委ねられている場合が多いが，近年では医療機関で言語聴覚士が行う例も多くなってきたようである。言語聴覚士は希望があれば患者会を紹介し，医療機関と患者会の双方でリハビリテーション治療の機会を提供できることが望ましい。

2．いつ行うのか？

周術期のリハビリテーション治療の流れとしては，喉頭全摘出術後4～5日目から電気式人工喉頭を用いて早期に新たな音声コミュニケーション能力を獲得する訓練を開始し，その後に創部が落ち着いたら食道発声の訓練を開始する。咽頭喉頭食道摘出術後は血管吻合があるため，頸部を用いての電気式人工喉頭の使用は術後2週間以降としている。シャント発声は，一期的もしくは二期的に外科的な音声再建術を受けて可能となる。こうした新たなコミュニケーション手段は，訓練のときにはうまく使えても日常生活では使えていないなど，訓練場面と生活場面では乖離があることが多いので，外来でも対応していくのが望ましい。

3．どこで行うのか？

入院中は，術後創部の安定を確認した後にリハビリテーション室で行われることが多い。電気式人工喉頭は入院中に操作を習得できることが多く，入院中に病棟でコミュニケーションを図ることもあるが，食道発声は習得に時間がかかるため外来で訓練を継続していく必要がある。

●どのような方法で行うのか？

1．代用音声の種類（図5-16）

人工喉頭には，呼気を駆動力とする笛式人工喉頭と電気エネルギーを駆動力とする電気式人工喉頭があり，後者にはさらにネックタイプとマウスタイプがある。現在，笛式人工喉頭は審美面や衛生面などの観点からあまり使われなくなり，電気式人工喉頭のネックタイプが最も広く用いられている代用音声である。電気式人工喉頭は，電池によって駆動された振動を経皮的に咽頭粘膜に伝えることによって音を出すことができる器具である。抑揚がつけにくく音が「機械的」になってしまう，発声のために器具を使い片手を塞がれてしまうといった欠点はあるが，習得は比較的容易であり短期間で実用的な使用が可能となる。マウスタイプは，手術後や放射線療法後に顎下部が腫脹してネックタイプが使用できない患者などに使用される。

食道発声は口腔および鼻腔から上部食道へ随意的に空気を取り込み，次にこの空気を吐き出すようにし

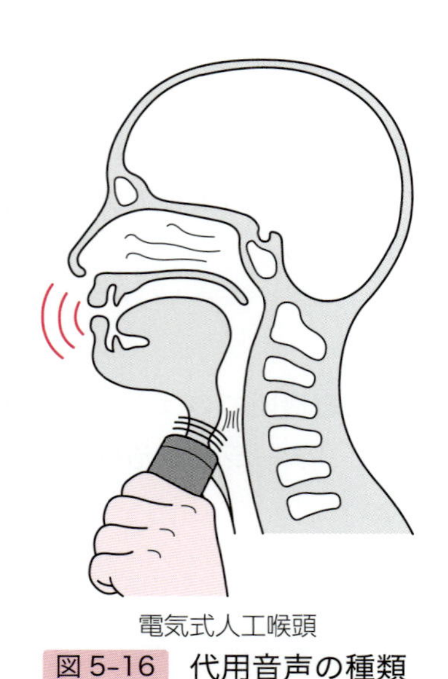

電気式人工喉頭

食道発声

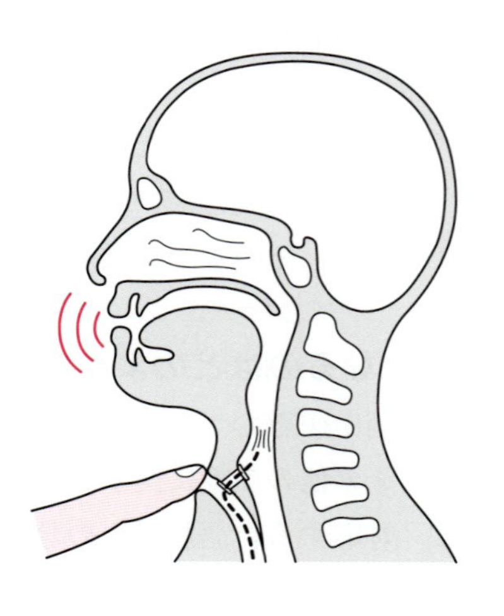

シャント（気管食道瘻）発声

図5-16　代用音声の種類

て新声門（咽頭食道部の粘膜）を振動させることによって音声を生成する方法で，いわゆるゲップをする要領で発声を行う。食道発声は特別な器具を必要とせず，発声のために手を使う必要がないので両手が常に空くという利点がある。

シャント発声は，肺からの呼気を食道に導くための交通路を形成し，新声門を振動させる方法である。気管食道瘻に一方向弁になっている器具（ボイスプロステーシス）を挿入することが多い。シャント発声は通常の呼吸の中で肺からの呼気を駆動源としているため，比較的大きな発声や抑揚のある発声も可能である。食道発声よりも習得は容易だが，ボイスプロステーシスを用いる場合，二期的な手術が必要であること，誤嚥のリスクが生じること，器具の手入れと定期的な交換が必要であること，その際の経済的負担（ランニングコスト）が大きいこと，などの欠点がある。シャント発声は基本的には術後約10日で発声が可能[1]となる。

2. 術前のリハビリテーション治療の流れ

喉頭全摘出後は音声の喪失という患者にとって重大な問題を生じるため，治療後に生じるコミュニケーション障害に関して術前からリハビリテーション専門職が関わり，心理面も含めてサポートできることが望ましい。術前では口腔器官・構音機能・認知面・書字機能面などについての評価とともに，代用音声についての説明や術後のリハビリテーション治療のスケジュールなどについて説明する。説明には本人だけでなく，コミュニケーションの対象となる家族の同席が望ましい。代用音声の説明では，実際に電気式人工喉頭を構音動作のみで使ってもらう，電気式人工喉頭や食道発声を利用して話している習得者の動画を視聴してもらうと理解を得やすい。また身体障害者手帳や電気式人工喉頭給付申請手続きなどについても，家族を含めて説明しておくと術後の申請がスムーズに進みやすい。

3. 電気式人工喉頭の訓練

術後4日目頃より，電気式人工喉頭の訓練をまずは頬で開始する。術直後は顎下部が腫脹しているため，頬かマウスタイプを利用して操作に慣れてもらう。電気式人工喉頭の訓練は，①機器の構造と使い方の説明，②振動面をどこに当てれば最適な振動音が得られるか（正中や正中に近い左右側の顎下部が多い），③適切な音量・ピッチを選択する（大き過ぎないこと），④スイッチの適切なon-off操作の指導（文節区切り），⑤気管孔の雑音を防止する（声を出そうとしない），⑥発話明瞭度を上げるため構音動作の明確化や発話速度のコントロールを指導する，ということを主に行う。最終的に操作を習得でき，購入希望があれば機種選定や給付申請手続きについての助言，購入した電気式人工喉頭の音程調整や取扱説明までサポートする。

4. 食道発声の練習

食道発声訓練の希望者については，創部が安定し3食経口摂取できるようになる術後14日目前後に，主治医に確認のうえで訓練を開始する。食道発声の訓練は，自由に十分な空気を食道に取り込む空気摂取訓練と，この空気を使って新声門を振動させて原音を作る発声訓練に分けられる。訓練開始前に喉頭全摘出後の解剖学的・生理学的な変化と食道発声のメカニズムを説明しておくと，訓練方法の理解が得やすい。

空気摂取訓練の方法には吸引法と注入法の2種類があり，補助的な方法として子音注入法がある。吸引法は，肺吸気時に胸郭が拡張し食道内が陰圧になるのを利用して口腔や鼻腔内の空気を食道に取り込む方法である。注入法は，口唇を強く閉鎖し，舌を口蓋に強く押し付けることで口腔内圧を高め，ピストンのように口腔内の空気を食道内に押し込む方法である。子音注入法は，無声破裂音や破擦音，摩擦音などを強調して構音することで口腔内圧が高まることを利用して，口腔内の空気を食道内に押し込む方法である。嚥下法は，嚥下動作により空気を飲み込む方法であるが，取り込んだ空気が胃に落ちてしまうこと，嚥下動作に時間がかかり発話が途切れてしまうことなどから，あまり好ましくない空気摂取方法である。吸引法と注入法をあわせて行う吸気注入法が行えると，最も効率よく空気摂取ができるといわれている[2]。

発声訓練では，空気摂取後に直ちに開口して空気を逆流させるよう指導し，発声させる。まずは原音

／a／の発声を確実に出せるよう訓練を続ける。次に母音と発声持続の習熟を図る。無理に大きい声を出そうとしないで柔らかく声を伸ばすよう指導し，1 回の空気摂取で発話可能なモーラ数を増やしていく。最低でも 1 秒以上発声持続できないと実用的な発話に結び付きにくいが，習熟すると 3 秒程度持続することができるようになる。発声訓練の過程では，食道発声の習熟を阻害する要因となる咽頭発声や口腔囁語にならないように注意する。咽頭発声は舌根部と咽頭後壁などが音源であり，口腔囁語は口腔内が音源である。どちらも癖にならないように早期から注意する。発声時に呼気が強くなり過ぎると気管孔からの雑音が大きくなってしまうので，楽な呼吸を心がけるよう助言する。

発声持続が安定してきたら，「単語」→「文章」→「会話」へと訓練を進めていく。食道発声は空気摂取を頻繁に行うために発声持続時間が短い。よって 1 回の空気摂取で発話可能なモーラ数に応じた，適切な文節の区切り方を指導する。1 回の空気摂取で話す長さが長過ぎると語尾が無声化してしまうし，短く区切り過ぎると不自然に聞こえてしまう。発声が安定しているようであれば，必要に応じて構音の訓練を行うこともある。子音が弱い場合は，気管孔雑音が大きくならないようにしながら子音を強調させ，喉頭摩擦音／h／は代償構音の方法（挙上させた奥舌と口蓋との狭めで生成する摩擦音）を指導する [3]。しかし，喉頭摩擦音はうまく代償構音が出せなくても，会話の中では前後の文脈からそれとなく聞こえてしまうことが多く，それほど問題になることはない。

咽頭喉頭食道摘出後の食道発声は，喉頭全摘出後よりも習得が難しい [4]。現在，咽頭喉頭食道摘出後の頸部食道再建は，安全性などの面から遊離空腸が再建材料として主流となっている。このような管腔臓器で筒状に咽頭が再建された咽頭喉頭食道摘出の場合は，①遊離空腸と咽頭の縫合部，②遊離空腸の蠕動運動で生じる狭窄部，③前頸部を外部から指で押さえたときに生じる咽頭狭窄部が新声門となるが，これらには下咽頭収縮筋がないため効率のよい音声獲得が難しいと考えられている [5]。また術後の一過性嚥下障害が食道発声訓練に必要な空気注入に影響を及ぼすことも，習得の難しさに関わっている可能性が考えられる。訓練の際は，前頸部を手指で押さえながら行うと，咽頭部が狭くなり発声しやすくなる場合がある。

5. シャント発声関連器具の選定と管理

シャント発声は，一期的に手術を施行した場合は，術後 10 日目ほどに創部が落ち着いた段階で主治医に確認して発声訓練を導入する。二期的に手術を施行した場合は，創部に問題がなければ主治医に確認したうえで手術の当日もしくは翌日から発声訓練が開始できる。二期的手術の入院期間は 3 日間程度なので，入院中に 1 度発声指導をして，その後は外来で指導する方法が現実的であろう。気管食道瘻に挿入するボイスプロステーシスにはいくつかの種類があるが，ここでは近年日本で多く使用されるようになってきた Provox vega®（アトスメディカル社）（図 5-17）に基づいて概説する。

シャント発声では温度・湿度交換器（heat and moisture exchanger；HME）（図 5-18）という人工鼻

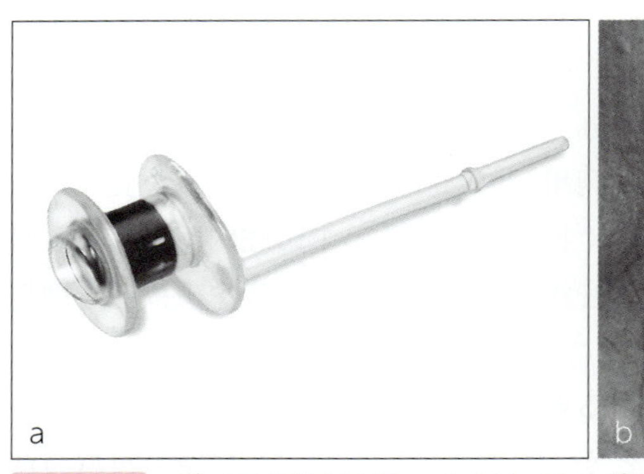
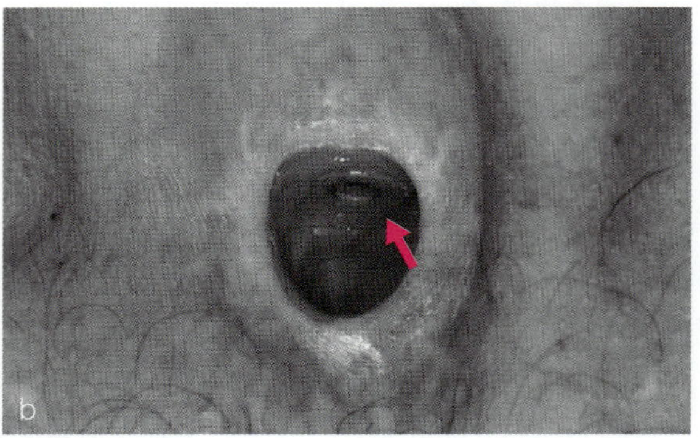

図 5-17 ボイスプロステーシスとその使用例

a．ボイスプロステーシス（Provox vega®）
b．気管食道瘻に挿入された状態

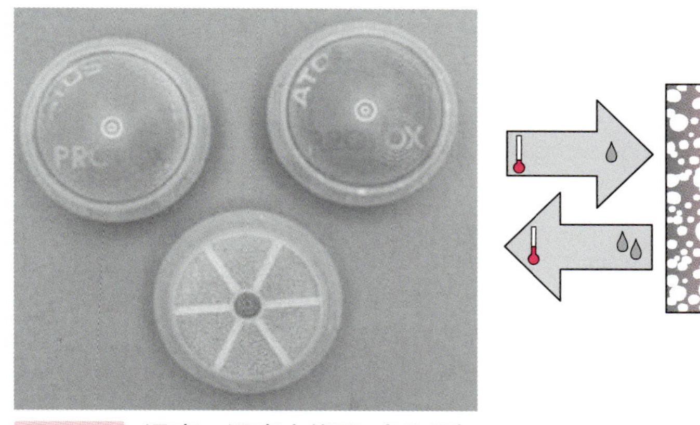
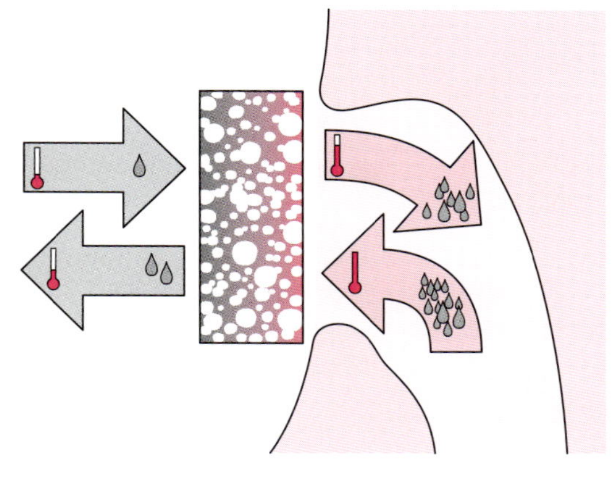

図 5-18　温度・湿度交換器（HME）
HME カセットとその仕組み

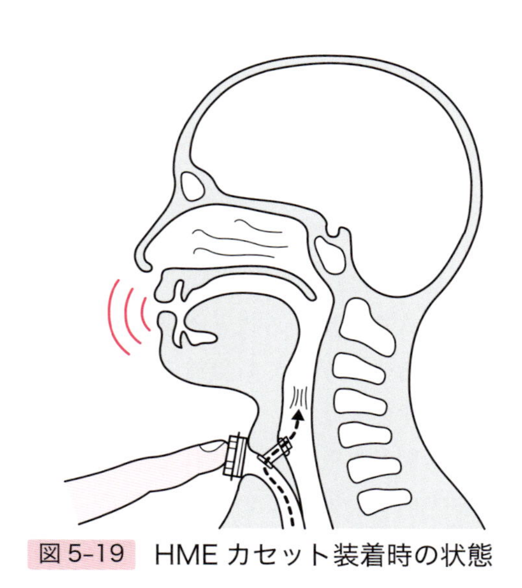

図 5-19　HME カセット装着時の状態

を使うシステムを利用することで，さらに快適に発声や生活ができるよう工夫されている。

HME の効果として以下の 3 点がある。

①呼気時に熱と湿気をフィルター内に集め（水蒸気が蓄積される），吸気時に熱と湿気を吸気に与える（加温・加湿）

②吸気からごみの粒子を濾過する機能（除塵）があり，痰や咳を減少させる効果がある。

③発声時に手指だけよりもしっかり気管孔を塞げるので，より明瞭な発声ができる（図 5-19）。

このように HME システムを利用することで，発声のしやすさだけでなく，痰が減少するなどの効果も期待できる。そのため言語聴覚士には，発声指導だけでなく関連器具に関しても知識を持ち，患者にあった器具の選定や管理の指導ができることが要求される。HME カセットは，高流量型と標準型の 2 種類がある。高流量型は目が粗く，呼吸抵抗が低いため，装着しても呼吸が楽にできる。逆に標準型は目が細かく，呼吸抵抗が強いため，導入初期に使用すると呼吸苦を感じる場合がある。そのため一般的には HME システムにまだ慣れていない導入初期や運動時には高流量型が使用される。高流量型に慣れてきたら，より人工鼻としての効果が高い標準型へ移行していく。標準型は人工鼻としての効果以外にも呼吸抵抗が強いため，肺機能の強化・維持にも良い影響があるといわれている。HME を気管孔に取り付けるためには「アドヒーシブ」というシール状のベース（土台）が必要である。アドヒーシブは肌の状態や気管孔の形状にあわせて選べるように 8 種類のタイプがあり，3 種の材質と 4 種の形状がある（図 5-20）。材質により粘着力や肌への刺激に違いがあり，患者の状態によってそれぞれ適切なものを選択するが，肌から剝が

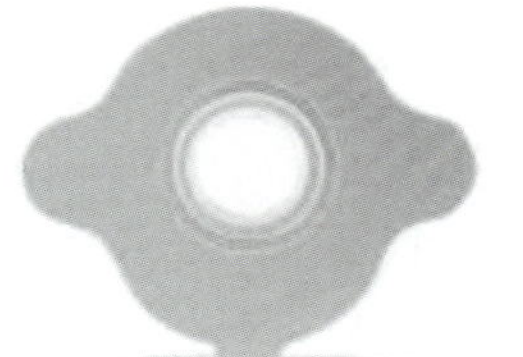

材質：フレクシダーム
形状：オーバル（楕円形）
粘着力は強いが肌が敏感な人には向いていない

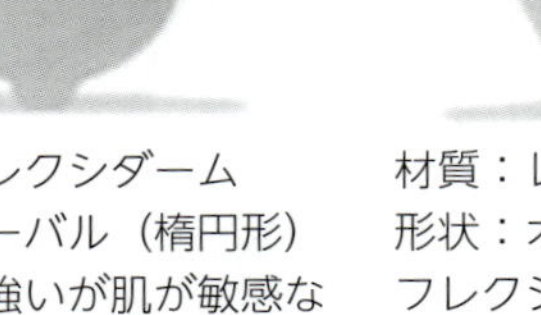

材質：レギュラー
形状：オーバル（楕円形）
フレクシダームとオプティダームの中間の材質

材質：オプティダーム
形状：オーバル（楕円形）
粘着力は弱いが肌に優しい

材質：フレクシダーム
形状：エクストラベース（中央が窪んでいる）

材質：フレクシダーム
形状：ラウンド（円形）

材質：レギュラー
形状：ラウンド（円形）

材質：オプティダーム
形状：ラウンド（円形）

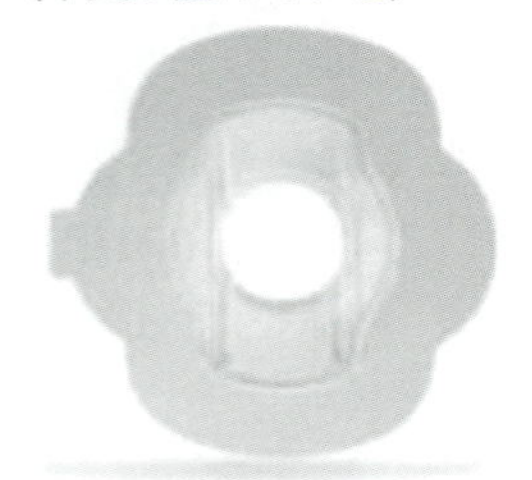

材質：フレクシダーム
形状：スタビリベース（凸型構造により気管孔にフィットしやすい）

図 5-20　アドヒーシブの材質と形状の種類

れないように粘着力の強いフレクシダームを使用することが多い。形状は気管孔の状態にあわせて4種類あるが，粘着範囲の広い楕円形を使用することが多く，気管孔の形状として凹凸（窪み）が強い場合は中央に窪みのあるエクストラベースを使用するとよい。また最近では，気管孔によりしっかりフィットするようデザインされたスタビリベースが新製品として発売された。スタビリベースは，凸型の構造により気管孔の位置が深い人にもフィットしやすいといわれている。欧米では，術後アドヒーシブが貼りやすいように，手術時に胸鎖乳突筋を切除して，なるべく永久気管孔周囲が平坦になるよう配慮して施術している。HMEシステムは土台であるアドヒーシブがしっかり貼られていないと機能しない。発声時の呼気がシール脇から漏れてしまう，あるいは粘着できていない部分に痰が溜まってしまうと発声できない。したがってアドヒーシブの選定や貼り方の指導はHMEシステムを有効に活用するうえで重要である。アドヒーシブ以外にも，ラリボタンやラリチューブといった永久気管孔への挿入タイプのものもあるため，アドヒーシブがあわない患者で検討する。

HMEは1日1回の交換，アドヒーシブは2～3日に1回の交換が推奨されている。1日あたりの費用はHME・アドヒーシブ・保護剤なども含め約850～1000円程度であり，月に約2万5000円前後かかってしまう。このようにシャント発声はランニングコストが非常にかかる方法であるが，最近では日常生活用具給付事業の対象として助成を受けられる市町村が増えてきているようである。

挿入したボイスプロステーシスには痰や常在菌が付着するため，毎日のケアが必要である。専用ブラシで2～3回／日の掃除をすることによって，汚れが弁に付着するのを遅らせ，製品寿命が長くなる。ブラシは1カ月程度で交換した方がよい。ボイスプロステーシスは定期的な交換が必要で，交換までの期間は平均3カ月前後である。交換は外来にて10分程度で終了できる。長持ちさせる方法としては，乳酸菌飲料やヨーグルトを1回/日摂取し乳酸菌の効果で菌類の増殖を抑える，手入れ時にブラシに抗真菌剤を少し付けてケアする，クリーニング器具（フラッシュ）を定期的に使用する，などの方法が有効といわれている。

6. シャント発声の術後発声指導

シャント発声は食道発声よりも習得しやすいが，術後の発声指導は必要である。指導内容は以下の通りである。

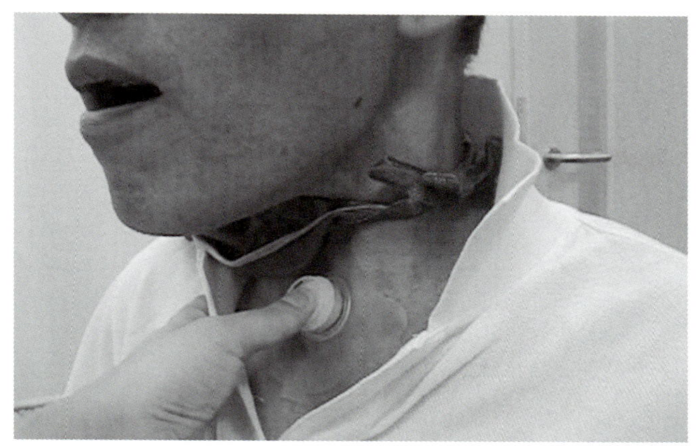

図 5-21　言語聴覚士の手指で気管孔を押さえ発声練習をしている場面

①初めて発声を試みるときは，発声に集中できるよう言語聴覚士が気管孔を指で塞ぎ，発声が慣れてきたら患者自身で試みるようにする（図 5-21）。
②母音よりも摩擦音である／h／がついた語の方が，発声前に呼気流を生み出すことがより簡単であるため，最初は「は」や「ひ」と発声するよう指導する。
③その際に力まないようにするため，「ため息をつくように」と指示し，軟らかく発声するように意識してもらう。
④単音の発声が繰り返し可能となったら，今度は母音を長く伸ばして発声し，2〜3 音節の単語，文へと進めていく。

また，この発声指導のポイントとしては以下の通りである。

①気管孔をうまく塞げているか：気管孔を完全に塞ぐことが重要である。指で塞ぐことができない場合は HME やその他の方法（ガーゼやタオルを丸めたもの，小さい風船をゆるめに膨らませたものなど）を使用する。HME システムの場合はアドヒーシブがしっかり貼れて呼気が漏れていないかを確認する。
②姿勢：背筋を伸ばして前を見る。頭を後ろに反らさない。下を向き過ぎない。
③腹式呼吸：胸式呼吸のパターンが強い場合は腹式呼吸を指導することもある。発声時に腹圧はかけるが，上半身は過緊張にならないことが重要である。
④息継ぎと発声との協調：話し始める直前に気管孔を塞ぎ，話し終わるまで手を外さない。手を早く離し過ぎると後半無声化してしまう。

発声訓練がスムーズに進むと，初回指導だけでもかなり話せるところまで到達する場合もある。逆に初回では全く声が出ない場合も稀にあり，状態に応じて適宜外来でもフォローしていく。発話明瞭度を向上させるための自主トレーニングとしては，「最長発声持続時間の延長」や「歌唱」などが有効とされる。上手に発声できるようになると，男性では発声持続時間が 30 秒程度できるようになる場合もある。

臨床経験上では，食道発声が少しでも習得できていればシャント発声の習得がスムーズに進む印象をもっている。なかには，シャント発声習得後に食道発声を習得できた場合，片手で気管孔を塞がなくてよくなるため，ボイスプロステーシスを抜去してしまう例もある。

7. フリーハンズ HME

通常のシャント発声では気管孔を塞ぐために片手を使う必要があるが，手を使わないでも発声ができるフリーハンズ HME という器具も存在する（図 5-22）。フリーハンズ HME は，マグネット式自動気管孔弁を利用することで安静時の呼吸時には弁が閉じないが，発声時には手指で押さえなくても呼気圧で弁が閉じるようにできている器具である。

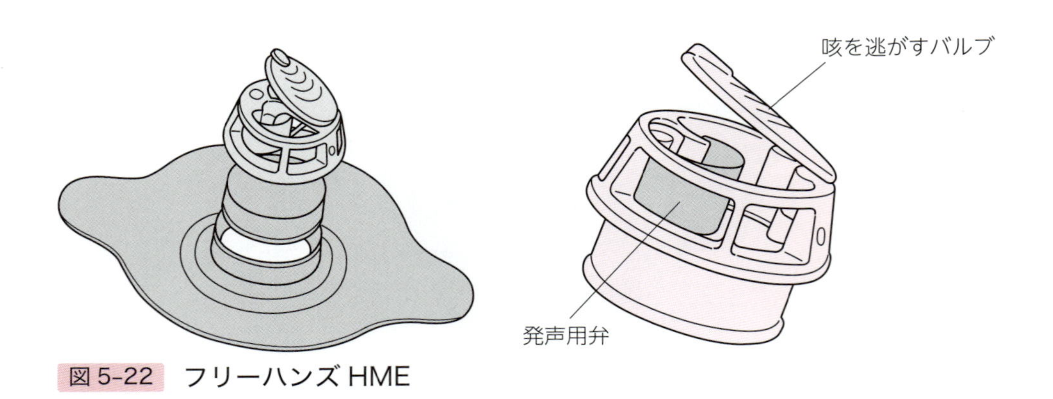

図5-22　フリーハンズHME

フリーハンズHMEを使いこなせる患者は，通常のHMEを使って発声する患者の3割程度といわれており，誰にでも扱うことができる器具ではない。器具の操作や調整に細かな作業を必要とするため，認知面と手先に問題がない患者が適応となる。また，手指で押さえないため，アドヒーシブがしっかり貼り付けられていないと呼気圧で剝がれやすくなり呼気漏れしてしまう。シリコングルーで粘着力を高める，エクストラベースへ変更してみる，アドヒーシブの代わりに自律的に気管孔に留まるラリボタンを利用する，などの方法で呼気漏れを防ぐ対応をする。フリーハンズHME本体は破損しない限り使用可能（メーカー推奨は半年間）だが，フリーハンズ専用のHMEカセットは通常のものと同様使い捨てである。フリーハンズHME本体は高額なものなので，購入前にサンプルを利用して言語聴覚士と一緒に試したうえで適応があるかどうかを検討できるとよい。

●リハビリテーション治療の効果は？

1．電気式人工喉頭

欧米での2年間の調査研究[6]では，術後1カ月の時点で他者と音声でのコミュニケーションを行っている患者のうち85％が電気式人工喉頭を使用し，術後2年経過後でも55％の患者が電気式人工喉頭でコミュニケーションを行っており，電気式人工喉頭は代用音声選択の第一選択肢であるといえる。術後のリハビリテーション治療のイメージのために，術前に電気式人工喉頭の使用方法を説明する機会を作ることが推奨されるが，この術前のリハビリテーション治療の有無による術後のリハビリテーション治療への効果（習得期間短縮，取得率向上など）を検討した報告はない。それでも臨床経験上は術前に信頼関係を築いておくことが電気式人工喉頭使用の一歩となると思われるので，積極的な術前からの関わりが望ましいと考える。

2．食道発声

欧米での2年間の調査研究[6]では，他者と音声でのコミュニケーションを行っている患者の術後1カ月の時点における食道発声使用率は2％，術後2年経過後でも6％であり，同時期の電気式人工喉頭使用率55％・シャント発声使用率31％を大きく下回っていた。わが国では，喉頭全摘出術および咽頭喉頭食道摘出術を受け術後4カ月以上食道発声訓練を実施した患者について術式別の検討が行われ，後者は前者と比べて食道発声の習得が難しく，長期的な指導が必要であると報告[4]されている。

3．シャント発声

シャント発声後の音声習得に関する報告は，海外のものが多い。喉頭全摘出後患者にシャント発声訓練を行い，5～21カ月の経過で観察調査した報告では，87％が良好な音声を再獲得し，73％がコミュニケーションに使用していた[7]。一期的に気管食道瘻を造設した患者の術後観察研究では平均20日目に音声訓練を開始し，3カ月後に77％がシャント発声を獲得していた[8]。喉頭全摘出後患者の発話明瞭度の経過を前述の3つの方法においてそれぞれ6カ月後，1年後に追跡調査を行っている報告[9]では，シャント発声が最も明瞭度が良く，かつその中で音声言語訓練群の方が対照群よりも，より客観的明瞭度の改善がみられたとされている。

わが国でもボイスプロステーシスによる代用音声の報告がある。喉頭がん・下咽頭がんに対する喉頭全摘出後患者に対してシャント造設後にボイスプロステーシス（Provox2®）を装着した追跡調査（5年間）では約90％の患者が音声を再獲得しており，これはシャント発声以外の代用音声習得を試みた喉頭全摘出患者の食道発声および電気式人工喉頭による代用音声習得率（62.8％）を上回っていた[10]。ボイスプロステーシスの長期的な使用状況に関する追跡調査（10年間）では，音声獲得率は90％と高い成績であったが，日常生活で会話に使用している症例の割合は66.7％とやや低下していた[11]。シャント造設後に全例ボイスプロステーシス（Provox2®）を装着し音声獲得を検討した報告[12]では，82％の症例において有用な音声を獲得することができ，嚥下は良好であり，術式による影響はなかった。ボイスプロステーシス使用の問題点として，シャントおよび弁周囲の肉芽組織形成，唾液漏出，胃食道逆流の報告があり，慎重な長期観察が重要である。

4. QOL評価

喉頭がん・下咽頭がんにおける喉頭全摘出後患者を音声言語訓練群と対照群に分けたQOLに関する検証[13]では，音声言語訓練群の方が対照群に比べて，EORTC QLQ-C30やEORTC QLQ-H&N 35におけるスコアが有意に高かった。術後6カ月以上経過した喉頭がん術後患者のQOLを評価した報告によると，電気式人工喉頭のみで発声コミュニケーションを行っている患者は，その音声がロボット様である，片手が塞がってしまうという理由からシャント発声を用いている患者と比較してQOLが低下していた[14]。

5. 有害事象

『がんのリハビリテーション診療ガイドライン第2版』では，音声言語訓練施行の期間中に，コミュニケーション能力を再獲得することの困難さから「抑うつ」を発症する可能性が検証されているが，そのような報告は認めなかった。

『がんのリハビリテーション診療ガイドライン第2版』の第5章「頭頸部がん」CQ06における重要なアウトカムに対するエビデンスはCであり，臨床上の必要性と有用性は高く安全性は保たれている点，益と害のバランスに確実性がある（益の確実性が高い）点，患者の価値観・希望の確実性がある（一致している）点，費用の妥当性と臨床適応性の高さがある点が統合的に考慮され，「音声言語訓練を行うことを提案する（弱い推奨）」と記載されている。この領域では，海外とわが国の事情の違いがあり一概にエビデンス通りの医療を展開することは難しいかもしれないが，本ガイドラインでは，臨床において音声喪失後の代用音声獲得は必須かつ長期の課題であり，外来にて「がん患者リハビリテーション料」算定にて実施できるようになることが望ましい，とも記載されている。

代用音声はそれぞれ特徴があり，メリット・デメリットがある。2018年のシステマティックレビューによれば，シャント発声は電気式人工喉頭，食道発声と比較して有意に優れた結果が報告されている。しかし，いずれの代用音声のグループも何らかの音声の問題を訴えているとしている[15]。喉頭全摘出後患者は周りの環境や自分の体調に応じて，実際には複数の代用音声手段を併用しながらコミュニケーションをとっていることが多い。言語聴覚士は年齢・仕事・家族状況・経済力などに応じて，複数の代用音声手段を駆使しながら総合的なコミュニケーション能力を高めていく支援をすることが重要と思われる。

（安藤牧子・鶴川俊洋・神田　亨）

引用文献

1) Juarbe C. Overview of results with tracheoesophageal puncture after total laryngectomy. Bol Asoc Med PR. 1989; 81: 455-7.
2) 佐藤武男．食道発声法－喉摘者のリハビリテーション．pp62-5，金原出版，1993.
3) 小池三奈子．音声障害 無喉頭音声（2）．小寺富子（監），言語聴覚療法臨床マニュアル　改訂第2版，pp342-3，協同医書出版社，2004.

4) 神田亨，田沼明，鬼塚哲郎，他．術式による食道発声訓練経過の差異 喉頭全摘術後と下咽頭喉頭頸部食道全摘術後との比較．言語聴覚研．2008; 5: 152-9.
5) 岩井大．喉頭摘出後の音声獲得 （3）シャント．耳鼻・頭頸外科．2007; 79: 211-20.
6) Hillman RE, Walsh MJ, Wolf GT, et al. Functional outcomes following treatment for advanced laryngeal cancer. Part I-voice preservation in advanced laryngeal cancer. Part II-laryngectomy rehabilitation: the state of the art in the VA system. Research speech-language pathologists. Department of veterans affairs laryngeal cancer study group. Ann Otol Rhinol Laryngol Suppl. 1998; 172: 1-27.
7) Hybásek I. Surgical substitution of glottis after total laryngectomy. Sb Ved Pr Lek Fak Karlovy Univerzity Hradci Kralove. 1981; 24: 325-9.
8) Mehta AR, Sarkar S, Mehta SA, et al. The Indian experience with immediate tracheoesophageal puncture for voice restoration. Eur Arch Otorhinolaryngol. 1995; 252: 209-14.
9) Singer S, Wollbrück D, Dietz A, et al. Speech rehabilitation during the first year after total laryngectomy. Head Neck. 2013; 35: 1583-90.
10) Terada T, Saeki N, Toh K, et al. Voice rehabilitation with provox2 voice prosthesis following total laryngectomy for laryngeal and hypopharyngeal carcinoma. Auris Nasus Larynx. 2007; 34: 65-71.
11) 那須隆，小池修治，野田大介，他．Voice prosthesis による喉頭摘出後の音声リハビリテーション 長期経過と合併症の検討．日気管食道会報．2009; 60: 16-22.
12) 小島卓朗，加藤一郎，中田誠一，他．voice prosthesis を用いた気管食道シャント手術による術後音声機能獲得に関する検討．音声言語医．2014; 55: 215-8.
13) Varghese BT, Mathew A, Sebastian P, et al. Comparison of quality of life between voice rehabilitated and nonrehabilitated laryngectomies in a developing world community. Acta Otolaryngol. 2011; 131: 310-5.
14) Finizia C, Bergman B. Health-related quality of life in patients with laryngeal cancer: a post-treatment comparison of different modes of communication. Laryngoscope. 2001; 111: 918-23.
15) van Sluis KE, van der Molen L, van Son RJJH, et al. Objective and subjective voice outcomes after total laryngectomy: a systematic review. Eur Arch Otorhinolaryngol. 2018; 275: 11-26.

頸部リンパ節郭清術（術後）

6 上肢機能訓練の効果

チェックポイント

- ✓ 頸部リンパ節転移を有する症例に実施される頸部リンパ節郭清術は，臨床的に重要な手術法である。
- ✓ 手術の際に副神経が障害されると，術後に僧帽筋・胸鎖乳突筋の麻痺を呈し，安静時の肩甲骨の下垂・外側偏移，運動時の肩関節の拳上および頸部回旋の制限を認め，頸部や肩甲帯の痛みや不快感を生じる。
- ✓ 頸部リンパ節郭清術後のリハビリテーション治療を術後経過に応じてきめ細かく実施することで，安全かつ効果的に上肢機能・ADL の改善を導くことが期待できる。

関連 CQ・推奨グレード

CQ 08

頭頸部がんに対する頸部リンパ節郭清術が行われる患者に対して，術後のリハビリテーション治療（上肢機能訓練）を行うことは，行わない場合に比べて推奨されるか？

▶ 推 奨

頭頸部がんに対する頸部リンパ節郭清術が行われる患者に対して，術後のリハビリテーション治療（上肢機能訓練）を行うことを推奨する。

■グレード 1B　■推奨の強さ 強い推奨　■エビデンスの確実性 中

ベストプラクティス

●なぜ必要なのか？

頭頸部がんの中でも特に下咽頭がんにおいては，その予後を左右する因子として頸部リンパ節転移の制御があり，臨床的に頸部リンパ節転移を有する症例に実施される頸部リンパ節郭清術（以下，郭清術）は重要な手術法である。頸部リンパ節は領域（レベル）別に6群に分類され，郭清術の術式は，①根治的郭清術，②保存的郭清術，③選択的郭清術に分けられる。①では郭清はすべての領域であり，胸鎖乳突筋・副神経・内頸静脈が合併切除される（神経断裂）。②では①と同様に郭清はすべての領域であるが，胸鎖乳突筋・副神経・内頸静脈のうち1つ以上は温存される。③では郭清される領域の一部が温存され，胸鎖乳突筋・副神経・内頸静脈も通常温存される。②，③の術式の際に副神経は温存されるが，術中操作により①のような神経断裂には至らないものの副神経周囲の圧迫などによる神経軸索の障害を生じる可能性があると考えられている。

副神経支配の僧帽筋は，上部・中部・下部線維からなる大きな筋で，肩甲帯の挙上・固定や上方回旋や下制を担う筋である。副神経障害の結果として生じる僧帽筋の完全・不全麻痺（肩関節症状）の特徴は，

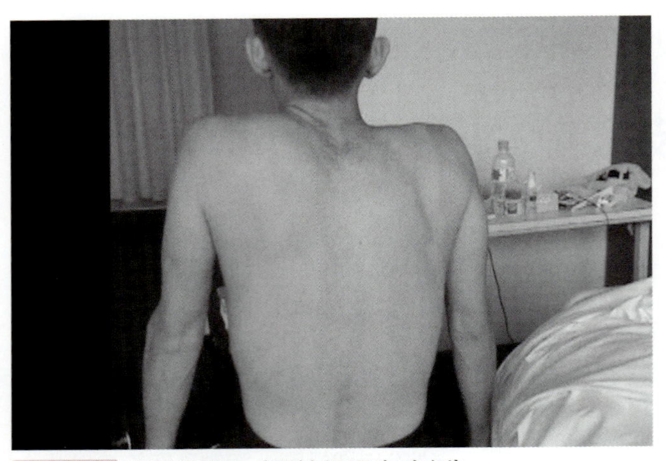

図 5-23　翼状肩甲（副神経温存症例）
運動時には肩すくめ（肩挙上）の制限がみられる。

安静時には肩甲骨は下垂・外側偏移（翼状肩甲）（図 5-23）し，運動時には肩関節の拳上制限がみられ，頸部や肩甲帯の痛みや不快感を訴えることも多い。これらの症状は，郭清術後に生じた副神経麻痺の特徴として，“shoulder syndrome” と称される。

一般的に①の方が②，③よりも肩の症状の発生率は高い[1)]。また，選択的郭清術が施行された群でも，レベルⅣまでの郭清群とレベルⅤまでの郭清群との比較では，後者の患者群の方に筋力低下を認めたという報告がある[2)]。また，郭清術後症例の QOL は，レベルⅤもしくは両側レベルⅢ・Ⅳを郭清した群の QOL が低下しており，肩関節機能障害は二次的な抑うつ状態につながり，QOL 低下の重要な因子ともなる[3)]。選択的郭清術（副神経温存）を施行された患者に質問紙表を用いて上肢機能障害を調査したところ，平均 1.6 年経過した後であっても，運動機能障害なしの回答は 23％しか認めなかったという報告もある[4)]。

●対象となるのはどのような患者か？

頭頸部がんの部位，副神経切断・温存にかかわらず郭清術を施行された後に僧帽筋麻痺の症状が出現するまたは疑われる患者はリハビリテーション治療対象と考える。

●誰がいつどこで行うのか？

1．誰が行うのか？

「理学療法士が行う」「作業療法士が行う」「頭頸部外科医またはリハビリテーション科医が説明・指導する」「看護師が行う」など，施設によって対応はさまざまであると思われる。なおリハビリテーション専門職が行う場合，国内においては理学療法士・作業療法士どちらが実施した報告もあり，施設の人的資源に応じて対応することになっていると推測される。

2．いつ行うのか？

術前評価を，頭頸部外科医またはリハビリテーション科医およびリハビリテーション専門職で，入院中もしくは外来で行う。既存の頸部・肩関節の可動域（特に左右差の有無），上肢筋力，日常生活における上肢使用頻度（利き手），職業などを評価し，術後に起こり得る症状を説明し，術後の上肢機能障害のイメージをもってもらう。また，ある程度の回復までの期間に関しても情報提供する。

肩関節への術後リハビリテーション治療時期に関しては明確な記載はないが，ドレーンや創部に注意しながら術後 2〜5 日目に治療を開始している報告が散見される。術後入院リハビリテーション治療期間は原発の手術の経過，特に摂食嚥下能力の改善に要する期間に準ずることが多いが，約 3〜5 週間（郭清術

郭清術後の患者を監督下の肩甲帯筋力増強訓練群（1セット8〜12回，1日2〜3セット，週3回，12週）と対照群（通常の理学療法のみ）に分けたランダム化比較試験[9]では，12週後の自動外転の関節可動域において，筋力増強訓練群は対照群に比較して有意に改善したが，6カ月・12カ月の評価では有意差は認めなかった。NDII（The Neck Dissection Impairment Index）によるQOL評価を用いているが，両群における有意差は認めなかった。

国内でも無作為化研究ではないが，リハビリテーション治療の結果，肩周辺の疼痛と自動・他動関節可動域の改善を認め，ADLが向上したという報告[10]がある。また保存的郭清術後患者において術後4〜5日目からリハビリテーション治療を開始し，術後2カ月目の肩関節可動域（外転）評価では僧帽筋麻痺の残存（外転150°以下）を認めるものの，6カ月後には外転可動域は全例150°以上に改善したという報告[11]を認める。臨床経験上も屈曲可動域は比較的順調に回復するので，外転可動域をいかに早く改善し，かつ維持させていくかがその後の上肢使用に関して重要な要素である。リハビリテーション治療による有害事象を強調した報告がないことからも，郭清術後の副神経麻痺に対するリハビリテーション治療（上肢機能訓練）を術後経過に応じてきめ細かく実施することで，安全かつ効果的に上肢機能・ADLの改善を導くことが期待できる。

『がんのリハビリテーション診療ガイドライン第2版』の第5章「頭頸部がん」CQ08においては，重要なアウトカムに対するエビデンスがBである点，臨床上の有用性は高く安全性は保たれている点，ガイドライン初版作成時以降の検証の確立が進んでいる点，益と害のバランスに確実性がある（益の確実性が高い）点，費用の妥当性と臨床適応性の高さがある点が総合的に考慮され，「上肢機能訓練を行うことを推奨する（強い推奨）」とされている。

（鶴川俊洋・立松典篤）

引用文献

1) Short SO, Kaplan JN, Laramore GE, et al. Shoulder pain and function after neck dissection with or without preservation of the spinal accessory nerve. Am J Surg. 1984; 148: 478-82.
2) Cappiello J, Piazza C, Giudice M, et al. Shoulder disability after different selective neck dissections（levels II-IV versus levels II-V）: a comparative study. Laryngoscope. 2005; 115: 259-63.
3) van Wilgen CP, Dijkstra PU, van der Laan BF, et al. Shoulder and neck morbidity in quality of life after surgery for head and neck cancer. Head Neck. 2004; 26: 839-44.
4) Carr SD, Bowyer D, Cox G. Upper limb dysfunction following selective neck dissection: a retrospective questionnaire study. Head Neck. 2009; 31: 789-92.
5) McNeely ML, Parliament MB, Seikaly H, et al. Effect of exercise on upper extremity pain and dysfunction in head and neck cancer survivors: a randomized controlled trial. Cancer. 2008; 113: 214-22.
6) Salerno G, Cavaliere M, Foglia A, et al. The 11th nerve syndrome in functional neck dissection. Laryngoscope. 2002; 112（7 Pt 1）: 1299-307.
7) McNeely ML, Parliament MB, Courneya KS, et al. A pilot study of a randomized controlled trial to evaluate the effects of progressive resistance exercise training on shoulder dysfunction caused by spinal accessory neurapraxia/neurectomy in head and neck cancer survivors. Head Neck. 2004; 26: 518-30.
8) Carvalho AP, Vital FM, Soares BG. Exercise interventions for shoulder dysfunction in patients treated for head and neck cancer. Cochrane Database Syst Rev. 2012: CD008693.
9) McGarvey AC, Hoffman GR, Osmotherly PG, et al. Maximizing shoulder function after accessory nerve injury and neck dissection surgery: a multicenter randomized controlled trial. Head Neck. 2015; 37: 1022-31.
10) 島田洋一，千田聡明，松永俊樹，他．医原性副神経麻痺に対するリハビリテーション．別冊整形外．2006; 49: 222-7.
11) 鬼塚哲郎，海老原充，飯田善幸，他．副神経保存した頸部郭清術における僧帽筋麻痺の経時的回復．頭頸部癌．2008; 34: 67-70.

頭頸部がん（放射線療法中・後）

7 摂食嚥下療法，音声言語訓練の効果

チェックポイント

- ✓ 頭頸部がんに対して放射線療法が行われると摂食嚥下機能が低下し，経口摂取量が減少し，栄養障害につながる恐れがある。
- ✓ 放射線療法中・後の頭頸部がん患者の摂食嚥下障害の評価と安全な経口栄養摂取維持のために，嚥下造影検査（VF）は必要な検査である。
- ✓ 放射線療法中・後の摂食嚥下障害，音声障害に対するリハビリテーションプログラムが報告され，近年その有効性が示されている。

関連 CQ・推奨グレード

CQ 04

頭頸部がんに対する放射線療法中・後の患者に対して，リハビリテーション治療（摂食嚥下療法）を行うことは，行わない場合に比べて推奨されるか？

▶ **推 奨**

頭頸部がんに対する放射線療法中・後の患者に対して，リハビリテーション治療（摂食嚥下療法）を行うことを推奨する。

■グレード **1B**　■推奨の強さ **強い推奨**　■エビデンスの確実性 **中**

CQ 07

頭頸部がんに対する放射線療法中・後の患者に対して，リハビリテーション治療（音声言語訓練）を行うことは，行わない場合に比べて推奨されるか？

▶ **推 奨**

頭頸部がんに対する放射線療法中・後の患者に対して，リハビリテーション治療（音声言語訓練）を行うことを提案する。

■グレード **2B**　■推奨の強さ **弱い推奨**　■エビデンスの確実性 **中**

ベストプラクティス

●なぜ必要なのか？

頭頸部がんに対する放射線療法は早期であれば単独で，進行している場合には手術の前後，化学放射線療法，導入化学療法後に単独か化学放射線療法といった組み合わせで行われる。頭頸部がんへの一般的な放射線療法では，治療装置を用いて1日1回3～5分（2グレイ）の単純分割照射，週5回，7週間，合計

33～35 回（66～70 グレイ）の治療で実施されることが多い。切除治療に比較して低侵襲であり，臓器温存が可能とされることが利点ではあるが，必ずしも満足な音声・嚥下機能の温存に結びつかないことがある。

治療による嚥下機能の問題として，口腔や咽頭領域に放射線照射が行われると，早期反応として唾液の分泌量減少，口腔乾燥，味覚障害，口腔粘膜炎による疼痛や舌運動機能の低下，皮膚の炎症による疼痛，嚥下反射惹起遅延などが出現し，そのために摂食嚥下機能が低下する。障害の機序は照射部位の血流障害による線維化，浮腫によるものと考えられている。

嚥下機能低下は患者本人が自覚していないことも多いため，適切な管理を行わないと不顕性誤嚥から肺炎を発症する危険性がある。したがって，放射線療法中・後の頭頸部がん患者の摂食嚥下障害の評価と安全な経口摂取能力の維持のために，組織の線維化予防目的の間接的嚥下訓練と食形態や姿勢の指導のための VF などによる画像評価は術後症例と同様に必要である。

また，治療による音声機能への影響としては，放射線照射野に口腔や唾液腺，さらには非がん部の粘膜や分泌腺を含まざるを得ないため，咽喉頭の乾燥や浮腫，声帯粘膜炎により嗄声を生じる場合がある。放射線療法に伴う早期反応は治療終了後 2 週間から 1 カ月には治るとされている[1)]が，生検や放射線療法後の喉頭組織の長期経過に伴う瘢痕形成や線維化[2)]，不可逆的な分泌作用低下に伴う乾燥により嗄声が残存することがある。したがって，患者の希望があれば，音声言語訓練を行う余地はあると考えられる。

●対象となるのはどのような患者か？

放射線療法を受ける患者のすべてがリハビリテーション治療の対象者ではあるが，施設の人的資源の事情からみると，その対象は限られる。高齢者，低体力者，低栄養状態の患者へは積極的に摂食嚥下療法を行いたい。音声言語訓練の対象者としては，放射線療法後の喉頭がん患者，特に声門上腫瘍の患者に推奨されるという報告がある[3)]。また，音声障害を悪化させないような予防的治療が有効な患者の候補として，特に原発病変が前交連を含む，あるいは生検の影響で声帯前方癒着を呈する可能性のある患者という報告[4)]もある。

●誰がいつどこで行うのか？

1．誰が行うのか？

1）摂食嚥下障害

摂食嚥下障害に対応できる言語聴覚士が，放射線療法前から評価・訓練・助言・指導を行えることが望ましい。しかし，施設の事情を考慮すると，看護師を中心に摂食嚥下障害に関する自主トレーニング指導，疼痛コントロール，食形態の調整などを対応している病院の方が多いと思われる。がん放射線療法認定看護師も増えつつあり，今後はリハビリテーション専門職との連携に期待が高まる。VF や VE などの画像評価は，頭頸部外科医や耳鼻咽喉科医，リハビリテーション科医，放射線科医，放射線診療技師，管理栄養士などとの協働が必要である。食形態やカロリー調整などについては管理栄養士，疼痛コントロールに関しては薬剤師，治療前歯科処置および口腔ケアについては歯科口腔外科医および歯科衛生士の関わりも重要である。

2）音声障害

音声障害に対応できる言語聴覚士が行うことが望ましい。摂食嚥下障害同様に施設の人的資源の事情や重要性を考えると積極的な（頻回な）リハビリテーション治療は難しいことが予想されるが，摂食嚥下障害への指導を行うとともに，治療に伴い声質変化が生じることを伝え，声の衛生指導を指導内容に加えておくことは治療中・後に患者のセルフケアにつながると考えられる。喉頭所見の評価も重要であるため，頭頸部外科医や耳鼻咽喉科医との協働が必要である。患者の希望があれば非侵襲的な音声治療を行うことは，患者にとって意義のあることと思われる。

2. いつ行うのか？

わが国では「がん患者リハビリテーション料」算定が認められた2010年以降，頭頸部がんの放射線療法が決定した患者には放射線療法の開始前からリハビリテーション治療を開始し，入院中にがん患者リハビリテーション料を算定することが可能となっている。

1）摂食嚥下障害

放射線療法開始後の経過をみながら1週間に2〜3回程度，言語聴覚士が対応するのが現実的と考える。摂食嚥下障害の客観的な評価のためにVFやVEを行うが，定まった施行時期があるわけではないので，症状に応じて考慮する。放射線療法の中〜終盤（治療開始3〜6週間目）には早期反応・有害事象が顕著に生じ，食事摂取量低下〜食事摂取不能となり，疼痛増悪および心理的な落ち込みとともに摂食拒否・嚥下評価不能・リハビリテーション治療中断となる症例も少なくはない。

2）音声障害

摂食嚥下障害患者へのリハビリテーション治療は放射線療法開始前からが望ましいとされているが，音声障害に関しては開始時期に関する報告はない。しかし，放射線療法終了後に音声治療を受けた喉頭がん患者は音声機能に対する自己評価が向上したという報告[3,5]などがあることから，治療終了後からの開始でも効果があるといえる。

3. どこで行うのか？

1）摂食嚥下障害

体調が良好で本人の希望があれば，間接訓練や音声言語訓練はリハビリテーション室で行われることが多い。並行して病棟でも食前アイスマッサージや嚥下体操などが行われる。体調や食事摂取量の低下に応じて前述の訓練は病室で行うことが多くなるが，管理栄養士と協働して看護師とともに食事場面に病室を訪問する。

2）音声障害

音声機能検査や音声訓練はリハビリテーション室（個室）で行うことが望ましい。喉頭ストロボスコピー検査が行われる場合には，可能であれば同席し，喉頭所見を嚥下評価同様に確認する方がよい。

●どのような方法で行うのか？

1. 画像評価

1）摂食嚥下障害

照射部位を念頭に置いたうえで，口腔期から咽頭期までまんべんなく評価することが重要となる。口腔期における舌根部の引き出し運動機能，咽頭期における喉頭蓋の運動機能および喉頭閉鎖機能，喉頭挙上機能，咽頭侵入・誤嚥（図5-27）の有無などを注意して評価する[5]。

2）音声障害

摂食嚥下障害同様，照射部位を念頭に置きつつ，音声障害の場合は喉頭ストロボスコピー検査で声帯の粘膜波動を確認することが必要である。腫瘍の浸潤により声帯粘膜の硬化した部位や放射線療法中に伴う粘膜波動の減弱・声帯粘膜炎・仮声帯発声が生じていないかを観察する。

2. リハビリテーションプログラム

1）摂食嚥下障害

放射線療法中・後の摂食嚥下障害に対するリハビリテーションプログラムが紹介された報告や成書が散見されるようになってきた。基本的には，舌・舌根部・口唇・咽頭喉頭の可動域訓練，頭部挙上訓練，息こらえ嚥下法・舌前方保持嚥下法（tongue holding maneuver）・メンデルソン手技などが報告されている[6]。近年では，“Pharyngocise” といわれる標準化された高強度の嚥下訓練（例：裏声発声，舌の筋力増強訓練，努力嚥下，セラバイトを使用した開口訓練）[7]やシャキア訓練[8]で嚥下機能が維持できたとの報告がある。一般的に放射線療法前期には誤嚥を予防するための嚥下方法を習得することが必要となる。

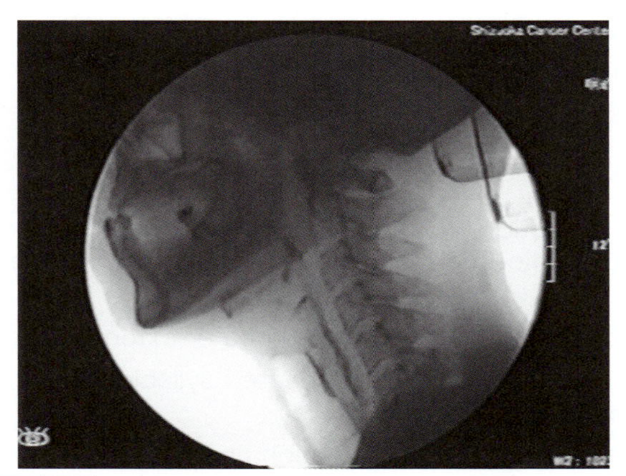

図 5-27　中咽頭がん化学放射線療法後の誤嚥所見
とろみ水での喉頭挙上期型誤嚥

週 1〜2 回のリハビリテーション治療が現実的であり，咽頭期を中心とした嚥下訓練に時間をかける。

放射線治療中期から後期には治療の有害事象や早期反応の経過に注意を払いながら，摂食嚥下機能の維持に努めることになる。可能であれば VF にて喉頭閉鎖不全や誤嚥の徴候に関しての評価を行っておきたい時期である。また，この時期から口腔粘膜の痛みに伴い食事摂取量が徐々に低下してくることを見逃さないことも重要である。その際に摂取総量の経過だけでなく，食べていない（食べにくい，飲み込みにくい）食材や食形態は何であるか，どのような食材や食形態にすれば食べやすそうか，などを細かく評価し，管理栄養士へ報告し，食事指導につなげる。この時期は口腔器官の運動はもちろん，頸部の自動運動や咽頭期の嚥下訓練は可能な限り継続していく。また疼痛コントロールのための薬物量が増えてくる時期でもあるので，特に麻薬性鎮痛薬が開始された場合には消化器症状（便秘，吐き気，食欲不振など）にも注意しておく。

放射線治療終了時期に食事摂取量が十分であればそのまま退院になることが多いと思われるが，治療の影響で摂食嚥下障害が悪化した症例では，終了後の回復過程の中での誤嚥の徴候を臨床所見や VF で確認しておく必要がある。可能であれば再度咽頭期のリハビリテーション治療（息こらえ嚥下法，メンデルソン手技，頭部挙上訓練など）を行うことが望ましい。しかし，現実的には治療後半から終盤に食事摂取が不十分となった症例は，根底に疼痛コントロールが困難となっている背景があり，また同時に抑うつ傾向となることも多く，実際にリハビリテーション専門職とともに摂食嚥下療法を行うことや頸部を動かすことそのものが苦痛になっていることが多い。その状況でのリハビリテーション治療は現実的には困難なことも多いが，無理強いをせずに中断することも必要である。施設によっては，放射線療法は外来通院のことがあり，摂食嚥下障害が残存したまま胃瘻管理で経過する患者もいるため，体重や血液データなど栄養状態そのものを評価して，可能であれば外来にて経過観察とする。

一方，外来に移行して摂食嚥下療法を継続しても，経口摂取不能な状態が続く重篤例の報告も散見されるようになってきた[9]。下咽頭がんの化学放射線療法後に食道入口部が癒着して下咽頭完全閉塞になった場合などは，経胃瘻逆行性食道内視鏡および下咽頭直達鏡併用アプローチにて閉鎖部の拡大術を行うなど手術が必要となることもある[10]。化学放射線療法では，臓器温存と機能温存が両立できないことがある。臓器温存ができた症例でも遷延する重篤な摂食嚥下障害をきたす症例があることを認識し，リハビリテーション治療だけでは対応できない場合は内視鏡拡張や手術の適応についても多職種で検討することが重要である。

2）音声障害

放射線療法が施行された喉頭がん患者への音声言語訓練の報告[11]では，放射線療法終了から約 1 カ月に 10 回の音声言語訓練を 1 回 30 分実施している（表 5-6）。ここでは構造化された内容でのリハビリテーション治療が行われているが，声の衛生指導をはじめとした患者に効果的な音声治療手技を用いて対

表 5-6 音声言語訓練（音声リハビリテーション治療）の内容の一例

Specification of the Voice Rehabilitation Sessions

Session Number	Specification of the Session
1	Basic exercises: relaxation, posture, and breathing. Focus to find abdominal activity in breathing and unvoiced fricatives. Description of voice physiology. Starting with phonation.
2	Repetition of first session, phonation to a greater extent; voiced sounds and syllables.
3	Repeat basic exercises, expand with repeated syllables, short words. Begin generalization with short phrases.
4	Repeat and expand on session 3. Intonation and stressed syllables introduced.
5	Phonation with simultaneous physical movement. Longer phrases.
6	Repetition of most patient-relevant techniques. Focus on words and phrases of different lengths with resonance. Articulation exercises to find relaxed articuration.
7	Using learned techniques in reading of dialogs and conversation. Focus on appropriate pausing, eye contact.
8	Repetition of most patient-relevant techniques. Focus on volume and voice projection.
9	Repetition of most patient-relevant techniques.
10	Repetition of most patient-relevant techniques.

Notes: The sessions took place two times/week during the first 2 weeks, once a week during weeks 3-6, once every second week for the last two sessions, having a total of 10 sessions. Home exercises occurred after every session with a focus on the techniques taught.

(Tuomi L, Björkner E, Finzia C. Voice outcome in patients treated for laryngeal cancer: efficacy of voice rehabilitation. J Voice. 2014; 28: 62-8. より引用)

応することが必要となる。治療中に生じた声帯粘膜炎や声帯ポリープに対しては，声の衛生指導を中心に，軟起声発声など喉詰め発声にならないように指導し，声帯粘膜炎の改善時期などを説明し，不安を軽減することも方法の一つである。

3. 摂食嚥下障害に対する栄養管理と胃瘻造設

放射線療法中の栄養管理に関して，経口摂取のみでの栄養状態が不十分であれば，経鼻胃管と胃瘻による管理方法が挙げられる。治療後 6 週間の時点での体重減少は経鼻胃管群の方が胃瘻群よりも有意に進み，四肢周径も同群の方がより小さくなっていたという報告[12]や，進行頭頸部がんで化学放射線療法を受けた症例のうち約半数は 3 カ月以上の経管栄養を必要とする重度の摂食嚥下障害を生じ，大部分の患者で治療中の体重減少を認め，誤嚥性肺炎を発症し死亡した症例もいたという報告[13]から，摂食嚥下障害と同時に栄養管理の重要性を考慮する必要がある。近年ではこのような化学放射線療法を含めた頭頸部がん治療への支持療法として，治療開始前に経皮内視鏡的胃瘻造設（percutaneous endoscopic gastrostomy；PEG）の実施を勧める施設が増えつつある。しかし，長期的視点から全例に PEG が必要であるかの詳細な検討はまだ十分とはいえず，症例ごとの検討が重要である。

●リハビリテーション治療の効果は？

1. 摂食嚥下障害

放射線療法を実施した頭頸部がん患者への VF 評価に関しては，放射線療法中の頭頸部がん患者に対し VF を実施し健常人の嚥下動態と比較検討したところ，高率に舌根部後方の運動および喉頭挙上運動の低下を認め，さらに誤嚥の所見も確認できたという報告[14]，および放射線療法後から約 2 年経過した頭頸部がん患者群に VF を実施したところ，高率に喉頭侵入の所見を認め，約 3 分の 2 の症例に誤嚥の所見を認めた報告[15]がある。

近年では摂食嚥下療法の効果を検証した比較対照研究も散見される。化学放射線療法の患者を，その治療前からの予防的な摂食嚥下療法群と対照群に分けてFOIS（Functional Oral Intake Scale）で摂食嚥下機能を評価し，PSS-H&N（Performance Status Scale for Head and Neck Cancer Patients）でQOLを評価した報告[16]では，放射線療法終了直後は摂食嚥下機能やQOLに有意差はなく両群とも下降するものの，3カ月後，6カ月後の時点では摂食嚥下療法群の方がより良好な摂食嚥下機能とQOLの改善を示した。化学放射線療法中の患者を，通常の摂食嚥下療法群（通常群）と通常の摂食嚥下療法に舌筋力強化プログラムを加えた群（強化群）に分けて治療前後の摂食嚥下機能をOPSEで評価した報告[17]では，治療10週後では舌筋力および摂食嚥下機能に有意差は認めなかったものの，強化群の方が通常群と比してより改善傾向であった。また10週後における誤嚥の減少に関しての有意差は認めなかったものの，HNCI（Head and Neck Cancer Inventory）によるQOL評価において，「食事」と「発話」に関するQOLの項目は通常の摂食嚥下療法群と強化群ではともに改善していた。前述の通常摂食嚥下療法群と予防的摂食嚥下療法群（"Pharyngocise"）との比較に関する報告[7]では，後者において6週後のFOISで良好な傾向であり，MASA（Mann Assessment of Swallowing Ability）では有意に良好であった。また後者では前者に比較して唾液量減少や味覚障害を示した患者数の割合が有意に少なく，筋群サイズの減少も有意に少なかった。化学放射線療法を受ける患者への摂食嚥下療法の方法に関して，メンデルソン手技とシャキア訓練（頭部挙上保持30秒・休憩30秒を20回実施，1日3回）を比較した報告[8]では，シャキア訓練の方がより嚥下機能を維持できていた。摂食嚥下療法の有害事象としては，経過中に口腔内疼痛，胸部違和感，倦怠感，吐き気などが出現し継続不能となった症例が数例報告されているが，いずれも摂食嚥下療法との直接的因果関係は不明であった[14,16]。

晩期有害事象に対する具体的な摂食嚥下療法の開始時期やその対応について，定まった報告はない。晩期有害事象の発症については，長期的な経過観察が必要である。定期的な外来を通じて，患者と嚥下機能や肺炎リスクについて共有する必要があり，また家族指導も行うことにより，誤嚥性肺炎の発症率軽減や嚥下機能維持・改善の一助になるのではないか[18]とされており，今後も放射線療法中・後の長期的な摂食嚥下療法に関する研究を期待したい。

2. 音声障害

放射線療法中の喉頭がん患者を音声言語訓練群と対照群に分け，コミュニケーション能力を治療前・治療後・6カ月後にS-SECEL（Self-Evaluation of Communication Experiences after Laryngeal Cancer）を用いて評価した報告[19]では，訓練群は対照群と比べてコミュニケーション能力の改善が良好であった。同様にHRQL（Health-Related Quality of Life）をEORTC QLQ-C30およびEORTC QLQ-H&N 35を用いて評価したところ，訓練群は対照群と比べてコミュニケーションに関するQOLスコアはより良好な改善を示していた。放射線療法中の喉頭がん患者を音声言語訓練群と対照群に分け，治療前・6カ月後・12カ月後にHRQLを評価した報告では，訓練群の方が対照群よりも改善傾向にあり，同様に自覚的症状も改善していた[20]。放射線療法後の喉頭がん患者を音声言語訓練群と一般的な音声指導のみの対照群に分け，精神心理面の推移をHADSで治療前・6カ月後・12カ月後で評価したところ，訓練群の方が対照群よりも精神心理面（抑うつ，不安）において有意な改善を認めたという報告もある[21]。一方で，発声訓練によって声帯に負荷がかかった結果，声量低下や嗄声などの有害事象につながる報告は認めなかった。国内での音声リハビリテーション治療（音声言語訓練）におけるランダム化比較試験はないが，今後より積極的に取り組む余地のある分野と考えられ，研究が進むことが望まれる。

『がんのリハビリテーション診療ガイドライン第2版』の第5章「頭頸部がん」CQ04およびCQ07における重要なアウトカムに対するエビデンスはBではあり，臨床上の有用性や安全性が保たれている点，益と害のバランスに確実性がある（益の確実性が高い）点，患者の価値観・希望の確実性がある（一致している）点，費用の妥当性と臨床適応性の課題（患者数に比べてリハビリテーション専門職が少ないなど）

がある点が総合的に考慮され，「摂食嚥下療法を行うことを推奨する（強い推奨）」「音声言語訓練を行うことを提案する（弱い推奨）」とそれぞれ記載されている。放射線療法を受ける患者数が増加傾向にある中で，摂食嚥下機能低下から生じる誤嚥性肺炎による非がん死の抑制は必須である点，長期効果・晩期の障害抑制・生命予後改善なども視野に入れた研究が望まれる点，音声言語訓練群は対照群よりも音声（声質）の改善，QOL の向上，コミュニケーション能力の向上を認める点などから，今後この領域へのリハビリテーション治療効果の報告の発展を期待したい。

（飯野由恵・鶴川俊洋・神田　亨）

引用文献

1) 大泉幸雄．有害事象—評価法とその対策．JOHNS. 2004: 20; 257-60.
2) 佐々木武仁，大川智彦，唐澤久美子，他：JASRTO QOL 評価研究グループ．放射線治療における QOL 評価法の確立に関する研究（最終報告）　頭頸部腫瘍について．日放線腫瘍会誌．2002; 14: 181-4.
3) Tuomi L, Andréll P, Finizia C. Effects of voice rehabilitation after radiation therapy for laryngeal cancer: a randomized controlled study. Int J Radiat Oncol Biol Phys. 2014; 89: 964-72.
4) 飯野由恵，齋藤康一郎，辻哲也，他．早期声門癌に対する（化学）放射線治療後の音声機能．言語聴覚研．2017: 14; 56-64.
5) van Gogh CD, Verdonck-de Leeuw IM, Boon-Kamma BA, et al. The efficacy of voice therapy in patients after treatment for early glottic carcinoma. Cancer. 2006; 106: 95-105.
6) 神田亨．がんの摂食・嚥下リハビリテーション．総合リハ．2012; 40: 1103-12.
7) Carnaby-Mann G, Crary MA, Schmalfuse I, et al. "Pharyngocise" : randomized controlled trial of preventative exercises to maintain muscle structure and swallowing function during head-and-neck chemoradiotherapy. Int J Radiat Oncol Biol Phys. 2012; 83: 210-9.
8) Ohba S, Yokoyama J, Kojima M, et al. Significant preservation of swallowing function in chemoradiotherapy for advanced head and neck cancer by prophylactic swallowing exercise. Head Neck. 2016: 38; 517-21.
9) 喜友名朝則，長谷川昌宏，比嘉麻乃，他．化学放射線同時併用療法を行った中・下咽頭癌に生じた嚥下障害の検討．日気管食道会報．2010; 61: 291-8.
10) 中平光彦，久場潔実，盛田恵，他．下咽頭癌の同時化学放射線治療後生じた重篤な嚥下関連合併症—下咽頭完全閉鎖と頸椎硬膜外膿瘍の 2 例．嚥下医学．2013; 2: 107.
11) Tuomi L, Björkner E, Finzia C. Voice outcome in patients treated for laryngeal cancer: efficacy of voice rehabilitation. J Voice. 2014; 28: 62-8.
12) Nugent B, Lewis S, O'Sullivan JM. Enteral feeding methods for nutritional management in patients with head and neck cancers being treated with radiotherapy and/or chemotherapy. Cochrane Database Syst Rev. 2010: CD007904.
13) Nguyen NP, Moltz CC, Frank C, et al. Dysphagia following chemoradiation for locally advanced head and neck cancer. Ann Oncol. 2004; 15: 383-8.
14) Lazarus CL, Logemann JA, Pauloski BR, et al. Swallowing disorders in head and neck cancer patients treated with radiotherapy and adjuvant chemotherapy. Laryngoscope. 1996; 106（9 Pt 1）: 1157-66.
15) Bleier BS, Levine MS, Mick R, et al. Dysphagia after chemoradiation: analysis by modified barium swallow. Ann Otol Rhinol Laryngol. 2007; 116: 837-41.
16) Kotz T, Federman AD, Kao J, et al. Prophylactic swallowing exercises in patients with head and neck cancer undergoing chemoradiation: a randomized trial. Arch Otolaryngol Head Neck Surg. 2012; 138: 376-82.
17) Lazarus CL, Husaini H, Falciglia D, et al. Effects of exercise on swallowing and tongue strength in patients with oral and oropharyngeal cancer treated with primary radiotherapy with or without chemotherapy. Int J Oral Maxillofac Surg. 2014; 43: 523-30.
18) 飯野由恵，岡野渉，全田貞幹，他．化学放射線治療を受ける頭頸部癌患者へのリハビリテーション．日気管食道会報．2018; 69: 154-7.
19) Karlsson T, Johansson M, Andrell P, et al. Effects of voice rehabilitation on health-related quality of life, communication and voice in laryngeal cancer patients treated with radiotherapy: a randomised controlled trial. Acta Oncol. 2015; 54: 1017-24.
20) Tuomi L, Johansson M, Lindell E, et al. Voice range profile and health-related quality of life measurements following voice rehabilitation after radiotherapy; a randomized controlled study. J Voice. 2017; 31: 115.e9-16.
21) Bergström L, Ward EC, Finizia C. Voice rehabilitation after laryngeal cancer: associated effects on psychological well-being. Support Care Cancer. 2017; 25: 2683-90.

頭頸部がん（放射線療法中・後）

8 運動療法の効果

チェックポイント

- ✓ 化学放射線療法中・後のがん患者では，倦怠感や運動能力の低下をきたすことが多く，倦怠感の改善や運動耐容能の維持向上を目的としたリハビリテーション治療（運動療法）は重要である。
- ✓ 頭頸部がんへの放射線療法中には口腔粘膜障害や摂食嚥下障害，食欲低下，倦怠感，栄養不良状態が生じ，二次的な体力低下や ADL 低下につながる。
- ✓ 化学放射線療法中・後の頭頸部がん患者への運動療法は好ましい効果をもたらす可能性が示唆されている。

関連 CQ・推奨グレード

CQ 09

頭頸部がんに対する放射線療法中・後の患者に対して，リハビリテーション治療（運動療法）を行うことは，行わない場合に比べて推奨されるか？

▶ 推 奨

頭頸部がんに対する放射線療法中・後の患者に対して，リハビリテーション治療（運動療法）を行うことを提案する。

■グレード 2B　■推奨の強さ 弱い推奨　■エビデンスの確実性 中

ベストプラクティス

●なぜ必要なのか？

化学放射線療法中・後のがん患者では，倦怠感や運動能力の低下をきたすことが多い。頭頸部がんへの放射線療法中には口腔粘膜障害や摂食嚥下障害，食欲低下，倦怠感，栄養不良状態が生じ，他の放射線療法を受けるがん患者と比較しても二次的な体力低下や ADL 低下につながる可能性が高い。

頭頸部がん領域への化学放射線療法は一般的に 6～8 週間の入院治療として行われることが多いが，この間の 1 日の治療時間自体は短く，リハビリテーション治療の時間は十分にある。特に咽頭がんの場合は，前述したように摂食嚥下障害の出現率が高く，リハビリテーション治療（言語聴覚士等による摂食嚥下療法）が重要であるが，治療後の速やかな退院につなげるためにも食事摂取量の安定とならんで，倦怠感の改善や運動耐容能の維持向上を目的としたリハビリテーション治療（理学療法士・作業療法士による運動療法）は重要である。

●対象となるのはどのような患者か？

基本的には入院で化学放射線療法を受ける患者全例に運動療法を行うことを検討する必要がある。病変別に検討すれば摂食嚥下機能障害の出現しやすい咽頭がん患者が（喉頭がんと比較すると）対象となりやすいが，運動療法実施の頻度などは施設の人的資源の事情に準ずる。なお，既存に運動障害がある患者（脳卒中後遺症，末梢神経障害，変形性膝関節症など）や超高齢な患者に，看護師と協力しながらADLの現状維持を図るような対応も，リハビリテーション専門職としては当然重要である。

●誰がいつどこで行うのか？

1. 誰が行うのか？

放射線療法のスケジュールが決定した後にリハビリテーション科医・理学療法士・作業療法士が評価を開始する。治療開始前に摂食嚥下や発声以外の臨床症状（発熱，極度の食欲不振，強い倦怠感など）や身体機能障害がない場合は，言語聴覚士が行う摂食嚥下療法と同様に理学療法士が行う運動療法（ストレッチング，筋力増強訓練，有酸素運動），作業療法士が行うADL訓練が必要であることを説明する。

2. いつ行うのか？

放射線療法が開始された経過をみながら，一般的な体力維持目的の運動療法の考え方を念頭に，1回20〜40分・週2〜3回の頻度で実施する。リハビリテーション治療を行わない日は可能な限り自主的に運動をするように促す。

放射線療法が進むにつれて，口腔粘膜の痛みの増悪や食事量の低下が生じてくるので，その状態に応じて運動療法の回数および時間を減らす，中断時期を設けることを検討する。治療期間終了直前には痛みがピークに達して運動療法が実施できないことも多いが，言語聴覚士と連携をとり，治療後の疼痛緩和や摂食嚥下障害の回復をみながら運動療法の再開を検討する。また，看護師と連携し，治療期間中の日中の活動量ができるだけ維持されるよう支援する。

3. どこで行うのか？

元来の歩行能力に問題がない場合はリハビリテーション室まで出棟することを促進する。リハビリテーション室へ出棟し，必要な運動器具（自転車エルゴメーター，トレッドミル，各種筋力トレーニング装置など）を自ら使用するように促すことが患者の闘病への意欲向上につながる。患者の体調が思わしくないときはリハビリテーション専門職が部屋へ出向き，ストレッチング・下肢筋力増強訓練・病棟廊下歩行訓練などを病室・病棟廊下で実施するスタイルでもよい。

●どのような方法で行うのか？

基本的な運動療法の流れとしては，ストレッチング・体操（準備運動），主運動（自転車エルゴメーターなどを使用した有酸素運動），筋力増強訓練，ストレッチング・体操（整理運動）となる。

有酸素運動の運動強度の決め方は付録に示した（⇒ p296）。頭頸部がんの患者では，軽〜中等度（運動中の心拍数が，最大心拍数の40〜60%になる強度）の運動を処方することが多い。なお，運動処方の際にはこれまでの運動習慣や職業歴などにも配慮する。この運動療法は体力の維持を目的として放射線療法中に継続することに意義があるので，心地よく楽しくできる負荷量で行うことが肝要であり，概ね3.0〜4.0メッツ程度の負荷（普通歩行からやや速歩に相当する）で十分である。1回の運動時間は20分程度で十分と思われるが，時間や回数は施設の人的資源の事情にあわせて決めてよい。臨床上の経験では，有害事象などのために途中で運動療法を中断した時期があったとしても，治療開始当初に行うことのできた運動負荷を治療完了後・退院前に再度実施できるようになると体力面での自信がつき，安心して退院できるようであり，運動療法は精神心理的な支援にもつながっている。

●リハビリテーション治療の効果は？

一般的にがんの治療中・後に行う運動療法は，筋力・持久力などの筋骨格系および心肺系機能を改善させ，患者の活動性やQOLの向上にも好影響を及ぼすといわれている[1)]。乳がん[2)]・血液腫瘍[3)]などでは運動耐容能向上や倦怠感の改善につながる化学放射線療法中の運動療法の効果を示したエビデンスレベルの高い研究を認めるので，十分に応用できる。

最近では頭頸部がん患者への運動療法の効果に関する研究が増えてきている。放射線療法が施行されていた頭頸部がん患者に，筋力増強訓練を前期12週間に実施（後期12週間は非実施）または後期12週間に実施（前期12週間は非実施）した報告[4]では，筋力増強訓練実施期間は非実施期間（自由な日常生活を送った期間）よりも最大筋力は増加し，除脂肪体重は約4%増加し，運動能力が有意に向上していた。放射線療法が施行されていた頭頸部がん患者を筋力増強訓練群と対照群の2群に分けた別の報告[5]では，2群間の運動能力（椅子からの立ち上がり時間）は筋力増強訓練群の方が6週時・12週時の評価で対照群と比較してそれぞれ有意に高かった。また2群間のQOL評価では訓練群は向上し，対照群は下降しており，2群間の筋力評価（開始時・6週時・12週時）では，両群に有意差はないが対照群の方が訓練群に比べて徐々に下降傾向であった。放射線療法が施行された頭頸部がん患者を監督下の運動療法群と対照群（運動非実施）に分け，運動耐容能（6分間歩行テスト）を実施した報告[6]では，6週後の再評価において運動療法群は42m改善し，対照群は96m短縮していた。さらに2群間のQOLをSF-36で評価したところ，運動療法群は改善し，対照群は下降していた。5週間の放射線療法を受ける予定の頭頸部がん患者などの対象者を，運動療法群（20分間のウォーキング）と非運動療法群に分けて3週間の経過をみたところ，運動療法群の方が非運動療法群よりも運動耐容能は向上し，放射線療法における倦怠感は少なく，かつ運動療法群の倦怠感は放射線療法開始前よりも軽減していた[7]。

このように放射線療法中の頭頸部がん患者への運動療法はさまざまな好ましい効果をもたらす可能性が示唆され，前述の文献からは運動療法施行中における運動療法自体による倦怠感の増悪・外傷・放射線療法からの脱落などの有害事象が運動療法群の方に有意差をもって多く出現するという記載も認めておらず，運動療法が重要であるといえる。ただし，わが国では外来での長期的な監督下でのリハビリテーション治療が実践できる現状にはないと思われるので，海外での実践報告を応用できるかどうかは検討が必要である。

『がんのリハビリテーション診療ガイドライン第2版』の第5章「頭頸部がん」CQ9においては，重要なアウトカムに対するエビデンスはBであり，臨床上の有用性は高く，安全性は保たれており，益と害のバランスに確実性があり（益の確実性が高い），患者の価値観・希望も確実性は十分にあり「運動療法を行うことを提案する（弱い推奨）」とされている。今後，頭頸部がん患者においては疾病の早期発見や患者の高齢化から化学放射線療法を選択する患者がますます増加することが予想される。摂食嚥下障害に対応する言語聴覚士とともに頭頸部がんに対する化学放射線療法を理解し，運動療法を十分に提供できる理学療法士・作業療法士の育成およびそのようなリハビリテーション診療環境の整備が必要であろう。

（鶴川俊洋・立松典篤）

引用文献

1) Fialka-Moser V, Crevenna R, Korpan M, et al. Cancer rehabilitation: particularly with aspects on physical impairments. J Rehabil Med. 2003; 35: 153-62.
2) Mock V, Pickett M, Ropka ME, et al. Fatigue and quality of life outcomes of exercise during cancer treatment. Cancer Pract. 2001; 9: 119-27.
3) Chang PH, Lai YH, Shun SC, et al. Effects of a walking intervention on fatigue-related experiences of hospitalized acute myelogenous leukemia patients undergoing chemotherapy: a randomized controlled trial. J Pain Symptom Manege. 2008; 35: 524-34.
4) Lonbro S, Dalgas U, Primdahl H, et al. Progressive resistance training rebuilds lean body mass in head and neck cancer patients after radiotherapy-results from the randomized DAHANCA 25B trial. Radiother Oncol. 2013; 108: 314-9.
5) Rogers LQ, Anton PM, Fogleman A, et al. Pilot, randomized trial of resistance exercise during radiation therapy for head and neck cancer. Head Neck. 2013; 35: 1178-88.
6) Samuel SR, Maiya GA, Babu AS, et al. Effect of exercise training on functional capacity & quality of life in head &

neck cancer patients receiving chemoradiotherapy. Indian J Med Res. 2013; 137: 515–20.
7) Aghili M, Farhan F, Rade M. A pilot study of the effects of programmed aerobic exercise on the severity of fatigue in cancer patients during external radiotherapy. Euro J Oncol Nurs. 2007; 11: 179–82.

第 6 章

乳がん・婦人科がん

乳がん・婦人科がん

1 上肢機能低下に対するリハビリテーション治療の効果

チェックポイント

- ✓ 腋窩リンパ節郭清を伴う乳がん手術後の患者では，患側の肩関節可動域の制限や上肢筋力低下，上肢の疼痛が生じやすく，ADL の妨げになる。
- ✓ 周術期に生活指導や肩関節可動域訓練，筋力増強訓練を含む包括的リハビリテーション治療を実施することは，術後の肩関節可動域を拡大し，上肢機能を改善させる。
- ✓ 術後のリハビリテーション治療は段階的に行う必要がある。術直後は良肢位をとり，肩は最大可動域の半分程度の範囲内での ADL を行うよう指導する。
- ✓ 術後 5～8 日後から，積極的な肩関節可動域訓練・筋力増強訓練を開始し，ADL で術前と同じように患肢を使用することを促す。
- ✓ 退院前には，生活指導やリハビリテーション治療に関するパンフレットなどを作成して渡し，外来でも定期的なチェックや指導を行い，患者が長期的に自主トレーニングを継続できるように支援することも重要である。

関連 CQ・推奨グレード

CQ 01

乳がん患者に対して，術後にリハビリテーション治療（肩関節可動域訓練など）を行うことは，行わない場合に比べて推奨されるか？

▶ 推 奨

乳がん患者に対して，術後にリハビリテーション治療（肩関節可動域訓練など）を行うことを推奨する。

■グレード 1A　■推奨の強さ **強い推奨**　■エビデンスの確実性 **強**

CQ 02

乳がん術後の患者に対して，積極的な肩関節可動域訓練を術後 5～8 日目から開始することは，術直後から開始する場合に比べて推奨されるか？

▶ 推 奨

乳がん術後の患者に対して，積極的な肩関節可動域訓練を術後 5～8 日目から開始することを推奨する。

■グレード 1B　■推奨の強さ **強い推奨**　■エビデンスの確実性 **中**

ベストプラクティス

●なぜ必要なのか？

乳がんにおいては，原発巣（乳房）に最も近いリンパ節が腋窩リンパ節であり，浸潤がんでは診断的な意味でも，治療的な意味でも腋窩リンパ節郭清を要することが多い。センチネルリンパ節生検（図 6-1）が一般化した近年では，広範囲の腋窩リンパ節郭清を行うケースは減ってはきているものの，現在でも浸潤がん手術例の 40〜70％程度で腋窩リンパ節郭清が行われている[1)]。わが国で 2015 年度に登録された 87,038 例のデータでは，乳がん全体の約 27％で腋窩リンパ節郭清が施行されていた[2)]。

腋窩リンパ節郭清では，腋窩の皮膚を切開し，軟部組織を損傷する（図 6-2）ことにより，術後には肩関節可動域制限が<1〜67％[3)] で起こり，適切なリハビリテーション治療を行わないと可動域制限が数カ月〜数年間持続するとされる。肩関節可動域制限の程度は報告により差はあるが，術後 1 カ月で術前より屈曲方向で 30〜40°，外転方向で 30〜60°程度可動域が低下し，6 カ月後でも屈曲方向 15〜20°，外転方向 10〜30°程度の制限が残るとされている[4-7)]（図 6-3）。

可動域制限により上肢が使用しづらいことや，不安感などからくる患肢の過度の安静から，上肢の筋力低下も 9〜28％でみられる[3)]。また，上肢の疼痛も 9〜68％に生じることが報告されている[3)]。疼痛については，成因がはっきりしていないが，上肢の関節可動域制限や筋力低下があるために二次的に生じているもの，リンパ浮腫に関連して生じているもの，心理的要因など，さまざまな要素が関与していると考えられている。数カ月で疼痛が軽減していくとも，数年で徐々に疼痛を訴える患者が増えていくとも報告されている[1)]。

このように，乳がんの手術が低侵襲化した近年でも，腋窩リンパ節郭清が必要とされる例は多く，術後

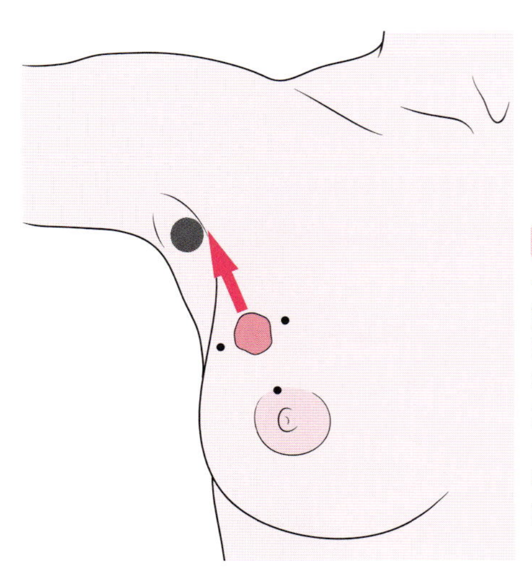

図 6-1　センチネルリンパ節生検

センチネルリンパ節（イラスト中の●）とは，「見張りリンパ節」とよばれ，腫瘍からのリンパ流を最初に受けるリンパ節である。腫瘍近傍数カ所に色素やアイソトープなどのトレーサーを注射し，腋窩でそれらトレーサーを検出した後，その部位に 2〜3cm の皮切を加えてトレーサーを含むリンパ節の生検を行う。このセンチネルリンパ節への転移が陰性であれば，乳がん手術時の腋窩リンパ節郭清は行われない（腋窩温存）ため，腋窩の損傷は最小限となり，肩や上肢の機能障害の頻度は少なく，程度も軽減化する。

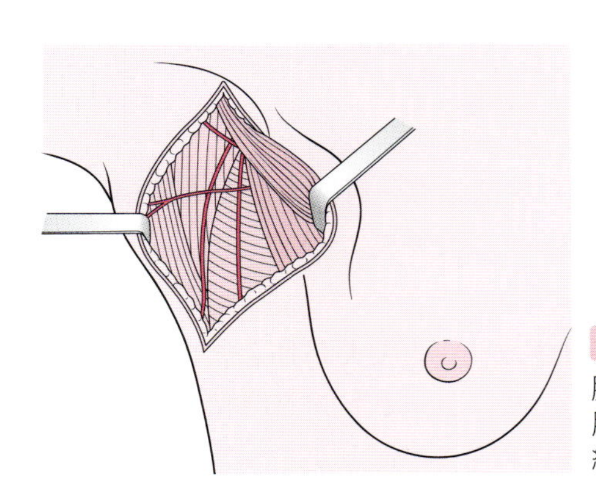

図 6-2　腋窩リンパ節郭清

腋窩リンパ節郭清では，腋窩に皮切をし，リンパ節を周囲の脂肪組織とあわせて切除する。皮切による腋窩のひきつれ，軟部組織の損傷と瘢痕化により，上肢の動きが制限される。

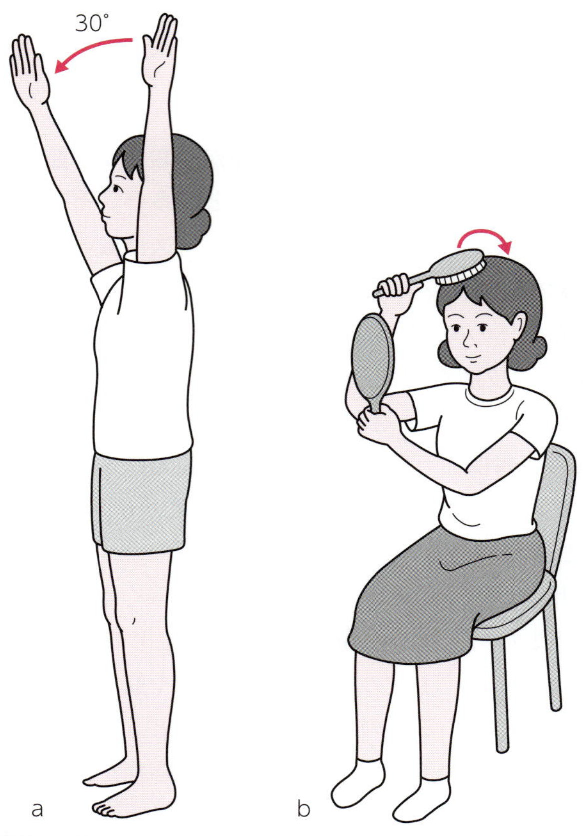

図 6-3　肩関節可動域と ADL

a. 上肢を挙上する動きを「肩関節屈曲」とよび，制限がなければ概ね 180° の可動域がある。乳がん腋窩リンパ節切除後では，術後 1 カ月で 30° ～40° 可動域が制限される。
b. 髪をとかす（特に後ろ）の際には，肩関節は屈曲・外転・外旋することが必要となる。

の肩関節可動域制限や上肢筋力低下，疼痛といった上肢機能障害が起こりやすい。

上肢筋力低下や疼痛は，上肢で行うすべての ADL，家事動作，仕事，趣味活動などを制限し，QOL を低下させる。これらの機能障害は，患側上肢機能に関して適切なリハビリテーション治療を行うことで軽減することができる。特に周術期から，リハビリテーション治療や生活指導をしっかりと行うことは，長期にわたる機能障害や ADL 制限を予防することにつながるため重要である。

●対象となるのはどのような患者か？

腋窩リンパ節郭清を伴う乳がん手術を施行される患者が主な対象となるが，センチネルリンパ節生検に留まった場合や乳房切除のみの場合でも，術後にしばしば肩関節可動域制限を認める。したがって，これらの患者も対象となり得る（後述）。

●誰がいつどこで行うのか？

乳がん術後の上肢機能障害に対しては，患肢管理などに関する生活指導・肩関節などの関節可動域訓練・上肢筋力増強訓練を含めた，包括的リハビリテーション治療が必要である。

1. 誰が行うのか？

「すべて看護師が行う」「すべてリハビリテーション専門職（理学療法士もしくは作業療法士）が行う」「生活指導は主に看護師が，関節可動域訓練や筋力増強訓練はリハビリテーション専門職が行う」など，施設によって対応はさまざまである。しかし，生活指導のみ行う場合やリハビリテーション治療の指導書を渡すだけの場合よりも，個別に包括的リハビリテーション治療を行った方が肩関節可動域などの改善が認められる[4-9]ことから，可能であればリハビリテーション専門職が入院中に関節可動域訓練や筋力増強訓練を行い，その経過をもとに退院後の自主トレーニングの指導書を渡すことが望ましい。生活指導に関しては，乳がん看護認定看護師をはじめ看護師からもリハビリテーション専門職からも行われることが必要であるが，統一した指導ができるよう，共通したパンフレットの使用やスタッフ間のコミュニケーションが重要である。

2. いつ行うのか？

生活指導は，術後に関節可動域訓練や上肢筋力増強訓練を行うこと，また，それらの意義の説明も含めて，術前から行うことが望ましい。一般に，術前から「術後も患側上肢を動かした方がよい」といった大まかなイメージをもてている方が，その後のリハビリテーション治療の効果があがりやすい。

積極的な（最大可動域まで動かすような）肩関節可動域訓練の開始時期は，術後5〜8日後からがよいとされている。術直後からでなく，5〜8日遅らせて開始した方が，最終的な関節可動域を悪化させることなく，術部の感染や創治癒の遅延を減らすことができる[3,10-13]。

上肢筋力増強訓練の開始時期に関しては明確な指針はないが，術後0〜4日は手指などの軽度の筋力増強訓練とADL内での使用に留め，5日目以降，積極的な関節可動域訓練の開始とあわせて，肩周囲筋から上肢全体の筋力増強訓練を開始することが妥当と考えられる。

入院は概ね10日程度の期間であることが多く，十分なリハビリテーション治療・指導が困難な場合もあり，退院後6〜8週間程度は外来でリハビリテーション治療を継続することを勧めている報告もある[6,7]。関節可動域訓練は6〜12カ月程度（軟部組織の治癒が得られるまでの期間）の期間継続することが望ましいとされる[4]。

3. どこで行うのか？

リハビリテーション治療場面で上肢運動を行っていても，実際の生活場面では患肢を反対側で支えて全く使用していない状況が観察されることがあり，生活指導は実際の病棟生活場面でも行われることが必要である。

関節可動域訓練や筋力増強訓練は，入院中にリハビリテーション室などで行われることが多いが，術後5〜8日目で開始すると，入院期間は概ね10日前後であるため，数日間しかリハビリテーション治療期間がない。リハビリテーション治療場面で指導された自主トレーニングの内容を病棟で実際に患者に実施してもらい，チェックするなどして自主トレーニングの定着を図る必要がある。

退院後は，在宅で継続するよう指導するが，定着が不十分であった例などは外来でリハビリテーション治療を継続する。ただし，上記のように，関節可動域訓練は6〜12カ月程度の期間継続することが望ましいとされ，最終的には在宅で自主トレーニングとして継続してもらう。上肢筋力低下や疼痛は慢性期にも残存し，場合によっては悪化していることもあるため，退院後の外来では長期間にわたって自主トレーニング継続を励行し機能障害のチェックを行うことが望ましい。後項で述べるように，乳がん治療後の患者は積極的な運動療法（筋力増強訓練や有酸素運動）の実施が望ましく，地域のスポーツセンターや病院のリハビリテーションセンター，在宅での運動療法の実施が勧められているが，それらの運動前に関節可動域訓練を取り入れるなどして上肢機能に関するリハビリテーション治療も継続しやすくする試みがある。

●どのような方法で行うのか？

1. 生活指導

術直後には，腋窩にはドレーンが挿入されている。術直後から積極的な関節可動域訓練開始までの間（術後0〜4日）に関しては，肩関節をなるべく動かさない方がよいのか，ある程度（90°程度まで）動かす方がよいのか，明確な指針は得られていない。ベッド上では肩-上肢全体をやや高い位置に置いた良肢位とする。アームスリングや三角巾での上肢の固定はしない，軽度の筋力増強訓練としてボールを握るなどの手指の運動を行う，肩屈曲・外転が90°以内であるようなADL（皿やお椀を支えるなど）での使用は積極的に勧める，といった指導が現時点ではコンセンサスが得られている（⇒ p285）。

術後5日目以降は，「創離開がある」「ドレナージ量が多く経過する」などがなければ積極的な関節可動域訓練が開始され，ADLにおいても患肢の使用を制限せず，むしろ積極的に使用するよう促していく。肩関節可動域拡大につながるADLは，まずは洗面や食事動作（箸・スプーンを口元にもっていく，椀を持つ），次に更衣・髪をとかす・洗体などであり，リハビリテーション治療場面での関節可動域訓練をあわせて拡大していく。上肢機能維持・改善・リンパ浮腫の予防という意味でも，上肢動作は積極的に行うよう励行していく。ただし，「重いものを下げ持つ」「疲労物質が蓄積するような（翌日に上肢の疲労が残るような）強い負荷の動作・運動」はリンパ浮腫のリスクを上げるため避けるよう指導する。

生活指導は繰り返し行われることが必要である。「退院後も患者の状況にあわせて外来で指導する」「いつでも繰り返し参照できるように外来にも指導書を置いておく」「術後教室のような再指導体制を作る」などが望ましい。

2. 関節可動域訓練

術後5日以降，創部に問題がないかを主治医に確認したら，可能な限り関節可動域を拡大するように訓練を行う。他動で創部のひきつれ感や疼痛を確認しながら関節可動域訓練を開始し，自動介助から自動へと変えていきながら実施する。肩は運動方向が多い関節であり，それぞれの運動にあわせた一式の可動域訓練が望ましい。患者の可動域や疼痛の程度にあわせ，最適な可動域訓練を選択して実施および指導する。リハビリテーション室では，プーリーやサンディングボードなどを用いた関節可動域訓練も可能であるが，退院までの時間が短いことが多いため，自主トレーニングとして継続できる内容の指導もしっかり行う（図6-4）（⇒ p286）。

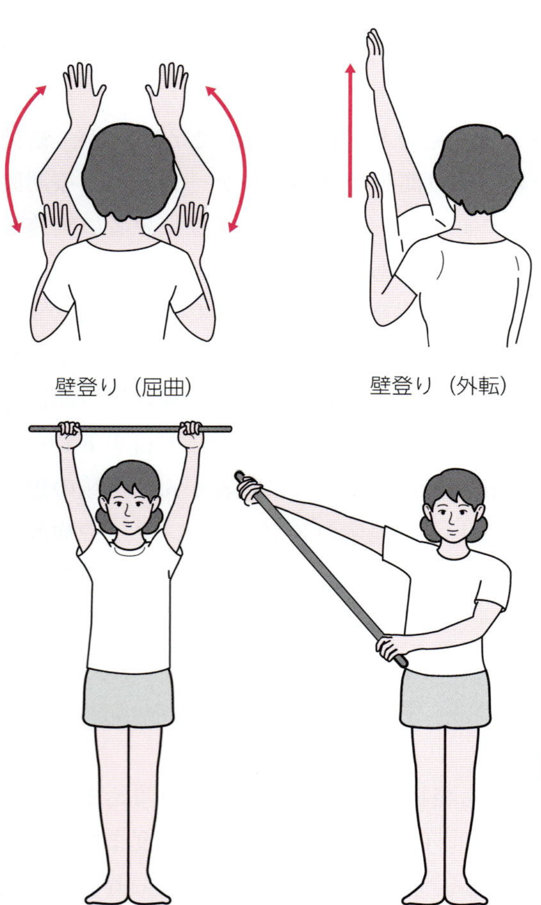

図6-4　術後5〜8日目以降のリハビリテーション治療の例（自主トレーニングを想定して）

「良肢位指導」「ADLで患肢を術前と同程度に使っていくよう指導」「身体活動性の拡大の指導」「肩関節を中心とした関節可動域訓練（個別に訓練および今後の自主トレーニングの指導を行う）」「上肢筋力増強訓練」などを行う。

3. 筋力増強訓練

関節可動域訓練と併行して，上肢の筋力増強訓練を行う。負荷量は，早期のリハビリテーション治療（入院中）では，概ね自重から軽く負荷をかける程度（自動での関節可動域訓練から軽い徒手抵抗まで）で行われている報告が多い[4-9]。可動域が安定し，運動方法を習得するまでは，重錘やエクササイズバンドなどで負荷をかけての筋力増強訓練はリスクが高い可能性がある（行ってはならないというエビデンスもない）。

周術期以降は，ウェイトリフティングなどの負荷の強い筋力増強訓練でもリンパ浮腫のリスクは上がらないとされ[14]，後述の運動療法の項でも有酸素運動とあわせて四肢の筋力増強訓練を行うことが勧められている。ただし，強い負荷で疲労物質が蓄積すると上肢に炎症を起こしているのと同様でありリンパ浮腫の発症・増悪を引き起こし得る，ともいわれているため，「翌日に疲労を残さない程度」の負荷量として，注意深く観察していく必要がある。

なお，腋窩リンパ節郭清を伴う乳がん術後のリハビリテーション治療についてはさまざまな研究がなされており，その進め方や効果が明らかとなっている。一方，センチネルリンパ節生検を施行して腋窩リンパ節郭清を省略した場合のリハビリテーション治療については，現時点で十分なエビデンスはない。

しかし，腋窩リンパ節郭清を省略した場合でも肩関節可動域制限が生じる場合があり，また後述の通りリンパ浮腫が生じる可能性がある。したがって，これらの患者に対しても腋窩リンパ節郭清を伴う乳がん手術を施行された患者に準じたリハビリテーション治療を行うことを考慮してもよい。ただし，腋窩リンパ節郭清の省略例もすべてリハビリテーション専門職による個別のリハビリテーション治療が必要か，また術後0～4日の間に積極的な肩関節可動域訓練を行ってはいけないか，などについては今後さらなる検討が必要である。

●リハビリテーション治療の効果は？

このような包括的リハビリテーション治療を実施すると，実施しない群に比べ，術後6カ月の肩関節可動域は，屈曲方向で13～18°，外転方向で20～26°良好となる[4-9]。

上肢でのADLの能力のスコア［＊注1］は，術後1カ月，6カ月においても包括的リハビリテーション治療を実施した群の方がよい[4-9]。特に体を掻く，シャツを着る，ブラジャーをつける，スカートなどのファスナーを上げる，髪をとかす，といった項目では，2年後においてもリハビリテーション治療をした群の方が動作能力は高かった[4]。表6-1[15]に，乳がん術後の上肢機能評価の一例を示す。

包括的リハビリテーション治療実施によって，術後の有害事象（しょう液腫・創離開・感染）は増え

表6-1　上肢機能評価

項目
手術した側の上肢を使って以下のことが可能ですか。 1. 髪をブラシや櫛でとかすことができますか？ 2. Tシャツやボタンを外せないブラウスや，首のところがタイトなセーターを着られますか？ 3. ズボンをはいて，引っ張り上げることができますか？ 4. 後ろで留めるタイプのブラジャーをつけられますか？ 5. ドレスの背中のファスナーを上げることができますか？ 6. 患側の背中の上の方（肩甲骨の辺り）を洗うことができますか？ 7. 対側の背中の上の方（肩甲骨の辺り）を洗うことができますか？ 8. 頭より高いところの食器棚に手が届きますか？ 9. ダブルベッドのベッドメーキングができますか？ 10. 10ポンド（約4.5kg）の日用品の入ったバッグを持てますか？

これら10項目について，0（困難なくできる）～4（行うことが困難）までの5段階評価を行う。
(Wingate L. Efficacy of physical therapy for patients who have undergone mastectomies. A prospective study. Phys Ther. 1985; 65: 896-900. より引用改変)

ず[4-9]（早期のリハビリテーション治療開始はこれら有害事象を増やす可能性がある），リンパ浮腫の発症リスクも増えることはなく，むしろ低下する（⇒ p122）。

このように，術後の包括的リハビリテーション治療は，術後経過にあわせてきめ細かく実施すれば，有害事象なく，上肢機能改善，上肢動作能力の改善が得られるため，行うことが強く勧められる。

＊注 1：ADL の評価は，一般的に機能的自立度評価法（Functional Independence Measure；FIM）を用いることが多いが，上肢機能評価にはより細かい評価項目が用いられる。例えば，表 6-1 は「ファスナーを上げる」「ブラジャーをつける」など，更衣の中でも女性に特有で，肩関節の可動域制限によって不自由になりやすい動作項目が含まれ，生活の中での不自由さをより詳細に評価できる。

（田沼　明・阿部恭子・村岡香織）

引用文献

1) Springer BA, Levy E, McGarvey C, et al. Pre-operative assessment enables early diagnosis and recovery of shoulder function in patients with breast cancer. Breast Cancer Res Treat. 2010; 120: 135-47.
2) 高橋將人. 乳癌外科療法. 臨放. 2019; 64: 573-84.
3) McNeely ML, Campbell K, Ospina M, et al. Exercise interventions for upper-limb dysfunction due to breast cancer treatment. Cochrane Database Syst Rev. 2010: CD005211.
4) Box RC, Reul-Hirche HM, Bullock-Saxton JE, et al. Shoulder movement after breast cancer surgery: results of a randomised controlled study of postoperative physiotherapy. Breast Cancer Res Treat. 2002; 75: 35-50.
5) de Rezende LF, Franco RL, de Rezende MF, et al. Two exercise schemes in postoperative breast cancer: comparison of effects on shoulder movement and lymphatic disturbance. Tumori. 2006; 92: 55-61.
6) Cinar N, Seckin U, Keskin D, et al. The effectiveness of early rehabilitation in patients with modified radical mastectomy. Cancer Nurs. 2008; 31: 160-5.
7) Beurskens CH, van Uden CJ, Strobbe LJ, et al. The efficacy of physiotherapy upon shoulder function following axillary dissection in breast cancer, a randomized controlled study. BMC Cancer. 2007; 7: 166.
8) Na YM, Lee JS, Park JS, et al. Early rehabilitation program in postmastectomy patients: a prospective clinical trial. Yonsei Med J. 1999; 40: 1-8.
9) Wingate L, Croghan I, Natarajan N, et al. Rehabilitation of the mastectomy patient: a randomized, blind, prospective study. Arch Phys Med Rehabil. 1989; 70: 21-4.
10) Lotze MT, Duncan MA, Gerber LH, et al. Early versus delayed shoulder motion following axillary dissection: a randomized prospective study. Ann Surg. 1981; 193: 288-95.
11) Abe M, Iwase T, Takeuchi T, et al. A randomized controlled trial on the prevention of seroma after partial or total mastectomy and axillary lymph node dissection. Breast Cancer. 1998; 5: 67-9.
12) Schultz I, Barholm M, Grondal S. Delayed shoulder exercises in reducing seroma frequency after modified radical mastectomy: a prospective randomized study. Ann Surg Oncol. 1997; 4: 293-7.
13) Abe M, Iwase T, Takeuchi T, et al. A randomized controlled trial on the prevention of seroma after partial or total mastectomy and axillary lymph node dissection. Breast Cancer. 1998; 5: 67-9.
14) Ahmed RL, Thomas W, Yee D, et al. Randomized controlled trial of weight training and lymphedema in breast cancer survivors. J Clin Oncol. 2006; 24: 2765-72.
15) Wingate L. Efficacy of physical therapy for patients who have undergone mastectomies. A prospective study. Phys Ther. 1985; 65: 896-900.

乳がん（術後）

2 乳房再建術後のリハビリテーション治療の効果

チェックポイント

- ✓ 乳房再建術後にも肩関節可動域制限をきたす可能性があり，リハビリテーション治療が必要である。
- ✓ 術式によりリハビリテーション治療の進め方が異なるため，手術担当医との情報交換は特に重要である。
- ✓ 乳がんの術後と同様に，退院後も患者が自主トレーニングを継続できるよう指導する。

関連 CQ・推奨グレード

CQ 03

乳房再建術後の患者に対して，リハビリテーション治療（肩関節可動域訓練など）を行うことは，行わない場合に比べて推奨されるか？

▶ **推 奨**

乳房再建術後の患者に対して，リハビリテーション治療（肩関節可動域訓練など）を行うことを提案する。

■グレード **2D**　■推奨の強さ **弱い推奨**　■エビデンスの確実性 **とても弱い**

ベストプラクティス

●なぜ必要なのか？

自家組織による乳房再建術に加え，2013 年にシリコンインプラントによる乳房再建術が保険適用となり，乳房再建術を受ける患者数が増えている。日本乳房オンコプラスティックサージャリー学会の 2018 年年次報告では，インプラントは 6,582 例に使用されている[1)]。乳房切除と同時に行われる一次再建はもちろん，乳房切除から一定期間を経て行われる二次再建においても乳房部の切開などにより肩関節可動域制限が生じる可能性があり，リハビリテーション治療が必要となる。

●対象となるのはどのような患者か？

前述のように乳房再建は乳房切除とのタイミングによって一次・二次と分類されるが，その他に乳房再建を 1 回の手術で行う一期再建と 2 回の手術で行う二期再建に分類する方法がある。自家組織を用いた再建の多くは一期的に再建される。二期再建は一期目にエキスパンダーを挿入して皮膚を十分に伸張させ，二期目にインプラントまたは自家組織に置き換える再建方法である。いずれの再建もリハビリテーション治療の対象となる。

●誰がいつどこで行うのか？

1. 誰が行うのか？

乳がん術後のリハビリテーション治療と同様に，リハビリテーション専門職が行う場合と看護師が行う場合がある。しかし，術後早期は乳がんの手術後と比べて実施可能な運動方向に制限があるため，リハビリテーション専門職が対応する方が望ましい。また，手術担当医との情報交換が重要であり，血管吻合の有無を含めた術式や術後経過を確認する必要がある。

2. いつ行うのか？

乳がん術後と同様，初めは肩の高さ程度の運動に留めるものの，術翌日からリハビリテーション治療を行うことやADLにおいて肩を動かすことは通常許可される。

3. どこで行うのか？

乳がん術後と同様，入院中にリハビリテーション治療が導入されるが，通常はそれほど長く入院しないため，退院後のリハビリテーション治療が必要となる。場合によっては外来でのリハビリテーション治療を行うことになるが，いずれにしても自宅で自主的に運動を継続できるよう指導することが重要である。

●どのような方法で行うのか？

Association of Breast SurgeryとBritish Association of Plastic Reconstructive and Aesthetic Surgeonsによるガイドライン[2]では，「この領域のエビデンスは限定的」としながらも術式ごとにリハビリテーション治療の進め方を紹介している。

1. エキスパンダー／インプラント

大胸筋のストレッチングは術後2〜3週間は避ける［＊注2］。腋窩リンパ節郭清を伴う一次再建の場合は，術後1週間は肩関節屈曲・外転は約90°までに留める。日常生活における上肢の使用は術後1日目より肩の高さまで可だが，伸展動作や重いものを持つことは避ける。

エキスパンダーへの生理食塩水の注入が始まる，または術後約2週からは徐々に普段の生活に戻していくとともに関節可動域訓練を進めていく。ただし，非常にきついまたは痛みを伴うストレッチングは避ける。猫背にならないよう肩甲帯の運動，姿勢のアドバイス，ストレッチングなどを行う。術後6週までには，急激に重いものを持ち上げたり胸筋を使ったりすることを除き通常の生活に戻す。

2. 広背筋皮弁による再建

術後1日目から肩甲帯の運動を開始する。肩関節の屈曲・外転運動も開始するが，1〜2週間は約90°までに留める。肩関節伸展は避ける。

その後は肩関節屈曲・外転・外旋運動訓練などを進めていく。徐々に通常の活動に戻し，ほとんどすべての活動は術後6〜8週で再開する。非常に重いものを持つことについては，術後12週は避けるようにする。

肩関節外転＋外旋の運動は制限されやすいので積極的に行う。放射線療法が計画されている場合にはこの運動は特に重要である。

皮弁採取部の可動性の維持や癒着の予防のため，肩関節水平屈曲位での肩甲骨の内転と深呼吸を組み合わせた運動などを行う。

3. 下腹部の組織を用いた再建（腹直筋皮弁・深下腹壁穿通枝動脈皮弁）

血管吻合がなされている場合には，必要に応じて術者と相談し，術後1週間は血管茎のストレッチングを避けるため肩関節の外転を90°までに制限する。皮弁が安定していれば，術後7日以降に肩関節可動域の拡大を図る。

術後2〜3日以内に，腰痛予防，腰椎の可動性促進，腹直筋の最大下の収縮の促進などのため，pelvic tilt（膝を立てた背臥位で下腹部を緊張させながら殿部をわずかに床から浮かす運動）を開始し，最低6週間継続する。膝を立てた仰臥位で腹部を凹ませる運動はできるだけ早期から，膝を横に倒す運動は術後数日以内に開始する。術後6～8週で腹部を凹ませる運動がしっかりできるようになったら，腹筋運動を開始する。重いものを持ち上げることは最低6週間避けておく。

＊注2：大胸筋のストレッチングによってエキスパンダーが上方へ移動する可能性があるため，術後早期はこれを避けるように指導する。

●リハビリテーション治療の効果は？

乳房の切除・再建が行われた患者に対して，術後入院中にリハビリテーション治療を施行し，退院後の自主トレーニングについてパンフレットを用いた指導がなされた群では，口頭で手術の有害事象や観察ポイント，日常生活上の注意を指導された群と比べて，術後6カ月における肩関節可動域制限がみられる割合や外来リハビリテーション治療が必要となった割合が有意に少なく，上肢機能は有意に高かった[3)]。

乳房再建術を施行された場合，エキスパンダーやインプラントがずれないように，あるいは皮弁（採取部を含む）が安定するようにという配慮をすれば，安全にリハビリテーション治療を実施することが可能である。

（田沼　明・阿部恭子・村岡香織）

引用文献

1) 光山昌珠．乳房オンコプラスティックサージャリー回想記．Oncoplast Breast Surg. 2019; 4: 91-7.
2) Oncoplastic breast reconstruction－guidelines for best practice. http://www.bapras.org.uk/docs/default-source/commissioning-and-policy/final-oncoplastic-guidelines---healthcare-professionals.pdf?sfvrsn=0.（最終アクセス日：2020年7月27日）
3) Scaffidi M, Vulpiani MC, Vetrano M, et al. Early rehabilitation reduces the onset of complications in the upper limb following breast cancer surgery. Eur J Phys Rehabil Med. 2012; 48: 601-11.

乳がん（化学放射線療法中・後）

3 身体活動性，運動耐容能，筋力低下，倦怠感，体組成，有害事象，精神心理面，QOL，慢性疼痛に対するリハビリテーション治療の効果

チェックポイント

- ✓ 乳がん患者においては，術後化学療法や放射線療法が行われることが多く，倦怠感から身体活動性が低下し，運動耐容能の低下・肥満・不安・うつ・QOL の低下・慢性疼痛を生じ，治療後にも長期間それらの不快な症状に悩まされることが多い。
- ✓ これに対し，運動療法を実施することは，運動耐容能や筋力の改善のみならず，体組成・倦怠感・不安やうつ・QOL・慢性疼痛を改善させる。
- ✓ 運動療法は，ウォーキングやエルゴメーターなどの有酸素運動や，機器やダンベルなどを用いた筋力増強訓練の単独またはそれらを組み合わせて行われる。
- ✓ いずれも中・高強度で行われるが，特に最初は倦怠感などを把握しながら負荷量を調節するなどして，継続しやすくする工夫が必要である。

関連 CQ・推奨グレード

CQ 04

化学療法・放射線療法中の乳がん患者に対して，リハビリテーション治療（運動療法）を行うことは，行わない場合に比べて推奨されるか？

▶ **推 奨**

化学療法・放射線療法中の乳がん患者に対して，リハビリテーション治療（運動療法）を行うことを推奨する。

■グレード **1A**　■推奨の強さ **強い推奨**　■エビデンスの確実性 **強**

CQ 05

治療終了後の乳がん患者（サバイバー）に対して，リハビリテーション治療（運動療法）を行うことは，行わない場合に比べて推奨されるか？

▶ **推 奨**

治療終了後の乳がん患者（サバイバー）に対して，リハビリテーション治療（運動療法）を行うことを提案する。

■グレード **2A**　■推奨の強さ **弱い推奨**　■エビデンスの確実性 **強**

CQ 06

乳がんによる慢性疼痛がある患者に対して，リハビリテーション治療（運動療法）を行うことは，行わない場合に比べて推奨されるか？

▶ **推 奨**

乳がんによる慢性疼痛がある患者に対して，リハビリテーション治療（運動療法）を行うことを提案する。

■グレード **2B**　■推奨の強さ **弱い推奨**　■エビデンスの確実性 **中**

ベストプラクティス

●なぜ必要なのか？

乳がん患者においては，診断・治療の進歩により再発率や死亡率が低下し，生命予後が改善している。その一方，がんの治療中から治療後の長期間にわたって，運動耐容能の低下・肥満・倦怠感・不安・うつ・QOL の低下・慢性疼痛など多岐にわたる身体的・社会心理的問題に悩まされる例が多いことも報告されている。

これらの諸問題に対する最も有効かつ重要なリハビリテーション治療として，運動療法が挙げられる。

がん患者一般において，がんと診断されたときから身体活動性が低下することが知られているが[1]，乳がんでは術後の放射線療法や化学療法・内分泌療法中・治療後に，倦怠感などから活動量がさらに低下し，運動耐容能が悪化する。運動耐容能が悪化すると容易に倦怠感が生じるようになり，身体活動性がさらに低下するといった悪循環が生じる。

倦怠感を中心としたこのような悪循環に対しては，安静は無効であり，運動療法が有効である。運動療法により運動耐容能が改善されると倦怠感が生じにくくなり，身体活動性が上がり，身体面でも心理面でも QOL の向上が得られる。運動療法による肥満や体組成の改善は，乳がん再発を減らし，生命予後も改善させる[2]と考えられている。

このように乳がん患者では，診断から治療後の各段階において，さまざまな身体的・心理的諸問題が生じる。これらに対し運動療法は有効性が高い治療であり，実施の指導と負荷量の調整が重要である。

●対象となるのはどのような患者か？

前述のように，放射線療法や薬物療法の施行中あるいは施行後の患者が主な対象であるが，乳がんの診断時から身体活動性は低下しがちであり，運動療法の適応となる。

●誰がいつどこで行うのか？

身体活動性の低下は診断時から生じ，身体活動性の維持の指導や積極的な運動療法の実施は，治療のすべての過程で行われる必要がある。

1．誰が行うのか？

診断時にはまず，がんを診療する医師から，「がんと診断されたからといって運動や身体活動を制限する必要はなく，むしろ身体活動を保つことを意識し，日常的に運動を行うことが望ましい」といった指導を行う。

積極的な運動療法開始にあたっては，がんを診療する医師とリハビリテーション科医などが相談して負荷量を決め，その指示に基づき，理学療法士や運動指導士，看護師などが運動療法を実施・もしくは在宅で実施できるよう指導する。

表 6-2　乳がん患者の運動療法継続に関わる因子

1．運動療法継続に有利な因子	
・病前に運動習慣がある ・体力・筋力が良好 ・肥満でない ・病期が進行していない	・教育歴が高い ・抑うつ傾向がない ・非喫煙
2．運動療法を継続させる工夫	
補助療法中 （倦怠感が強い時期）	1 対 1 の指導で運動強度を的確に調整する（倦怠感を防ぎ自信をもてるようなプログラムにする）
治療後	・在宅での実施とする ・繰り返し運動療法の重要性を説明する・ニュースレターなどで重要性を伝える ・運動量（歩数計などで測る）を記録してもらい外来などでチェックする ・電話などでカウンセリングを行う（意識づけと見守り，継続を阻害する因子の排除に努める）

(Courneya KS, Segal RJ, Gelmon K, et al. Predictors of supervised exercise adherence during breast cancer chemotherapy. Med Sci Sports Exerc. 2008; 40: 1180-7. を参考に作成)

長期的には在宅で自ら運動を継続することが必要であるが，通院時に運動量をモニターしたり，病院や患者会のニュースレターのような形で実施を促したり，患者会の集まりや地域のコミュニティの場で運動が行えるようにしたりする，などの形で多くの人が関わり，継続をサポートしていく必要がある。

2．いつ行うのか？

前述のように，診断時から，身体活動性の維持を指導することが必要である。

積極的な運動療法は，術後，化学療法や放射線療法などの補助療法中から開始する。術後入院中は肩関節可動域訓練などの上肢機能訓練がリハビリテーション治療の中心であるが，退院後化学療法や放射線療法などで通院するのにあわせて，運動療法を開始する。

化学療法や放射線療法後も，運動療法を継続する。補助療法中には治療による有害事象などで積極的なリハビリテーション治療が困難であったり負荷量が不十分であったりした症例も，治療後には十分な運動負荷による運動療法が可能になることが多い。

3．どこで行うのか？

化学療法や放射線療法中で頻回・定期的に受診がある場合には，医療機関のリハビリテーション室などで行われることが多い。補助療法中は治療による有害事象で倦怠感が強いなど体調の変動が大きく，きめ細かな負荷量の調整が必要であり，医療機関で行う方が安全で継続性も得られやすい[3)]。最初から在宅での実施を指導することもあるが，この場合にはどの程度指導通りに実施できているかをモニターしていく必要がある。

治療後も長期的な運動療法の継続が必要であり，実施場所についても，病院などで指導下に行う（ある一定期間集中して外来や入院で行うなど）・地域の施設などで患者の集まりとして行う・在宅での運動を指導する，などの生活スタイルにあわせて実施し，長期的に継続できるように支援することが重要である（表 6-2）[4)]。

●どのような方法で行うのか？

運動療法にはウォーキング，エルゴメーターやトレッドミルなどの有酸素運動と，機器や重錘・自重などを用いた筋力増強訓練がある。有酸素運動では主に運動耐容能の改善が，筋力増強訓練では筋力や体組成の改善がみられたという報告もあるが，メタアナリシスでは運動の種類による有意な差はないとされ，乳がん患者に対する運動療法としては両方を組み合わせて行うことが勧められている（⇒ p300）。

1. 有酸素運動

有酸素運動の運動強度の決め方は付録に示した（⇒ p296）。有酸素運動の負荷量は，補助療法中に行う場合には60％最大心拍数・10〜15分程度から開始し，最終的に80％最大心拍数・45分程度まで漸増するという報告が多い。最大心拍数は，事前に運動負荷試験を行うことで測定できるが，年齢から予測値を算出することができる。心拍数や自覚的運動強度により負荷量をモニターしながら，中・高強度の有酸素運動を週3回程度実施することが勧められる（⇒ p288）。補助療法後には，補助療法中より1段階強い強度で行うことができ，70％最大心拍数から開始し，最終的に80％最大心拍数・45分程度まで漸増するという報告が多い。

2. 筋力増強訓練

筋力増強訓練は，10回程度（8〜12回）繰り返すことができる負荷量（1回のみ可能な最大負荷量の60〜70％と同等とされる）で，9種類程度の上下肢体幹筋に対する筋力増強訓練を，それぞれ8〜12回ずつ実施して1セットとし，これを週2〜3回程度実施する。筋力増強訓練で機器を用いる場合には，バイセプスアームカール，トライセプスエクステンション，カールアップ，シーテッドロー，レッグエクステンション，レッグカール，レッグプレス，カーフレイズ，チェストプレスなど，上肢・下肢・体幹筋をターゲットとした筋力増強訓練を組み合わせて行う。自宅で行う場合などでは，ダンベルや重錘を用いて，機器を用いる場合と同様になるべく多くの筋をバランスよく動員する筋力増強訓練を指導する（⇒ p288）。機器の使い方や負荷量の調整のために，有酸素運動以上に開始時の指導が重要と考えられている。

3. リスク管理

乳がん患者では，骨転移の可能性や内分泌療法により骨粗鬆症が生じている可能性があることから，骨折のリスク評価が重要である。また，特に筋力増強訓練では浮腫などの上肢症状に留意する。筋力増強訓練により浮腫が出現・悪化することはないとされる[5)]が，疲労物質の蓄積により組織に炎症を起こすほどの強い負荷は避けるべきであると考えられており[6)]，一般的には翌日に患肢に疲労や疼痛を残さない程度の負荷量を指導して行うことが必要である。リンパ浮腫がある場合にはスリーブ着用下で運動療法を行う。その他，肥満の患者も多いことから，心疾患や関節症のリスクについても評価することが必要である（⇒ p301）。

これらの運動療法は，報告によっては6週間程度，概ね12週間程度の継続で効果が報告されている。その後どの程度継続すべきかについての明確な指針はないが，基本的には運動習慣を永続的にもつことがよいと考えられている。医療機関などで指導下に運動療法を行っている期間に，なるべく長期間自ら運動療法が継続できるように指導する，地域の運動施設などを紹介する，といった方法が勧められている。また，患者会などの定期連絡で運動療法の継続を促すことも勧められている。

●リハビリテーション治療の効果は？

運動療法は，身体活動性・運動耐容能，筋力，倦怠感，体組成（肥満），治療の有害事象，抑うつ・不安などの精神心理面，QOL，慢性疼痛など，さまざまな身体・心理的問題に対して有効性が示されている。

1. 身体活動性や運動耐容能に対する効果

有酸素運動のみ，もしくは有酸素運動と筋力増強訓練を実施した群で，行わない群に比べて，活動・運動量が増加し，最高酸素摂取量や12分間歩行テストでの運動耐容能の改善が認められている[7-9)]。

2. 筋力に対する効果

筋力増強訓練のみ，もしくは有酸素運動と筋力増強訓練を実施した群で，行わない群に比べて，ベンチプレスで測定した上肢筋力・レッグエクステンションで測定した下肢筋力の改善が認められている[9)]。ただし，化学療法でよく用いられるタキサンは筋再生を阻害するため，タキサン使用の化学療法中には筋力改善の効果が得られにくいとされている[10)]。

3. 倦怠感に対する効果

倦怠感に対しては，運動療法の中でもウォーキングなど在宅で自分のペースで行いやすい有酸素運動が行われ，PFS（Piper Fatigue Scale）の改善が認められる[11]。進行した患者でも座位での運動（四肢体幹の屈伸運動）を行うことで倦怠感の悪化が緩やかになる[12]。

倦怠感はがん患者で，特に治療中に高頻度でみられる愁訴である。運動耐容能の低下とも関係しているが，心理的な側面も影響していると考えられており，がん患者全般を対象にしたメタアナリシスでは，心理面へのケア単独や，心理面へのケアと運動療法の併用など，心理面へのケアが重要とされている[13]。乳がん患者（特に化学放射線療法中の乳がん患者）においては，運動療法の方が有効である[14]とされ身体面へのケアが欠かせないが，症例によっては心理面へのケアやサポートを要すると考えられる。ただし，現在のところ，どのような症例で心理面へのケアを行うべきかの基準はなく，今後の検討が求められている状況である。

4. 体組成に対する効果

有酸素運動のみ・筋力増強訓練のみ・もしくは併用により，体脂肪率の低下や除脂肪体重の増加が認められている[8]。乳がん患者では，内分泌療法の影響や，活動性低下により肥満が生じやすい一方，食事摂取量低下・筋肉量低下などでの体重減少もあり，体重のみでは効果が判定しにくい。除脂肪体重を維持・もしくは増加させながら，体脂肪量や体脂肪率を低下させることが運動療法の目的であり，有酸素運動でも筋力増強訓練でもその効果は得られる。

5. 治療の有害事象に対する効果

有酸素運動や筋力増強訓練により，化学放射線療法中の貧血や顆粒球減少，下痢が軽減する[15,16]。これらの有害事象の軽減により，治療耐容性・完遂率が向上する[17]。治療後の貧血の遷延に対しても，造血剤の投与と運動療法を併用すると，造血剤投与のみより貧血の改善がよい[18]。ヨガで下痢やストレス症状が改善したとの報告[19]もある。

6. 抑うつ・不安などの精神心理面に対する効果

有酸素運動や筋力増強訓練により，化学放射線療法中の自尊心・不安感・睡眠障害の改善がみられる[20,21]。運動療法とサポートグループ療法の併用でボディイメージの改善も認められている[22]。治療後の患者でも長期的に心理的症状を訴える例があるが，有酸素運動の実施で抑うつ傾向の改善が認められている[23]。ヨガも，ストレス症状，気分障害改善に有効であると報告されている[19]。

7. QOL に対する効果

運動療法は概ね QOL に良い影響を与えるが，病期によりその効果はやや異なる。

化学放射線療法中では，有酸素運動や筋力増強訓練により，FACT-G（Functional Assessment of Cancer Therapy-General ⇒ p304）で評価される QOL 全般の改善がみられたという報告もある一方[24]，QOL 全般の改善は有意でない，身体関連 QOL や自尊心などサブスコアの改善に限られるとの報告もあり，メタアナリシスではこの時期の運動療法に QOL 全般の改善の効果はなく，身体関連 QOL を改善させるに留まる，としている[25]。治療中には，嘔気や下痢などの有害事象が QOL に大きな影響を与えており，運動療法の効果が得られにくいと考えられている。

治療後においては，有酸素運動と筋力増強訓練の組み合わせにより，EORTC（European Organization for Research and Treatment of Cancer）QLQ-C30（⇒ p302）などで評価される QOL 全般の改善がみられる[19,26-28]。

さらに，遠隔転移のある進行した病期においても，座位での運動（四肢体幹の屈伸運動）で身体面の QOL の低下が緩やかになる[12]。

8. 慢性疼痛に対する効果

有酸素運動と筋力増強訓練（初めは抵抗なし，後に抵抗運動）を組み合わせたプログラムにより，頸部や肩・腋窩の痛みの改善，頸部や四肢の疼痛閾値の上昇，頸部・肩甲帯のトリガーポイントの減少が報告されている[29]。また，水中運動においても頸部や肩・腋窩の痛みの改善，頸部の疼痛閾値の上昇，頸部・肩甲帯のトリガーポイントの減少が報告されている[30]。

このように，運動療法はさまざまなアウトカムに対して有効性が示されている。また，併存疾患に対するリスク管理がなされていれば有害事象を増やすことなく実施可能である。運動療法は，がん患者の身体活動性の低下，身体機能の低下を防ぐだけでなく，治療の耐容性を維持して乳がん再発のリスクの増加を防ぐ。そのため，単に運動療法を行うだけでなく，その重要性をあわせて指導し，運動に対する動機付けをすることが重要である。また，病期や治療過程による身体機能の変化にあわせた運動療法の再指導のため，継続的な支援が必要である。

（田沼　明・阿部恭子・村岡香織）

引用文献

1) Blanchard CM, Denniston MM, Baker F, et al. Do adults change their lifestyle behaviors after a cancer diagnosis? Am J Health Behav. 2003; 27: 246-56.
2) Ingram C, Courneya KS, Kingston D. The effects of exercise on body weight and composition in breast cancer survivors: an integrative systematic review. Oncol Nurs Forum. 2006; 33: 937-47.
3) Courneya KS, Mackey JR, McKenzie DC. Exercise for breast cancer survivors: research evidence and clinical guidelines. Phys Sportsmed. 2002; 30: 33-42.
4) Courneya KS, Segal RJ, Gelmon K, et al. Predictors of supervised exercise adherence during breast cancer chemotherapy. Med Sci Sports Exerc. 2008; 40: 1180-7.
5) Ahmed RL, Thomas W, Yee D, et al. Randomized controlled trial of weight training and lymphedema in breast cancer survivors. J Clin Oncol. 2006; 24: 2765-72.
6) 増島麻里子（編著）．病棟・外来から始めるリンパ浮腫予防指導．医学書院，2012.
7) McNeely ML, Campbell KL, Rowe BH, et al. Effects of exercise on breast cancer patients and survivors: a systematic review and meta-analysis. CMAJ. 2006; 175: 34-41.
8) Kim CJ, Kang DH, Park JW. A meta-analysis of aerobic exercise interventions for women with breast cancer. West J Nurs Res. 2009; 31: 437-61.
9) Schmitz KH, Courneya KS, Matthews C, et al. American College of Sports Medicine roundtable on exercise guidelines for cancer survivors. Med Sci Sports Exerc. 2010; 42: 1409-26.
10) Courneya KS, McKenzie DC, Mackey JR, et al. Moderators of the eff ects of exercise training in breast cancer patients receiving chemotherapy: a randomized controlled trial. Cancer. 2008; 112: 1845-53.
11) Mock V, Pickett M, Ropka ME, et al. Fatigue and quality of life outcomes of exercise during cancer treatment. Cancer Pract. 2001; 9: 119-27.
12) Headley JA, Ownby KK, John LD. The effects of seated exercise on fatigue and quality of life in women with advanced breast cancer. Oncol Nurs Forum. 2004; 31: 977-83.
13) Jacobsen PB, Donovan KA, Vadaparampil ST, et al. Systematic review and meta-analysis of psychological and activity-based interventions for cancer-related fatigue. Health Psychol. 2007; 26: 660-7.
14) Kirshbaum MN. A review of the benefits of whole body exercise during and after treatment for breast cancer. J Clin Nurs. 2007; 16: 104-21.
15) Drouin JS, Young TJ, Beeler J, et al. Random control clinical trial on the effects of aerobic exercise training on erythrocyte levels during radiation treatment for breast cancer. Cancer. 2006; 107: 2490-5.
16) Dimeo F, Fetscher S, Lange W, et al. Effects of aerobic exercise on the physical performance and incidence of treatment-related complications after high-dose chemotherapy. Blood. 1997; 90: 3390-4.
17) Courneya KS, Segal RJ, Mackey JR, et al. Effects of aerobic and resistance exercise in breast cancer patients receiving adjuvant chemotherapy: a multicenter randomized controlled trial. J Clin Oncol. 2007; 25: 4396-404.
18) Courneya KS, Jones LW, Peddle CJ, et al. Effects of aerobic exercise training in anemic cancer patients receiving darbepoetin alfa: a randomized controlled trial. Oncologist. 2008; 13: 1012-20.
19) Culos-Reed SN, Carlson LE, Daroux LM, et al. A pilot study of yoga for breast cancer survivors: physical and psychological benefits. Psychooncology. 2006; 15: 891-7.
20) Courneya KS, Segal RJ, Gelmon K, et al. Six-month follow-up of patient-rated outcomes in a randomized controlled trial ofexercise training during breast cancer chemotherapy. Cancer Epidemiol Biomarkers Prev. 2007; 16: 2572-8.
21) Mock V, Dow KH, Meares CJ, et al. Effects of exercise on fatigue, physical functioning, and emotional distress during radiation therapy for breast cancer. Oncol Nurs Forum. 1997; 24: 991-1000.
22) Mock V, Burke MB, Sheehan P, et al. A nursing rehabilitation program for women with breast cancer receiving

adjuvant chemotherapy. Oncol Nurs Forum. 1994; 21: 899-907; discussion 908.
23) Daley AJ, Crank H, Saxton JM, et al. Randomized trial of exercise therapy in women treated for breast cancer. J Clin Oncol. 2007; 25: 1713-21.
24) Campbell A, Mutrie N, White F, et al. A pilot study of a supervised group exercise programme as a rehabilitation treatment for women with breast cancer receiving adjuvant treatment. Eur J Oncol Nurs. 2005; 9: 56-63.
25) Speck RM, Courneya KS, Mâsse LC, et al. An update of controlled physical activity trials in cancer survivors: a systematic review and meta-analysis. J Cancer Surviv. 2010; 4: 87-100.
26) Milne HM, Wallman KE, Gordon S, et al. Effects of a combined aerobic and resistance exercise program in breast cancer survivors: a randomized controlled trial. Breast Cancer Res Treat. 2008; 108: 279-88.
27) Fillion L, Gagnon P, Leblond F, et al. A brief intervention for fatigue management in breast cancer survivors. Cancer Nurs. 2008; 31: 145-59.
28) Sandel SL, Judge JO, Landry N, et al. Dance and movement program improves quality-of-life measures in breast cancer survivors. Cancer Nurs. 2005; 28: 301-9.
29) Fernández-Lao C, Cantarero-Villanueva I, Fernández-de-Las-Peñas C, et al. Effectiveness of a multidimensional physical therapy program on pain, pressure hypersensitivity, and trigger points in breast cancer survivors: a randomized controlled clinical trial. Clin J Pain. 2012; 28: 113-21.
30) Cantarero-Villanueva I, Fernández-Lao C, Fernández-de-Las-Peñas C, et al. Effectiveness of water physical therapy on pain, pressure pain sensitivity, and myofascial trigger points in breast cancer survivors: a randomized, controlled clinical trial. Pain Med. 2012; 13: 1509-19.

乳がん（術後）

4 認知機能障害に対するリハビリテーション治療の効果

チェックポイント

- ✓ 乳がんの診断や治療によって認知機能障害が出現する可能性がある。
- ✓ 認知機能のうち，遂行機能，情報処理速度，言語性記憶，視覚性記憶などが障害されやすく，これらに対するリハビリテーション治療が必要である。

関連 CQ・推奨グレード

CQ 07

がんやがん治療に関連した認知機能障害がある乳がん患者に対して，リハビリテーション治療（認知機能訓練）を行うことは，行わない場合に比べて推奨されるか？

▶ 推 奨

がんやがん治療に関連した認知機能障害がある乳がん患者に対して，リハビリテーション治療（認知機能訓練）を行うことを提案する。

■グレード **2B**　■推奨の強さ **弱い推奨**　■エビデンスの確実性 **中**

ベストプラクティス

●なぜ必要なのか？

以前から脳や小児のがん患者において，治療に関連した認知機能障害が出現することが知られていたが，後にその他のがん患者においても認知機能障害がQOLを低下させることが認識されるようになってきた。乳がんサバイバーの17～75％が，化学療法後6カ月～20年の間に認知機能障害を経験したと報告されている[1]。しばしば化学療法後の患者にみられ「ケモブレイン」と称されることがあるが，化学療法以外の治療によっても認知機能は低下し，さらに治療ではなくがんそのものによって認知機能が低下する可能性も考えられている。

認知機能の中でも遂行機能，情報処理速度，言語性記憶，視覚性記憶などが障害されやすく[2]，障害が重度になると社会生活に影響を及ぼす可能性がある。

●対象となるのはどのような患者か？

前述のように，化学療法を施行された患者が主な対象であるが，その他の治療中・後を含め広く認知機能障害をきたした患者が対象となる。ただし，水頭症など認知機能障害をきたす他の原因が明らかな場合には，その治療が行われる必要がある。

●誰がいつどこで行うのか？

1. 誰が行うのか？

認知機能障害への対応は，経験のあるリハビリテーション専門職によって行われることが望ましい。ただし，外来受診時に必ずしも患者や家族が認知機能障害を訴えるとは限らない。外来担当の医師や看護師が認知機能障害を念頭に置いて問診などを行い，対処が必要と判断されればリハビリテーション科に紹介する。

2. いつ行うのか？

がんの診断後から，また治療の早期から認知機能障害が起こり得るため，がん治療と並行して実施されることが多い。認知機能障害の経過はさまざまであり，徐々に改善することもあるが改善がみられない場合もあり，長期の対応が必要になる可能性がある。

3. どこで行うのか？

がん治療は外来で行われることが多く，入院で治療される場合も短期間であることが多いため，リハビリテーション治療も外来での対応が中心となる。しかし，時間的な制約もあり外来での訓練時にできることは限られてしまう。外来での指導を日常生活の場面で活かすことが重要である。患者本人のみでそれを実践することは難しく，家族を中心とした周囲のサポートを得ながら進めていく必要がある。

●どのような方法で行うのか？

1. 遂行機能障害に対して

遂行機能障害とは，「個々の認知スキルそのものは正常であるが，その認知スキルを用いて行動を開始し，モニターし，さらに行動を調整していくために情報を役立てていく能力の障害」と定義されている[3)]。このゴール志向的行動の困難さに対し，近年ゴールマネジメント訓練の有用性が謳われている。

ゴールマネジメント訓練においては，「現在の状況を的確に評価し，ゴールへの意識付けを行う」，「正しいゴールを設定する」，「ゴールまでのプロセスをいくつかのステップに分けサブゴールを定める」，「ゴールやサブゴールを学習し把握する」，「計画したことを正しく実行しているか，（サブ）ゴールが達成できているか評価する」というステップで問題解決プロセスを学習する[4)]。

2. 情報処理速度低下に対して

自分はうまく物事を処理することに時間がかかることをきちんと自覚し，「作業をするときには時間が必要である」ことを第三者に告げられるようにし，これらの方法を他のすべての日常動作に適応できるように訓練する，というタイムプレッシャーマネジメント[5)]などが用いられる。

3. 記憶障害に対して

代償手段の利用などを考慮する。外的補助手段として，メモやカレンダー，タイマー機能などがしばしば用いられる。これらは身につくまで訓練しないと実際の生活上での使用に至らないことがあり注意を要する。また内的補助手段として，記憶しやすくするために他のものと連想して覚えるという方法がある。

●リハビリテーション治療の効果は？

認知機能の自覚のある乳がんサバイバーを対象に，記憶訓練または情報処理速度訓練を行ったところ，対照群と比較して，記憶訓練を行った群では2カ月後の即時記憶と遠隔記憶が良好で，情報処理速度訓練を行った群では，訓練直後と2カ月後の情報処理速度の改善が良好であった。さらに情報処理速度訓練施行群では，訓練直後と2カ月後の即時記憶と2カ月後の遠隔記憶の改善も良好であったと報告されている[6)]。

また，外来での認知行動療法によってQOLと言語性記憶が改善し[7)]，ビデオカンファレンスによる認知行動療法によって自覚的な認知機能と情報処理速度が改善した[8)]と報告されている。

認知機能障害に対するリハビリテーション治療は有害事象を増加させることなく実施可能であり，対象となる患者に行うことが勧められる。

（田沼　明・阿部恭子・村岡香織）

引用文献

1) Ahles TA, Root JC, Ryan EL. Cancer- and cancer treatment-associated cognitive change: an update on the state of the science. J Clin Oncol. 2012; 30: 3675-86.
2) Jansen CE, Miaskowski C, Dodd M, et al. A metaanalysis of studies of the effects of cancer chemotherapy on various domains of cognitive function. Cancer. 2005; 104: 2222-33.
3) 原寛美．遂行機能障害に対する認知リハビリテーション．高次脳機能研．2012; 32: 185-93.
4) 豊倉穣．遂行機能障害．臨床リハ．2009; 18: 790-8.
5) 渡邉修．認知リハビリテーション効果のエビデンス．認知神科学．2012; 13: 219-25.
6) Von Ah D, Carpenter JS, Saykin A, et al. Advanced cognitive training for breast cancer survivors: a randomized controlled trial. Breast Cancer Res Treat. 2012; 135: 799-809.
7) Ferguson RJ, McDonald BC, Rocque MA, et al. Development of CBT for chemotherapy-related cognitive change: results of a waitlist control trial. Psychooncology. 2012; 21: 176-86.
8) Ferguson RJ, Sigmon ST, Pritchard AJ, et al. A randomized trial of videoconference-delivered cognitive behavioral therapy for survivors of breast cancer with self-reported cognitive dysfunction. Cancer. 2016; 122: 1782-91.

乳がん（術後）

5 リンパ浮腫の予防

チェックポイント

- ✓ 乳がん手術においては，腋窩リンパ節郭清を必要とすることが多く，患側上肢のリンパ還流が悪くなり，リンパ浮腫が生じるリスクが高い。
- ✓ センチネルリンパ節生検でも，頻度は少なくなるもののリンパ浮腫が生じ得る。
- ✓ リンパ浮腫は，周術期からの生活指導やリハビリテーション治療の実施でその発症リスクを減らすことができると報告されており，予防のための治療が必要である。

関連 CQ・推奨グレード

CQ 08

乳がん術後でリンパ浮腫の危険性がある患者に対して，リハビリテーション治療を行うことは，行わない場合に比べて推奨されるか？

▶ 推 奨

乳がん術後でリンパ浮腫の危険性がある患者に対して，リハビリテーション治療を行うことを提案する。

■グレード 2B　■推奨の強さ 弱い推奨　■エビデンスの確実性 中

ベストプラクティス

●なぜ必要なのか？

「上肢機能低下に対するリハビリテーション治療の効果」の項（⇒ p102）でも述べたように，乳がんでは原発巣（乳房）に最も近いリンパ節が腋窩リンパ節（図 6-5）であり，診断的な意味でも，治療的な意味でも腋窩リンパ節郭清を要することが多い[1]。リンパ液は，組織間からリンパ管に入り，各領域のリンパ節を経て，身体の深部にあるリンパ本幹に集まり，静脈に戻っていく（図 6-6）[2]。乳房のリンパ液は腋窩リンパ節に入るが，乳がん細胞もリンパ液の流れに乗って腋窩リンパ節に到達しやすいことから，原発巣切除時に腋窩リンパ節をすべて切除するのが腋窩リンパ節郭清である。リンパ節が切除されても，リンパ液は切除リンパ節の周囲の微細なリンパ管を通って静脈に戻ることができるが，流れが滞りやすく，リンパ浮腫を生じやすい状況になっている。

腋窩リンパ節郭清を伴う乳がんの術後にリンパ浮腫が生じる頻度は報告により異なるもののおおよそ30％程度と高く[3]，そのうち 70％前後は術後 1 年以内に発症する[4]が，それ以外はさらに晩期に生じている。センチネルリンパ節生検では，切除されるリンパ節の数も少なく，周囲の組織の損傷も少ないためリンパ浮腫の発症は少ないが，それでも 5〜7％[5] 程度に生じると報告されている。また，腋窩を含む放射線照射はリンパ浮腫の発症リスクを高くする。

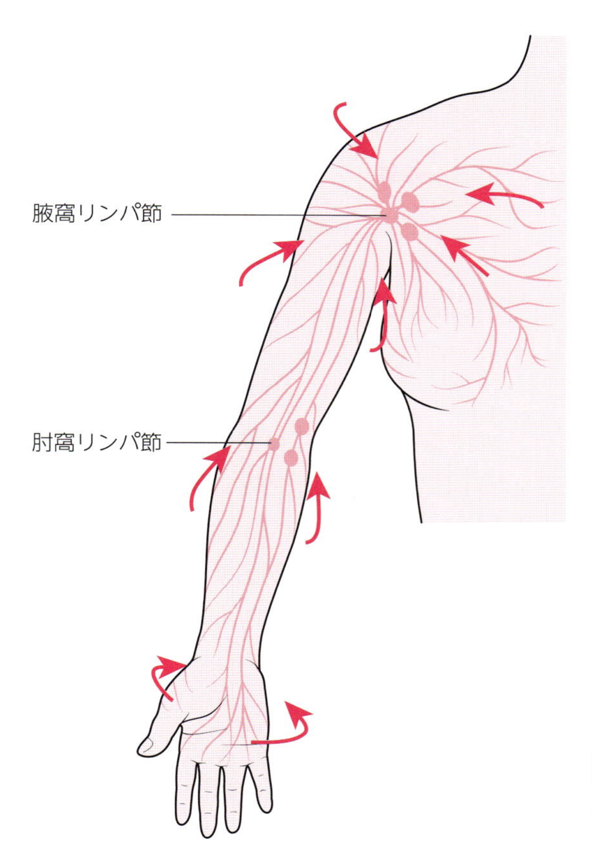

図 6-5　上肢のリンパ液還流と腋窩リンパ節

上肢のリンパ液は，腋窩リンパ節に還流する。同側の乳房・胸背部のリンパ液も腋窩リンパ節に入る。

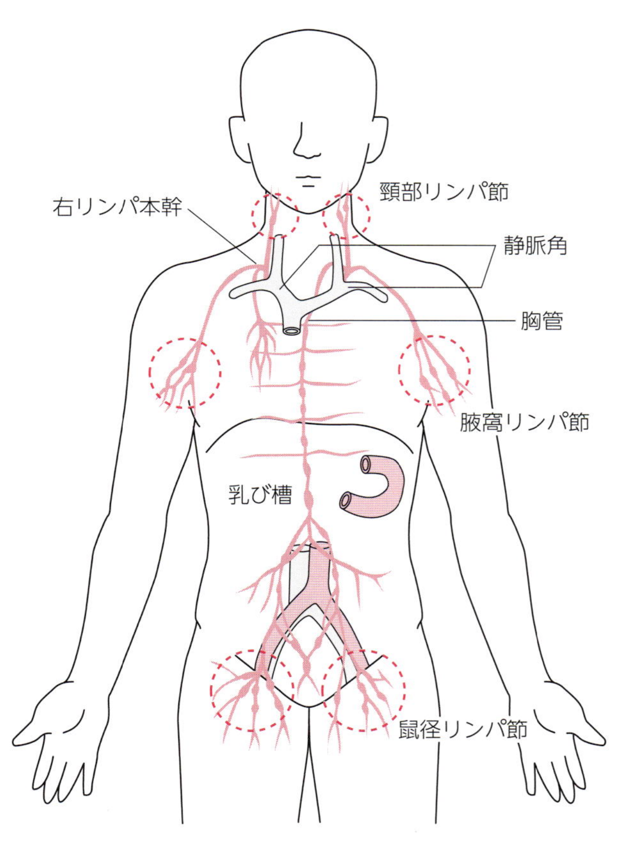

図 6-6　上半身のリンパ液還流

リンパ液は線維間隙から毛細リンパ管に吸収されて，リンパ節・リンパ本幹を経て左右の静脈角から静脈内に流入する。

(辻哲也．癌のリハビリテーションについて知っておきたいポイント．辻哲也（編）．癌のリハビリテーション．金原出版，2006．より引用改変)

第6章
乳がん・婦人科がん

表 6-3 リンパ浮腫発症のリスク因子（日本）

多変量解析で有意であった独立因子
1. 肥満（BMI≧25） 2. 拡大術式 3. 補助療法なし 4. リンパ節への照射 5. 予防教育なし

（北村薫，赤澤宏平．乳がん術後のリンパ浮腫に関する多施設実態調査．臨看．2010; 36: 889-93. より引用）

リンパ浮腫の発症機序はまだ明らかでない部分もあるが，郭清範囲や治療法の違い以外にも発症に関わるリスク因子が報告されており（表 6-3）[6]，適切に治療を行うことで発症を予防できる例があると考えられている。なお，海外（オーストラリア）の報告では，術後 2 年後のリンパ浮腫発症のリスク因子として有意であったのは肥満のみで，リンパ節郭清の範囲・リンパ節の切除数・創感染の有無・ドレナージ量・しょう液腫の有無・年齢・放射線療法の有無は有意な因子ではなかった（放射線療法については，腋窩照射は 1 名のみであったため，関係性は不明とコメントされている）[7]。

乳がんは生命予後が改善してきており，早期がんでは 10 年生存率でも 90％近い（日本乳癌学会）。一方，乳がん治療によるリンパ浮腫の発症頻度は未だ高いうえ，リンパ浮腫はいったん生じると治癒は困難であり，長期にわたり繰り返す蜂窩織炎や疼痛，美容上の問題，それらが関与してボディイメージの低下や QOL の低下を引き起こす。予防可能なリスク因子に関しては，早期から長期間にわたって予防指導を継続することが，リンパ浮腫予防と，早期発見・早期治療に重要である。

●対象となるのはどのような患者か？

前述の通り，腋窩リンパ節を郭清された患者はリンパ浮腫発症のリスクが高く対象となる。また，センチネルリンパ節生検に留まった場合でもしばしばリンパ浮腫が発症するため，対象とすることが勧められる。

●誰がいつどこで行うのか？

乳がん術後のリンパ浮腫予防に対しては，患肢管理などに関する生活指導を中心とした，包括的リハビリテーション治療が必要である。

1. 誰が行うのか？

上肢の包括的リハビリテーション治療の中に含めてリハビリテーション専門職（理学療法士・作業療法士）が指導する施設もあると考えられるが，スキンケアや感染への留意といった生活指導は看護師が実施している施設も多い。どちらが中心となって行うにせよ，肩関節可動域訓練を中心とする上肢機能への治療・指導と，リンパ浮腫予防の指導が矛盾しないよう，また内容が重複して煩雑にならないように，共通した指導書やパンフレットを用いることが有効である。

2. いつ行うのか？

リンパ浮腫予防の生活指導は，術後上肢管理や運動に関する指導と同様，術前から行われるのが望ましいと考えられる。術後早期から，スキンケアや局所の圧迫を避けることなどの自己管理が必要なためである。また，不完全な知識やリンパ浮腫への不安により，過度に上肢の運動を制限すると，上肢機能を低下させるだけでなく，リンパ浮腫のリスクも上がる可能性があり，術後段階的に上肢を使うことや全身運動も積極的に行うことなどの指導を行う。

肩関節可動域訓練や軽度の上肢運動なども含んだ包括的リハビリテーション治療は，「上肢機能低下に対するリハビリテーション治療の効果」の項（⇒ p102）でも述べたように，術後段階的に可動域・運動量を増やしていく必要があるが，積極的治療開始は術後5〜7日目で，入院期間中（概ね10日間）に行われることが多い。

生活指導の再指導や早期発見のためのリンパ浮腫チェックは長期的に行われる必要がある。先に述べたように，リンパ浮腫の70%程度は手術1年以内に生じるものの，それ以降に発症する例も30%程度ある。退院後も術後1年は密な，その後も定期的な，リンパ浮腫に関する長期間のフォローが必要である。

3．どこで行うのか？

肩関節可動域訓練や軽度の上肢運動なども含んだ包括的リハビリテーション治療は，リハビリテーション室などで行われるが，入院中の実施期間も短く，またリハビリテーション治療場面では上肢運動を行っていても日常生活場面では過度に安静に保つなどの乖離がみられることもあることから，病棟でも上肢の使用状況を観察し，繰り返し指導することが必要である。

退院後も外来で，上肢運動のチェックとともに，リンパ浮腫のチェックと自己管理の再指導が必要である。外来受診時に看護師やリハビリテーション専門職がチェックする，化学療法などを行っている場合にはその関係スタッフがチェックする，などの体制を作ることも有用と考えられる。

●どのような方法で行うのか？

1．生活指導

前述（表6-3）のように，リンパ浮腫発症に関して，「予防教育がされていないこと」が独立した危険因子として挙げられており，予防に関する生活指導は重要である。

リンパ浮腫予防のためには，大きく分けて3つの側面からの注意が必要である[8]。1つ目は感染や炎症を防ぐこと，2つ目はリンパ還流の負荷を増やし過ぎないこと，3つ目はリンパ液の流れを妨げないことである。感染や炎症を防ぐ具体的な指導としては，リンパ浮腫が起こり得る部位に腫脹や発赤・熱感が生じたら早急に伝えること，皮膚の清潔を保ち保湿すること，傷を作らないように注意することが挙げられている。

リンパ液の流れが滞っている肢では，免疫機能が低下しており，乾燥などで皮膚のバリア機能が低下していると容易に感染を引き起こす。微細な創や皮膚ダメージによる組織の炎症はリンパ液の流れを増やし，還流が追いつかず，リンパ浮腫を生じるきっかけとなり得る。患肢の強い擦り洗いを避け，保湿剤などを用いて保湿ケアを十分に行い，白癬など何らかの皮膚トラブルがあるときにはすぐに治療するといったスキンケアがまず重要である。そのうえで，深爪・虫刺され・ガーデニング・剃毛などによる創，カイロなどによる低温火傷にも留意する。虫よけの使用や，手袋などでの保護を習慣づけ，小さい創でもしっかりと治療して炎症が拡大しないようにし，炎症の初期段階で受診し抗菌薬で早めに加療してもらうなどの指導をする。炎症以外でリンパ還流の負荷を増やし過ぎないためには，患肢に血流が多くなるような強い繰り返しの上肢運動を避ける，長時間あるいは繰り返し重いものを持たない，といった指導がされる。

上肢の運動については後述のように，関節可動域訓練や軽度の筋力増強訓練を含む包括的リハビリテーション治療はリンパ浮腫の発症を減らすとして実施が勧められている[7]。また，筋力増強訓練を含んだ運動療法場面においても，リンパ浮腫の発症リスクは増加させないと報告され[9]，術後慢性期（腋窩リンパ節郭清術を含む治療後4〜36カ月）の患者でウェイトリフティングのようなかなり強い上肢への運動負荷をかけてもリンパ浮腫の出現・悪化はなかったと報告されている[10]。このように，少なくとも管理下のリハビリテーション治療はリンパ浮腫の発症リスクを減らす・少なくとも増やさないと考えられ，積極的に行う方がよい。

一方，「重いものを下げ持つ」などのリンパ還流の悪化を引き起こしやすい動作や，自己流で負荷量が調整されていない筋力増強訓練は，乳酸などの疲労物質の蓄積による組織環境の悪化や筋破壊により組織が炎症を起こしているのと同等になるため避けるべきと指導する。局所的な圧迫など，毛細血管-組織間-リンパ管の間の圧を変化させることもリンパ浮腫のきっかけとなるため，部分的に締め付けるような服などの着用を避けるよう指導する。肥満はリンパ浮腫発症・重症化のリスク因子であることが複数の報告で明らかとなっており[11]，肥満のコントロールはリンパ浮腫のリスク軽減に重要である。

なお，『リンパ浮腫診療ガイドライン 2018 年版』[12] によると，従来避けるべきといわれていた生活関連因子のうち，採血・血圧測定・空旅はリンパ浮腫発症や増悪の原因となる可能性は少ない，高い気温や入浴は関連せず，日焼けやサウナの利用は関連する可能性があるが，いずれも根拠は十分ではない，とされている。また，化学療法の点滴はリンパ浮腫の発症や増悪の原因となる可能性があるが，通常の点滴については評価できる十分な根拠がない，と記されている。

2. 包括的リハビリテーション治療

上記の生活指導に加え，術後早期に，肩関節可動域訓練・胸筋ストレッチング・瘢痕組織のマッサージ・柔軟体操や軽度（自重を用いる程度）の上肢運動などを含んだ包括的リハビリテーション治療を実施することも勧められている[4,7]。用手的リンパドレナージを行い，特に腋窩ウェブ症候群やしょう液腫があるときにはその部位に特異的なリンパドレナージをすることを勧める報告[4] もあるが，用手的リンパドレナージは効果がないという報告もある[13]。

これらの包括的リハビリテーション治療は，術後の上肢機能低下を予防するリハビリテーションプログラムと共通する部分が多いが，他動で関節可動域を拡大することよりも自動運動や抵抗運動・動作訓練に重点を置いていることに特徴がある。腋窩リンパ節郭清後の上肢リンパ液の還流には，側副路を通しての還流の増加が重要であるとされているが[14]，上肢運動により側副路還流の増加が促進されると考えられている[4]。ストレッチングや軟部組織のマッサージは，包括的リハビリテーション治療に含まれている報告もあるが，それぞれ単独ではリンパ浮腫予防効果が示されていないため，実施すべきといえるエビデンスはない。

●リハビリテーション治療の効果は？

生活指導は，すでに行うことが当然となっているため，それ自体の効果を（指導を行わない場合と比べて）示した報告はない。しかし，表 6-3 に示したように，予防教育を受けていないことは，リンパ浮腫発症のリスク因子になっている[6] ことから，生活指導は単独でもリンパ浮腫の予防効果があると考えられる。

生活指導と術後早期からの上肢運動・肩関節可動域訓練などを含んだ包括的リハビリテーション治療の実施により，定期的なフォローを受けているのみの対照群に比べ，2 年後の浮腫の発症率が少ない傾向がある（介入群での浮腫 11%，対照群 30%）ものの，統計学的有意差はなしと報告されている[7]。このときの浮腫の診断は，体積の計測でなされ，患側と健側の体積差が 200mL よりも大きいときにリンパ浮腫としている。同じく術後早期から生活指導と上肢運動，さらに用手的リンパドレナージなども含んだ包括的リハビリテーション治療を実施することで，生活指導のみ行った対照群に比べて，1 年後のリンパ浮腫発症を有意に減らし（介入群での浮腫 7%，対照群 25%），介入により相対リスクは 0.28 に低下すると報告されている[4]。この報告では，周径の左右差が 2cm より大きいときにリンパ浮腫と診断している。

このように，生活指導と，術後早期からの少なくとも上肢運動を含む包括的リハビリテーション治療はリンパ浮腫の予防に有効かつ安全に実施可能と考えられ，行うよう強く勧められる。

（田沼　明・阿部恭子・村岡香織）

引用文献

1) 増島麻里子（編著）．病棟・外来から始めるリンパ浮腫予防指導．医学書院，2012.
2) 辻哲也．癌のリハビリテーションについて知っておきたいポイント．辻哲也（編）．癌のリハビリテーション．金原出版，2006.
3) Petrek JA, Heelan MC. Incidence of breast carcinoma-related lymphedema. Cancer. 1998; 83: 2776-81.
4) Torres Lacomba M, Yuste Sánchez MJ, Zapico Goñi A, et al. Effectiveness of early physiotherapy to prevent

lymphoedema after surgery for breast cancer: randomised, single blinded, clinical trial. BMJ. 2010; 340: b5396.
5) Wilke LG, McCall LM, Posther KE, et al. Surgical complications associated with sentinel lymph node biopsy: results from a prospective international cooperative group trial. Ann Surg Oncol. 2006; 13: 491-500.
6) 北村薫，赤澤宏平．乳がん術後のリンパ浮腫に関する多施設実態調査．臨看．2010; 36: 889-93.
7) Box RC, Reul-Hirche HM, Bullock-Saxton JE, et al. Physiotherapy after breast cancer surgery: results of a randomised controlled study to minimise lymphoedema. Breast Cancer Res Treat. 2002; 75: 51-64.
8) Ridner SH. Breast cancer lymphedema: pathophysiology and risk reduction guidelines. Oncol Nurs Forum. 2002; 29: 1285-93.
9) Sagen A, Kåresen R, Risberg MA. Physical activity for the affected limb and arm lymphedema after breast cancer surgery. A prospective, randomized controlled trial with two years follow-up. Acta Oncol. 2009; 48: 1102-10.
10) Ahmed RL, Thomas W, Yee D, et al. Randomized controlled trial of weight training and lymphedema in breast cancer survivors. J Clin Oncol. 2006; 24: 2765-72.
11) Ridner SH, Dietrich MS, Stewart BR, et al. Body mass index and breast cancer treatment-related lymphedema. Support Care Cancer. 2011; 19: 853-7.
12) 日本リンパ浮腫学会（編）．リンパ浮腫診療ガイドライン 2018 年版　第 3 版．金原出版，2018.
13) Devoogdt N, Christiaens MR, Geraerts I, et al. Effect of manual lymph drainage in addition to guidelines and exercise therapy on arm lymphoedema related to breast cancer: randomised controlled trial. BMJ. 2011; 343: d5326.
14) Földi E, Földi M, Clodius L. The lymphedema chaos: a lancet. Ann Plast Surg. 1989; 22: 505-15.

婦人科がん（化学療法中・治療後）

6 運動耐容能，倦怠感，QOL，体組成，精神心理面に対するリハビリテーション治療の効果

チェックポイント

- ✓ 婦人科がん患者においてはその他のがん患者に比べても，治療中・後の身体活動性が低下していることが多く，肥満やQOLの低下などの問題が起きやすいことが知られている。
- ✓ 婦人科がん患者のみを対象とした運動療法の介入研究はまだ数が少ないが，初期子宮内膜がん患者に対して運動療法と食事などの生活指導をあわせて行い，介入群で非介入群に比べて，活動量の増加・体重の減少・自己効力感の改善・抑うつ傾向の改善が報告されている。
- ✓ 婦人科がん患者を対象に含む，がん患者に対する運動療法の介入研究では，運動耐容能や倦怠感などの改善が認められている。

関連CQ・推奨グレード

CQ 09

肥満がある治療終了後の子宮体がん患者（サバイバー）に対して，リハビリテーション治療（運動療法）を行うことは，行わない場合に比べて推奨されるか？

▶ **推 奨**

肥満がある治療終了後の子宮体がん患者（サバイバー）に対して，リハビリテーション治療（運動療法）を行うことを提案する。

■グレード **2B**　■推奨の強さ **弱い推奨**　■エビデンスの確実性 **中**

CQ 10

化学療法中の卵巣がん患者に対して，リハビリテーション治療（運動療法）を行うことは，行わない場合に比べて推奨されるか？

▶ **推 奨**

化学療法中の卵巣がん患者に対して，リハビリテーション治療（運動療法）を行うことを提案する。

■グレード **2C**　■推奨の強さ **弱い推奨**　■エビデンスの確実性 **弱**

ベストプラクティス

●なぜ必要なのか？

主な婦人科がんは，子宮頸がん・子宮体がん・卵巣がんである。これらの多くは手術がまず行われ，術後放射線療法や化学療法が行われることが多いが，術後のリンパ浮腫などの合併症や，補助療法中・後の肥満・倦怠感・不安・うつ・QOLの低下など，身体的・社会心理的問題が生じることが多い。

子宮頸がんでは，術後放射線療法（同時に化学療法を行うこともある）が行われることが多い。放射線療法では，下痢や嘔気，倦怠感を生じ，身体活動が制限されやすい。子宮頸がんの放射線療法中・後の運動療法の報告はないが，がん患者全般に対しては放射線療法中から運動療法を実施することで，倦怠感をはじめ貧血の改善などさまざまなアウトカムで有効性が示されており，子宮頸がん患者でも運動療法の実施が望ましいと考えられる。

子宮体がん（内膜がん）に関しては，肥満が発症のリスクファクターであり，生命予後にも影響を与えていると考えられている[1]。そして，もともと肥満者の割合が多いこともあり，他のがんの患者に比べても治療中・後の身体活動性が低く，倦怠感が生じやすく，QOL が低下している。

このように，子宮体がんに関しては，発症から経過・QOL とすべての場面に肥満が大きく関わり，運動療法は特に肥満に対するリハビリテーション治療として重要と考えられている。また，術後に化学放射線療法が実施される例もあり，その治療中・後の倦怠感などに対しても運動療法が有用と考えられる。

卵巣がんに関しては，術後化学療法が行われることが多い。化学療法では，嘔気，倦怠感が強く，身体活動性が低下し運動耐容能の低下につながり，さらに倦怠感が悪化するという悪循環を呈しやすい。卵巣がん患者のみを対象とした運動療法の報告はないものの，卵巣がん患者を含んだがん患者を対象にした複数の介入研究において，運動療法の，特に倦怠感に対する有効性は示されており，実施が望ましいと考えられる。卵巣がんは，病期が進行した状況で発見されることも多いが，進行期であっても，運動療法は有効であるとされている。

●対象となるのはどのような患者か？

前述のように，肥満を有する患者や化学療法中および治療後の患者が主な対象である。しかし，それ以外の患者でも身体活動性が低下している場合や倦怠感がある場合などは対象となる。

●誰がいつどこで行うのか？

婦人科がん患者全般に，身体活動性の維持・拡大を診断時から指導する。肥満は手術や術後補助療法の合併症のリスクを上げるため，肥満をコントロールするという意味での運動療法は，早期から長期間継続して行う必要がある。術後放射線療法や化学療法を伴う場合には，治療中から運動療法を行うことが勧められる。

1．誰が行うのか？

がんを診療する医師は，身体活動性を維持・拡大し，特に肥満のある患者に対しては運動療法で肥満をコントロールすることが，今後の治療のためにも重要であると指導する。

積極的な運動療法開始にあたっては，がんを診療する医師とリハビリテーション科医などが相談して負荷量を決め，その指示に基づき，理学療法士や運動指導士，看護師などが運動療法を実施・もしくは在宅で実施できるよう指導する。肥満がある患者への実施においては，食事療法や場合によっては行動療法の併用が必要であり，それぞれの担当者に依頼する。また，肥満がある患者では，心血管系などの合併症が潜在している可能性が高く，筋骨格系の疼痛も生じやすいため，開始前にがん診療科やリハビリテーション科でスクリーニングし，必要に応じて各専門科で評価を要する。

身体活動性の維持や運動療法は，治療後も長期間継続することが必要である。「上肢機能低下に対するリハビリテーション治療の効果」の項（⇒ p102）でも述べたように，継続のために，病院から地域に至るさまざまな機関・担当者による支援が試みられている。

2．いつ行うのか？

前述のように，診断時から，身体活動性の維持と肥満のコントロールとしての運動の指導をする。

積極的な運動療法は，術後，子宮頸がんでは主に放射線療法，卵巣がん患者では化学療法などの補助療法中から開始し，補助療法後も運動療法を継続する。

子宮体がん患者でも，化学放射線療法などの補助療法中・後に運動療法を行うが，補助療法がない例（手術のみ）でも身体活動性の低下が大きいとされ，術後長期間にわたるリハビリテーション治療が必要である。

3. どこで行うのか？

補助療法中は，医療機関のリハビリテーション室などで，指導下で行われることが望ましい。乳がんの項で述べた通り，補助療法中は体調の変動が大きく，負荷量の調整が必要であり，医療機関で行う方が安全で継続性も得られやすい。

治療後は長期的な運動療法の継続が必要であるため，地域の施設で患者会として行う，運動を指導して在宅で行ってもらう，など生活スタイルにあわせて実施することが勧められる。子宮体がん治療後の患者に対して行われた運動療法では，病院に集まってのグループ療法と在宅での運動を併用している[2,3]。

●どのような方法で行うのか？

運動療法にはウォーキングやエルゴメーター，トレッドミルなどの有酸素運動と，機器や重錘・自重などを用いた筋力増強訓練がある。がん患者一般では，週3回程度，中・高強度の有酸素運動と筋力増強訓練を，負荷量を漸増しながら行うことが勧められている。婦人科がん患者を対象に含む（卵巣がん10%程度）介入研究でも，最大心拍数の85～95%の有酸素運動（インターバルエルゴメーター）15分と，1最大反復回数（repetition maximum；RM）の70～100%の運動強度で行う6種類の筋力増強訓練（機器を用いたトレーニング）5～7回×3セットを，週3回，6週間実施するなどの方法が報告されている[4]。

子宮体がん治療後の患者に対して行われた運動療法の介入研究では，在宅での運動指導で，食事療法や，摂食行動を見直す行動療法と併用されていた[2,3]。指導内容は，ウォーキングなどの有酸素運動を45分かそれ以上・週5日行うことと，エレベーターでなく階段を使うといった普段の生活で活動量を増やすことである。歩数計を渡され，週1度のグループ療法で病院に集まった際に，行った運動量をフィードバックし徐々に負荷量を上げる。グループ療法で食事指導や行動療法も行われ，開始時は週に1回，最終的に月に1回の頻度で計6カ月継続された。

この介入研究は，肥満のある子宮体がん患者を対象としているため，比較的軽負荷で長時間・高頻度の運動療法が選ばれている。特に運動習慣の少ない患者での運動療法では，負荷量を少なくする，無理のない範囲から始めて漸増していくなど，継続しやすく，自信をもてるプログラムにすることが必要であるとされる。

なお，婦人科がん術後のリンパ浮腫は，概ね20～30%の発症率であるとされ[5]，放射線療法でさらにリスクが上がる。図6-7の内容を含む生活指導は，リンパ浮腫予防に有用と考えられる。

- 体重コントロール（肥満を避ける）
- スキンケアを行い，創や熱傷を避ける
- 局所的な圧迫（ベルト，強いゴムなど）を避ける
- 臥位時の下肢挙上
- 長時間立位の禁止，もしくは立位時に足を動かす
- 長時間座位など同一姿勢の禁止，一定時間内に立つ歩く，などを取り入れる
- 身体活動を積極的に増やす

図6-7　下肢のリンパ浮腫発症予防のための生活指導

予防的な用手的リンパドレナージの有効性については，上肢リンパ浮腫と同様，不明である。リンパ浮腫をすでに生じている場合には，運動療法時には弾性着衣（ストッキング）の装用が勧められるが，予防的な装用については有効性を示すエビデンスがない。

●リハビリテーション治療の効果は？

がん患者一般では，運動療法は，身体活動性・運動耐容能，筋力，倦怠感，体組成（肥満），治療の有害事象，抑うつ・不安などの精神心理面，QOL などさまざまな身体・心理的問題に対して有効性が示されている。婦人科がん患者が対象に含まれる介入研究でも，EORTC QLQ-C30 における倦怠感のスコアや，SF-36（MOS 36-Item Short-Form Health Survey）における QOL 全体の改善が認められている[4]。

子宮体がん治療後の患者に対して行われた運動療法と食事療法を併用した介入研究では，介入群で，Leisure Score Index で評価される活動量が介入 3 カ月後（介入中）・6 カ月後（介入直後）・12 カ月後（介入後 6 カ月）でも有意に増加していた（対照群では，活動量は時間経過に従い，ほぼ不変または減少）[2,3]。体重は，介入群では 12 カ月で 3.5kg 減少していた（対照群では 1.4kg 増）。QOL に関しては，FACT-G 全体のスコアでは介入による有意差は認められなかったが，weight efficacy life-style［＊注 3］で評価された自己効力感の改善，ベック抑うつ質問表（Beck Depression Inventory-Ⅱ；BDI-Ⅱ）で評価される抑うつ傾向の改善を認めた[2,3]。

卵巣がんに対する化学療法施行中の患者に対するウォーキングを中心とした身体活動介入では，6 分間歩行テストや卵巣がんに特異的な QOL 項目において有意かつ臨床上意味のある改善を認めた[6]。また，化学療法施行中の患者に対して身体活動と栄養の介入を行うことで QOL の改善を認めたと報告されている[7]。さらに，再発卵巣がんに対する化学療法中に筋力増強訓練や有酸素運動，バランス訓練などを行ったところ，QOL や疲労感，メンタルヘルス，筋力，バランスで有意な改善を認めたとの報告がある[8]。

このように，婦人科がん患者においても，治療中・後の運動療法は有効であり，特に肥満を伴う子宮体がん患者では，食事療法・行動療法も併用した運動療法の効果が示されている。現時点では運動療法が有害事象を増加させるという明らかな根拠はなく，併存疾患に対するリスク管理を行ったうえで積極的に実施することが勧められる。一方，婦人科がん患者における運動療法の介入研究は乳がんなどに比べると非常に少ない。今後，乳がんで行われているような術後早期の包括的リハビリテーション治療で下肢リンパ浮腫など合併症のリスクが軽減できるか，また運動療法により下肢のリンパ浮腫のリスクが増加しないかなどの検討が必要であると考えられる。

＊注 3：Weight efficacy life-style＝日本語での類似の評価尺度に，「日本版過食状況効力感尺度」があり，主に食行動において過食にならないよう自分をコントロールすることができるかという確信（セルフエフィカシー，自己効力感）を評価する。良いことがあったときの報酬としての食行動，イライラしているときなどの否定的感情による食行動，他人から勧められたときの食行動など，いくつかの場面での食行動コントロールが評価される。

（田沼　明・阿部恭子・村岡香織）

引用文献

1) 日本婦人科腫瘍学会（編）．子宮頸がん・子宮体がん・卵巣がん治療ガイドラインの解説．金原出版，2010.
2) von Gruenigen VE, Courneya KS, Gibbons HE, et al. Feasibility and effectiveness of a lifestyle intervention program in obese endometrial cancer patients: a randomized trial. Gynecol Oncol. 2008; 109: 19-26.
3) von Gruenigen VE, Gibbons HE, Kavanagh MB, et al. A randomized trial of a lifestyle intervention in obese endometrial cancer survivors: quality of life outcomes and mediators of behavior change. Health Qual Life Outcomes. 2009; 7: 17.
4) Adamsen L, Quist M, Andersen C, et al. Effect of a multimodal high intensity exercise intervention in cancer patients undergoing chemotherapy: randomised controlled trial. BMJ. 2009; 339: b3410.
5) 田尻寿子，市川るみ子，満田恵，他．乳がん・婦人科がん患者に対する周術期リハビリテーション．看護技術．2006; 52: 60-7.
6) Newton MJ, Hayes SC, Janda M, et al. Safety, feasibility and effects of an individualised walking intervention for women undergoing chemotherapy for ovarian cancer: a pilot study. BMC Cancer. 2011; 11: 389.
7) von Gruenigen VE, Frasure HE, Kavanagh MB, et al. Feasibility of a lifestyle intervention for ovarian cancer

patients receiving adjuvant chemotherapy. Gynecol Oncol. 2011; 122: 328-33.
8) Mizrahi D, Broderick C, Friedlander M, et al. An exercise intervention during chemotherapy for women with recurrent ovarian cancer: a feasibility study. Int J Gynecol Cancer. 2015; 25: 985-92.

婦人科がん（骨盤底筋筋力訓練）

7 骨盤底筋筋力訓練の効果

チェックポイント

- ✓ 婦人科がんの治療後にしばしば排尿障害が起こる。
- ✓ その中でも尿失禁は QOL を著しく低下させる可能性があり，対処が必要である。
- ✓ 尿失禁のタイプは腹圧性・切迫性が多い。
- ✓ 尿失禁の改善のため，骨盤底筋筋力訓練を導入する。

関連 CQ・推奨グレード

CQ 11

婦人科がん術後で，尿失禁もしくはその危険性がある患者に対して，リハビリテーション治療（骨盤底筋筋力訓練）を行うことは，行わない場合に比べて推奨されるか？

▶ 推 奨

婦人科がん術後で，尿失禁もしくはその危険性がある患者に対して，リハビリテーション治療（骨盤底筋筋力訓練）を行うことを提案する。

■グレード **2C**　■推奨の強さ **弱い推奨**　■エビデンスの確実性 **弱**

ベストプラクティス

●なぜ必要なのか？

婦人科がんで排尿異常が問題となりやすいのは，主に子宮頸がんに対して行われる広汎子宮全摘術後である。排尿筋を支配する骨盤神経の損傷による尿閉が問題となりやすいが，尿失禁も頻度が高く，術前は患者の 9％のみにみられていたものが，術後は 68％に増加したとの報告がある[1)]。尿失禁は QOL に大きく影響するため，これに対応することは非常に重要である。

●対象となるのはどのような患者か？

前述のように広汎子宮全摘術後で尿失禁がみられる患者が主な対象であるが，婦人科がんの治療前からの尿失禁や他の治療による尿失禁も対象となる。

●誰がいつどこで行うのか？

1．誰が行うのか？

導入は看護師またはリハビリテーション専門職によって施行される。フォローアップをリハビリテーション専門職が行うことは難しい可能性があり，その場合には主に外来看護師が役割を担うことになる。

2. いつ行うのか？

前述の通り術後尿失禁を訴える患者は多いので，比較的早期から始めてよいと思われる。しかし実際には，当初は尿閉が問題となりやすいので，安定した自排尿が得られるようになった時点で開始するのが現実的と考えられる。

3. どこで行うのか？

外来で行うことも可能ではあるが，入院中の方がゆっくり時間をかけて訓練を行うことができるので，術後退院前に導入しておくとよい。しかし，一度指導してそのままフォローアップをしないと途中でやめてしまったり，方法が自己流になってしまったりしやすい。外来で定期的にチェックする体制を整えておくことが勧められる。

●どのような方法で行うのか？

前述のように手術によって排尿筋を支配する骨盤神経の損傷が起こりやすいため，尿失禁の病態としては溢流性が主体であると予想されるが，杉山ら[1]は自験例を問診から分類したところ，腹圧性（31%）や切迫性（26%）が溢流性（18%）を上回ったとしている。腹圧性尿失禁への対処法として骨盤底筋筋力訓練が推奨されており，尿失禁診療ガイドライン[2]においてもその有効性が記されている。

コクラン・レビュー[3]においては，腹圧性・切迫性・混合性の尿失禁患者に対する骨盤底筋筋力訓練の有効性が評価されている。それによると，腹圧性のみならず他のタイプの尿失禁においても骨盤底筋筋力訓練が有効と結論付けられている。

骨盤底筋筋力訓練は，背臥位，座位，四つ這い位，立位などのさまざまな方法があり（⇒ p46 図 4-1，図 4-2），患者のライフスタイルの中で行いやすいときに行いやすい方法で行うとよい。骨盤底筋には Type I 線維と Type II 線維が混在していると考えられているため，持続的な筋収縮（5 秒程度より）と瞬発的な筋収縮を組み合わせた運動を行う。具体的には，肛門を締める動作を 1 セット 10〜20 回程度で 1 日 4 セット（朝・昼・晩・就寝前）を目安として行う。

●リハビリテーション治療の効果は？

尿失禁のある婦人科がんサバイバーに対して，12 週間の自宅での骨盤底筋筋力訓練と電話での再指導を行うことにより，自覚的な尿失禁の改善と骨盤底筋の収縮力の改善を認めたと報告されている[4]。骨盤底筋筋力訓練は安全に行うことが可能であり，対象者には積極的に実施することが勧められる。婦人科がん以外の尿失禁に対してもしばしば骨盤底筋筋力訓練が行われるが，長期にわたるトレーニングが必要となる[2]とされており，いかに継続してもらえるかが鍵となる。

（田沼　明・阿部恭子・村岡香織）

引用文献

1) 杉山徹，大蔵尚文，嘉村敏治．骨盤外科と排尿異常　産婦人科領域．泌外．2002; 15: 7-11.
2) 泌尿器科領域の治療標準化に関する研究班．EBM に基づく尿失禁診療ガイドライン．https://minds.jcqhc.or.jp/medical_guideline/guideline_summary?p_gl_id=G0000039
（最終アクセス日：2020 年 7 月 28 日）
3) Dumoulin C, Cacciari LP, Hay-Smith EJC. Pelvic floor muscle training versus no treatment, or inactive control treatments, for urinary incontinence in women. Cochrane Database Syst Rev. 2018; 10:CD005654.
4) Rutledge TL, Rogers R, Lee SJ, et al. A pilot randomized control trial to evaluate pelvic floor muscle training for urinary incontinence among gynecologic cancer survivors. Gynecol Oncol. 2014; 132: 154-8.

第 7 章

骨軟部腫瘍

骨軟部腫瘍

1 病的骨折や麻痺のリスク予測

チェックポイント

- ✓ 骨はがん転移の好発部位であり，がん患者に対してリハビリテーション治療を実施する際には骨転移の有無を検索し，骨関連事象（SRE）のリスクを評価する必要がある。
- ✓ 転移の頻度が高い部位としては，脊椎と骨盤・大腿骨が挙げられる。
- ✓ リハビリテーション治療に関連するSREとしては，病的骨折や脊髄圧迫による麻痺が挙げられる。
- ✓ 脊椎と長管骨については，スコア式のリスク評価方法が報告されている。
- ✓ SREのリスク判断は画像所見のみでなく，患者の活動性や生命予後なども考慮する必要がある。

関連CQ・推奨グレード

CQ 03

骨転移を有する患者に対して，病的骨折や脊髄圧迫による麻痺などのリスクを予測するための評価を行うことは，行わない場合に比べて推奨されるか？

▶ 推 奨

骨転移を有する患者に対して，病的骨折や脊髄圧迫による麻痺などのリスクを予測するための評価を行うことを推奨する。

■グレード 1C　■推奨の強さ 強い推奨　■エビデンスの確実性 弱

ベストプラクティス

●なぜ必要なのか？

がんは進行とともにさまざまな部位に転移を生じるが，骨は転移の好発部位である。骨転移は脊椎・骨盤・大腿骨などの荷重がかかる部分に発生しやすく（表7-1）[1]，リハビリテーション治療による運動負荷が骨関連事象（skeletal related events；SRE）を誘発する可能性がある。SREは大幅なADL低下をもたらす原因となる。

このため，がん患者にリハビリテーション治療を実施する際には骨転移の有無を検索し，骨転移がみられる場合には，病的骨折や脊髄圧迫による麻痺のリスクを十分に検討する必要がある。

病的骨折や脊髄圧迫による麻痺は患者に与える影響が大きく，可能な限り早期に対応する必要がある。このため，転移性骨腫瘍があると判断された時点で病的骨折のリスクを判断する必要がある。また，乳がんや前立腺がんなど骨転移の頻度が高いがんにおいては，骨転移がないかをリハビリテーション治療開始前に検索することが望ましい。

●対象となるのはどのような患者か？

SRE は重大な障害を生じる危険性がある。骨転移を有するすべての患者に対して，病的骨折や脊髄圧迫による麻痺のリスクは評価を行うべきである。

●誰がいつどこで行うのか？

病的骨折のリスクは画像のみで決定されるものでなく，生命予後や患者の活動性，精神機能などさまざまな情報が必要である。これらの情報は1人の医師により収集することは困難であり，原発巣を担当する診療科の医師，放射線科医，看護師，理学療法士や作業療法士など，多職種から情報収集する必要がある。これらの情報を収集したうえで医師が総合的に判断を行う必要がある。

●どのような方法で行うのか？

骨転移を生じた際には転移部位の疼痛を生じることが多い。がん患者においてはがんを生じた臓器のみでなく，骨の疼痛の有無を確認することが重要である。しかし，骨転移を生じていても疼痛の訴えが少ない症例や，がん性疼痛のために鎮痛剤が投与されている症例もある。疼痛の訴えがない場合でも骨転移は否定されたわけではない点に注意が必要である。このため，胸腹部の CT など利用できる画像は十分に観察を行い，骨転移がないかを確認することが重要である。

1．画像評価

転移性骨腫瘍の診断にあたり，最も重要な情報は画像所見である。特に骨転移を生じやすい原発巣の症例では，単純写真や CT などで転移の有無を検索する必要がある。この際に骨転移の好発部位（表 7-1）と生じやすい画像変化（溶骨性変化か造骨性変化か）（表 7-2）[2] を知っておくことで，画像所見や疼痛などからの転移巣の効率よいスクリーニングが可能である。

骨折を生じやすい部位としては，体重負荷のかかりやすい脊椎・骨盤・大腿骨が挙げられる。特に大腿骨近位部は骨折を生じやすい部位であり，注意が必要である。また，脊椎は病的骨折のほか，脊柱管内へ

表 7-1　骨転移の部位別頻度

部位		頻度
頭蓋骨		0.6%
脊椎	頸椎	6.5%
	胸椎	12.9%
	腰椎	16.4%
	仙骨	3.5%
胸骨		1.6%
肋骨		4.5%
肩甲骨		3.6%
上腕骨		7.0%
骨盤		16.7%
大腿骨		18.0%
脛骨		2.8%

（川井章，中馬広一，伊藤康正，他．がん骨転移の疫学．骨・関節・靭帯．2004; 17: 363-7. より引用）

表 7-2 骨転移の局所反応

	造骨型	溶骨型	骨梁間型	混合型
原発臓器	・前立腺がんの大部分 ・乳がんの一部 ・胃がんの一部	・腎がん ・肝がん	・非固形腫瘍 ・前立腺がんなど	・大部分の乳がん ・各臓器がん
組織型	・低分化腺がん ・ホルモン依存性がん	・高分化腺がん ・扁平上皮がん	・小細胞がん ・リンパ腫 ・円形細胞腫瘍	・多くの腺がん
治療因子	・奏効例	—	—	・有効例
経過因子	・長期例	—	・初期病巣	・中長期例

(眞鍋淳．骨転移に対する外科治療—適応とその効果．癌の臨．2008; 54: 651-61. より引用)

の腫瘍や骨片の突出による脊髄圧迫の危険があるため，詳細な評価が必要である。

病巣の画像変化としては，溶骨性変化が代表的であるが，前立腺がんなど一部の原発巣では造骨性変化を生じることもある。また，溶骨性と造骨性の混在する混合性変化もみられる。溶骨性変化が最も骨折のリスクが大きいと判断する。

さらに骨転移は多発することも多いため，骨シンチグラフィやポジトロン断層撮影法（positron emission tomography；PET）により他部位の転移巣がないかを確認しておくことが必要である。さらに麻薬性鎮痛薬などを使用中の患者では痛みを訴えないこともあるため，これらのがん患者では撮影された単純 X 線像や CT，MRI などの画像を可能な限り隅々まで確認しておくことが望ましい。

2. 脊椎転移

脊椎転移では，脊柱管内への腫瘍の浸潤や椎体圧潰による脊髄の圧迫により麻痺を生じることがある。麻痺を生じた場合は患者の ADL や QOL を著しく障害するため予防が重要である。リスク評価のための情報としては疼痛などの臨床所見と画像所見がある。

画像所見で基本的なものは単純 X 線像である。長管骨転移の場合と同様に病巣の大きさは脊椎の不安定性を考えるうえで重要な情報である。また病巣が溶骨性変化であるか造骨性変化であるかも，同様に重要な情報となる。

教科書的には椎弓根の破壊の際に単純 X 線像で確認できる winking owl sign（pedicle sign）が有名であるが，これは腫瘍が脊椎の椎弓根を破壊した際に観察される所見である。これが観察される場合，椎体の安定性が不良であるという根拠とはなるが，このサインがない場合でも脊椎転移を否定できるものではない。

脊椎の安定性を評価するうえでは病巣の大きさだけでなく，どの部分を占拠しているかも重要な情報である。脊椎は椎体から構成される前方要素と，椎弓や椎間関節から構成される後方要素に大きく分類される。前方要素は海綿骨の占める部分が多く，力学的に脆弱である。また，後方要素は力学的に高強度であるが，脊柱の安定を保つために重要な椎間関節を含んでおり，破壊された場合には不安定性は重度となる。

また，頸椎・胸椎・腰椎の構造が変化する移行部では，力学的にストレスが集中しやすく，不安定な部位である。さらに脊椎が不安定となった結果として脊柱のアライメント不整を生じることがある。アライメントの異常としては側彎・後彎を生じやすい。脱臼や亜脱臼を生じる場合もある。

Taneichi ら[3] は脊椎の安定性を評価する方法をロジスティック回帰分析にて求めている。椎体圧潰を予測する因子は肋椎関節部の破壊，転移巣の大きさ，椎弓根の破壊であった。胸椎（T1-10）における危険因子は肋椎関節の破壊（OR：10.17，$p=0.021$）と腫瘍の大きさ（腫瘍占拠率が 10% 上昇するごとに OR：2.44，$p=0.032$）であった。胸腰椎移行部以下（T10-L5）においては腫瘍の大きさ（腫瘍占拠率が 10% 上昇するごとに OR：4.35，$p=0.002$）および椎弓根の破壊（OR：297.08，$p=0.009$）であった。

表 7-3 Spinal Instability Neoplastic Score（SINS）

臨床所見や画像所見	点数
転移部位	
移行部（後頭骨-C2，C7-T2，T11-L1，L5-S1）	3
脊椎可動部（C3-C6，L2-L4）	2
ある程度強固な部位（T3-T10）	1
強固な部位（S2-S5）	0
動作時や脊椎への負荷時の疼痛	
あり	3
時に疼痛がある	1
疼痛はない	0
腫瘍の性状	
溶骨性変化	2
混合性変化	1
造骨性変化	0
画像所見における椎体アライメントの評価	
脱臼や亜脱臼の存在	4
後彎や側彎変形の存在	2
アライメント正常	0
椎体破壊	
50%以上の椎体破壊	3
50%以下の椎体破壊	2
椎体の 50%以上が腫瘍浸潤されているが，椎体破壊はない	1
いずれもない	0
脊椎の後外側の障害（椎間関節，椎弓根，肋椎関節の骨折や腫瘍浸潤）	
両側性	3
片側性	1
なし	0

合計点により転移性脊椎腫瘍の脊椎安定性を評価する。18 点満点であり，高得点ほど安定性は不良である。6 点以下は安定性あり，7～12 点は中等度，13 点以上は不安定性ありと評価する。
(Fisher CG, DiPaola CP, Ryken TC, et al. A novel classification system for spinal instability in neoplastic disease : an evidence-based approach and expert consensus from the Spine Oncology Study Group. Spine. 2010; 35: e1221-9. より引用)

脊椎転移の骨折リスクをスコア化する方法としては SINS（Spinal Instability Neoplastic Score）が報告されている（表 7-3）[4]。これは専門家による Delphi 法により開発された。これは転移部位，動作時や脊椎への負荷時の疼痛，腫瘍の性状，画像所見における椎体アライメントの評価，椎体破壊，脊椎の後外側の障害の程度により脊椎の安定性を点数化するものである。18 点満点のスコアであり，高得点ほど安定

表 7-4　Mirels による長管骨転移の病的骨折のリスク

	点数		
	1	2	3
場所	上肢	下肢	転子部
疼痛	軽度	中等度	重度
タイプ	造骨性	混合性	溶骨性
大きさ	＜1/3	1/3-2/3	＞2/3

12 点満点の評価システムである。高得点ほど骨折のリスクが高いと判断される。合計点が 9 点以上の場合，病的骨折のリスクが高いと判定される。

(Mirels H. Metastatic disease in long bones. A proposed scoring system for diagnosing impending pathologic fractures. Clin Orthop Relat Res. 1989; 249: 256-64.2. より引用)

性は不良である。6 点以下は安定性あり，7〜12 点は中等度，13 点以上は不安定性ありと評価するとしている。

3. 長管骨転移

長管骨では大腿骨に転移が多い。特に大腿骨は重要な荷重部であり，病的骨折により歩行不可能となるリスクが大きい。このためリハビリテーション治療の開始にあたって特に念入りな評価が必要である。長管骨の病的骨折のリスクの評価方法としては単純 X 線像によるもの，および疼痛や原発巣など複数の情報からスコアを求めるものなどがある。

単純 X 線像所見によるものとしては，皮質の長軸方向の破壊範囲が参考になるとしている[5,6]。Van der Linden ら[5] は大腿骨骨幹部転移において大腿骨長軸方向の長さが 30mm 以上（感度 86%・特異度 58%）と，骨皮質の 50%以上（感度 43%・特異度 82%）の破壊が骨折を予測する因子であったと報告している。

Mirels[7] は，長管骨転移を，場所・疼痛・タイプ（溶骨性・造骨性），大きさから点数化して病的骨折のリスクを評価する方法を提唱している。12 点満点の評価システムであり，高得点ほど骨折のリスクが高いと判断される（表 7-4）[7]。合計点が 9 点以上の場合には骨折の危険性は 33%であったと報告している。78 例の分析で感度 96.3%，特異度 78.4%となっている。Mirels の方法については検証も行われており[8,9]，長管骨転移の評価方法として最も有用なものであると考えられる。

近年 Shimoyama らは，以下の報告をしている。大腿骨転移に対する放射線療法後に，骨折は 7.7%で生じ，Mirels スコアでハイリスク（9 点以上）と判断された症例の 11.8%で骨折が生じたとしている。11 点の症例においても骨折は 20.8%であった。骨折は照射後 3 カ月以内に生じることが多く，Mirels の報告した病的骨折発生頻度と比較して低率であったとしている。ここでは明らかな骨破壊がみられる患者に対しては，松葉杖使用による部分荷重が 3 カ月間実施されていた[10]。

病的骨折のリスクが高い患者を識別し，予防策を実施したことにより病的骨折が抑制されている可能性があると考えられる。既存の予測モデルを適応する際には，その再現性に注意する必要がある。

（宮越浩一・杉山英志・高倉保幸）

引用文献

1) 川井章，中馬広一，伊藤康正，他．がん骨転移の疫学．骨・関節・靱帯．2004; 17: 363-7.
2) 眞鍋淳．骨転移に対する外科治療—適応とその効果．癌の臨．2008; 54: 651-61.
3) Taneichi H, Kaneda K, Takeda N, et al. Risk factors and probability of vertebral body collapse in metastases of the

thoracic and lumbar spine. Spine (Phila Pa 1976). 1997; 22: 239-45.
4) Fisher CG, DiPaola CP, Ryken TC, et al. A novel classification system for spinal instability in neoplastic disease: an evidence-based approach and expert consensus from the Spine Oncology Study Group. Spine. 2010; 35: e1221-9.
5) Van der Linden YM, Dijkstra PDS, Kroon HM, et al. Comparative analysis of risk factors for pathological fracture with femoral metastases. J Bone Joint Surg Br. 2004; 86: 566-73.
6) Dijkstra PD, Oudkerk M, Wiggers T. Prediction of pathological subtrochanteric fractures due to metastatic lesions. Arch Orthop Trauma Surg. 1997; 116: 221-4.
7) Mirels H. Metastatic disease in long bones. A proposed scoring system for diagnosing impending pathologic fractures. Clin Orthop Relat Res. 1989; 249: 256-64.2.
8) El-Husseiny M, Coleman N. Inter- and intra-observer variation in classification systems for impending fractures of bone metastases. Skeletal Radiol. 2010; 39: 155-60.
9) Damron TA, Morgan H, Prakash D, et al. Critical evaluation of Mirels' rating system for impending pathologic fractures. Clin Orthop Relat Res. 2003; (Suppl. 415): s201-7.
10) Shimoyama T, Katagiri H, Harada H, et al. Fracture after radiation therapy for femoral metastasis: incidence, timing and clinical features. J Radiat Res. 2017; 58: 661-8.

骨軟部腫瘍

2 機能障害，ADL，QOL に対するリハビリテーション治療の効果

チェックポイント

- ✓ 骨転移では疼痛や病的骨折・脊髄圧迫による麻痺などのため，ADL や QOL の低下を伴うことが多い。
- ✓ 病的骨折や脊髄圧迫による ADL 低下を生じた症例に対してリハビリテーション治療を実施することで，ADL の改善が期待できる。
- ✓ 病的骨折のリスクを評価したうえで，運動負荷の可否と程度を慎重に判断する必要がある。
- ✓ 退院時にも十分な生活指導を行う必要がある。

関連 CQ・推奨グレード

CQ 07

骨転移により ADL や QOL が障害されている患者に対して，リハビリテーション治療（運動療法）を行うことは，行わない場合に比べて推奨されるか？

▶ 推 奨

骨転移により ADL や QOL が障害されている患者に対して，リハビリテーション治療（運動療法）を行うことを提案する。

■グレード 2C　■推奨の強さ 弱い推奨　■エビデンスの確実性 弱

ベストプラクティス

●なぜ必要なのか？

骨転移は脊椎・骨盤・大腿骨などに多くみられ，これらは荷重を受ける部分であるために ADL の重大な低下を生じることが多い。ADL の低下や骨転移による疼痛のため患者の QOL を著しく損なうこととなるため，リハビリテーション治療を実施して可能な範囲で ADL や QOL の改善を試みる必要がある。

●対象となるのはどのような患者か？

骨転移による病的骨折，脊髄圧迫による麻痺，疼痛により ADL や QOL が低下している患者が対象となる。生命予後が良好な場合には回復的リハビリテーション治療が実施される。生命予後が不良な場合においても維持的リハビリテーション治療や緩和的リハビリテーション治療の実施が可能な場合も多い。

●誰がいつどこで行うのか？

転移性骨腫瘍を生じている患者では，原発巣により生命予後や骨折リスクはさまざまである。これを十分に評価したうえでリハビリテーション治療を開始する必要がある。この際に「骨関連事象（SRE），

ADL，QOLに対する補装具の効果」の項（⇒p147）に示すSREのリスクを考慮して，運動器を専門とする医師により許容される運動負荷が決定される必要がある。生命予後，骨折のリスク，活動性，患者や家族の希望などを考慮して多職種で検討，総合的に判断する必要がある。

リハビリテーション治療の実施にあたっては患者や家族に，その必要性とリスクについて十分な説明を行い，同意が得られる必要がある。そのうえで筋力増強訓練や歩行訓練を理学療法士が実施し，ADL訓練などを作業療法士が実施することが必要と考えられる。また，転移部位の病的骨折や不安定性による麻痺が危惧される場合は，義肢装具士と装具の検討をすることも必要である。このように多職種でのチームアプローチが必要となる。

骨転移患者のリハビリテーション治療は主に入院中に提供されるが，退院後もSREの発生やADL低下のリスクは残存する場合が多い。入院中のみでなく，退院後も自主トレーニングが実施できるよう指導を行うことも必要である。患者の状態に応じて，退院後も外来でのリハビリテーション治療を実施することを考慮する。

●どのような方法で行うのか？

転移性骨腫瘍症例に対してリハビリテーション治療を実施するにあたり，段階に応じてリハビリテーション治療の目的を明確にすることが重要である。Dietz分類に従えば，予防的・回復的・維持的・緩和的リハビリテーション治療に分類される。

予防的リハビリテーション治療では，今後のがんの進行によるADL低下に備えて筋力増強訓練や自主トレーニング指導を実施する。回復的リハビリテーション治療では，転移部の状態に注意しつつADL向上を目指したリハビリテーション治療をプログラムする。ここでは筋力増強訓練や関節可動域訓練などの一般的な整形外科疾患と同様の訓練プログラムとなる。維持的リハビリテーション治療では，現状のADLが維持されるように低負荷の訓練プログラムとする。緩和的リハビリテーション治療では，ADLの低下は避けられない状態であり，患者のQOLを保てるよう疼痛緩和や動作指導などを主に実施することとなる。

リハビリテーション治療の目的や訓練プログラムを検討するにあたっては，生命予後の予測は重要となる。生命予後良好な症例では活動性が高いことが多く，転移巣へのストレスはより大きくなる。転移部位の病的骨折や麻痺のリスクを画像所見や治療内容などから判断する。そのほか，患者の機能障害の程度やADL，患者の要望などを含め，リハビリテーション治療の目的を総合的に判断する必要がある（表7-5）。

また，転移部に対して実施された治療も重要な情報である。髄内釘固定などの手術を実施されている場合は，転移部の安定性は得られていると考えられる。このため術後早期から積極的にADL向上を目指した訓練プログラムを実施することも可能である。

しかし，放射線療法の場合は効果が得られるまでに数カ月を要することが多く，転移部の安定性は十分ではないと考えるべきである。このため退院後も安全な動作を心がけるように十分な生活指導が必要である。

骨転移を有するような進行がん患者の場合は，徐々に全身的に衰弱していくことも予測されるため，病的骨折予防目的の動作指導だけではなくADL維持の観点からも，日常生活用具などを導入して安楽に動作が遂行できるような環境を提供することも必要である。

進行がん症例で回復が困難と見込まれる場合は，40歳以上から介護保険の利用も可能であり，各種介護サービスの導入も検討する。

1．転移性脊椎腫瘍

転移性脊椎腫瘍では脊髄圧迫による麻痺が最大の問題となる。

麻痺を生じた場合は脊髄損傷と同様のリハビリテーション治療が必要となる。損傷高位と麻痺の重症度に応じてリハビリテーション治療計画を立案する。この際の麻痺の評価としては，脊髄損傷と同様にASIA（American Spinal Injury Association）の評価方法を用いると理解しやすいと思われる。

表 7-5　骨転移症例のリハビリテーションプログラムにおいて考慮すべき事項

生命予後	原発巣 ステージ 片桐分類 Tokuhashi Score
骨折や麻痺のリスク	疼痛 画像所見（溶骨性変化の有無，転移部位の大きさ，場所） Mirels スコア SINS（Spinal Instability Neoplastic Score） 転移部位の治療内容と経過
機能障害	筋力 関節可動域 麻痺
能力障害，活動性	PS（Performance Status） 歩行能力 FIM（Functional Independence Measure），BI（Barthel Index） 以前の ADL
その他	病状の告知 患者の要望 患者の精神状態

これらから総合的に判断し，リハビリテーション治療の目的とゴール設定を行う。

また，転移性脊椎腫瘍は多発することも多く，損傷部位のみでなく，他椎体の転移の有無と安定性を評価することが必要である。脊椎の安定性は疼痛の有無や画像所見などである程度評価可能である。近年ではSINSが報告されている。これはスコア化することにより脊椎の安定性を評価するものであり，直感的に理解しやすいものである。

脊椎に不安定性があると判断される場合は，放射線療法や体幹装具の適応を検討する必要がある。これら保存的加療では脊椎の安定性は十分ではないため，動作指導も必要となる。特に胸腰椎移行部の転移や，脊椎の後方要素が破壊されている場合は注意が必要である。このような場合は体幹の前後屈・側屈や回旋が脊椎の破壊を進める可能性がある。

訓練プログラムとしては，転移部位にストレスをかけないよう，等尺性運動を中心とした下肢体幹の筋力増強訓練を実施する。

また，ADLにおける脊椎のストレスを軽減するための動作指導も重要である。ベッドからの起き上がりや移乗などは脊椎のストレスが大きく，頻度も高いために念入りな指導が必要となる。

ベッドからの起き上がり方法の例を示す。ギャッチアップにて体幹を挙上し，体幹を回旋しないように注意しつつ側臥位をとり，両下肢を下垂しつつ体幹を起こすという方法である（図 7-1）。

2. 骨盤・大腿骨転移

骨盤や大腿骨への転移は脊椎に次いで高頻度にみられる。これらは下肢の支持性に大きく関わるため，立位・歩行などの能力を大きく制限する原因となる。

大腿骨転移などの長管骨転移は病的骨折のリスク評価方法がいくつか存在するので，骨転移がある場合はこれらを利用して評価することが求められる。骨盤転移に関する病的骨折の予測方法で実用的なものは報告されていない。骨盤転移で注意するべき部位としては荷重負荷が大きい臼蓋部が挙げられる。同部の転移では股関節の中心性脱臼を生じることがあり，疼痛や可動域制限による歩行障害を呈することになる。画像所見により臼蓋の荷重面の骨破壊の程度を評価しておくことは重要である。股関節が不安定であると評価された場合は，歩行補助具などを用いて免荷を指導し，股関節の破壊の進行を予防することが望ましい。

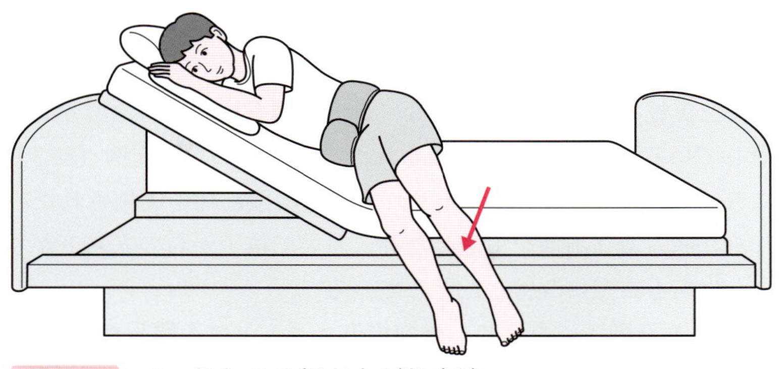

図 7-1　ベッドからの起き上がり方法

転移性脊椎腫瘍の症例では体幹装具固定とし，体幹を回旋しないように動作する必要がある。

画像所見や疼痛などから股関節に不安定性があると考えられる場合で，活動性が高い症例では歩行補助具の使用などを考慮するべきである。この場合，患側と反対側の上肢に杖などの歩行補助具を使用して股関節の免荷を図る。これにより股関節のストレスは大幅に軽減されることとなる。歩行方法としてもゆっくりと小股で歩行するよう指導を行い，歩行時にかかる股関節のストレス軽減と転倒のリスク縮小を図る。また階段昇降時には必ず手すりを使用すること，2 足 1 段での階段昇降方法を指導することも必要である。

股関節の骨転移に対し，人工骨頭置換術や人工股関節置換術を実施される場合もある。この際は周囲の軟部組織の侵襲が大きいことが多く，また股関節周囲筋の筋力低下も大きい。このため通常の手術よりも脱臼のリスクが高いと考えられる。加えて脱臼予防の指導も重要である。

●リハビリテーション治療の効果は？

骨転移は脊柱・骨盤や大腿骨など荷重のかかる部分に多い。このためリハビリテーション治療による運動負荷や ADL 向上に伴い，病的骨折を生じる危険性があり，十分に注意するべきである。事前にそのリスクを評価し，治療内容やゴール設定を行う必要がある。ゴール設定にあたっては生命予後も考慮したうえでの総合的な判断が必要である。杖などの歩行補助具も必要に応じて使用するべきである。

1. 脊椎転移

脊椎転移においては転移部位の疼痛や病的骨折のほか，脊髄圧迫による麻痺を生じる危険性がある。麻痺を生じた際のリハビリテーション治療の方針は脊髄損傷に準じるものとなる。脊椎転移に対するリハビリテーション治療の効果についてはいくつかの報告がなされている。

McKinley らは，腫瘍による脊髄圧迫があり，脊髄損傷リハビリテーション治療ユニットに入院加療した 32 例の調査を行っている。機能的自立度評価法（Functional Independence Measure；FIM）と在院日数を退院時と退院 3 カ月後に調査し，退院時の FIM が有意に改善したとしている。退院後 3 カ月の時点でフォロー可能であった 20 症例についても 75％で改善した ADL が維持されていた[1]。

Ruff らは，硬膜外転移による対麻痺により歩行不可能となった症例に対して，2 週間の積極的なリハビリテーション治療を実施した群と，実施しなかった群に分けて症例対照研究を実施している。リハビリテーション治療の内容としては，移乗訓練，排泄訓練，呼吸訓練，栄養管理，皮膚の管理を実施した。痛みを Numerical Rating Scale，うつ傾向を BDI-Ⅱ（Beck Depression Inventory-Ⅱ），生活に対する満足度を Satisfaction with Life Scale を使用して，リハビリテーション治療実施前，リハビリテーション治療開始後 2 週時，死亡直前の数値で比較を行った。リハビリテーション治療実施群では対照群と比較して疼痛，うつ傾向，満足度が有意に良好であった。その効果は死亡直前まで持続していたとしている[2]。

Tang らは脊椎転移により脊髄圧迫があり，リハビリテーション病棟に入院した 63 症例に対する後ろ向きコホート調査を行っている。そこでは，Tokuhashi Score，生存期間，入院時と退院時の FIM が評価されている。入院日数の中央値は23日，生存期間の中央値は10カ月であった，入院時FIMの中央値は83，退院時FIMの中央値は102と有意に改善した[3)]。

Riefらは，放射線療法を実施された脊椎転移患者に対する傍脊柱筋の筋力増強訓練に関するランダム化比較試験について検討している。介入群に割り振られた30症例中の25症例（83.3％）で訓練は実施可能であった。介入は週に5回，2週間の個別に設定された筋力増強訓練を実施された。対照群に対しては呼吸訓練などが実施された。筋力増強訓練を実施した群において椅子からの立ち上がりテストで有意な改善を得たとしている。また疼痛も有意に改善したとしている[4)]。

Parschらは脊椎転移により脊髄圧迫を生じ，脊髄損傷ユニットに入院した68症例の調査を行った。リハビリテーション治療を遂行できたのは51症例であった。FIMの中央値は入院時に62であったものが，退院時には84まで改善し，有意差がみられていた。FIM効率は0.33／日であったとしている[5)]。

このように脊椎転移に対してリハビリテーション治療を実施することで，ADLが改善するとする報告が複数みられている。また，QOLの向上が得られるという結果もみられる。前述の脊椎の安定性や生命予後に応じ，脊椎転移症例に対しては機能改善やQOL改善を目的としたリハビリテーション治療を考慮すべきである。

2. 長管骨転移

四肢長管骨も転移の多くみられる部位である。上肢の転移では食事・更衣・排泄といったADLに影響がある。また，下肢の転移では，歩行や移乗といった移動能力に影響を及ぼす。

Buntingらは，四肢の骨転移による病的骨折でリハビリテーション病院に入院した症例を後ろ向きにコホート調査した。ここでは入院時に歩行不可能であった症例の一部が退院時に歩行可能になったとしている[6)]。

王谷らは，骨転移のある34症例にリハビリテーション治療を実施し，その効果について報告している。リハビリテーション治療開始前のBarthel指数（Barthel Index；BI）は中央値70であったものが，終了時の中央値は95と改善していた。生命予後予測が短期の患者13症例においても11例でBIの改善が得られていた[7)]。

歩行能力の改善を目的としたリハビリテーション治療を実施するにあたっては，病的骨折のリスクを評価することが重要である。Mirelsの方法など，すでに検証が行われている評価方法を用いてリスクの評価を実施する必要がある。そのうえで歩行訓練や歩行補助具の検討などを行い，歩行訓練を実施することが好ましい。

（宮越浩一・杉浦英志・高倉保幸）

引用文献

1) McKinley WO, Conti-Wyneken AR, Vokac CW, et al. Rehabilitative functional outcome of patients with neoplastic spinal cord compressions. Arch Phys Med Rehabil. 1996; 77: 892-5.
2) Ruff RL, Ruff SS, Wang X. Persistent benefits of rehabilitation on pain and life quality for nonambulatory patients with spinal epidural metastasis. J Rehabil Res Dev. 2007; 44: 271-8.
3) Tang V, Harvey D, Park Dorsay J, et al. Prognostic indicators in metastatic spinal cord compression: using functional independence measure and Tokuhashi scale to optimize rehabilitation planning. Spinal Cord. 2007; 45: 671-7.
4) Rief H, Omlor G, Akbar M, et al. Feasibility of isometric spinal muscle training in patients with bone metastases under radiation therapy - first results of a randomized pilot trial. BMC Cancer. 2014; 14: 67.
5) Parsch D, Mikut R, Abel R. Postacute management of patients with spinal cord injury due to metastatic tumour disease: survival and efficacy of rehabilitation. Spinal Cord. 2003; 41: 205-10.
6) Bunting RW, Boublik M, Blevins FT, et al. Functional outcome of pathologic fracture secondary to malignant disease in a rehabilitation hospital. Cancer. 1992; 69: 98-102.
7) 王谷英達，濱田健一郎，坂井孝司，他．骨転移治療戦略とがんのリハビリテーション 転移性骨腫瘍患者へのがんリハビリテーションの現状．日整会誌．2015; 89: 786-9.

骨軟部腫瘍

3 骨関連事象（SRE），ADL，QOL に対する補装具の効果

チェックポイント

- ✓ 病的骨折や脊髄圧迫による麻痺のリスクがあると考えられる場合は，補装具の使用を考慮するべきである。
- ✓ 適応の判断にあたっては有害な骨関連事象（SRE）のリスク，生命予後，活動性などを考慮して総合的に判断する。
- ✓ 補装具の種類としては，コルセットなどの体幹装具や，四肢長管骨を保護するファンクショナルブレース，歩行器などの歩行補助具がある。
- ✓ 着用に伴う違和感などもあるため，補装具の処方にあたっては，その必要性を十分患者に説明する必要がある。
- ✓ 椎体圧迫骨折や長管骨骨折などに対する保存的治療や後療法として装具を使用される機会は多くみられる。同様に，骨転移においても病的骨折や脊髄圧迫による麻痺を予防する目的で装具が使用されている。

関連 CQ・推奨グレード

CQ 08

骨転移を有し病的骨折や脊髄圧迫による麻痺の危険性がある患者に対して，装具を使用することは，使用しない場合に比べて推奨されるか？

▶ 推 奨

骨転移を有し病的骨折や脊髄圧迫による麻痺の危険性がある患者に対して，装具を使用することを提案する。

■グレード **2C**　■推奨の強さ **弱い推奨**　■エビデンスの確実性 **弱**

ベストプラクティス

●なぜ必要なのか？

骨転移を生じた部位では，骨は脆弱となり，病的骨折や脊髄圧迫による麻痺を生じる場合がある。治療としては，手術や放射線療法が適応となる場合が多いが，治療後早期には SRE が発生する危険性がある。SRE を予防する目的でこれらの治療との併用が考慮されるべきである。

全身状態や生命予後を考慮して，骨転移に対して積極的な治療が実施されない場合もある。この際に転移部の保護の目的で ADL が制限される場合もあるが，これは患者の QOL を低下させる原因となることもある。補装具の適応により患者の ADL が向上する可能性がある場合は，補装具の使用を考慮する必要がある。

●対象となるのはどのような患者か？

骨転移を生じ，病的骨折や脊髄圧迫による麻痺の危険性がある患者が対象となる。放射線療法，手術などが実施された患者においても，病変の不安定性が疑われる場合には適応が検討される。

ADL が良好な症例，生命予後が良好と予測される症例では，病変へのストレスが大きく，長期間に及ぶため，積極的な適応となり得る。

装具固定は患者にとって必ずしも快適なものではなく，進行がん症例においては患者の QOL への配慮も必要である。適応の基準としては，SRE のリスクと装具固定により得られるメリット，患者の QOL などを考慮して総合的に判断する必要がある。

骨転移により破壊された骨が自然経過により回復する可能性は低く，良好な生命予後が期待できる場合は内固定術や放射線療法の併用を考慮する必要がある。

●誰がいつどこで行うのか？

運動器を専門とする医師により，病的骨折や脊髄圧迫による麻痺のリスクが検討される必要がある。そして日常生活の状態を把握している看護師や家族，リハビリテーション治療の実施者である理学療法士や作業療法士が協議したうえで装具の適応が判断される必要がある。適応があると判断された場合は，医師の処方により義肢装具士または作業療法士が補装具を作製することとなる。完成後の使用は入院環境のみならず，自宅での生活においても継続される。

●どのような方法で行うのか？

補装具には，病変部に着用する体幹装具やファンクショナルブレースの他，下肢免荷の目的で使用される杖や歩行器などの歩行補助具がある。適応の基準としては SRE のリスクに応じて考慮される。装具は生存期間中の病的骨折や脊髄圧迫による麻痺を予防するものであり，その必要性は生命予後が良好であるほど高いと考えられる。また，患者の活動性が高い場合も，運動による負荷から骨折を生じるリスクが高くなるため装具固定が必要となる。

装具固定の限界として，有効な固定を得ることができない部位がある。また骨転移は多発することもあるが，複数の部位を同時に固定することは困難な場合も多いため，全身の骨転移状況を把握したうえで固定が必要な場所を決定する必要がある。さらに適切に着用されなければ固定効果は不十分となる。患者本人の受け入れができていない場合は，装具が着用されない場合が多い。特に患者が骨転移の告知を受けていない場合には装具の必要性を理解しにくいため，装具の受け入れは不良となる。また，せん妄や認知症により理解が困難な場合も同様である。

装具固定によるデメリットとしては，圧迫による苦痛や違和感により QOL が低下するという問題点や褥瘡のリスクがある。特に ADL が低下して臥床傾向の強い症例や末梢神経障害のある症例では褥瘡に注意が必要である。

このように装具の適応を決定するためには，SRE のリスクのみでなく，生命予後や活動量，患者の希望などを含めた総合的な判断が必要である。これには関連する職種間で十分な検討を行う必要がある。関連する職種としては，リハビリテーション科医，整形外科医，腫瘍の担当医，理学療法士，作業療法士，義肢装具士，看護師などが挙げられる。このチームにより十分な検討を行い，そのうえで患者や家族に十分な指導を行うことが求められる。

装具の着用は患者にとって違和感や痛みなど不快感を伴うこともある。患者が装具使用を拒否することもあるため，処方時に装具の必要性を十分に説明する必要がある。

1. 体幹装具

脊椎は転移性骨腫瘍の好発部位であり，脊髄圧迫による麻痺のリスクもある部分である。このため装具の使用頻度としては体幹装具が最多であると考えられる。

表 7-6　転移性脊椎腫瘍に使用される体幹装具の種類

部位	硬性／軟性	装具名
頸椎装具 (cervical orthosis)	硬性	モールド型頸椎装具 ソーミーブレース ハローベスト
	軟性	フィラデルフィアカラー 頸椎カラー
胸腰仙椎装具 (thoraco-lumbo-sacral orthosis)	硬性	ジュエット型装具 スタインドラー型装具 テーラー型装具
腰仙椎装具 (lumbo-sacral orthosis)	硬性	ナイト型装具
	軟性	ダーメンコルセット

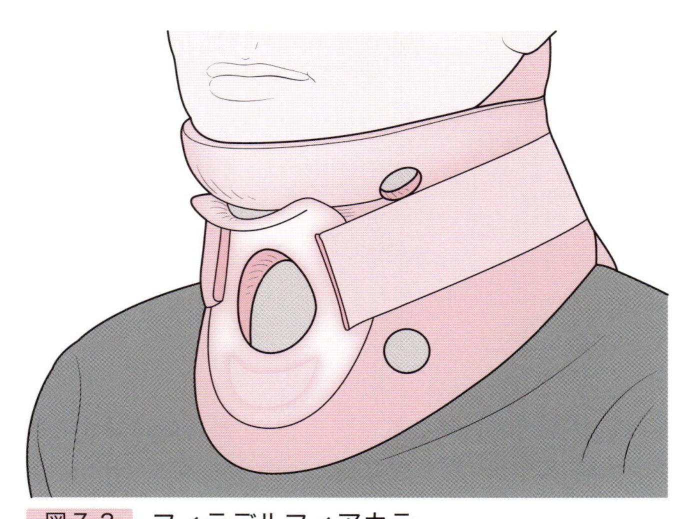

図 7-2　フィラデルフィアカラー
既製品のカラーであり，使用しやすい。

体幹装具は大きく頸椎装具と胸腰椎仙椎装具，腰仙椎装具の3つに分類できる（表 7-6）。頸椎に転移があり，病的骨折や麻痺の発生が危惧される場合は，頸椎装具により頸椎の免荷と運動制限を行うことが可能である。頸椎装具にはモールド型装具，フィラデルフィアカラーなどがある。

モールド型頸椎装具では頸椎の強固な固定を得ることができる。採型して作製し，患者にフィットした装具が作製される。着脱はカラーと比較すると困難である。フィラデルフィアカラー（図 7-2）は既製品の頸椎装具であり，頸椎の前後屈を制限することができる。

胸椎や腰椎に転移がある場合は，腰仙椎装具や胸腰仙椎装具を使用する。骨転移に使用する体幹装具は軟性のものと硬性のものがある。

軟性体幹装具はダーメンコルセットが使用されることが多い。通常は腰椎を固定する装具であるが，必要に応じて長めに作製することで，下位胸椎まで保護することも可能である。腹部を圧迫するため，腹水がある症例や人工肛門が設置されている症例では適合が困難である。

硬性体幹装具は，モールド型胸腰仙椎装具やジュエット型胸腰仙椎装具（図 7-3）が使用されることが多い。いずれも軟性装具と比較して強固な固定が可能である。モールド型胸腰仙椎装具はプラスチック製であり，患者の体型にフィットさせて作製される。ジュエット型胸腰仙椎装具は金属製の支柱がついたものであり，腹部が開放されているため，腹部の圧迫が少ない。また，調整により患者に適合させること

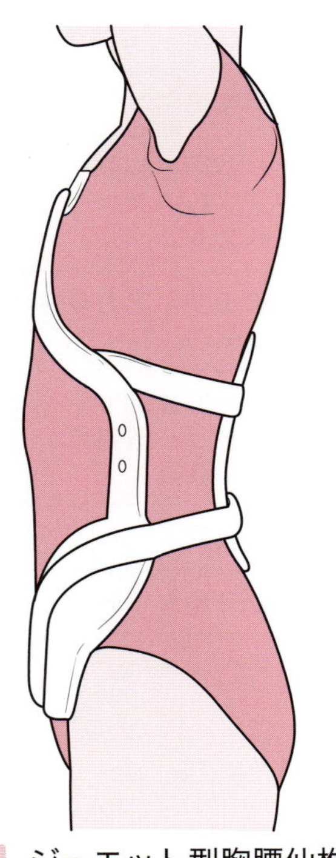

図 7-3　ジュエット型胸腰仙椎装具
硬性体幹装具であり装着には若干の違和感があるが，良好な固定力がある。

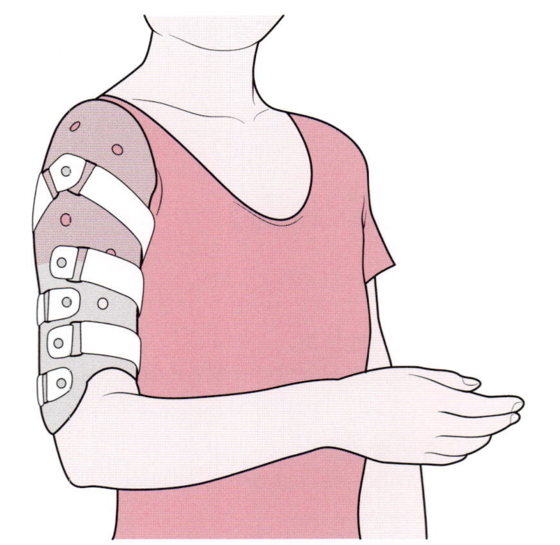

図 7-4　上腕骨骨幹部を保護する目的のファンクショナルブレース
肩関節や肘関節はある程度動かすことが可能である。

ができる既製品も市販されている。

2. ファンクショナルブレース

四肢骨折の治療に使用される機能的装具である（図 7-4）。長管骨に対する転移性骨腫瘍があり，病的骨折のリスクが高い場合や，病的骨折に対して保存的に加療する際にも使用される。

これは着用した部位のストレスを分散して病変部位を保護するものである。関節の運動を妨げないよう，骨幹部のみを固定することができ，ADL 低下を予防することもできる。ただし，完全な免荷が期待できるものではなく，また回旋に対する固定力も十分ではない。このため下肢の場合は，歩行補助具の併用や動作指導も必要となる。

3. 歩行補助具

下肢や骨盤への転移では歩行補助具も併用することが望ましい。歩行補助具は杖と歩行器に分類される。下肢の免荷目的のみでなく，衰弱や末梢神経障害などによるふらつきでの転倒の危険を回避する目的でも使用される。

バランスの保持や股関節の免荷には T 字杖や 4 点杖を使用する。これらはコンパクトであり，気軽に使用できる。下肢の十分な免荷が必要となる場合は，松葉杖やロフストランド杖のような 2 点支持の補助具を使用する。下肢筋力低下が著しい場合や，体幹筋力不良，バランス不良で立位・歩行が不安定な場合は歩行器の使用が安全である。

●装具の効果は？

補装具の効果としては，以下のものが期待される。

・体幹装具では脊椎の保護により，椎体破壊の進行予防が期待される。
・四肢長管骨に対するファンクショナルブレースでは，転移巣を保護することにより病的骨折の予防が期待される。
・歩行補助具の使用では脊椎・骨盤・下肢長管骨の免荷を行うことにより，疼痛軽減や病的骨折の予防が期待される。

Riefらは，胸腰推の脊椎転移に対する放射線療法後に体幹装具を使用することの効果について後方視的コホート調査を行っている。915症例が対象となり，放射線療法後6カ月の時点で82症例（9.0%）に病的骨折が発生していた。病的骨折の発生頻度は体幹装具群で8.6%，体幹装具を使用しなかった群で9.3%に生じていた。これらの間に有意差はなかった。この調査の限界は，後方視的コホート調査であり，放射線照射前に椎体の不安定性がある症例は体幹装具群68.3%，体幹装具を使用しなかった群32.3%で有意差を認めている。この点により体幹装具の効果の減弱を生じている可能性がある[1]。

中田らは脊椎転移に対して保存的加療を行った58例を対象として，SINSによる評価を実施し，SINSが中等度あるいは重度の不安定性があると判断される症例に対して装具（カラー，コルセット等）着用して離床させた。これらの装具の着用期間は3カ月とされ，6カ月間のフォローが行われた。初診時に麻痺を認めなかった症例において全例で麻痺の出現はなかった。初診時麻痺を認めた6症例では，改善3症例，不変2症例，増悪1症例であった[2]。

日本臨床腫瘍学会から，2015年に『骨転移診療ガイドライン』[3]が刊行されている。この中で，装具療法のエビデンスは不十分ながらも，装具を使用することを強く推奨している。専門家による投票結果に基づいており，質の高いエキスパートコンセンサスとして，参考にするべきである。

（宮越浩一・杉浦英志・高倉保幸）

引用文献

1) Rief H, Förster R, Rieken S, et al. The influence of orthopedic corsets on the incidence of pathological fractures in patients with spinal bone metastases after radiotherapy. BMC Cancer. 2015; 15: 745.
2) 中田英二，杉原進介，尾崎敏文．脊椎SRE（skeletal related events）の保存的治療の治療成績．中四整外会誌．2014; 26: 279-83.
3) 日本臨床腫瘍学会．骨転移診療ガイドライン．南江堂，2015.

4 ADLに対する放射線療法の効果

チェックポイント

- ✓ 骨転移では疼痛や病的骨折，脊髄圧迫による麻痺のリスクがあるため，さまざまな治療の適応を検討する必要がある。
- ✓ 放射線療法により有害な骨関連事象（SRE）の頻度が減少するため適応を検討する。
- ✓ 放射線療法によりADLの改善が得られるとする報告もあり，適応を考慮する必要がある。

関連CQ・推奨グレード

CQ 09

骨転移を有する患者に対して，ADL向上のために放射線療法を行うことは，行わない場合に比べて推奨されるか？

▶ **推 奨**

骨転移を有する患者に対して，ADL向上のために放射線療法を行うことを提案する。

■グレード **2C**　■推奨の強さ**弱い推奨**　■エビデンスの確実性**弱**

ベストプラクティス

●なぜ必要なのか？

骨転移は疼痛を伴うことが多くみられる。放射線療法による除痛効果は良好であり，日常臨床で一般的に実施されている。骨転移を生じる進行がん症例では，がんの進行や骨転移による疼痛によりADLおよびQOLの低下を生じることが少なくない。また，同様に病的骨折や脊髄圧迫による麻痺もADLやQOLの低下の原因となる。これらの有害なSREに対して放射線療法を実施することで患者のADLやQOLを維持・向上することが期待できる。

●対象となるのはどのような患者か？

転移巣の放射線感受性は原発巣と同様であることが多いため，原発巣も考慮して適応を判断する必要がある。

Radesらは，脊椎転移に対して放射線療法を実施した2,096症例の調査を行っている。放射線療法後に68％で歩行が可能であったとしている。歩行能力の予測因子としては，ECOG PS（Eastern Cooperative Oncology Group Performance Status）（RR：14.28, 95％CI：4.38-46.54），原　発　巣（RR：7.75, 95％CI：3.48-16.06），腫瘍の診断から脊髄圧迫までの期間（RR：1.81, 95％CI：1.29-2.54），内臓転移（RR：1.58, 95％CI：1.14-2.20），放射線療法前の運動機能（RR：21.41, 95％CI：7.72-59.40），運動障害発生に至った期間（RR：8.20, 95％CI：5.59-12.05）であった。骨髄腫・リンパ腫89％，乳がん81％，前立腺がん68％

で放射線療法後に歩行可能である症例が多くみられた[1]。

Kidaらは，脊椎転移に対する放射線療法の効果について調査を行っている。放射線療法後には神経学的障害のある28症例のうち7症例（25%）で改善が得られていた。そのうちFrankel分類Aの患者で改善が得られたのは15%，Frankel分類Cの患者で改善が得られたのは46%であった[2]。

これらより，放射線による機能改善の効果が期待しやすいのは，骨髄腫・リンパ腫，乳がん，前立腺がんによる脊椎転移で，不全麻痺を呈する症例であると考えられる。

●誰がいつどこで行うのか？

病的骨折や脊髄圧迫による麻痺のリスクがある症例では，それらのイベントを生じる前に治療を実施することが好ましい。疼痛などの自覚症状に注意し，骨転移を早期に発見して予防的なリハビリテーション治療の必要性を検討する。そのリスクを考慮して，主科医師や放射線科医が治療適応の判断を行う。いずれの治療方法においても患部の管理や治療後のリハビリテーション治療，生活指導など多職種でのアプローチが必要になる。放射線療法については入院のみでなく，外来でも実施可能である。

●どのような方法で行うのか？

放射線療法は疼痛緩和に対して有効であるため，疼痛によるADL低下がみられる症例では積極的に適応を考慮するべきである。

コクラン・レビューでは疼痛を伴う骨転移に対する1回照射と複数回照射の効果についてレビューしている。骨転移による疼痛に対する効果は1回照射法70.0%，多数回照射法では71.7%であり両群の疼痛抑制効果は同等であった。しかし，1回照射法の症例では再照射が必要になる症例および病的骨折が多くみられた。脊髄圧迫の発生率については有意差を認めなかったとしている[3]。

放射線療法によるSREの予防効果については，手術による固定術とは異なり，転移部の病的骨折のリスクがすぐには解決されない点にも注意が必要である。照射後に骨硬化が進み，骨の強度が回復するまでには数カ月を要することが多いので，その間は脊椎であればカラーやコルセットなどで外固定し，長管骨の場合には杖や歩行器での免荷を行う。さらに起居動作やADL場面で骨転移部位へ負担のかかる動作を行わないように指導することが重要である。

●治療の効果は？

放射線療法により疼痛緩和が得られたとする報告は多数みられる。骨転移により疼痛を生じている症例では，放射線療法を積極的に検討する必要がある。

Radesらは，放射線療法後に歩行が可能となるかを予測するモデルを構築している。予測因子は，原発巣のタイプ（5～9点），腫瘍の診断から脊髄圧迫を生じるまでの期間（6～8点），放射線療法時の内臓転移の有無（5～8点），放射線療法前の運動機能（1～10点），放射線療法前の運動障害の進行期間（4～9点）の5項目（合計21～44点）である。点数により3群に分けたところ，放射線療法後に歩行可能であったのは，21～28点の群では6.2～10.6%，29～37点の群では68.4～70.9%，38～44点の群では98.5～98.7%であった[4]。

中田らは，脊椎転移に対して保存的加療を行った58症例を対象として，SINSによる評価を行った。53症例で放射線療法が実施されていた。SINSが中等度あるいは不安定と判断される症例に対して，フィラデルフィアカラーやハローベストによる固定を行い離床させた。これらの装具の着用期間は3カ月としている。6カ月間のフォローが行われた。初診時に麻痺を認めなかった症例において全例で麻痺の出現はなかった。初診時麻痺を認めた6症例では，改善3症例，不変2症例，増悪1症例であった。平均BIは開始時71で経時的に改善し，最終観察時は82であった[5]。

Haradaらは，大腿骨転移に対する放射線療法の効果に関する72症例84病変の調査を行った。照射後

第7章
骨軟部腫瘍

3カ月の時点で画像所見において改善がみられたのは42%（35／84病変）であった。23%（19／84病変）では画像所見で増悪がみられていた。13%（11／84病変）で追加の手術が必要になった。画像所見において増悪がみられた症例は42%（8／19病変）で手術が必要となった。全身療法（化学療法やホルモン療法），ビスフォスフォネート製剤を使用されている症例において画像所見の改善がみられる傾向にあり，原発巣としては，肺がん（65%），乳がん（47%），前立腺がん（42%）で画像所見の改善が得られていた[6)]。

片桐らは，大腿骨転移に対する放射線療法の効果について調査を行った。放射線療法により85%（60／71症例）の症例で生存期間中に骨折が回避されていた。そして歩行機能が維持または再獲得された症例は65%であった[7)]。

放射線療法による有害事象として，悪心・嘔吐，皮膚炎などの急性反応と，瘢痕拘縮などの晩期反応が生じる可能性がある。重大な影響を及ぼすことは稀であるが，治療適応検討の際には考慮する必要がある。

（宮越浩一・杉浦英志・高倉保幸）

引用文献

1) Rades D, Rudat V, Veninga T, et al. A score predicting posttreatment ambulatory status in patients irradiated for metastatic spinal cord compression. Int J Radiat Oncol Biol Phys. 2008; 72: 905-8.
2) Kida A, Taniguchi S, Fukuda H, et al. Radiation therapy for metastatic spinal tumors. Radiat Med. 2000; 18: 15-20.
3) Sze WM, Shelley M, Held I, et al. Palliation of metastatic bone pain: single fraction versus multifraction radiotherapy - a systematic review of the randomised trials. Cochrane Database Syst Rev. 2004; 2002: CD004721.
4) Rades D, Douglas S, Huttenlocher S, et al. Validation of a score predicting post-treatment ambulatory status after radiotherapy for metastatic spinal cord compression. Int J Radiat Oncol Biol Phys. 2011; 79: 1503-6.
5) 中田英二，杉原進介，尾崎敏文．脊椎SRE（skeletal related events）の保存的治療の治療成績．中四整外会誌．2014; 26: 279-83.
6) Harada H, Katagiri H, Kamata M, et al. Radiological response and clinical outcome in patients with femoral bone metastases after radiotherapy. J Radiat Res. 2010; 51: 131-6.
7) 片桐浩久，高橋満，高木辰哉，他．大腿骨骨転移に対する治療．日整会誌．2007; 81: 354-62.

骨軟部腫瘍

5 ゴール設定のための生命予後予測

チェックポイント

- ✓ リハビリテーション治療の実施にあたっては，その目的とゴール設定を明確にすることが必要である。
- ✓ がんにより遠隔転移を生じている状態では，生命予後は不良であることも少なくない。生命予後はリハビリテーション治療のゴール設定に与える影響は大きいものと考えられる。
- ✓ 生命予後の予測方法としては，複数の予測因子を組み合わせてスコア化するものが報告されている。
- ✓ がん治療の進歩により，がん患者の生命予後は改善している。このため，生命予後予測評価を用いる際には，最新のものを用いることが望ましいと考えられる。

関連 CQ・推奨グレード

CQ 10

骨転移を有する患者に対して，リハビリテーションゴール設定のために生命予後の予測評価法を用いることは，用いない場合に比べて推奨されるか？

▶ 推 奨

骨転移を有する患者に対して，リハビリテーションゴール設定のために，生命予後の予測評価法を用いることを推奨する。

■グレード **1C**　■推奨の強さ **強い推奨**　■エビデンスの確実性 **弱**

ベストプラクティス

●なぜ必要なのか？

リハビリテーション診療では，将来の機能予後を予測し，リハビリテーション治療を計画することが一般的である。特にがん患者では生命予後がさまざまであり，リハビリテーション治療の目的も多様となる。Dietz は，がん患者のリハビリテーション診療の病期別分類として予防的・回復的・維持的・緩和的を挙げている[1)]。生命予後が良好と予測される場合は予防的〜回復的リハビリテーション医療，生命予後が不良（月単位）と予測される場合は維持的〜緩和的リハビリテーション医療となることが多い。これを明確にするためには，生命予後を予測することが必要となる。

生命予後を予測するモデルと ADL との関係についても報告がなされている。片桐らは，手術を行った骨転移症例 53 症例を対象とし，生命予後予測スコア（改訂版片桐スコア）と移動能力の関連を調査している。0〜3 点の低リスク群，4〜6 点の中リスク群，7〜10 点の高リスク群と分類して分析が行われた。低・中リスク群では 79％で歩行が可能となっていた。それに対して高リスク群で歩行可能となったのは

58％であり，25％で自宅退院が不可能であった[2)]。

徳橋らによる脊椎転移のある246症例の調査によれば，予後判定点数12～15点（予想予後1年以上）では，手術・保存療法のいずれにおいてもBI 90点以上が期待でき，80％以上が自宅退院となるとしている。その一方で，判定点数8点以下（予想予後6カ月以内）はBIが不良であり，自宅退院も困難であったとしている[3)]。

Tangらは，脊椎転移により脊髄圧迫を生じ，リハビリテーション病棟に入院した63症例の調査を行った。FIMの中央値は入院時に83点であったものが，退院時には102点まで改善していた。多変量解析の結果，FIM改善を予測する因子はTokuhashiスコアとリハビリテーション治療実施期間の長さであった。それぞれのオッズ比は1.30（95％CI：1.04-1.62），1.04（95％CI：1.01-1.07）であった[4)]。

これらより，生命予後の予測は，リハビリテーション治療効果の予測においても参考にできる。

●対象となるのはどのような患者か？

骨転移を生じている時点で，進行がんと判断される。その生命予後はさまざまであり，骨転移を有するすべての患者でリハビリテーション治療のゴール設定のために生命予後を予測することが必要となる。

●誰がいつどこで行うのか？

リハビリテーション治療の適応を考慮する時点で，生命予後の予測をすることが必要である。このため，主科医師もしくはリハビリテーション科医が，リハビリテーション治療の開始前に実施することが必要である。また，がん治療に対する反応や，がんの進行により状況は変化するため，定期的に再評価を行うことが望ましい。

●どのような方法で行うのか？

臨床適応を容易にするために，生命予後の予測モデルが報告されている。それらの多くは複数の予測因子を組み合わせてスコア化するものとなっている。予測モデルの一部では予測精度の検証も行われている。これらを使用することで簡便かつ正確に生命予後を予測することが可能となると考えられる。

Katagiriらは，350症例の前向きコホート調査により骨転移患者の生命予後の調査を行った。その結果に基づき，原発巣（0～3点），内臓・脳転移（0～2点），PS不良（0～1点），化学療法の既往（0～1点），多発骨転移（0～1点）の5項目を予測因子とする予測モデルを構築している。合計8点のスコアであり，高得点ほど生命予後は不良と予測する。6点以上の予後不良と予測される群では6カ月時の生存率は31.3％（95％CI：22.4-40.1），12カ月時の生存率は10.9％（95％CI：4.9-16.9）であった[5)]。

Katagiriらはその後，808例の前向きコホート調査により骨転移患者の生命予後を調査し，2005年のKatagiriらのスコアの改訂を行った。そこでは原発巣（0～3点），内臓・脳転移（0～2点），血液検査異常（0～2点），PS不良（0～1点），化学療法の既往（0～1点），多発骨転移（0～1点）の6項目を予測因子とする予測モデルへ改訂を行った。合計10点のスコアであり，高得点ほど生命予後は不良と予測する（表7-7）。7点以上の予後不良と予測される群では6カ月時の生存率は26.9％（95％CI：22.2-31.6），12カ月時の生存率は6.0％（95％CI：3.5-8.5）であった。2005年のKatagiriの方法と比較して，改訂版では予測精度が向上したとしている[6)]。

Tokuhashiらは，246症例の準前向きコホート調査により脊椎転移患者の生命予後を予測する方法を構築している。そこではPS（0～2点），脊椎以外の他の骨転移数（0～2点），脊椎転移の数（0～2点），原発巣の種類（0～5点），主要臓器転移の有無（0～2点），麻痺の状態（0～2点）の6項目を予測因子とする予測モデルを構築している。合計15点のスコアであり，高得点ほど生命予後は良好と予測する。0～8点は予後6カ月未満，12～15点は1年以上の予後と予測する。0～8点の予後不良群では85.3％，12～15点の予後良好群では95.4％で予測が的中したとしている[7)]（表7-8）。

表 7-7 生命予後の予測（Katagiri らのスコア）

項目		内容	点数
原発巣の進行速度	遅い	ホルモン依存性の乳がん・前立腺がん，甲状腺がん，多発性骨髄腫，悪性リンパ腫	0
	中等度	分子標的薬で治療された肺がん，ホルモン非依存性の乳がん・前立腺がん，腎細胞がん，子宮体がん・卵巣がん，肉腫，その他	2
	早い	分子標的薬で治療されていない肺がん，大腸がん，胃がん，膵がん，頭頸部がん，食道がん，その他泌尿器がん，悪性黒色腫，肝細胞がん，胆嚢がん，子宮頸がん，原発不明がん	3
内臓転移		結節状の転移もしくは脳転移	1
		播種性転移（胸膜・腹膜・髄膜播種）	2
血液検査		異常あり（CRP≧0.4mg/dL，LDH≧250IU/L，アルブミン<3.7g/dL）	1
		重大な異常（血小板<10万/μL，血清カルシウム≧10.3mg/dL，総ビリルビン≧1.4）	2
ECOG PS		3もしくは4	1
過去の化学療法			1
多発骨転移			1
合計			10

高得点ほど生命予後は不良と判断される。
(Katagiri H, Okada R, Takagi T, et al. New prognostic factors and scoring system for patients with skeletal metastasis. Cancer Med. 2014; 3: 1359-67. より引用)

Kim らは，112 症例の脊椎転移症例において Tokuhashi スコアの再現性を検証している。予後良好群（12～15 点）では平均生存期間 37.1 カ月（95%CI：18.9-55.3），予後不良群（0～8 点）では平均生存期間 9.4 カ月（95%CI：6.6-12.3）であった[8)]。

Dadric らは，196 症例の脊椎転移症例において生命予後予測スコアの再現性を検証している。Tokuhashi スコアでは予後良好群（12～15 点）と予後不良群（0～8 点）ではハザード比 3.72（95%CI：2.17-6.39）であった[9)]。

これらの予測モデルは患者に負担をかけずに評価できる項目から構成されている。リハビリテーション治療開始時および治療中に適宜再評価を行い，リハビリテーション治療の計画に反映することが必要である。

ただし，調査対象や医療提供体制の相違などにより再現性は変化すると考えられる。既存の予測モデルを適応する際には，予測精度の限界を考慮する必要がある。

表 7-8 生命予後の予測（Revised Tokuhashi Score 2005）

項目		点数
全身状態（Performance Status）	不良（KPS 10～40%）	0
	中等度（KPS 50～70%）	1
	良好（KPS 80～100%）	2
脊椎以外の他の骨転移数	3 カ所以上	0
	1～2 カ所	1
	なし	2
脊椎転移の数	3 カ所以上	0
	1～2 カ所	1
	なし	2
主要臓器転移の有無	切除不能	0
	切除可能	1
	転移なし	2
原発巣の部位	肺，骨肉腫，胃，膀胱，食道，膵臓	0
	肝臓，胆嚢，原発不明	1
	その他	2
	腎臓，子宮	3
	直腸	4
	甲状腺，前立腺，乳腺，カルチノイド	5
麻痺の状態	完全麻痺（Frankel A, B）	0
	不全麻痺（Frankel C, D）	1
	麻痺なし（Frankel E）	2
合計		15

6 項目，15 点満点で構成され，高得点ほど生命予後は良好と予測される。0～8 点では 6 カ月未満，9～11 点では 6 カ月以上，12～15 点では 1 年以上の生存と予測する。ここでの Performance Status は KPS（Karnofsky Performance Scale）が使用されている。

（Tokuhashi Y, Matsuzaki H, Oda H, et al. A revised scoring system for preoperative evaluation of metastatic spine tumor prognosis. Spine. 2005; 30: 2186-91. より引用）

（宮越浩一・杉浦英志・高倉保幸）

引用文献

1) Dietz JH. Rehabilitation oncology. John Wiley & Sons, 1981.

2) 片桐浩久，田沼明，高橋満，他．骨転移治療戦略とがんのリハビリテーション 骨転移手術のリハビリテーション 予後スコアとリハビリテーションのゴールについて．日整会誌．2015；89: 790-7.

3) 徳橋泰明，上井浩，大島正史，他．転移性骨腫瘍への治療戦略（脊椎・骨盤・四肢） 転移性脊椎腫瘍に対する手術療法．整会誌．2013; 87: 903-8.

4) Tang V, Harvey D, Park Dorsay J, et al. Prognostic indicators in metastatic spinal cord compression: using functional independence measure and Tokuhashi scale to optimize rehabilitation planning. Spinal Cord. 2007; 45: 671-7.

5) Katagiri H, Takahashi M, Wakai K, et al. Prognostic factors and a scoring system for patients with skeletal

metastasis. J Bone Joint Surg Br. 2005; 87: 698–703.
6) Katagiri H, Okada R, Takagi T, et al. New prognostic factors and scoring system for patients with skeletal metastasis. Cancer Med. 2014; 3: 1359–67.
7) Tokuhashi Y, Matsuzaki H, Oda H, et al. A revised scoring system for preoperative evaluation of metastatic spine tumor prognosis. Spine. 2005; 30: 2186–91.
8) Kim J, Lee SH, Park SJ, et al. Analysis of the predictive role and new proposal for surgical strategies based on the modified Tomita and Tokuhashi scoring systems for spinal metastasis. World J Surg Oncol. 2014; 12: 245.
9) Dardic M, Wibmer C, Berghold A, et al. Evaluation of prognostic scoring systems for spinal metastases in 196 patients treated during 2005–2010. Eur Spine J. 2015; 24: 2133–41.

骨軟部腫瘍

6 四肢長幹骨病的骨折に対する手術治療の効果

チェックポイント

- ☑ 四肢長管骨の骨転移によって病的骨折をきたした症例では，手術治療を行うことが推奨される。
- ☑ 病的骨折に対して手術治療を行うことで，患者の ADL や QOL を向上することが期待できる。
- ☑ 手術は大腿骨や上腕骨に実施されることが多い。
- ☑ 荷重骨である大腿骨は手術治療による ADL や QOL の改善効果が大きい。
- ☑ 切迫骨折の患者に対して，病的骨折が生じる前に予防的な手術を行うことを検討する必要がある。

関連 CQ・推奨グレード

CQ 04

四肢長幹骨に骨転移を有する患者に対して，病的骨折が生じた後に手術を行うことは，行わない場合に比べて推奨されるか？

▶ **推 奨**

四肢長幹骨に骨転移を有する患者に対して，病的骨折が生じた後に手術を行うことを推奨する。

■グレード **1C**　■推奨の強さ **強い推奨**　■エビデンスの確実性 **弱**

CQ 05

四肢長幹骨骨転移による切迫骨折の患者に対して，病的骨折が生じる前に予防的な手術を行うことは，行わない場合に比べて推奨されるか？

▶ **推 奨**

四肢長幹骨骨転移による切迫骨折の患者に対して，病的骨折が生じる前に予防的な手術を行うことを提案する。

■グレード **2C**　■推奨の強さ **弱い推奨**　エビデンスの確実性 **弱**

ベストプラクティス

●なぜ必要なのか？

骨転移による四肢長幹骨の病的骨折は ADL や QOL の著しい低下の原因である。特に荷重骨である大腿骨病的骨折では，これらの有害な SRE に対して手術治療による積極的な治療をすることで患者の ADL や QOL を向上することが期待できる。

●対象となるのはどのような患者か？

四肢長幹骨に骨転移を有し，病的骨折を生じた患者が対象となるが，病的骨折後の生命予後予測（⇒ p155「ゴール設定のための生命予後予測」の項参照）を考慮して手術法を決定する必要がある。また，病的骨折を生じていない場合でも，Mirels スコアなどの病的骨折リスク予測（⇒ p136「病的骨折や麻痺のリスク予測」の項参照）において切迫骨折と診断された患者では手術治療の対象となる。

●誰がいつどこで行うのか？

1. 誰が行うのか？

病的骨折の状態や生命予後，患者の活動性などを考慮して，医師が手術適応や手術法の判断を行い，手術を行う。手術適応の判断は原発科の主治医および整形外科医が主に行うが，手術は整形外科医が行う。腫瘍切除を伴う手術法では専門的な技術を要するため，整形外科腫瘍専門医のスタッフがいる病院で行うことが望ましい。また，術後の合併症を予防するため，術後全身管理，術後リハビリテーション治療および生活指導など多職種でのアプローチが必要となる。

リハビリテーション治療中の患者で四肢の疼痛症状を訴えた場合には切迫骨折の可能性を考慮する必要があり，速やかに原発腫瘍の対応診療科の主治医や整形外科医に連絡可能な体制をとっておくことが重要である。

2. いつ行うのか？

病的骨折のリスクがある症例では，それらのイベントを生じる前に治療を実施することが好ましい。疼痛などの自覚症状に注意し，転移性骨腫瘍を早期に発見して予防的なリハビリテーション治療の必要性を検討する必要がある。手術については病的骨折が発生した後に実施されることが多いが，骨折のリスクが高い切迫骨折の状態である場合は予防的な手術治療が必要となることがある。また，手術は全身麻酔や脊椎麻酔で行われることが多いため，術前検査により全身状態を十分に把握することが重要である。術前に麻酔科医にコンサルトを行い手術が可能であるかどうかを判断しなければならない。

大腿骨の病的骨折では ADL や QOL が著しく低下し寝たきりになることが多く，骨折後速やかに手術を行う必要がある。上腕骨骨折では，生命予後が 3 カ月以内では装具などによる保存療法が選択されることが多いが，3 カ月以上の見込みがあれば手術の適応を検討してよいと思われる（図 7–5）。

3. どこで行うのか？

手術は侵襲的な治療であり，治療後の合併症発生も危惧される。このため，これらの治療は入院で実施

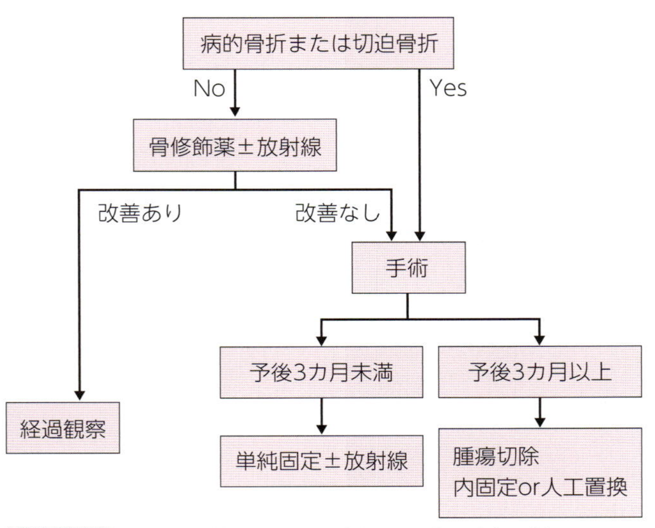

図 7–5　四肢長管骨病的骨折や切迫骨折に対する治療アルゴリズム

されることが一般的である。また，腫瘍を切除せず髄内釘など固定術のみを行う場合には，外傷による骨折と同様一般病院で行われることが多いが，生命予後が長期に見込まれ腫瘍切除後に腫瘍用人工骨頭や腫瘍用人工関節置換術が行われる場合には，がん専門病院で行われることが多い。

●どのような方法で行うのか？

1．手術

四肢骨転移の患者は常に病的骨折の可能性があり，溶骨性病変を主体とした骨転移巣では骨折の危険性が非常に大きいため，病的骨折のリスク評価（⇒ p136「病的骨折や麻痺のリスク予測」の項参照）が重要である。病的骨折や切迫骨折を生じている症例に対しては手術を検討するが，生命予後 3 カ月以上が期待される症例に手術が選択されることが多い。大腿骨転移では生命予後が 3 カ月未満であっても病的骨折を生じた場合には立位・歩行が不可能となることから，積極的に手術が選択されることが多い。大腿骨近位や骨幹部での転移病変は最も手術適応となり得る部位であり，切迫骨折と判断された場合には速やかに手術に向けて対応する必要がある。その他，長管骨転移で問題になるのは上腕骨での病的骨折である。大腿骨に比較するとその頻度は低いが，上腕骨などの病的骨折においても ADL の改善のために生命予後が 3 カ月以上見込まれれば手術の適応となる[1)]。

病的骨折に対する手術法としては，①創外固定，②単純な内固定，③病巣掻爬とセメント固定を併用した内固定，④可及的腫瘍切除と人工材料による再建，⑤腫瘍広範切除と人工材料による再建などがあるが，骨転移後の生命予後予測（⇒ p155「ゴール設定のための生命予後予測」の項参照）と骨折部位を考慮して手術法を選択する必要がある。生命予後が明らかに 1 カ月以内の症例では，局所麻酔と鎮痛処置で可能な創外固定やキャニュレイテッドスクリューによる内固定が適応となる。この方法では車椅子への移乗は困難であり，ベッド上での体位交換や座位での食事などの ADL の改善が目的となる。生命予後予測が 3 カ月以内の症例の場合には腫瘍は切除せず，局所の支持性を得るだけの単純な内固定術（髄内釘やヒップ

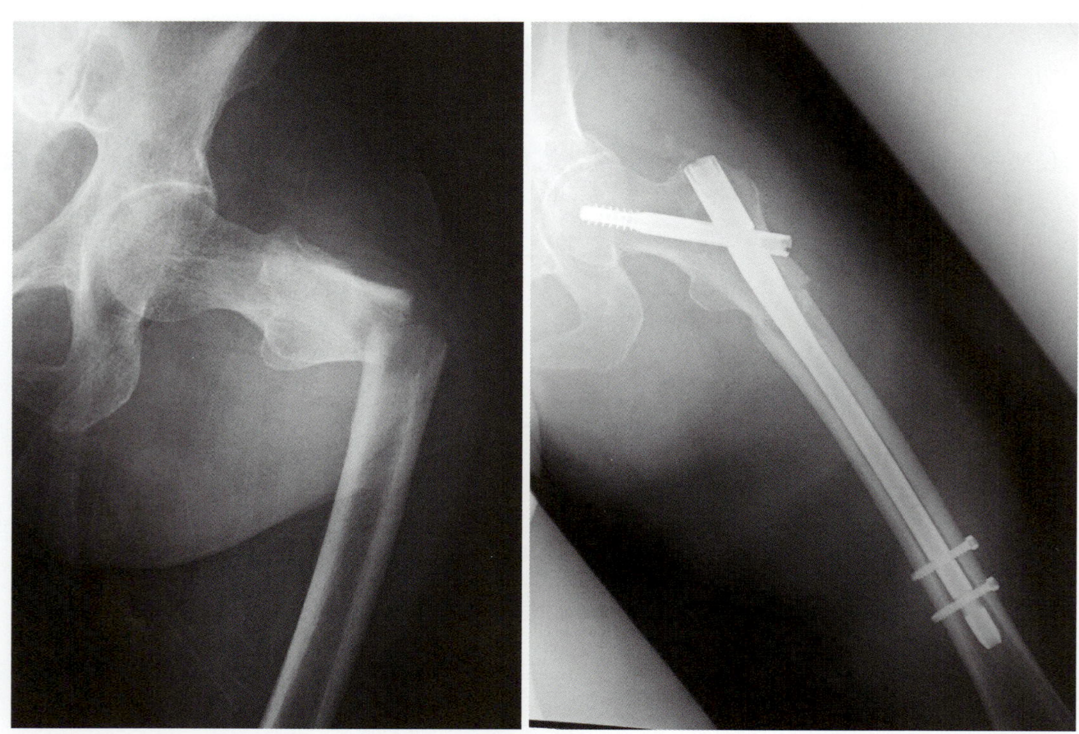

図 7-6　肺がんの大腿骨転移による病的骨折の例

長期の生命予後が期待しがたい症例のため，病巣を掻爬することなく髄内釘による骨接合術を施行した。

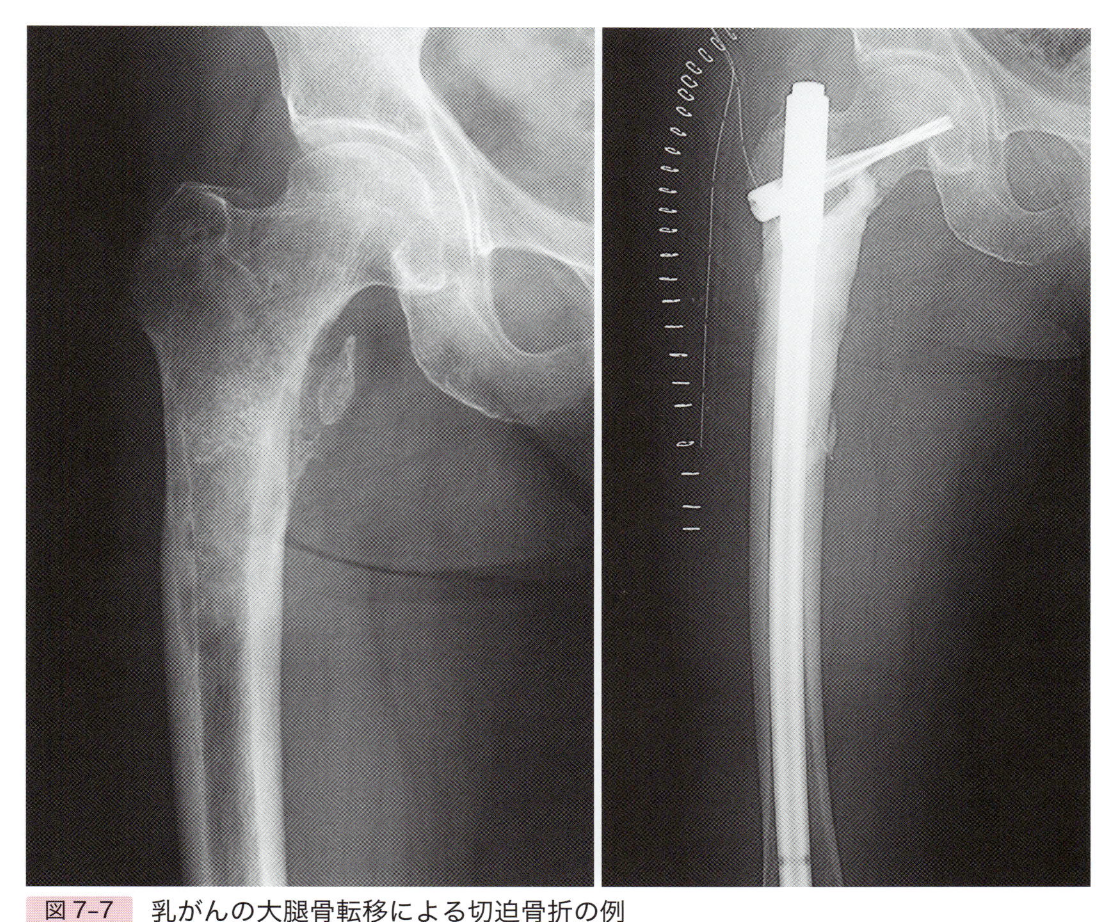

図 7-7　乳がんの大腿骨転移による切迫骨折の例

3カ月以上の生命予後が期待できるため，右大腿骨切迫骨折に対して病巣を可及的速やかに掻爬した後，欠損部をセメントで補填し髄内釘による骨接合術を施行した。

スクリュー）が適応となる（図 7-6）。単純な内固定術では車椅子までの移乗が目標となり，通常は放射線療法を併用する。髄内釘を使用する場合には，腫瘍の播種を防ぐために可能な限りリーミングを少なくする方がよい。3カ月以上の生命予後が見込まれれば，患肢に体重を負荷しての車椅子への移乗や自力歩行が目標となり，局所制御を得るために可及的速やかに腫瘍切除あるいは掻爬を行う。切除後の再建には，欠損部をセメントで補填し髄内釘やヒップスクリューで固定する[2]（図 7-7）。発生部位が大腿骨頸部や骨頭部に浸潤している場合には，人工骨頭置換術が適応となる。骨転移病巣が単発であったり生命予後が1～2年以上見込まれる場合には，骨転移病変に対して腫瘍広範切除を行い，切除後の欠損部に対しては腫瘍用人工骨頭，人工関節や人工骨幹を用いて再建する。術後の切除縁評価で wide margin が確保できていれば放射線療法の併用はしなくてもよい。骨盤転移は手術適応となることは多くはない。しかし，股関節の荷重部である臼蓋を含む骨転移の場合は人工股関節置換術が選択されることがある。

非荷重肢である上肢病的骨折の場合，荷重肢である大腿骨病的骨折と比べると，上肢では外固定により比較的良好な安定性を得ることができることから保存的治療が選択されるケースも稀ではない。しかしながら，上腕骨病的骨折では保存療法のみで良好な骨癒合を得ることは困難であり，手術リスクが高過ぎると判断されなければ手術治療を考慮してもよいと考えられる[3]。上腕骨の骨幹部病変では髄内釘固定やプレート固定が適応であり，生命予後が3カ月以上見込まれれば腫瘍を掻爬あるいは切除した後に骨セメントで充填を行う。長期予後が見込まれない場合には単純な内固定のみとし，術後放射線療法を併用する。また，近位病変では骨頭～頸部の骨量が十分であれば髄内釘固定も適応となるが，病変が骨頭内に浸潤している症例では人工骨頭置換術が適している。特に長期の生命予後が見込まれる場合には，病変部の広範

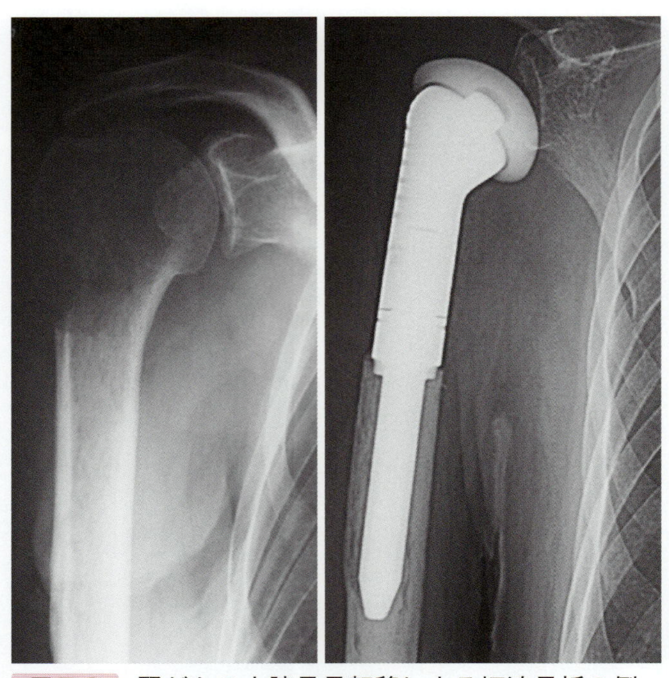

図 7-8　腎がんの上腕骨骨転移による切迫骨折の例

病的骨折のリスクが高く，長期の生命予後が期待できる症例のため，病巣切除後，腫瘍用人工骨頭置換術を施行した。

切除＋腫瘍用人工骨頭置換術が適応となる（図 7-8）。一方，前腕骨病的骨折では，保存的治療においても QOL の変化は改善あるいは不変であるとされている[3]。病変の骨外進展が著しく原発巣が放射線療法に抵抗性であったり，患肢が利き腕などの条件が重複した場合には手術の適応となる。前腕骨病変の手術法としては K-wire 等による髄内釘固定やプレートによる内固定が適応となるが，生命予後評価をしたうえで手術治療の適応を判断する必要がある。

●手術治療の効果は？

大腿骨の骨転移手術後に歩行可能となったのは 61～81％であると報告されており[4-8]，術式を分けて検討したものでは，Zacherl ら[4]は人工骨頭で 63％，骨接合では 58％が歩行可能になったとしている。Van Doorn ら[5]は 100％の症例で機能改善があったとしている。また，骨折と切迫骨折をあわせた報告では Hattori ら[6]は 81％，Edwards ら[7]は全例が全荷重可能になったと報告している。Nakashima ら[8]は大腿骨近位病変の腫瘍切除および人工骨頭置換術を行い歩行機能の回復が 85％で得られ，歩行できた期間の生存期間に対する割合は 80％であったとしている。MSTS（musculoskeltal tumor society）スコア（⇒ p171「手術（患肢温存手術・四肢切断術）の比較」の項参照）による機能評価では，病的骨折例と切迫骨折例をあわせた報告であるが，Talbot ら[9]によるとスコアは術前 26％であったものが経時的に改善し術後 12 週では 58％に，Böm ら[10]は術前 21.5％から術後 55.9％に，Peterson ら[11]は 15％から 70％にいずれも改善したとしている。Harvey ら[12]は術後髄内釘で 80％，人工骨頭置換で 70％と報告している。比較対象となる下肢病的骨折に手術を行わず経過をみた報告はない。しかし病的骨折のままでは歩行は不可能で，疼痛でギャッチアップや寝返りすら困難であるので MSTS スコアは 0％である。その状態から，手術により 60～80％の症例で歩行可能となり，100％近い症例で機能の改善あるいは荷重が可能となると考えられる。MSTS スコアでも手術により 0％から 60～80％に改善すると考えられる。

病的骨折と切迫骨折を比較した報告においては，Arvinius ら[13]は病的骨折群では 75.9％が歩行可能になったのに対して予防的手術群では 100％歩行可能になったとし，Ward ら[14]も予防的手術では病的骨折に比べて入院期間が 3 日短く，自宅退院が可能となる率が高く（79％ vs. 56％），サポートなしの歩行可能である率もより高い（35% vs. 12%）としている。さらに，Dijstraら[15]も，予防的手術では90%は歩行可能となり，病的骨折では69%が歩行可能となったのみで，歩行可能となるまでの時間も予防的手術で12日，病的骨折では18日を要したと報告し，いずれも予防的手術を推奨している。Edwardsら[16]も予防的手術では在院期間が病的骨折に比べて有意に短く，全荷重までの日数は約22日早い（6.75日 vs. 29日）とし，van Geffenら[17]も予防的手術ではもともと歩行可能であった場合には機能低下をきたしたものはなく，一方病的骨折後では31%で低下があったとしている。

一方，Anejaら[18]は周術期の死亡，心，肺，脳血管の重篤な合併症，および入院期間について両者に有意差はなく，深部静脈血栓症（DVT）や肺塞栓は予防的手術において頻度が高いという報告もみられ，切迫骨折における手術においても術前の全身評価を十分把握しておくことが重要である。

（杉浦英志・宮越浩一・高倉保幸）

引用文献

1) 杉浦英志．骨転移と運動負荷．MED REHABIL. 2005; 60: 15-21.
2) 鈴木喜貴，杉浦英志，山田健志，他．四肢長管骨骨幹部転移性骨腫瘍に対するアドリアマイシン混入セメントを併用した髄内釘による治療．臨整外．2004; 39: 79-83.
3) 和佐潤志，杉浦英志，山田健志．転移性腫瘍による上肢病的骨折の治療．日整会誌．2007; 81: 335-9.
4) Zacherl M, Gruber G, Glehr M, et al. Surgery for pathological proximal femoral fractures, excluding femoral head and neck fractures: resection vs. stabilisation. Int Orthop. 2011; 35: 1537-43.
5) van Doorn R, Stapert JW. Treatment of impending and actual pathological femoral fractures with the long gamma nail in The Netherlands. Eur J Surg. 2000; 166: 247-54.
6) Hattori H, Mibe J, Yamamoto K. Modular megaprosthesis in metastatic bone disease of the femur. Orthopedics. 2011; 34: e871-6.
7) Edwards SA, Pandit HG, Clarke HJ. The treatment of impending and existing pathological femoral fractures using the long gamma nail. Injury. 2001; 32: 299-306.
8) Nakashima H, Katagiri H, Takahashi M, et al. Survival and ambulatory function after endoprosthetic replacement for metastatic bone tumor of the proximal femur. Nagoya J Med Sci. 2010; 72: 13-21.
9) Talbot M, Turcotte RE, Isler M, et al. Function and health status in surgically treated bone metastases. Clin Orthop Relat Res. 2005; 438: 215-20.
10) Böm P, Huber J. The surgical treatment of bony metastases of the spine and limbs. J Bone Joint Surg Br. 2002; 84: 521-9.
11) Peterson JR, Decilveo AP, O'Connor IT, et al. What are the functional results and complications with long stem hemiarthroplasty in patients with metastases to the proximal femur? Clin Orthop Relat Res. 2017; 475: 745-56.
12) Harvey N, Ahlmann ER, Allison DC, et al. Endoprostheses last longer than intramedullary devices in proximal femur metastases. Clin Orthop Relat Res. 2012; 470: 684-91.
13) Arvinius C, Parra JL, Mateo LS, et al. Benefits of early intramedullary nailing in femoral metastases. Int Orthop. 2014; 38: 129-32.
14) Ward WG, Holsenbeck S, Dorey FJ, et al. Metastatic disease of the femur: surgical treatment. Clin Orthop Relat Res. 2003;（415 Suppl）: S230-44.
15) Dijstra S, Wiggers T, van Geel BN, et al. Impending and actual pathological fractures in patients with bone metastases of the long bones. A retrospective study of 233 surgically treated fractures. Eur J Surg. 1994; 160: 535-42.
16) Edwards SA, Pandit HG, Clarke HJ. The treatment of impending and existing pathological femoral fractures using the long gamma nail. Injury. 2001; 32: 299-306.
17) van Geffen E, Wobbes T, Veth RP, et al. Operative management of impending pathological fractures: a critical analysis of therapy. J Surg Oncol. 1997; 64: 190-4.
18) Aneja A, Jiang JJ, Cohen-Rosenblum A, et al. Thromboembolic disease in patients with metastatic femoral lesions: a comparison between prophylactic fixation and fracture fixation. J Bone Joint Surg Am. 2017; 99: 315-23.

骨軟部腫瘍

7 脊椎転移に対する手術治療の効果

チェックポイント

- ✓ 脊椎転移による脊髄麻痺は ADL や QOL の著しい低下の原因であり，手術治療をすることで患者の ADL や QOL を向上することが期待できる。
- ✓ 脊髄圧迫による不全麻痺を生じた例では手術施行を検討する必要がある。
- ✓ 放射線療法を行っているにもかかわらず麻痺が急速に進行する症例では，緊急手術が必要となることがある。

関連 CQ・推奨グレード

CQ 06

脊椎転移による麻痺の症例に対して，手術施行を検討することは，手術施行を検討しない場合に比べて推奨されるか？

▶ **推 奨**

脊椎転移による麻痺の症例に対して，手術施行を検討することを提案する。

■グレード **2C**　■推奨の強さ **弱い推奨**　■エビデンスの確実性 **弱**

ベストプラクティス

●なぜ必要なのか？

脊椎転移に対しては，麻痺がなく疼痛のみの症状であれば放射線療法で良好な除痛を得られる可能性は高く，放射線療法を行うことが標準的である[1)]。しかし脊髄圧迫による不全麻痺がある場合には，未治療前立腺がんや悪性リンパ腫のように放射線療法に高感受性の腫瘍では照射で麻痺回復が可能であるが，それ以外では麻痺の回復は期待できない場合が多く，手術を検討する必要がある。脊椎転移による脊髄麻痺は ADL や QOL の著しい低下の原因であり，有害な SRE に対して手術治療をすることで患者の ADL や QOL を向上することが期待できる。

●対象となるのはどのような患者か？

一般的にいわれている脊椎転移の手術適応の基準は，完全麻痺になってから 72 時間以内，予後が 3〜6 カ月以上，耐術性がある，脊椎手術既往がない，脊椎の不安定性がある（⇒ p136「病的骨折や麻痺のリスク予測」の項参照），放射線療法などの保存的治療に抵抗性の強い疼痛がある，あるいは不全麻痺がある，病変が 1 カ所に限局しているなどである[1-9)]。

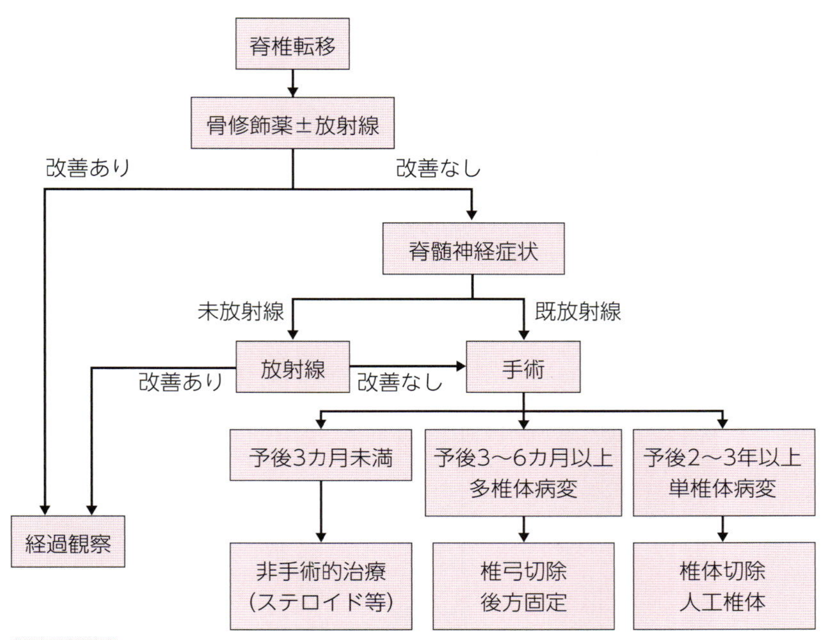

図 7-9　脊椎転移に対する治療アルゴリズム

●誰がいつどこで行うのか？

1．誰が行うのか？

脊髄麻痺の状態や生命予後，患者の活動性などを考慮して，医師が手術適応や手術法の判断を行い，手術を行う。手術適応の判断は原発腫瘍の対応診療科の主治医および整形外科医が主に行うが，脊椎手術は専門的な技術を要するため脊椎外科専門医のスタッフのいる病院で行うのが望ましい。また，術後の麻痺の再悪化を予防するため，術後全身管理，術後リハビリテーション治療および生活指導など多職種でのアプローチが必要である。

2．いつ行うのか？

脊椎転移の多くは多発転移であり，脊髄神経症状がなければ骨修飾薬および放射線による非手術治療が優先される。生命予後が 3 カ月未満の場合には侵襲が大きいため，手術治療は困難である。生命予後予測が 3〜6 カ月以上見込まれ，放射線に低感受性で神経症状を伴った場合や高感受性においてもすでに許容限度の放射線療法が行われている場合に手術が行われることが多い。放射線療法を行っているにもかかわらず麻痺が急速に進行する症例では，緊急手術が必要となることがある（図 7-9）。

3．どこで行うのか？

脊椎転移では四肢の骨転移に比べると手術侵襲が大きく，治療後の合併症発生も危惧される。手術は全身麻酔で行われることが多く，これらの治療は入院で実施される。脊椎外科専門医のスタッフのいる脊椎手術が可能な病院で行うのが望ましい。麻痺の再悪化を予防するために放射線療法を併用することが多いため，病院に放射線療法施設が整備されているか，あるいは放射線療法施設と連携をとっておく必要がある。また，急速に麻痺が進行するような症例もあるため，緊急手術ができる環境が必要である。緊急の対応ができない病院では，病診連携や病病連携によって緊急対応が取れるシステムを構築しておく必要がある[2)]。

●どのような方法で行うのか？

1．手術

脊椎転移に対する手術法としては，①後方進入による椎弓切除とインスツルメントによる後方固定，②前方進入による椎体切除と人工椎体，③前後両側アプローチによる手術，④椎体全摘出術（TES）などが

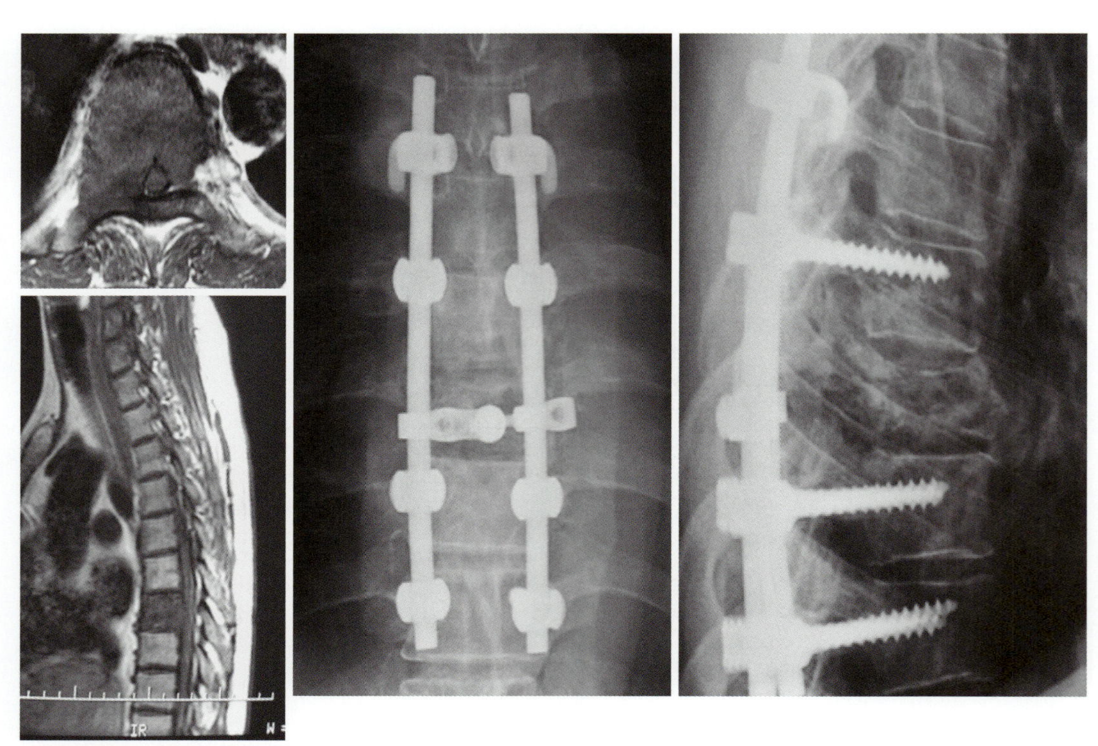

図 7-10　腎がんの脊椎転移による脊髄麻痺の例
放射線療法によっても麻痺が進行するために，後方アプローチによる椎弓切除術と第 3 胸椎から第 8 胸椎までの後方固定術を施行した。術前 Frankel 分類 C から術後 Frankel 分類 E（表 7-9 参照）にまで回復した。

あるが，多くの場合，後方進入による椎弓切除とインスツルメントによる後方固定法が行われる。後方進入法では，後方アプローチにて椎弓切除を行い，転移による脊髄や馬尾神経への圧迫解除（除圧）と脊椎不安定性に対して後方固定術を行う方法であり，固定法としては強固な固定ができる pedicle screw 等のインスツルメントによる固定が一般的である[3)]（図 7-10）。後方進入法は非常に広い適応がある一方，前方進入法では，転移巣が椎体に限局した前方型で，全身状態が良好な例に適応が限られる。転移椎体切除後に人工椎体置換し，場合によってはプレート固定を追加する。前方後方両側アプローチによる手術では，脊椎の前後にわたり腫瘍が存在している症例に対して，後方進入法と前方進入法を併用する方法であるが，一期的に行う場合と二期的に行う場合がある。生命予後が期待でき，全身状態が良好な症例が適応となる。椎体全摘出術（TES）は，脊椎全摘によって腫瘍の局所制御を期待できる方法であるが，単発病変で長期の生命予後が見込まれる症例に適応がある[4)]。また近年，脊髄圧迫の少ない症例に対して最小侵襲脊椎固定術（MISTs）[5)] といわれる小侵襲手術や，椎体の脆弱化や椎体圧潰による疼痛に対して経皮的に骨セメントを注入する脊椎形成術（vertebroplasty）[6)] の報告がなされている。

●手術治療の効果は？

脊髄不全麻痺（表 7-9）によって術前に歩行不可能であった症例に対して，Patchell ら[7)] は手術＋放射線療法群では 62％が歩行可能になったのに対し，放射線療法のみの群では歩行可能となったのは 19％であったとしている。また，Rades ら[8)] は手術＋放射線療法群では 45％が歩行可能になったのに対し，放射線療法のみの群では 18％であったと報告しており，Chen ら[9)] はこの 2 文献についてメタアナリシスを行い，手術＋放射線療法群が歩行能力の改善に優っているが有意差は得られなかったとしている。村山ら[10)] は脊髄麻痺をきたした脊椎転移 105 例に対し手術を施行し，術後，杖または歩行器による歩行が 1 カ月以上維持できたのは 31 例，車椅子移乗可能な状態が 1 カ月以上維持できた症例も 31 例で，残りの

表 7-9　障害の程度による脊髄麻痺の分類（Frankel 分類）

A	complete	障害高位以下の運動・知覚完全麻痺
B	sensory only	障害高位以下の知覚はある程度保たれているが，運動完全麻痺
C	motor useless	障害高位以下の運動機能はある程度保たれているが，実用にならない
D	motor useful	障害高位以下に実用のある運動機能があり，補助具の要否にかかわらず歩行可能
E	recovery	神経症状のないもの 筋力・知覚，膀胱・直腸機能正常 反射の異常はあってよい

（Frankel HL, Hancock DO, Hyslop G, et al. The value of postural reduction in the initial management of closed injuries of the spine with paraplegia and tetraplegia. I. Paraplegia. 1969; 7: 179-92. より引用）

43 例は麻痺が進行しベッド上の生活に制限されたとしている。コクラン・レビューでは，歩行不能，65 歳未満，対麻痺発症後 48 時間以内，圧迫病変が単発，放射線療法に感受性が低い，予後が 3 カ月以上の症例では手術＋放射線療法が有用であろうとしている[11)]。脊髄圧迫に伴う疼痛症状に対しては，Fehlings ら[12)]は手術により疼痛は有意に改善し，SF-36（MOS 36-Item Short-Form Health Survey）では 8 項目中 6 項目で改善したと報告している。感染，血腫，肺炎，DVT 等の術後合併症については周術期において 10〜27％程度と報告されている[8, 12, 13)]。また，既往症や高齢が合併症のリスク因子とされ，年齢が 1 歳上がるごとに死亡率が 1％上がるとされており，術後 1 カ月以内の周術期死亡については，Patil ら[13)]は 5.6％，Fehlings ら[12)]は 9％，Jansson ら[14)]は 13％とし合併症によるものは 3％であったとしている。

（杉浦英志・宮越浩一・高倉保幸）

引用文献

1) 高橋満，片桐浩久，高木辰哉，他．転移性脊椎腫瘍に対する放射線治療の適応とその成績．関節外科．2003; 22: 1029-36.
2) 山田健志，安藤智洋，佐藤公治，他．病院間連携による転移性脊椎腫瘍患者の手術治療．臨整外．2010; 45: 255-61.
3) Fourny DR, Abi-Said D, Lang FF, et al. Use of pedicle screw fixation in the management of malignant spinal disease: experience in 100 consecutive procedures. J Neurosurg. 2001; 94: 25-37.
4) Tomita K, Kawahara N, Kobayashi T, et al. Surgical strategy for spinal metastases. Spine. 2001; 26: 298-306.
5) Hansen-Algenstaedt N, Kwan MK, Algenstaedt P, et al. Comparison between minimally invasive surgery and conventional open surgery for patients with spinal metastasis: a prospective propensity score－matched study. Spine (Phila Pa 1976). 2017; 42: 789-97.
6) Weill A, Chiras J, Simon JM, et al. Spinal metastases: indications for and results of percutaneous injection of acrylic surgical cement. Radiology. 1996; 199: 241-7.
7) Patchell RA, Tibbs PA, Regine WF, et al. Direct decompressive surgical resection in the treatment of spinal cord compression caused by metastatic cancer: a randomised trial. Lancet. 2005; 366: 643-8.
8) Rades D, Huttenlocher S, Bajrovic A, et al. Surgery followed by radiotherapy versus radiotherapv alone for metastatic spinal cord compression from unfavorable tumors. Int J Radiat Oncol Biol Phys. 2011; 81: e861-8.
9) Chen B, Xiao S, Tong X, et al. Comparison of the therapeutic efficacy of surgery with or without adjuvant radiotherapy versus radiotherapy alone for metastatic spinal cord compression: a meta-analysis. World Neurosurg. 2015; 83: 1066-73.
10) 村山均．骨転移の整形外科的適応－緩和治療としての手術療法の位置づけ．ターミナルケア．2001; 11: 428-32.
11) George R, Jeba J, Ramkumar G, et al. Interventions for the treatment of metastatic extradural spinal cord compression in adults. Cochrane Database Syst Rev. 2015: CD006716.
12) Fehlings MG, Nater A, Tetreault L, et al. Survival and clinical outcomes in surgically treated patients with metastatic epidural spinal cord compression: results of the prospective multicenter AOSpine study. J Clin Oncol. 2016; 34: 268-76.
13) Patil CG, Lad SP, Santarelli J, et al. National inpatient complications and outcomes after surgery for spinal metastasis from 1993-2002. Cancer. 2007; 110: 625-30.

14) Jansson KA, Bauer HC. Survival, complications and outcome in 282 patients operated for neurological deficit due to thoracic or lumbar spinal metastases. Eur Spine J. 2006; 15: 196-202.
15) Frankel HL, Hancock DO, Hyslop G, et al. The value of postural reduction in the initial management of closed injuries of the spine with paraplegia and tetraplegia. I. Paraplegia. 1969; 7: 179-92.

骨軟部腫瘍

8 手術（患肢温存手術・四肢切断術）の比較

チェックポイント

- ✓ 四肢の悪性骨軟部腫瘍の手術は，患肢温存手術と切断術に大別できる。
- ✓ 患肢温存手術では，切除範囲の範囲と再建法の確認が特に重要である。
- ✓ 切断術では，術後の化学療法などの予定にあわせて，リハビリテーション治療計画を立てることが大切である。

関連 CQ・推奨グレード

CQ 1

四肢の悪性腫瘍に対して，手術が実施される場合，患肢温存手術を行うことは，四肢切断術を行う場合に比べて推奨されるか？

▶ 推 奨

四肢の悪性腫瘍に対して，手術が実施される場合，患肢温存手術を行うことを提案する。

■グレード 2C　■推奨の強さ 弱い推奨　■エビデンスの確実性 弱

ベストプラクティス

●なぜ必要なのか？

1．患肢温存手術

四肢の悪性腫瘍では，根治手術を目的とした場合，手術療法に化学療法や放射線療法を加えた集学的治療が行われるが，その手術療法には患肢温存手術と切断術がある。四肢の悪性腫瘍は発生頻度の少ない希少がんであることに加え，骨肉腫やユーイング肉腫，脂肪肉腫などさまざまな種類があり，発生部位や進行度もさまざまであることから選択バイアスが大きく，エビデンスの確実性は弱くなってしまうが，患肢温存手術の再発率や生存率といった治療成績は切断術に劣らないとされている[1)]。また，患肢温存手術は，切断術に比べて幻肢痛や義肢を必要としないなどの機能的利点が多く，多くの患者が患肢温存手術を希望する。それでも腫瘍の根治を目指すためには筋，骨，関節などに対して広汎な侵襲を伴うために機能障害およびADL・QOLの低下を起こしやすい。したがって，機能障害を最低限に予防・改善し，ADL・QOLを向上させるリハビリテーション治療のニーズは高い。

2．切断術

切断術では，四肢の欠損という外観上の問題が大きいことに加え，ボディイメージの変化，幻肢痛，義肢装着の必要性などの問題がある。多くの患者が患肢温存手術を希望するが，人工関節を利用した患肢温存手術などでは患部に対し強い負荷が加わったり，外傷のリスクが高い肉体労働やスポーツ活動は耐久性や感染予防のために制限されることがあるため，切断術を希望する患者も少数ながら存在する。切断術を行った患者に対しては，義肢の作製と義肢を十分に使いこなせるように身体機能の向上と義肢装着練習，義肢を使用した活動練習などのリハビリテーション治療が必要である。

●対象となるのはどのような患者か？

四肢の悪性腫瘍患者が対象となるが，適切な切除縁を獲得することが重要であり，多くは患肢温存手術が選択される。一方，腫瘍の浸潤に対して切除縁の確保のために神経血管束などの重要臓器を温存できない場合は切断術の対象となる。

●誰がいつどこで行うのか？

1．誰が行うのか？

骨軟部腫瘍の手術は，一般的な整形外科疾患の手術よりも手術侵襲が大きく，その切除範囲は個人によって異なるため，まずは整形外科医からの情報提供が重要となる。さらに，リハビリテーション科医のリスク管理や指導のもと，理学療法士や作業療法士が機能障害に対するエクササイズを行い，看護師と連携して ADL を高めていくのが一般的である。また，切断術に対しては義肢，患肢温存手術では装具を作製することも多く，義肢装具士も重要なリハビリテーションチームの一員となる。

2．いつどこで行うのか？

術前には病的骨折の予防と活動量の減少から生じる筋力低下を中心とした廃用症候群を予防することが大切である。骨肉腫を代表とする悪性骨腫瘍では術前に 2～3 カ月の化学療法を行うことが多く，活動量も低下する。廃用による機能障害の低下を予防し，病的骨折などの機能的合併症を予防することが重要である。病的骨折は，苦痛を生じさせるだけでなく，出血によって播種が生じるため生命予後を低下させることになるので，予防には最大限の努力をするべきである。また，術前からリハビリテーション治療を行うことは術後の円滑な治療実施にも役立つ。

術後の機能障害の改善は，通常は術後の入院期間中に行われるが，拘縮や麻痺が生じた場合には改善に時間がかかるので外来でも行われることがある。

●どのような方法で行うのか？

1．患肢温存手術

術前には，骨皮質の破壊が著明であれば，病的骨折の危険が高いので患部の保護が優先される。病変に隣接する関節の運動は控え，必要に応じて装具やギプスで関節運動を抑制する。また，上肢では上肢の使用を抑制するために三角巾やアームスリングを用いたり，下肢では荷重しないように松葉杖や歩行器を用いた免荷歩行や車椅子の利用を指導したりする。長期の免荷が必要な例では，免荷装具が作製される場合もある。ただし，免荷装具は実際には完全に免荷することが難しい場合も多いので，使用にあたっては注意が必要である。病的骨折は，免荷を行っていても回旋方向のストレスが加わることで発生しやすいので，寝返りや起き上がり，食事や更衣動作などの ADL 指導も重要である。廃用予防では，筋力増強訓練やウォーキングなどの負荷運動を行うが，この際にも病的骨折の予防には十分注意する必要がある。

術後は，まず切除範囲と再建法を確認する。原発性悪性骨軟部腫瘍では，通常の整形外科疾患とは比べものにならないほど，切除範囲が大きくなることが多い。代表的な大腿骨遠位部の骨肉腫を例に挙げると，骨は 20cm 前後，中間広筋に加えて内側広筋（または外側広筋），内側ハムストリングス（または外側ハムストリングス）を切除することが多い。また，再建では切除した骨欠損部を補うような長い人工骨を用いた人工関節が用いられることが多く，ときにはすべての大腿骨を補う全大腿骨置換術や骨移植術などが行われる場合もある。その他，皮膚の欠損部を補うために皮弁が用いられる例も多く，ときには欠損した筋や骨を同時に補う複合皮弁や腱移行術などが用いられることもある。

まず，通常は，術部の排液ドレーンが抜去された翌日に，明らかな術後しょう液の貯留がないことを確

表 7-10　患肢機能評価（MSTS）

得　点*	0	1	2	3	4	5
[A] 疼痛	高度な持続的疼痛，常時麻薬使用	中等度，ときに麻薬使用	intermediate†	軽度，ときに鎮痛剤使用	intermediate†	なし
[B] 機能	全面的に仕事，学業が制限	部分的に仕事，学業が制限	intermediate†	レクリエーション活動にわずかな制限	intermediate†	制限なし
[C] 自己満足感	不満足	許容	まあ満足	満足	intermediate†	非常に満足
[D] 支持性	常時 2 本杖（松葉杖）	たいてい 1 本杖（松葉杖）	ときに 1 本杖（松葉杖）	たいてい装具装着	ときに装具装着	補装具不要
[E] 歩行能力**	独歩不能（介助，車椅子必要）	室内のみ歩行可	intermediate†	少し制限あり	intermediate†	制限なし
[F] 歩容	高度なハンディキャップあり，重度機能障害	外観上高度の歩容異常，軽度機能障害	intermediate†	外観上軽度の歩容異常	intermediate†	正常
[G] 手の位置***	手の移動不能	手を腰以上に挙上不能	intermediate†	手を肩以上に挙上不能，または回内外不能	intermediate†	制限なし
[H] 手の器用さ	握れない。知覚脱失	ピンチ不能。高度知能異常	intermediate†	繊細な動きが不能。軽度知覚異常	intermediate†	制限なし
[I] 挙上能力	動かせない	重力に抗して持ちあげること不能	重力に抗するのがやっと	制限あり。軽いものなら持ちあげることができる	intermediate†	正常

*下肢については A-F の 6 項目，上肢については A～C，G～I のそれぞれ 6 項目で判定する。
**制限がほかの原因（心臓血管系，呼吸器系，神経系）の障害に起因するときは，これが存在しないものとして評価する。
***自動運動のみ評価する。
†intermediate：上下の中間的な状態を示す。
各項目 5 点満点，合計 30 点で採点し，％表示で評価する。
（高倉保幸，川口智義，網野勝久，他．膝部悪性骨腫瘍広切例の機能評価．理学療法学．1987; 14: 49-53．より引用改変）

認して関節運動を開始するとよい。離床開始時期は，手術部位や術式などによって異なるが，術部の安静が保持できるようであれば術後翌日からでよい。複合皮弁などによる再建が行われ，特に患部の血流の安定が重要となる場合や腱移行術などが行われている場合は，2 週間程度の安静が必要となる。荷重は，人工関節置換術などでは関節運動開始時期にあわせてほぼ可能であるが，骨移植などを行っている場合には数週から数カ月後に開始となる[3-5]。

なお，骨軟部腫瘍の術後に特異的な評価法として MSTS の scoring system がある（表 7-10）[2]。

2．切断術

術後は，感染管理を確実に行い速やかな断端の成熟を促すために，弾性包帯を用いたソフトドレッシングによる早期義肢装着法を行うとよい。術直後は，断端の浮腫の増悪に対応するためにロングストレッチングの弾性包帯を用い，術後の腫れがピークを過ぎる 48 時間後からショートストレッチングの弾性包帯

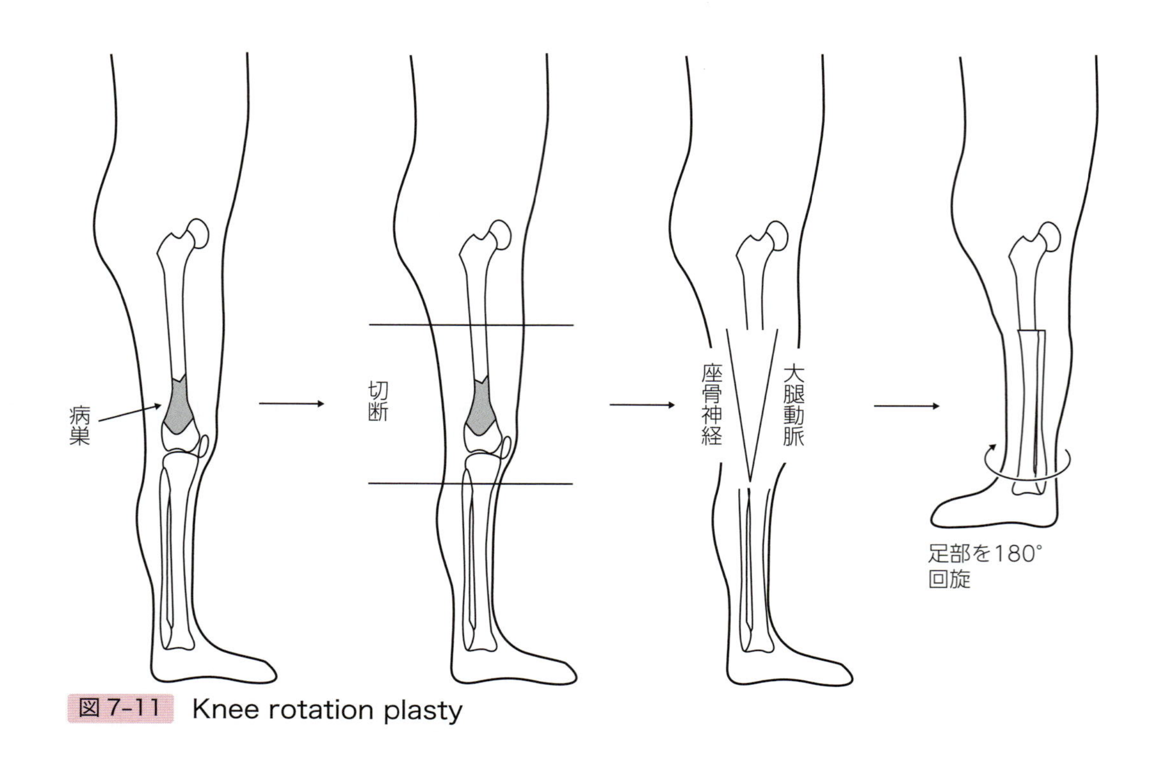

図 7-11 Knee rotation plasty

に変える。離床は，疼痛が少なく元気であれば翌日からでも可能である。断端の運動や健側の強化運動は通常の切断と同じ対応でよい。

腫瘍の切断では，ローテーションプラスティ（回転形成術）などの特殊な切断術が行われることがある。これは，病変から十分に離れた部位で切断した後に残存した遠位部を180°回転させて断端部に接合する方法である。膝関節を足関節で補う knee rotation plasty（図 7-11）では，義足の作製および荷重は骨接合部の硬化を確認してから行い，通常は2カ月後程度となる。

また，骨肉腫などでは，術後は約1年間化学療法を行うことが多い。化学療法の予定を確認し，骨髄抑制から生じる白血球減少や貧血などの有害事象の出現時期を予測して，それらに適切に対応しながらリハビリテーション治療を進めていく必要がある。骨髄抑制に対する具体的な対応は第9章（⇒ p197～）・第10章（⇒ p221～）を参照されたい。

●リハビリテーション治療の効果は？

四肢の原発性悪性骨軟部腫瘍は希有な疾患であることから症例の蓄積がしにくく，そのエビデンスは明らかになっていない。しかし，四肢の原発性悪性骨軟部腫瘍では拘縮の発生頻度が高いことから，一般的な整形外科疾患と同じく，拘縮の予防と改善効果は十分に期待できる。また，切除される筋も著しく多いことから，弱化筋の強化や低下した筋力を補う動作学習の効果も十分期待できる。

骨肉腫では，たとえ中間広筋と内側広筋を全切除しても伸展不全を改善し，杖なし歩行が獲得できる例が多い。これは，原発性悪性骨軟部腫瘍は若年で発症することも多く，手術では，（侵襲が大きいことから初期のリスク管理には十分注意する必要があるが）機能的合併症を適切に予防すれば，人工関節を必要とする一般的な整形疾患よりも代償能力，適応能力に優れているためと考えられる。切断術でも，一般的な切断術に対するリハビリテーション治療の知識や技術が適応でき，その効果は十分に期待できる。

（高倉保幸・宮越浩一・杉浦英志）

引用文献

1) Rougraf BT, Simon MA, Kneisl JS, et al. Limb salvage compared with amputation for osteosarcoma of the distal end of the femur. A long-term oncological, functional, and quality-of-life study. J Bone Joint Surg Am. 1994; 76: 649-56.
2) 高倉保幸，川口智義，網野勝久，他．膝部悪性骨腫瘍広切例の機能評価．理学療法学．1987; 14: 49-53.
3) 高倉保幸，川口智義．一般的な腫瘍外科におけるリハビリテーション．臨床看護．1985; 11: 2265-71.
4) 高倉保幸．腫瘍―脳腫瘍を除く．疾患・障害解説と一般的理学療法プログラム．細田多穂，鈔澤健（編）．理学療法ハンドブック・ケーススタディ．共同医書出版社，pp403-4, 1994.
5) 高倉保幸．腫瘍―脳腫瘍を除く．左大腿骨遠位骨肉腫（患肢温存手術後の理学療法）．細田多穂，鈔澤健（編）．理学療法ハンドブック・ケーススタディ．共同医書出版社，pp405-7, 1994.

9 再建法（処理骨・腫瘍用人工関節）の比較

チェックポイント

- ✓ 四肢原発骨軟部肉腫に対する骨切除後の再建には，腫瘍用人工関節あるいは同種骨を用いた再建が標準であるが，わが国においては社会的あるいは宗教的な問題により同種骨の代わりに処理骨による再建が行われている。
- ✓ 処理骨による再建では特に下肢において画像上問題のないことを確認しながら荷重量を決定する必要がある。
- ✓ 処理骨を用いた再建術の機能予後や ADL は，エビデンスレベルは高くはないが人工関節とほぼ同等である。

関連 CQ・推奨グレード

CQ2

四肢原発骨軟部肉腫に対する患肢温存手術を実施する患者に対して，液体窒素または放射線あるいは加温処理骨による再建を行うことは，腫瘍用人工関節を使用する場合に比べて推奨されるか？

▶ 推 奨

四肢原発骨軟部肉腫に対する患肢温存手術を実施する患者に対して，液体窒素または放射線あるいは加温処理骨による再建を行うことを提案する。

■グレード 2C　■推奨の強さ弱い推奨　■エビデンスの確実性弱

ベストプラクティス

●なぜ必要なのか？

四肢原発骨軟部に対する患肢温存手術を実施する患者に対しては，腫瘍用人工関節を用いることが多く，液体窒素または放射線あるいは加温処理骨による再建は，適合する腫瘍用人工関節が存在しない，あるいは腓骨や腸骨などの自家骨での再建が困難である場合や脛骨近位や上腕骨近位などで膝蓋腱や肩腱板などの機能的に重要な構造物を温存させるため，あるいは若年者に対して長期的な骨の生着を目的とするような場合に使用されることが多い。しかし，長期的には骨の生着が期待できても短期的な骨強度は低下し，荷重には半年以上を要するとの報告が多い[1-6]。人工関節による患肢温存手術と同様に腫瘍を切除することで生じた侵襲に伴う機能的な回復に加え，再建した骨の癒合状況にあわせて運動と活動を適切に変化させていくためにリハビリテーション治療が重要となる。

●対象となるのはどのような患者か？

処理骨は，腫瘍による骨破壊が少なく骨強度が十分得られている場合が対象となる。特に，関節軟骨面への浸潤のない骨病変や軟部腫瘍の骨浸潤例ではよい適応である。腫瘍が関節面に達しており力学的に支持性が得られない場合には腫瘍用人工関節の対象となるが，処理骨と人工関節とのcompositeでの再建が行われることもある。

●誰がいつどこで行うのか？

術前のリハビリテーション治療については，人工関節を用いた患肢温存手術と同様に，病的骨折の予防と活動量の減少から生じる筋力低下を中心とした廃用症候群を予防することが大切である（⇒p171「手術（患肢温存手術・四肢切断術）の比較」の項参照）。

術後は，整形外科医と十分な連携をとり，安全な荷重量にあわせて運動や活動を拡大していく必要がある。失われた骨強度を補うために装具を使用することも多く，人工関節を用いた患肢温存手術と同様に義肢装具士も重要なリハビリテーションチームの一員となる。術後には化学療法が行われ数カ月から半年以上の入院が必要となることが多いことから入院でのリハビリテーション治療が主になるが，完全な骨の生着までに1年以上を要することもあり，そのような場合には外来でのリハビリテーション治療が必要となる。

●どのような方法で行うのか？

各種方法での処理骨による再建では，骨強度を補完するためにプレートや髄内釘などを用いることも多いが，内固定だけでは十分な荷重能力が得られない場合も多く，骨癒合の状態などを画像で確認しながら安全な荷重量を決定して適切な運動や活動を決定する。画像では単純X線やCTを利用することが多いが，骨シンチグラフィを利用する方法もある[7]。

特に下肢では荷重量を調整した歩行練習が重要となる。通常，下肢の重量に相当する数キログラムの荷重であれば，移植した骨に対する負荷はほとんどないので術後早期からの足先接地による歩行練習が理論上は可能であるが，ふらついたときに強く荷重してしまう可能性が高いので骨癒合が確認できるまでは松葉杖や歩行器を利用した免荷歩行とするのが一般的である。画像上で骨癒合を示す所見がみられるか，数カ月してアライメントの変化や骨吸収などの異常所見がないことを確認すれば荷重を開始するが，画像だけで全荷重が安全に可能であるかを判断することは困難であるため，痛みを中心にした臨床所見と画像上で問題がないことを確認しながら1/3部分荷重，1/2部分荷重，2/3部分荷重といったように月単位で段階的に荷重量を増やしていくことが多い。

●リハビリテーション治療の効果は？

処理骨による再建は，部位や切除範囲，処理の方法，再建手術の方法がさまざまであり，ADLやQOLに対する効果を立証することはできていない。しかし，症例集積研究では人工関節に比べ劣るものではないとする報告が多く[2,3,8-18]，人工関節での患肢温存術が困難な場合や機能温存，長期的な骨の生着などの期待から今後もこの手術は一定数行われることが予想される。短期的には安全な荷重量にあわせた運動と活動が重要であり，安全で快適な日常生活を送るためのリハビリテーション治療の効果は十分に期待できる。

（高倉保幸・宮越浩一・杉浦英志）

引用文献

1) Igarashi K, Yamamoto N, Shirai T, et al. The long-term outcome following the use of frozen autograft treated with liquid nitrogen in the management of bone and soft-tissue sarcomas. Bone Joint J. 2014; 96-B: 555-61.
2) Nakamura T, Abudu A, Grimer RJ, et al. The clinical outcomes of extracorporeal irradiated and re-implanted cemented autologous bone graft of femoral diaphysis after tumour resection. Int Orthop. 2013; 37: 647-51.
3) Muramatsu K, Ihara K, Hashimoto T, et al. Combined use of free vascularised bone graft and extracorporeally-

第7章 骨軟部腫瘍

irradiated autograft for the reconstruction of massive bone defects after resection of malignant tumour. J Plast Reconstr Aesthet Surg. 2007; 60: 1013-8.
4) Mottard S, Grimer RJ, Abudu A, et al. Biological reconstruction after excision, irradiation and reimplantation of diaphyseal tibial tumours using an ipsilateral va scularised fibular graft. J Bone Joint Surg Br. 2012; 94: 1282-7.
5) 真鍋淳. パスツール処理自家骨移植に関する実験的研究. 日整会誌. 1993; 67: 255-66.
6) 真鍋淳. パスツール処理をした罹患骨の移植による悪性骨腫瘍切除後の再建術. 整形外科. 1993; 44: 1838-45.
7) Ehara S, Nishida J, Shiraishi H, et al. Pasteurized intercalary autogenous bone graft: Radiographic and scintigraphic features. Skeletal Radiol. 2000; 29: 335-9.
8) Hayashi K, Araki N, Koizumi M, et al. Long-term results of intraoperative extracorporeal irradiation of autogenous bone grafts on primary bone and soft tissue malignancies. Acta Oncol. 2015; 54: 138-41.
9) Sugiura H, Nishida Y, Nakashima H, et al. Evaluation of long-term outcomes of pasteurized autografts in limb salvage surgeries for bone and soft tissue sarcomas. Arch Orthop Trauma Surg. 2012; 132: 1685-95.
10) Liu T, Liu ZY, Zhang Q, et al. Hemicortical resection and reconstruction using pasteurised autograft for parosteal osteosarcoma of the distal femur. Bone Joint J. 2013; 95-B: 1275-9.
11) Arpornchayanon O, Leerapun T, Pruksakorn D, et al. Result of extracorporeal ir radiation and re-implantation for malignant bone tumors: a review of 30 patients. Asia Pac J Clin Oncol. 2013; 9: 214-9.
12) Puri A, Guila A, Jambhekar N, et al. The outcome of treatment of diaphyseal primary bone sarcoma by resection, irradiation and re-implantation of the host bone: extracorporeal irradiation as an option for reconstruction in diaphyseal bone sarcomas. J Bone Joint Surg Br. 2012; 94: 982-8.
13) Abdel Rahman M, Bassiony A, Shalaby H. Reimplantation of the resected tumour-bearing segment after recycling using liquid nitrogen for osteosarcoma. Int Orthop. 2009; 33: 1365-70.
14) Krieg AH, Mani M, Speth BM, et al. Extracorporeal irradiation for pelvic reconstruction in Ewing's sarcoma. J Bone Joint Surg Br. 2009; 91: 395-400.
15) Jeon DG, Kim MS, Cho WH, et al. Reconstruction with pasteurized autograft for distal tibial tumor. Arch Orthop Trauma Surg. 2008; 128: 159-65.
16) Jeon DG, Kim MS, Cho WH, et al. Reconstruction with pasteurized autograft-total hip prosthesis composite for periacetabular tumors. J Surg Oncol. 2007; 96: 493-502.
17) Davidson AW, Hong A, McCarthy SW, et al. En-bloc resection, extracorporeal irradiation and re-implantation in limb salvage for bony malignancies. J Bone Joint Surg Br. 2005; 87: 851-7.
18) Böhm P, Fritz J, Thiede S, et al. Reimplantation of extracorporeal irradiated bone segments in musculoskeletal tumor surgery: clinical experience in eight patients and review of the literature. Langenbecks Arch Surg. 2003; 387: 355-65.

第 8 章

脳腫瘍

脳腫瘍

1 系統的な評価の必要性

チェックポイント

- ✓ 脳腫瘍患者では，リハビリテーション治療前に，身体機能，高次脳機能障害，ADL，QOL を評価する。
- ✓ リハビリテーション治療後に同じ尺度を用いて評価し，その効果を検証する。
- ✓ リハビリテーション治療中に症状が増悪したり，新たな症状が出現したりすることもあるので，経時的な評価が必要である。

関連 CQ・推奨グレード

CQ 01

脳腫瘍患者に対して，リハビリテーション治療を行った場合に，その治療効果を確認する評価の方法は？

▶ 推 奨

リハビリテーション治療を行うにあたり，全般的身体機能，ADL，QOL，高次脳機能障害を患者の状態に応じて系統的に評価する必要があり，以下の尺度を用いることが勧められる。

1）全般的身体機能：KPS（Karnofsky Performance Status）
2）ADL：機能的自立度評価法（FIM），Barthel 指数（BI）
3）QOL：FACT-Br，EORTC QLQ-BN20，SF-36
4）高次脳機能障害の総合的評価：MMSE，改訂版長谷川式簡易知能評価スケール（HDS-R）

ベストプラクティス

●系統的な評価がなぜ必要なのか？

脳腫瘍患者では腫瘍自体や治療により運動障害，感覚障害，高次脳機能障害などの機能障害を生じると，ADL が低下し，QOL に影響が及ぼされる。リハビリテーション治療を行うにあたっては，まず評価が必要であり，その評価に基づいてリハビリテーション治療計画を立て，リハビリテーション処方を行う。処方に沿った訓練を行い，その効果を検証し，次の治療計画を立案する。これらの作業の重要性は脳腫瘍に限ったことではないが，特に脳腫瘍では重要であるとともに，評価には細心の注意が必要である。

その理由の一つは，脳腫瘍はその病巣の広がりが多種多様であるからである。限局性の良性腫瘍は MRI などの画像検査では比較的単純な所見を呈するが，脳が腫瘍によって受けた機能的障害の範囲は必ずしも単純ではない。詳細に神経診察を行い，障害の評価を行わなければならない。悪性度の高い浸潤性の腫瘍の場合は，限局性腫瘍より神経症状はさらに複雑である。機能障害，活動制限の評価を注意深く行う必要がある。脳腫瘍は病巣により直接引き起こされる症状（巣症状）と頭蓋内圧亢進による症状（頭痛，悪心・嘔吐，意識低下など）が混在していることが稀ではなく，この点にも注意が必要である。活動制限の原因が後者によることも十分に考えられる。

さらに，手術・化学放射線療法などの治療や病巣の進展により，経時的に症状が変化するため，評価を繰り返し行うことが重要である。治療により完治する場合以外に，一部症状が残存することや原病の進行により新たな症状が出現してくることもあるので，常に今の状態を評価することに留意しなければならない。

脳腫瘍で起こる障害を必ずしも患者が認識しているとは限らない。四肢の麻痺が非常に軽微な障害，例えば手指の巧緻動作障害が軽微な場合には，患者が症状を自覚していないことがある。また，高次脳機能障害に関しては，入院中には問題となっていなくとも，退院後に通常の生活に戻ったときに初めて自覚されることや，他人から指摘されないと高次脳機能障害の存在がわからないこともある。

脳腫瘍は原発性と転移性に分けられるが，転移性脳腫瘍の場合は原発巣による全身状態への影響にも注意しなければならない。例えば，肺がんによる呼吸障害，骨腫瘍による易骨折性，悪液質による筋力低下・筋萎縮（サルコペニア）などである。

以上，脳腫瘍の特徴を評価の必要性という観点から述べた。評価はリハビリテーション治療計画を立てるとき，リハビリテーション効果を検証するとき，そして次のリハビリテーション治療計画を立てるときなどに客観的な資料となり，それらの根拠となる。日頃使い慣れており評価の方法に習熟した評価法で，患者の症状を的確に評価できる内容を含んだ系統的な評価法を選択する必要がある。また，学術的観点で考えれば，世界的に広く用いられ，計量心理学的特性に優れ標準化された評価法を用いれば，それが共通言語となり，他施設との比較が可能で，臨床研究に用いることも可能であり，リハビリテーション医療・医学の発展に欠かせない。ここでは，脳腫瘍のリハビリテーション診療について，医学文献でよく用いられている評価法を取り上げる。

●対象となるのはどのような患者か？

リハビリテーション治療の対象となる脳腫瘍患者すべてにおいて，経時的な評価が必要である。

●誰がいつどこで行うのか？

1．誰が行うのか？

脳腫瘍のリハビリテーション治療を行うにあたっては，まず，リハビリテーション科医の診察があり，その際に評価が行われる。脳腫瘍の場合は神経診察が重要であり，画像所見も参考にすれば，障害を受けている脳の部位や機能が推測できる。医師は脳腫瘍の状態をよく把握したうえで，患者の全般的身体機能・ADL・QOL・高次脳機能を評価する。医師が直接すべての評価を行ってもよいが，一部は理学療法士，作業療法士，言語聴覚士および看護師が実施してもよい。

リハビリテーション治療に直結するような評価〔例えば関節可動域や徒手筋力テスト（manual muscle test；MMT）〕や日常生活の状況を評価する場合〔例えば機能的自立度評価法（Functional Independence Measure；FIM）〕などは，リハビリテーション専門職や看護師の方がスムーズに行える場合もある。しかし，その場合でもリハビリテーション科医は評価結果を把握しておく必要がある。

2．いつ行うのか？

リハビリテーション治療を行う前に評価は必要である。そして，リハビリテーション治療後にも評価をして，リハビリテーション治療の効果を検討しなければならない。比較的長期にリハビリテーション治療を行う場合は，1カ月おきなど繰り返して定期的に評価をした方がよい。脳腫瘍の増大，頭蓋内圧の亢進などのため症状が変化することがあるので，それを念頭に置き患者の状態を注意深く観察しなければならない。症状の変化があった場合は再度評価を行う必要がある。

3. どこで行うのか？

診察室，リハビリテーション室，病棟，病室，検査室などであるが，それぞれの評価法に適した場所で行う。

●どのような方法で行うのか？

リハビリテーション治療を行ううえでの基本的な評価，すなわち，関節可動域やMMTの測定は当然必要であるが，それらの説明は成書に委ねる。本項では，脳腫瘍のリハビリテーション治療の評価において医学文献上で頻用されている評価法を概説する。

1. KPS（Karnofsky Performance Status）

全般的身体機能の評価としてがんのリハビリテーション診療全般で頻用されている[1,2]。脳障害に特異的な神経症状やそれによる障害を直接評価するのではないが，患者の活動状況や介助・看護の必要度を主な評価基準としており，脳腫瘍の場合でも活用できる（⇒ p13）。

2. 機能的自立度評価法（Functional Independence Measure；FIM）

ADLを評価する尺度で，リハビリテーション診療全般で国際的に用いられている標準的な評価法である。患者の実際の日常生活を観察して，「しているADL」を評価する。1日あたりのFIM利得（改善幅）をFIM効率といい，これを指標として使うこともある。FIM第3版の学術的使用については知的財産権による制限がなく使用可能である[3,4]（⇒ p16）。

3. Barthel指数（Barthel index；BI）

ADLを評価するもので，リハビリテーション診療全般で国際的に用いられている標準的な評価法である[5]（⇒ p16）。簡便であるため広く用いられている。

4. FACT-Br（Functional Assessment of Cancer Therapy-Brain）

FACT（⇒ p304）は，がんに特異的なQOLを評価する尺度であり，がんの種類によらずに使用可能である。一方，FACT-Brは脳腫瘍患者に特化した評価尺度であり，脳腫瘍で出現し問題となりやすい項目について調査票により患者から回答を得る[6,7]。身体的安寧（7項目），社会的・家庭的安寧（7項目），感情的安寧（6項目），機能的安寧（7項目），その他の懸念事項（23項目）についてそれぞれ5段階で回答する。使用にあたり開発元への登録が必要である。

5. EORTC（European Organization for Research and Treatment of Cancer）QLQ-BN20

EORTC QLQ-C30（⇒ p302）は，がんに特異的なQOLを評価する尺度であり，がんの種類によらずに使用可能である[7-9]。一方，EORTC QLQ-BN20は脳腫瘍患者に特化した評価尺度であり，脳腫瘍の臨床試験ではQLQ-C30＋BN20の組み合わせが広く用いられている[9]。BN20は，直近1週間の脳腫瘍に特有の症状に関する質問事項として，将来への不安（4項目），視力・視野障害（3項目），運動機能（3項目），言語機能（3項目）および頭痛・てんかん・眠気・脱毛・皮膚のかゆみ・下肢筋力の衰え，膀胱障害がそれぞれ1項目ずつ含まれ，4段階で回答する。使用にあたり開発元への登録が必要である。

6. SF-36（MOS 36-Item Short-Form Health Survey）

健康関連QOLを包括的に評価する尺度で，オリジナルのSF-36の改良版である。アメリカで開発され，国際的に広く使用されている。日本に適合させた日本語版があり，国民標準値との比較が可能である。身体機能，日常役割機能（身体），体の痛み，全体的健康感，活力，社会生活機能，日常役割機能（精神），心の健康の8つの下位尺度がある。使用にあたり開発元への登録が必要である[10]。

7. MMSE（Mini-Mental State Examination）

MMSEは総合的な認知機能のスクリーニング検査であり，11項目から構成され，最高点は30点である[11]。脳腫瘍では高次脳機能障害の生じる割合が20～80％と高率にみられることが報告されているため[12,13]，スクリーニング検査を実施することが重要である。

8. 改訂版長谷川式簡易知能評価スケール（Hasegawa Dementia Rating Scale-Revised；HDS-R）

HDS-R は MMSE と同様に総合的な認知機能をスクリーニングする検査であり，9 項目から構成され，最高点は 30 点である[14)]。日本で開発されたものであり，主にわが国で頻用されている。HDS-R と MMSE には類似した評価項目があるが，両者の大きく異なる点は，HDS-R が言語性検査のみ（口頭で回答が完了する）であるのに対し，MMSE は言語性検査と動作性検査（回答には何らかの動作が必要）の 2 つの要素が含まれていることである。

●系統的な評価の必要性は？

KPS は，がんの全般的な身体機能の評価を介護・介助度を含めて評価しており，後述のように脳腫瘍の ADL や認知機能との相関が報告されている[15-17)]。

ADL の評価では，リハビリテーション治療の有効性を FIM[18-21)] や BI[12, 22, 23)]の改善により示した報告がある。Barthel 指数は KPS と相関し[16)]，また，生存期間とも関連性が認められる[16)]。FIM も KPS との相関が認められている[15)]。

QOL の評価では，FACT-Br[15, 23)]，EORTC QLQ-BN20[24)] および SF-36[25)] を用いた報告がある。

高次脳機能障害の評価には多くの種類の神経心理学的検査があり，記憶，注意，遂行機能などが評価されるが[26)]，スクリーニング検査の MMSE は簡便であり，有用な検査法である。MMSE は KPS および神経学的所見と相関し[17)]，病状の変化を捉えることができる。また，病状が進行するとき，ADL，QOL の悪化に先行して神経心理学的検査が悪化し[24)]，注意の低下が ADL の低下を招く[27)] ことが指摘されている。

（辻　哲也・三木 恵美）

引用文献

1) Karnofsky DA, Ableman WH, Craver LF, et al. The use of nitrogen mustard in the palliative treatment of carcinoma. Cancer. 1948; 1: 634-56.
2) 日本リハビリテーション医学会（編）．がんのリハビリテーション診療ガイドライン　第 2 版．pp5-7，金原出版，2019.
3) Data management service of the uniform data system for medical rehabilitation and the Center for functional assessment research. Guide for use of the uniform data set for medical rehabilitation including the Functional independence measure（FIM），version 3.0. State University of New York, 1990.
4) 千野直一（監訳）．FIM 医学的リハビリテーションのための統一データセット利用の手引き 第 3 版．慶應義塾大学リハビリテーション医学教室，1997.
5) Mahoney FI, Barthel DW. Functional evaluation: the barthel index. Md State Med J. 1965; 14: 61-5.
6) FACIT.org. http://www.facit.org/（最終確認日：2020 年 7 月 28 日）
7) 沖田典子，成田善孝．神経膠腫患者の認知機能・QOL 研究の現状と課題．脳神外ジャーナル．23: 46-58, 2014.
8) Aaronson NK, Ahmedzai S, Bergman B, et al. European organization for research and treatment of cancer QLQ-C30; A quality-of-life instrument of use in international clinical trials in oncology. J Natl Cancer Inst. 1993; 85: 365-76.
9) Fayers P, Aaronson NK, Bjordal K, et al. The EORTC QLQ-C30 Scoring Manual 3rd ed. European organization for research and treatment of cancer, 2001.
10) iHope International. SF-36®（MOS 36-Item Short-Form Health Survey）．http://www.sf-36.jp/qol/sf36.html（最終確認日：2020 年 7 月 28 日）
11) Folstein MF, Folstein SE, McHugh PR. “Mini-mental state”. A practical method for grading the cognitive state of patients for the clinician. J Psychiatr Res. 1975; 12: 189-98.
12) 百瀬由佳，小林一成．脳腫瘍入院患者に対する早期リハビリテーションの効果．Jpn J Rehabil Med．2007; 44: 745-50.
13) Mukand JA, Blackinton DD, Crincoli MG, et al. Incidence of neurologic deficits and rehabilitation of patients with brain tumors. Am J Phys Med Rehabil. 2001; 80: 346-50.
14) 加藤伸司．改訂長谷川式簡易知能評価スケール（HDS-R）の作成．老年精医誌．1991; 2: 1339-47.
15) Huang ME, Wartella JE, Kreutzer JS. Functional outcomes and quality of life in patients with brain tumors: a

preliminary report. Arch Phys Med Rehabil. 2001; 82: 1540-6.
16) Brazil L, Thomas R, Laing R, et al. Verbally administered Barthel Index as functional assessment in brain tumour patients. J Neurooncol. 1997; 34: 187-92.
17) Choucair AK, Scott C, Urtasun R, et al. Quality of life and neuropsychological evaluation for patients with malignant astrocytomas: RTOG 91-14. Radiation therapy oncology group. Int J Radiat Oncol Biol Phys. 1997; 38: 9-20.
18) Fu JB, Parsons HA, Shin KY, et al. Comparison of functional outcomes in low-and high-grade astrocytoma rehabilitation inpatients. Am J Phys Med Rehabil. 2010; 89: 205-12.
19) Greenberg E, Treger I, Ring H. Rehabilitation outcomes in patients with brain tumors and acute stroke: comparative study of inpatient rehabilitation. Am J Phys Med Rehabil. 2006; 85: 568-73.
20) 和田勇治，赤星和人，永田雅章．脳腫瘍開頭術後患者の入院リハビリテーションの機能的帰結．総合リハ．2010；38：275-80.
21) Marciniak CM, Sliwa JA, Heinemann AW, et al. Functional outcomes of persons with brain tumors after inpatient rehabilitation. Arch Phys Med Rehabil. 2001; 82: 457-63.
22) 水落和也，小野恵子．悪性腫瘍による脊髄障害と脳腫瘍による麻痺への対応．J Clin Rehabil. 2001; 10: 604-9.
23) Li J, Bentzen SM, Renschler M, et al. Relationship between neurocognitive function and quality of life after whole-brain radiotherapy in patients with brain metastasis. Int J Radiat Oncol Biol Phys. 2008; 71: 64-70.
24) Pace A, Parisi C, Di Lelio M, et al. Home rehabilitation for brain tumor patients. J Exp Clin Cancer Res. 2007; 26: 297-300.
25) Neil-Dwyer G, Lang D, Garfield J. The realities of postoperative disability and the carer's burden. Ann R Coll Surg Engl. 2001; 83: 215-8.
26) Gehring K, Sitskoorn MM, Gundy CM, et al. Cognitive rehabilitation in patients with gliomas: a randomized, controlled trial. J Clin Oncol. 2009; 27: 3712-22.
27) Papazoglou A, King TZ, Morris RD, et al. Attention mediates radiation's impact on daily living skills in children treated for brain tumors. Pediatr Blood Cancer. 2008; 50: 1253-7.

脳腫瘍

2 運動障害に対するリハビリテーション治療の効果

チェックポイント

- ✓ 脳卒中のリハビリテーション手技を用いることができる。
- ✓ 複雑な症状を呈することがあるので，注意する。
- ✓ 訓練中に症状が増悪したり，新たな症状が出現したりすることがある。
- ✓ 脳腫瘍以外のがんが併存し，運動負荷量の調節などが必要なことがある。
- ✓ 予後は脳腫瘍の種類により異なるので，それを考慮して生活支援を行う。

関連 CQ・推奨グレード

CQ 02

運動障害を有する脳腫瘍患者に対して，リハビリテーション治療を行うことは，行わない場合と比べて推奨されるか？

▶ 推 奨

運動障害を有する脳腫瘍患者に対して，リハビリテーション治療を行うことを提案する。

■グレード 2C　■推奨の強さ弱い推奨　■エビデンスの確実性弱

ベストプラクティス

●なぜ必要なのか？

脳腫瘍により，脳組織が損傷を受けると，脳腫瘍の組織型，良性・悪性の別，原発性・転移性の別を問わず運動障害として片麻痺や運動失調などが起こり得る。これらの脳損傷は，中枢運動路が損傷を受けるという点では脳卒中と共通点がある。

一方，脳腫瘍が脳卒中と異なる点は，①経過中に症状の増悪があり得る，②脳腫瘍の性状によっては複雑な症状を呈することがある，③転移性脳腫瘍では原発巣による脳由来以外の症状を伴っている場合があることである。

リハビリテーション治療を実施するにあたっては，このような脳腫瘍の特徴を理解し，患者の状態を注意深く観察して適切な評価を行うことで，脳腫瘍による機能的障害を明らかにし，機能障害の改善を図るとともに，それらによる活動制限や参加制約に対してアプローチを行う。

実際，脳腫瘍のリハビリテーション治療は，組織型，良性・悪性，原発性・転移性等の病型や年齢を問わず行われており，脳卒中と同等のリハビリテーション治療の効果が報告されている[1,2]。また，ADL や QOL の改善には，理学療法，作業療法，言語療法，レクリエーション療法，看護，ケースワークなどを組み合わせた包括的リハビリテーション治療が効果的とされており[3]，この点も脳卒中のリハビリテーション治療と同様である。

第8章 脳腫瘍

●対象となるのはどのような患者か？

組織型，良性・悪性の別，原発性・転移性，年齢を問わず，治療やがん自体により，運動障害を有する可能性のある，もしくは運動障害を有する脳腫瘍患者が対象となる。

●誰がいつどこで行うのか？

リハビリテーション診療の流れは，医師が診察し，リハビリテーション処方を発行する。そこには，適用する療法種別（理学療法，作業療法，言語聴覚療法）と訓練内容が記載される。そして，その内容に基づき，理学療法士，作業療法士，言語聴覚士がリハビリテーション治療を行う。

脳腫瘍に対する手術が予定されている場合，術後とともに術前にもリハビリテーション治療の適応はある。術後すぐに離床が可能になるとは限らず，廃用症候群をできる限り予防する観点からは，術前からのリハビリテーション治療が勧められる。術後は機能障害や活動制限の程度に応じてアプローチを行う。

周術期には放射線療法や化学療法が併用されることが多く，血液データや全身状態の変化が起こりやすいため，これらに対する注意も必要である。造血機能が低下すると貧血が起こり，重度であれば運動量の調節が必要になる。血小板の低下では出血，白血球の低下では感染症に対する配慮が必要となってくる。また，転移性脳腫瘍の場合は，原発巣や脳以外の転移巣による症状が加わるため，呼吸機能の障害や病的骨折の危険性のため，運動荷重量の調節が必要になる。

●どのような方法で行うのか？

1．運動機能障害の重症度に応じたアプローチ

体幹機能が安定していないと立位保持は困難である。まずは体幹機能の安定に主眼を置くべきである。何を主目的に訓練すべきかを見極め，機能回復の階層性を意識したアプローチが必要である。体幹機能から四肢機能へ回復を図り，また，近位関節から遠位関節へ機能回復を図る。下肢であれば，股関節，膝関節，足関節の順であり，上肢であれば，肩関節，肘関節，手関節，手指の順である。動作の点からみれば，座位から立位，立位から歩行の順であり，また，静的安定性の獲得から動的安定性の獲得へ訓練を進めていく。

2．不動・不活動を考慮したアプローチ

脳腫瘍に伴う不動・不活動の原因は，中枢性麻痺による運動機能低下だけでなく，手術，放射線療法，化学療法による全身状態や持久力の低下，他の部位の原発または転移がんによる運動障害がある。また，高齢者では併存疾患や加齢によるもともとの身体機能の低下（フレイル・サルコペニア）にも注意が必要である。

3．治療用装具・器具の活用

装具や杖や車椅子などの補装具を状態に応じて利用し離床を図る。

4．脳腫瘍の治療と予後を考慮したアプローチ

運動障害は片麻痺のみの場合もあれば，多彩な中枢神経症状に加え，運動器障害や併存疾患を伴い，複雑な様相を呈する場合もある。さらに，手術，放射線療法，化学療法による治療効果や有害事象が出現する。これらの状況を理解したうえで，リハビリテーション治療を進めなければならない。また，新たな脳病変（例えば，脳出血や脳梗塞）が生じたり，水頭症を発症したりする可能性もあり，この点にも注意を払わなければならない。

脳腫瘍はその種類により予後が異なる。脳腫瘍全国集計調査報告によれば，1997〜2000 年の累積 5 年生存率は，神経鞘腫（neurinoma）で 98.0%，髄膜腫（meningioma）で 95.9% であるのに対し，膠芽腫（glioblastoma）では 6.9% と低い。また，転移性脳腫瘍は 15.0% に留まる（表 8-1）[4]。周術期の短期間の入院リハビリテーション治療では予後の違いはさほど考慮する必要はないが，退院後の生活設計も考慮すると，理解しておかなければならない重要な事項である。

表 8-1　脳腫瘍の累積生存率（1997～2000 年）

	N	1y（%）	2y（%）	3y（%）	4y（%）	5y（%）
1．星細胞腫	698	91.5	81.4	75.0	72.3	68.3
2．退形成性星細胞腫	523	72.9	50.7	41.0	35.4	33.9
3．乏突起膠腫	108	96.0	91.0	87.8	87.8	87.8
4．退形成性乏突起膠腫	64	85.3	81.5	74.1	63.0	63.0
5．上衣腫	113	94.4	83.9	82.5	79.7	75.1
6．退形成性上衣腫	27	87.9	83.5	66.8	66.8	60.1
7．膠芽腫	1,195	55.1	22.1	12.3	9.1	6.9
8．髄芽腫	120	85.3	71.7	66.0	62.1	58.0
9．神経鞘腫	1,296	99.4	98.5	98.1	98.1	98.0
10．髄膜腫	3,380	98.3	97.7	96.9	96.5	95.9
11．悪性髄膜腫	63	86.6	78.8	66.3	66.3	66.3
12．胚細胞腫	209	97.9	95.4	94.6	94.6	94.6
13．下垂体腺腫	2,407	98.9	98.5	97.9	97.9	97.4
14．頭蓋咽頭腫	454	96.9	94.9	94.5	93.7	93.3
15．転移性腫瘍	2,711	45.0	27.7	20.5	17.3	15.0

（田村晃，松谷雅生，清水輝夫（編）．EBM に基づく脳神経疾患の基本治療指針 改訂第 3 版．メジカルビュー社，p80，2010. より引用）

5．退院後の生活を考えたアプローチ

退院時の状態を評価し予後を理解したうえで，必要であれば社会資源の利用を考えなければならない。患者の生活環境や家族構成などの情報も必要である。医療ソーシャルワーカーの参入が必要であり，これらの検討はできる限り早く開始し，リハビリテーション治療と並行して進めていくのがよい。

●リハビリテーション治療の効果は？

脳腫瘍術後のリハビリテーション治療の効果は病型にかかわらず有効であることが示されている。高悪性度と低悪性度星状細胞腫を対象に，約 2 週間の入院リハビリテーション治療の効果を比較した研究では，両者とも FIM の改善がみられ，前者は FIM が入院時に低い傾向にあるが，FIM 効率は同等であったことが示されている[5]。低悪性度星状細胞腫，多形膠芽腫，髄膜腫の比較でもリハビリテーション治療の効果に差異は認められていない[1]。髄膜腫と神経膠腫の比較では，術後リハビリテーション治療の効果は同等にみられ，FIM 効率と利得に差異はなかったとする報告[2]があるが，一方，前者で BI の改善がより大きかったとする報告[6]もある。

原発性脳腫瘍と転移性脳腫瘍の比較では，FIM 効率は同等と報告されている[5]。放射線療法の追加で FIM 効率が増大するという報告がある[7]。脳腫瘍初発と再発の比較では，再発の方がリハビリテーション治療の効果は不良であり[7]，原発性脳腫瘍に対象を限定した場合においても再発の方がリハビリテーション治療の効果は不良とされている[8]。脳腫瘍の部位による検討では，後頭蓋窩腫瘍と小脳橋角部腫瘍の比較で，後者の方が運動能力の改善が大きかったことが報告されている[9]。小児の原発性腫瘍を対象にした研究においても，リハビリテーション治療の効果は認められ，ADL の改善が報告されている[10]。

脳腫瘍のリハビリテーション治療の効果は，脳卒中と同等であり[1,2]，前者の方が入院期間が短いとする報告[2]がある。また，脳外傷との比較でも同等のリハビリテーション治療の効果が報告されている[11]。原発性脳腫瘍術後の包括的リハビリテーション治療（理学療法，作業療法，言語療法，レクリエーション療法，看護，ケースワーク）では，FIM と FACT-Br の改善がみられたことが報告されている[3]。

術後入院中の脳腫瘍患者 16 名を対象に有酸素運動を実施した研究では，6 分間歩行テスト，FIM 運動項目および QOL に関して FACIT-F（Functional Assessment of Chronic Illness Therapy-Fatigue）を治療前後で評価したところ，いずれも治療後に有意な改善を認めた[12]。有酸素運動として，監督下での半座位（リカンベントタイプ）エルゴメーターを用いた中等度の強度での有酸素運動を 20 分間，週 3〜5 回，6 週間実施された。

治療後の脳腫瘍患者 106 名を対象に多職種の外来リハビリテーション治療の効果を比較したケースコントロール研究[13]では，治療群は対照群と比較して，治療 3 カ月後に複数の FIM 下位項目（セルフケア，排泄コントロール，移動，コミュニケーション）で有意差を認め，介入 6 カ月後においても複数の FIM 下位項目（排泄コントロール，コミュニケーション，社会的認知）において治療効果が維持されており，ADL の改善効果が示されている。治療内容は，理学療法，作業療法，心理カウンセリング，ソーシャルワークを組み合わせた外来リハビリテーション治療であり，30 分間のセッションが週 2〜3 回，6〜8 週間実施された。

手術を受けた脳腫瘍患者 121 名を対象に自宅退院後 3 カ月間のリハビリテーション治療を含む在宅ケアプログラムを実施したところ，BI は 47 名（39%）改善，20 名（16%）安定，54 名（44%）悪化した。QOL に関して EORTC QLQ-C30，EORTC QLQ-BN20 を治療前後で評価したところ，アンケートによる評価を完了した 54 名のうち，72%では治療後に少なくとも 1 つの領域の改善がみられ，リハビリテーション治療が QOL に影響を与える可能性が示された[14]。

（辻　哲也・三木 恵美）

引用文献

1) Geler-Kulcu D, Gulsen G, Buyukbaba E, et al. Functional recovery of patients with brain tumor or acute stroke after rehabilitation: A comparative study. J Clin Neurosci. 2009; 16: 74-8.
2) Greenberg E, Treger I, Ring H. Rehabilitation outcomes in patients with brain tumors and acute stroke: comparative study of inpatient rehabilitation. Am J Phys Med Rehabil. 2006; 85: 568-73.
3) Huang ME, Wartella JE, Kreutzer JS. Functional outcomes and quality of life in patients with brain tumors: a preliminary report. Arch Phys Med Rehabil. 2001; 82: 1540-6.
4) 田村晃，松谷雅生，清水輝夫（編）．EBM に基づく脳神経疾患の基本治療指針 改訂第 3 版．メジカルビュー社，p80，2010.
5) Fu JB, Parsons HA, Shin KY, et al. Comparison of functional outcomes in low-and high-grade astrocytoma rehabilitation inpatients. Am J Phys Med Rehabil. 2010; 89: 205-12.
6) 百瀬由佳，小林一成．脳腫瘍入院患者に対する早期リハビリテーションの効果．Jpn J Rehabil Med． 2007; 44: 745-50.
7) Marciniak CM, Sliwa JA, Heinemann AW, et al. Functional outcomes of persons with brain tumors after inpatient rehabilitation. Arch Phys Med Rehabil. 2001; 82: 457-63.
8) 水落和也，小野恵子．悪性腫瘍による脊髄障害と脳腫瘍による麻痺への対応．J Clin Rehabil． 2001; 10: 604-9.
9) Karakaya M, Köse N, Otman S, et al. Investigation and comparison of the effects of rehabilitation on balance and coordination problems in patients with posterior fossa and cerebellopontine angle tumours. J Neurosurg Sci. 2000; 44: 220-5.
10) Philip PA, Ayyangar R, Vanderbilt J, et al. Rehabilitation outcome in children after treatment of primary brain tumor. Arch Phys Med Rehabil. 1994; 75: 36-9.
11) 和田勇治，赤星和人，永田雅章．脳腫瘍開頭術後患者の入院リハビリテーションの機能的帰結．総合リハ． 2010; 38: 275-80.
12) Ayotte S, Harro C. Effects of an individualized aerobic exercise program in individuals with a brain tumor

undergoing inpatient rehabilitation: a feasibility study. Rehabilitation Oncology. 2017; 35: 163-71.
13) Khan F, Amatya B, Drummond K, et al. Effectiveness of integrated multidisciplinary rehabilitation in primary brain cancer survivors in an Australian community cohort: a controlled clinical trial. J Rehabil Med. 2014; 46: 754-60.
14) Pace A, Parisi C, Di Lelio M, et al. Home rehabilitation for brain tumor patients. J Exp Clin Cancer Res. 2007; 26: 297-300.

脳腫瘍

3 高次脳機能障害に対する リハビリテーション治療の効果

チェックポイント

- ✓ 退院後に高次脳機能障害が明らかになることがあるので，退院後の日常生活・社会生活の状況も確認する。
- ✓ 神経心理学的検査のみで判断せず，生活状況の評価や行動観察による評価を併用する。
- ✓ 医学的リハビリテーション治療，生活訓練，就労支援の各プログラムがある。
- ✓ リハビリテーション治療の基本的な方針としては，認知障害自体の改善，代償手段の獲得，障害の自覚の向上，環境調整・家族指導が主なものである。
- ✓ 認知障害に対する多職種による支援ネットワークの構築が重要である。

関連 CQ・推奨グレード

CQ 03

脳腫瘍の高次脳機能障害に対して，リハビリテーション治療を行うことは，行わない場合に比べて，推奨されるか？

▶ 推 奨

脳腫瘍の高次脳機能障害に対して，リハビリテーション治療を行うことを推奨する。

■グレード **1A**　■推奨の強さ**強い推奨**　■エビデンスの確実性**強**

ベストプラクティス

●なぜ必要なのか？

高次脳機能障害とは，注意障害，記憶障害，遂行機能障害，社会的行動障害などを主症状とする認知障害をいう。失語，失認，失行も高次脳機能障害に分類される症状であるが，前者と区別して扱われることが多い。脳腫瘍患者で前者は 20～80％に，後者のうち失語は 14～24％にみられるとの報告がある[1, 2]。以下，前者の高次脳機能障害について述べる。

注意障害では「集中できない，ミスが多い，ものをみつけるのに時間がかかる，同時に複数のことができない」などの症状，記憶障害では「新しいことが覚えられない，以前覚えていたことを思い出せない」などの症状，遂行機能障害では「計画を立てて要領よく行動できない，時間に遅れる」などの症状がみられる。欲求コントロール低下，感情爆発，対人技能拙劣，固執性などは社会的行動障害とよばれる。高次脳機能障害に対する病識が欠如していることも多い。高次脳機能障害により日常生活および社会生活が妨げられることが多く，リハビリテーションアプローチが重要になる。

高次脳機能障害は脳腫瘍そのものにより発症するだけでなく，放射線療法によっても起こり得る。脳腫瘍が消失していても，放射線療法終了から半年以降に晩期障害として高次脳機能障害が発症することもある。放射線療法が認知機能に及ぼす影響は，放射線療法の適用時期や線量（分割線量，総線量）・照射方法（全脳照射，局所照射など）だけでなく，患者側の要因（年齢，併存症など），脳腫瘍の性状と症状（組織，部位，大きさ，神経所見，てんかんの有無など），治療内容（手術，化学療法，抗てんかん薬の有無など）などにより変化し得ると考えられ[3]，一律に論じることはできない。したがって，脳腫瘍では常に高次脳機能障害が出現し得ることを念頭に，障害評価を行う必要がある。

●対象となるのはどのような患者か？

組織型，良性・悪性の別，原発性・転移性，年齢を問わず，治療やがん自体により，高次脳機能障害を有する可能性のある，もしくは高次脳機能障害を有する脳腫瘍患者が対象となる。

●誰がいつどこで行うのか？

リハビリテーション診療の流れは，運動障害の場合と同様に医師が診察し，リハビリテーション処方を発行する。高次脳機能障害に対するリハビリテーション治療は，失語に対しては言語聴覚士が担い，注意障害，記憶障害，遂行機能障害，社会的行動障害に対しては作業療法士，言語聴覚士および臨床心理士/公認心理師が関わることが多い。

高次脳機能障害は，特に軽微な場合，入院中に明らかになるとは限らない。退院してから日常の生活に支障があったり，職場に戻ったときに以前と同様に仕事ができなかったりすることで，高次脳機能障害が気づかれることも稀ではない。このため，高次脳機能障害がないと判断するためには，日常生活・社会生活において何ら支障がないことを確認しなければならない。特に，対人技能拙劣，金銭浪費，易怒性に関しては，実際の生活を見て判断した方がよい。判断材料を得るには，家族など周囲の人々に高次脳機能障害についてよく説明し，高次脳機能障害が疑われるような状況がないかどうかを注意して見てもらう必要がある。患者本人は病識に乏しいことが多いので，周囲の人々からの情報が不可欠である。

また，神経心理学的検査の結果に異常を認めなくても高次脳機能障害が存在する可能性があることにも注意が必要である。机上検査は良好にできても実際の行動で問題が生じることがあるからである。

●どのような方法で行うのか？

1．リハビリテーションプログラムと基本的な方針

リハビリテーションプログラムは3相に分けられる。高次脳機能障害の診断の後，医学的リハビリテーションプログラムが行われる。これは病院において，作業療法士，言語聴覚士，臨床心理士/公認心理師などにより行われるものである。易怒性や攻撃性に対する薬物投与も含まれる。その後，生活を実践するにあたり，生活訓練プログラムの適用が必要である。さらに，高齢でなければ就労支援プログラムも必要である。つまり，医療から福祉への連続した訓練と支援が必要である。

リハビリテーション治療の基本的な方針としては，まず，認知障害自体の改善を図る必要がある。記憶障害があれば，記憶能力を向上させる訓練である。しかし，完全に回復しない場合も多く，次に必要なのは代償手段の獲得である。記憶障害では，メモの活用が該当する。ただ単にメモをとるように患者に指導するだけでは効果はない。メモをとる訓練，メモを活用する訓練が必要である。

患者は高次脳機能障害を自覚しておらず，また理解することも困難で，病識が欠如していることも多い。この状態では，作業所通所を受け入れられないことが多く，生活訓練が進まない。病識欠如に対する確立された効果的な方法はなく，ケース・バイ・ケースで工夫する必要がある。患者に自覚が出てくるのを待つ必要があるが，その際，周囲の支援者が連携を取って統一した態度で患者に接することが重要である。職場や学校（小児の場合）との調整や家族指導も忘れてはならない。

2. 記憶障害へのアプローチ

記憶能力の改善を図るため，反復訓練（記憶課題の反復，間隔伸長法など）を行う。代償方法の訓練として，残存機能の活用（手続き記憶や視覚性記憶の活用），内的代償法（視覚イメージの利用など），外的代償法（メモ，アラームなど），環境調整（目印など）などを行う。

3. 注意障害へのアプローチ

注意能力の改善を図るため，非特異的アプローチとしては，注意することが要求される創作活動，ゲーム，パズルなどの課題を行う。特異的アプローチとしては，注意の維持ができない場合は注意を維持し続けることが求められる課題，同時処理ができない場合は二重課題などを行う。注意を乱すことを減らすべく環境調整も必要である。注意障害に関しては，行動観察による Moss Attention Rating Scale という評価法があり，有用である[4]（図 8-1）。本評価法の日本語版は無償で使用できる[5]。

4. 遂行機能障害へのアプローチ

遂行機能の能力を向上させるため，問題解決訓練として，課題を工程分けして順序よく実行させ，工程ごとに必要な援助をする。そして，その援助を段階的に減らしていくような方法が勧められる。また，自己教示訓練として，一つひとつ言葉に出し（言語化），確認しながら進める方法もよい。日常生活への適応を向上させるアプローチとして，患者に必要な行動の繰り返し訓練や手順書の利用などがある。

5. 社会的行動障害へのアプローチ

社会的行動障害により問題行動が起こるが，これを防止できるような生活環境を構築する必要がある。例えば感情爆発は，ささいなことであっても何らかの原因があることが多い。この原因を明らかにして，その原因を作らないようにする工夫が必要である。興奮が高まったときは話題を変えるのも一つの方法である。また，感情が爆発したときには，皆から隔離し，1 人にして興奮が収まるのを待つ。感情爆発の閾値を上げるために，気分安定化作用のある薬剤，すなわち，バルプロ酸ナトリウム，カルバマゼピン，非定型・定型抗精神病薬，ベータ遮断薬などの投与[6]が行われることがある。

6. リハビリテーション医療・福祉チームによるアプローチ

国は全都道府県で高次脳機能障害支援普及事業を行い，高次脳機能障害者への支援ネットワークの充実を図っている。高次脳機能障害は，さまざまな職種がチームを組んで，それぞれの専門的知識を活かして，各職種間の支援ネットワークを形成し，多職種による包括的アプローチにより医療および支援にあたる（図 8-2）。そして，精神障害者保健福祉手帳，障害年金，障害者総合支援法，障害福祉サービスなどの社会資源を活用して，高次脳機能障害者の社会復帰を促進していく。

●リハビリテーション治療の効果は？

低悪性度および退形成性神経膠腫患者 140 名を対象に，高次脳機能障害に対してリハビリテーション治療を実施したランダム化比較試験[7]では，治療群は対照群と比較して，短期（治療直後）では，主観的認知症状の改善を認め，長期（6 カ月後）では神経心理的検査と精神疲労の改善を認めた。リハビリテーション治療の内容は，臨床心理士/公認心理師による多面的な認知リハビリテーションプログラム（注意，記憶，遂行機能に対する教育と実践的な代償的訓練）であり，各 2 時間の個別指導と数時間の宿題，およびコンピューターベースでの再訓練が週 6 回，7 週間実施された。

原発性脳腫瘍患者 53 名を対象に，高次脳機能障害に対してリハビリテーション治療を実施したランダム化比較試験[8]では，治療前後の神経心理学的検査では，治療群は対照群と比較して，言語記憶の評価指標である RAVLT（Rey Auditory Verbal Learning Test）の遅延再生および logical memory for verbal memory の即時再生と遅延再生，視覚注意の評価指標である TMT（Trail Making Test）part A，part B，および Attentive Matrices for visual selective attention において優位な改善を示した。リハビリテーション治療として，リハビリテーション専門職による個別指導の認知訓練（コンピュータ演習とメタ認知訓練）を 4 週間にわたり 16 時間実施された。

MOSS ATTENTION RATING SCALE

A. 被検者氏名 ____________________________　　　　　　ID# ________________

B. 評価者 _________________

C. OT / PT / ST / Nrs / CP / CW（いずれかに○をつけなさい）

D. 観察する次の3日のうち2日間に基づいた評定を完成させなさい。

________,______　________,______　________,______

*注）もしあなたが3日間すべてその患者に従事していたのであれば，2日目と3日目に基づいた評定をしなさい。評価対象とした3日間の日付を上欄に記述しなさい。

E. __________&__________

その2日間について，他の評価者と一緒に治療を行っている時の観察を含んでいましたか（どちらかに○をつけなさい）

F. はい / いいえ

下記の番号（1〜5）を用いて，評価対象者に各記述がどの程度当てはまるのかを評定しなさい。
空欄が生じないようすべての項目に答えなさい。答えに確信がない場合，あなたが最も当てはまると思うものを選びなさい。

1＝明らかに当てはまらない
2＝大部分で当てはまらない
3＝時には当てはまるが，時には当てはまらない
4＝大部分で当てはまる
5＝明らかに当てはまる

1. ______何もしていない時には落ち着きがなく，そわそわしている
2. ______関連のない，または話題から外れたコメントを差し挟むことなく，会話を継続する
3. ______中断したり，集中力を失うことなく，数分間課題や会話を継続する
4. ______他にしなければならないこと，考えなければならないことがある時には，課題の遂行を中断する
5. ______課題に必要なものが，例え目に見え，手の届く範囲内にある場合でもそれを見落としてしまう
6. ______その日の早い時間，または休息後の作業能力が最もよい
7. ______他人とのコミュニケーションを開始する
8. ______促さないと，中断後，課題に戻らない
9. ______近づいてくる人の方を見る
10. ______中止するように言われた後も活動や反応を継続する
11. ______次のことを始めるために，スムーズに課題や段階を中断できる
12. ______現在の課題や会話ではなく，近くの会話に注意が向く
13. ______能力の範囲内にある課題に着手しない傾向にある
14. ______課題において数分後にスピードや正確性が低下するが，休憩後に改善する
15. ______類似した活動における作業能力が，日によって一貫しない
16. ______現在の活動を妨げる状況に気づかない（例：車椅子がテーブルに衝突する）
17. ______以前の話題や行動を保続する
18. ______自身の作業の結果における誤りに気づく
19. ______（適切か否かにかかわらず）指示がなくても活動に着手する
20. ______自身に向けられた対象物に反応する
21. ______ゆっくりと指示が与えられたとき，課題の遂行が改善する
22. ______課題と関係のない近くにあるものに触ったり，使い始めたりする

図8-1　Moss Attention Rating Scale

（北海道大学医学部保健学科作業療法学専攻ホームページより引用）

因子	項目No.	因子合計	因子得点
落着きのなさ・注意散漫	1,10,12,17,22	/25	/ 5
開始	7,13,19	/15	/ 5
持続性・一貫性	6,14,15	/15	/ 5

＊因子得点 ＝ 因子合計 / 項目数

＜変換後得点欄の網掛け＞
逆の表現が使用されており，点数変換を必要とする項目。6 から評定点を差し引いた点数（6-X）に変換する。

総合得点	/110
logit score	/100

＊logit score は別紙換算表参照

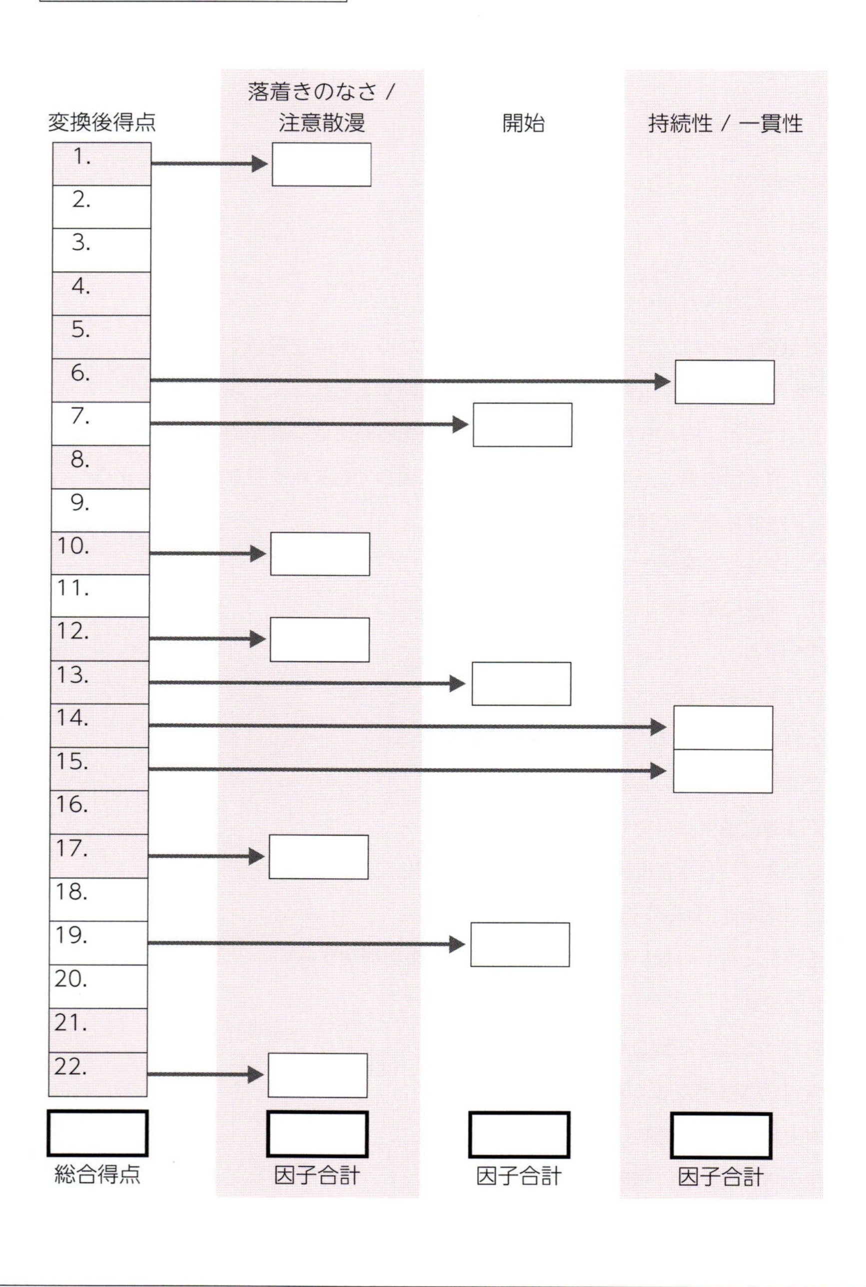

図 8-1　Moss Attention Rating Scale（続き）

（北海道大学医学部保健学科作業療法学専攻ホームページより引用）

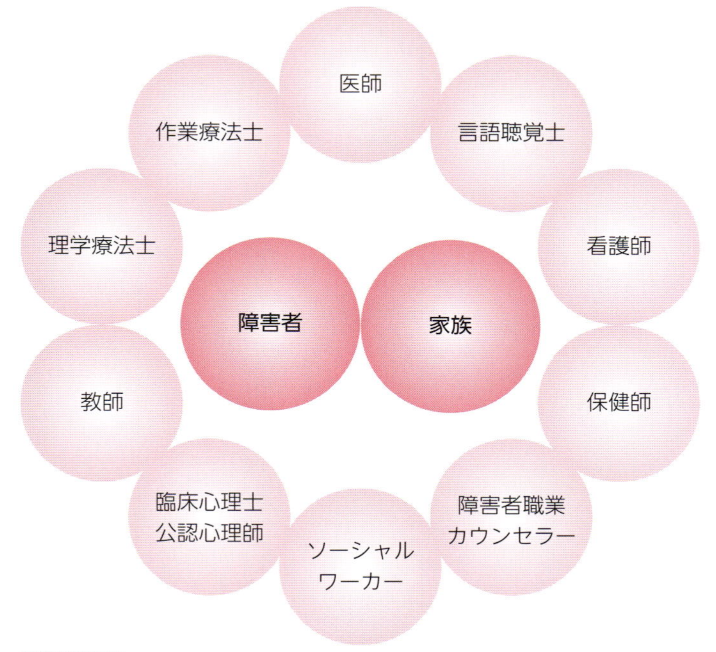

図 8-2　高次脳機能障害者に対するリハビリテーション医療・福祉チーム

各職種間の支援ネットワークを形成し，多職種による包括的アプローチを行う。

メモリーノートを使用した認知リハビリテーション治療と問題解決方法の教育を脳腫瘍患者と介護者のペアに対して行うと，訓練内容を生活で実践するようになり実生活に役立つことが報告されている[9]。

（辻　哲也・三木恵美）

引用文献

1) 百瀬由佳，小林一成．脳腫瘍入院患者に対する早期リハビリテーションの効果．Jpn J Rehabil Med．2007; 44: 745-50.
2) Mukand JA, Blackinton DD, Crincoli MG, et al. Incidence of neurologic deficits and rehabilitation of patients with brain tumors. Am J Phys Med Rehabil. 2001; 80: 346-50.
3) Scoccianti S, Detti B, Cipressi S, et al. Changes in neurocognitive functioning and quality of life in adult patients with brain tumors treated with radiotherapy. J Neurooncol. 2012; 108: 291-308.
4) 澤村大輔，生駒一憲，小川圭太，他．Moss Attention Rating Scale 日本語版の信頼性と妥当性の検討．高次脳機能研．2012; 32: 533-41.
5) 北海道大学大学院保健科学研究院生活機能分野 神経心理学・高次脳機能障害学研究室 hs.hokudai.ac.jp/nr/評価スケール/　（最終確認日：2020 年 7 月 28 日）
6) 生駒一憲．外傷性脳損傷をめぐる話題　外傷性脳損傷薬物療法の有用性―高次脳機能障害に対する薬物．神経内科．2012; 77: 653-57.
7) Gehring K, Sitskoorn MM, Gundy CM, et al. Cognitive rehabilitation in patients with gliomas: a randomized, controlled trial. J Clin Oncol. 2009; 27: 3712-22.
8) Zucchella C, Capone A, Codella V, et al. Cognitive rehabilitation for early post-surgery inpatients affected by primary brain tumor: a randomized, controlled trial. J Neurooncol. 2013; 114: 93-100.
9) Locke DEC, Cerhan JH, Wu W, et al. Cognitive rehabilitation and problem-solving to improve quality of life of patients with primary brain tumors: a pilot study. J Support Oncol. 2008; 6: 383-91.

第 9 章

血液腫瘍・造血幹細胞移植

血液腫瘍・造血幹細胞移植

1 身体活動性・身体機能低下に対するリハビリテーション治療の効果

チェックポイント

- ✓ 造血幹細胞移植（HSCT）を施行された患者は，治療過程において重度の廃用症候群が生じるリスクが非常に高い。
- ✓ 移植前より退院まで継続した筋力増強訓練やエルゴメーターを用いた有酸素運動などのリハビリテーション治療（運動療法）を実施することで，身体活動性が改善し筋力や運動耐容能などの身体機能が改善する。
- ✓ 身体活動性の低下が身体機能低下の一因であることから，移植治療中・後の身体活動性の維持・向上を目的としたリハビリテーション治療を継続することが重要である。
- ✓ バイタルサインや血液データ，その他の身体所見に基づきリスク管理を行うことで，リハビリテーション治療（運動療法）を安全に実施できる。
- ✓ 退院後も運動を継続し活動性を維持できるように，退院時のパンフレットや DVD を用いた生活指導・運動指導と，外来診察時における定期的なチェック・再指導が重要である。

関連 CQ・推奨グレード

CQ 01

血液腫瘍に対して造血幹細胞移植が行われた患者に対して，造血幹細胞移植中・後にリハビリテーション治療（運動療法）を行うことは，行わない場合に比べて推奨されるか？

▶ **推 奨**

血液腫瘍に対して造血幹細胞移植が行われた患者に対して，造血幹細胞移植中・後にリハビリテーション治療（運動療法）を行うことを推奨する。

■グレード **1A**　■推奨の強さ **強い推奨**　■エビデンスの確実性 **強**

ベストプラクティス

●なぜ必要なのか？

造血幹細胞移植（hematopoietic stem cell transplantation；HSCT）は，白血病や悪性リンパ腫などの造血器悪性腫瘍に対する根治が望める治療法として良好な成績を収めている。しかし，HSCT 患者は治療過程で，原疾患に起因する身体活動性の低下，前治療の寛解導入療法や地固め療法などの化学療法による体力低下や有害事象（表 9–1），移植前処置療法（全身放射線療法および大量化学療法）に伴う安静臥床，移植後合併症の倦怠感，消化器症状，不眠，免疫力低下に伴うサイトメガロウイルス抗原血症や帯状疱疹などの感染症，移植片対宿主病（graft versus host disease；GVHD）［＊注 1］などの有害事象（表 9–2）により身体活動が著しく制限される。さらに，クリーンルーム（図 9–1）［＊注 2］内での長期間の隔離・安静により，全身筋力および体力の低下，身体柔軟性の低下，運動耐容能の低下，抑うつ・認知機能の低下など重度の廃用症候群が生じるリスクが非常に高い。また，廃用症候群は退院後の日常生活活動への復帰を遅延させるだけでなく，社会復帰や余暇活動にも悪影響を及ぼしてHSCT患者のQOLを著しく低下させる。HSCT患者の4割が身体機能の回復に1年を要し，3割が体力低下のために移植後2年間は復職できなかったとの報告もあり[1,2]，廃用症候群予防のための早期からのリハビリテーション治療（運動療法）の実施が重要である。

表9-1 造血器悪性腫瘍に対する化学療法と有害事象

Ⅰ．ホジキンリンパ腫

治療	有害事象
1）ABVD（ドキソルビシン/ブレオマイシン/ビンブラスチン/ダカルバジン）	骨髄抑制，悪心・嘔吐，発熱，アレルギー症状，血管炎，便秘，口内炎，心毒性，肝障害，神経障害，脱毛など

Ⅱ．非ホジキンリンパ腫

治療	有害事象
1）R-CHOP（リツキシマブ/ドキソルビシン/ビンクリスチン/シクロホスファミド/プレドニゾロン）	インフュージョンリアクション，骨髄抑制，悪心・嘔吐，口内炎，便秘，神経障害，脱毛，出血性膀胱炎，肝中心静脈閉塞症，高血糖，浮腫，潰瘍，白内障，精神障害など
2）ESHAP（エトポシド/シスプラチン/シタラビン）	骨髄抑制，悪心・嘔吐，アレルギー症状，口内炎，下痢，発疹，肝障害，腎障害，聴力障害，神経障害，脱毛，シタラビン症候群，角膜炎・結膜炎，中枢神経障害，高血糖，浮腫，潰瘍，白内障，精神障害など

Ⅲ．急性骨髄性白血病

1．寛解導入療法〔1）か2）のいずれかを選択〕

治療	有害事象
1）IDA/Ara-C（イダルビシン/シタラビン）	骨髄抑制，悪心・嘔吐，口内炎，心毒性，肝障害，発疹，尿の着色（赤色），脱毛など
2）DNR/Ara-C（ダウノルビシン/シタラビン）	骨髄抑制，悪心・嘔吐，口内炎，心毒性，肝障害，発疹，脱毛など

2．寛解後療法〔1）か2）～5）のいずれかを選択〕

治療	有害事象
1）High-dose Ara-C（シタラビン）	骨髄抑制，悪心・嘔吐，脱毛，シタラビン症候群，角膜炎・結膜炎，中枢神経障害，急性呼吸促迫症候群・間質性肺炎など
2）地固め第1コース（MA：ミトキサントロン/シタラビン）	骨髄抑制，心毒性，脱毛，悪心・嘔吐，口内炎，肝障害，発疹など
3）地固め第2コース（DA：ダウノルビシン/シタラビン）	骨髄抑制，悪心・嘔吐，口内炎，心毒性，肝障害，発疹，脱毛など
4）地固め第3コース（AA：アクラルビシン/シタラビン）	骨髄抑制，悪心・嘔吐，口内炎，肝障害，発疹，下痢，脱毛など
5）地固め第4コース（A-triple V：シタラビン/エトポシド/ビンクリスチン/ビンデシン）	骨髄抑制，悪心・嘔吐，アレルギー症状，口内炎，便秘，発疹，肝障害，神経障害，脱毛など

表 9-2　移植前処置療法の主な有害事象

処置	有害事象
全身放射線療法	骨髄抑制，口内炎，下痢，腹痛，嘔気，肺障害，頭痛，皮膚の発赤，不妊，無精子，無月経，耳下腺炎，白内障など
シクロホスファミド	骨髄抑制，口内炎，下痢，腹痛，嘔気，出血性膀胱，肝障害，不整脈，心不全，心外膜炎，心筋出血，神経障害，脱毛，爪の変形，不妊，無精子，無月経など
メルファラン	骨髄抑制，口内炎，下痢，腹痛，嘔気，急性腎不全，肝障害，脱毛，爪の変形，不妊，無精子，無月経など
ブスルファン	骨髄抑制，口内炎，下痢，腹痛，嘔気，出血性膀胱，肝障害（肝中心静脈閉塞症），肺障害，痙攣，色素沈着，脱毛，爪の変形，不妊，無精子，無月経など

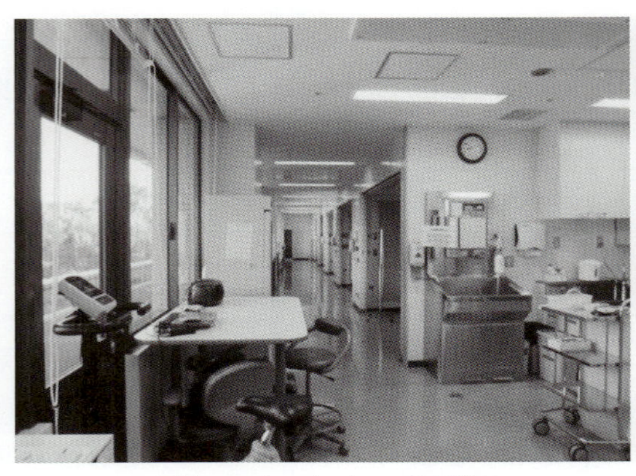
クリーンルーム class 10,000

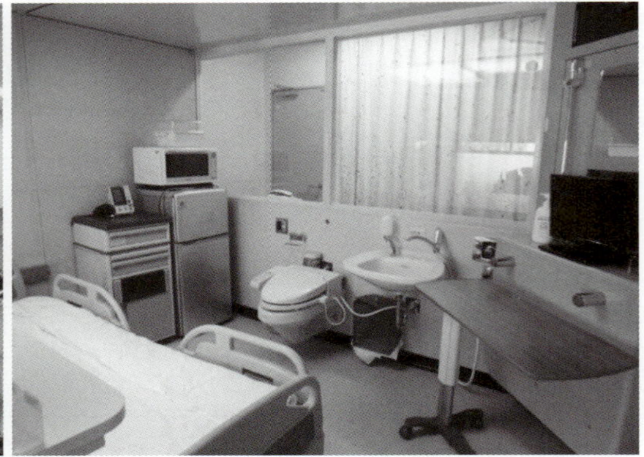
クリーンルーム class 100

図 9-1　クリーンルーム
HSCT 患者は移植前処置療法により重度の骨髄抑制に陥り，免疫機能が低下する。そのため，クリーンルーム内での管理により感染症を予防する必要がある。

＊注 1：GVHD とはドナー（提供者）のリンパ球がホスト（患者）の身体を攻撃する拒絶反応のことをいう。GVHD には同種 HSCT 後 100 日以内に出現しやすい急性 GVHD と 100 日を過ぎてから出現する慢性 GVHD がある。

＊注 2：一般的にクリーンルームは class100 と class10,000 に分けられる。Class は空気の清浄度の単位であり，1 立方フィート（1ft^3）あたりの粒径 0.5 μm 以上の粒子（塵埃）の個数で表される。Class100 は粒径 0.5 μm 以上の粒子が 100 個/1ft^3 以下，class10,000 は 10,000 個/ft^3 以下の状態を表す（晴天時の外気は class100 万程度）。移植後，好中球が増加して生着（定義：3 日連続で好中球が 500/μL 以上，その最初の日が生着日）が得られるまでは class100 内での管理となる。

●対象となるのはどのような患者か？

造血器悪性腫瘍に対して HSCT 施行のために入院中の患者，および HSCT 施行後に自宅療養している患者が対象となる。

●誰がいつどこで行うのか？

HSCT 患者は身体活動性の低下が身体機能の低下に直接つながることから，移植治療中を通して身体活動性の維持・向上を目指した継続的なリハビリテーション治療（運動療法）の実施が重要である。

1. 誰が行うのか？

施設の人員配置や人的資源により「すべてをリハビリテーション専門職が行う」,「すべてを看護師が行う」,「運動療法はリハビリテーション専門職が行い，日常生活指導は看護師が行う」など対応は異なる。しかし，自主トレーニングのみを行った場合よりも，リハビリテーション専門職の監督下で個別に運動療法を行った方が，筋力や運動耐容能などの身体機能の改善が認められることから，可能であれば，リハビリテーション専門職が入院中の移植前から退院まで継続的に運動療法および生活指導を実施することが望ましい。また，入院中はリハビリテーション治療時間中だけでなく，リハビリテーション治療時間以外でも，パンフレットやDVD・配信された動画などを参考に自主トレーニングの実施を促したり，臥床時間をできるだけ避けるために，端座位や立位などの抗重力位をとる時間を確保するように心がけたりすることが重要である。さらに退院後も身体活動性と身体機能を維持することが非常に重要であり，患者自身が運動を継続できるように，退院時の運動指導・生活指導と，外来診察時の運動実施状況や生活状況の確認，身体・精神機能のチェックを実施することが望ましい。

2. いつ行うのか？

HSCT患者では原疾患による身体活動性の低下，前治療の化学療法による体力低下や有害事象，移植前処置療法に伴う安静臥床などに伴い，移植前より廃用症候群を発症するリスクが高い。移植3カ月前から移植3カ月後まで継続して実施される運動療法により筋力および運動耐容能が改善するとの報告もあることから[3)]，可能な限り移植前から運動療法を開始することが望ましい。また，移植後も合併症や感染症，クリーンルームでの長期間の隔離などにより身体活動が制限され身体機能の低下をもたらすことから，退院まで継続的なリハビリテーション治療が重要である。リハビリテーション治療プログラムの例を図（図9-2）に示す。

3. どこで行うのか？

移植前処置療法が開始されるまでは，骨髄抑制による易感染性への対応が必要でない限りリハビリテーション室にて実施する。移植前処置療法が開始されると，免疫機能低下のため安静度がクリーンルームclass100内に制限されるので，リハビリテーション治療もclass100内で実施する。移植後，好中球が生着すると免疫機能も改善してくるので，クリーンルームclass10,000内でのリハビリテーション治療が可能

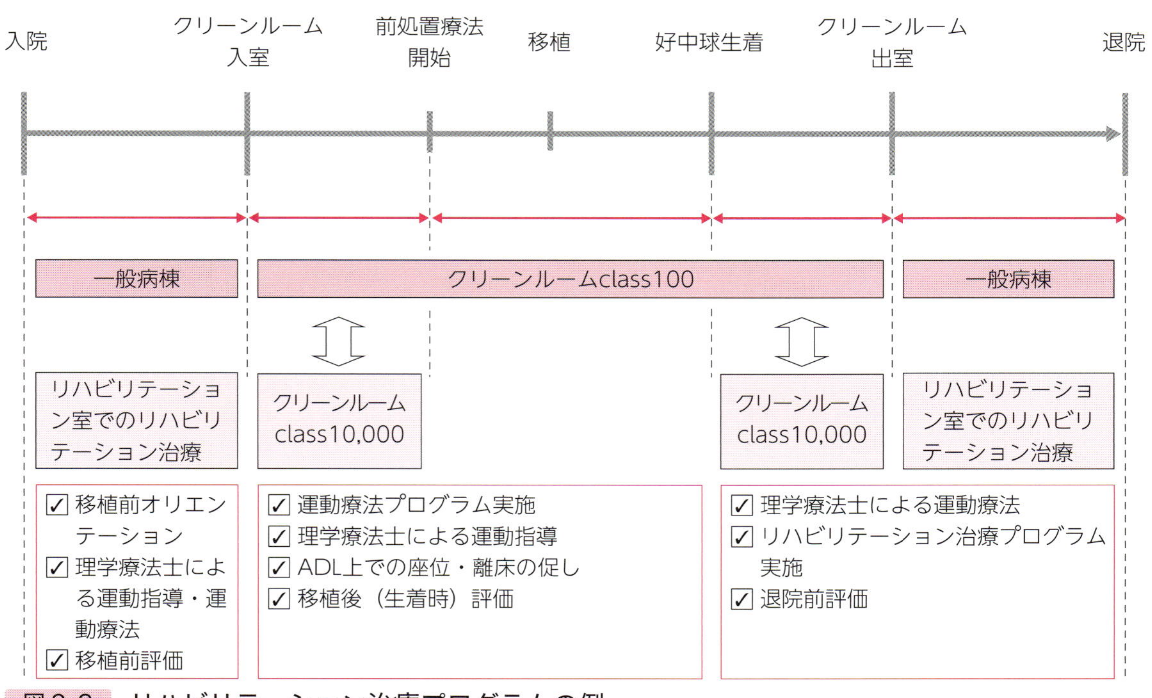

図9-2 リハビリテーション治療プログラムの例

となる。概ね，移植後1～2カ月で造血機能の回復が認められるので，その頃にはリハビリテーション治療の実施場所をクリーンルーム内からリハビリテーション室へ移行できる。

●どのような方法で行うのか？

運動療法によりHSCT治療中・後の患者に重篤な有害事象が生じたとの報告はなく，バイタルサインや血液データ，その他の身体所見などを評価してリスク管理を行えば，安全に運動療法を実施できる。

1. 移植前～前処置療法開始

バイタルサインや血液データに問題がなければ，リハビリテーション室で実施する。移植前の患者の身体・精神機能の把握のために身体・精神機能評価を行う（表9-3）。評価項目は短時間で実施できる簡易なものとし，移植後のクリーンルーム内でも実施可能な項目を選択する。評価に基づき，強化すべきポイントを抽出して運動療法プログラムを作成する。運動療法はストレッチング，筋力増強訓練，エルゴメーターやトレッドミルを用いた有酸素運動が中心となり，患者の状態に応じて回数や強度を設定する。また，パンフレットやDVD・配信された動画を用いてリハビリテーション治療時間以外に実施する自主トレーニング（ベッド上でできるストレッチングや筋力増強訓練など）の指導も実施する。

2. 前処置療法開始～好中球生着

この期間は，安静度がクリーンルームclass100内に制限されるため，class100内にて実施する。移植前処置療法により患者は重度の骨髄抑制状態にあるため，リハビリテーション治療実施前には血液データや生化学データ，バイタルサインの確認を行う。また，嘔気・嘔吐，下痢，発熱などの移植前処置療法に伴う有害事象（表9-2）の有無を確認し，症状の程度により運動の強度や回数を調整する。

運動療法プログラムは，ストレッチング，筋力増強訓練，エルゴメーターによる有酸素運動などで構成する（図9-3）が，易疲労性や有害事象のため十分なリハビリテーション治療が実施できないことも多いので，リハビリテーション治療時間以外の自主トレーニングや入院生活の中での離床時間の確保を図る。

3. 好中球生着～移植後1～2カ月

好中球の生着が確認されると安静度はクリーンルームclass10,000内へと拡大するため，class10,000内でリハビリテーション治療を実施する。この時期には移植前処置療法の有害事象が残存しており，さらに，好中球生着に伴う発熱，嘔気・嘔吐，下痢などの症状（生着症候群）[＊注3]や急性GVHDなども出現する。リハビリテーション治療実施前には血液データや生化学データ，バイタルサイン，身体症状の確認を行い，症状の程度により運動の強度や回数を調整する。運動療法プログラムはストレッチング，筋力増強訓練，ウォーキング，エルゴメーターなどで構成する（図9-4）。また，主治医や看護師とも協力し，リハビリテーション治療時間以外の自主トレーニングや入院生活の中での離床を促す。この時期には移植後の身体・精神機能評価を実施し，移植前評価と比較した結果のフィードバックを患者に行うとともに，

表9-3 身体機能評価（例）

項目	内容
1. 筋力	上肢：握力（デジタル握力計） 下肢：膝関節伸展筋力（hand-held dynamometer など）
2. 柔軟性	長座体前屈
3. バランス	開眼・閉眼片脚立位時間
4. 運動耐容能	6分間歩行テスト
5. 総合歩行能力	Timed-Up & Go Test

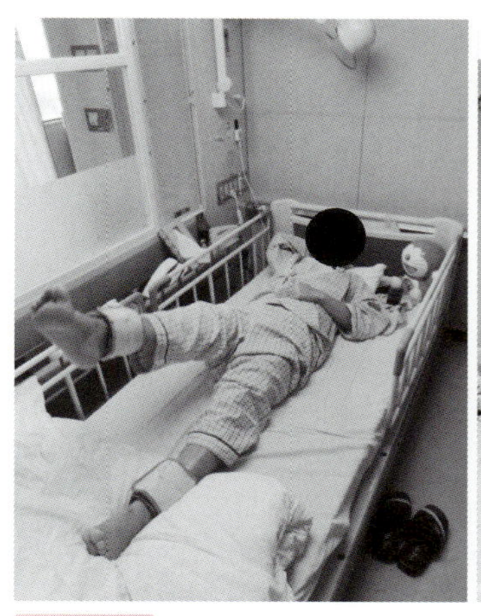
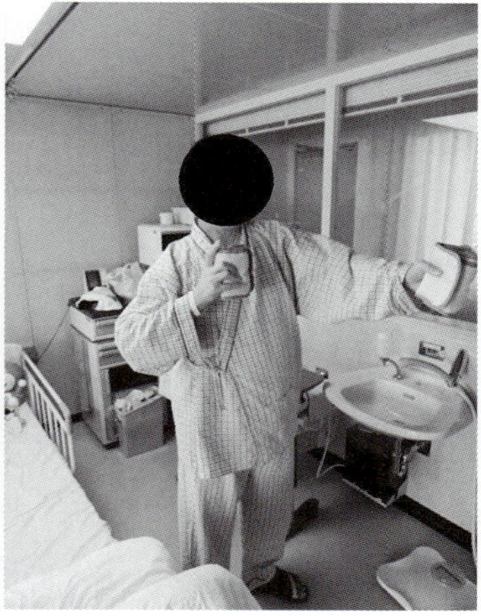
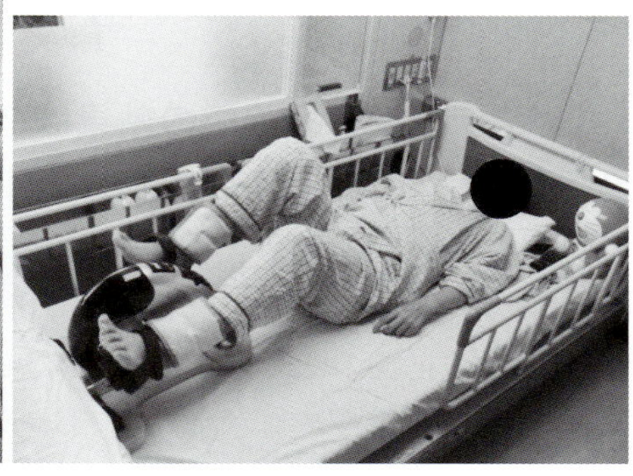

図 9-3　**クリーンルーム class100 での運動療法**

筋力増強訓練，エルゴメーター，足踏み，ストレッチング，ADL 訓練として座位・立ち上がりなどを行う。

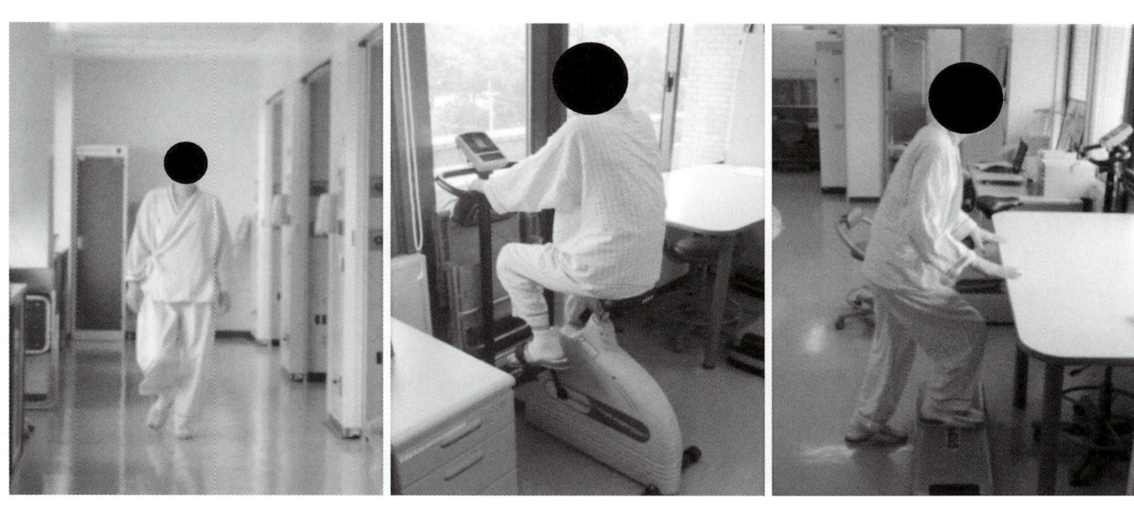

ウォーキング　　エルゴメーター　　段差昇降

図 9-4　**クリーンルーム class10,000 での運動療法**

ウォーキング，エルゴメーター，ストレッチング，筋力増強訓練，ADL 訓練として座位・立ち上がりなどを行う。

評価に基づいて運動療法プログラムを変更する。

4. 移植後 1〜2 カ月〜退院

この時期になると造血機能は概ね回復しており，リハビリテーション室での運動療法が可能となる。しかし，急性 GVHD や感染症なども出現する時期であるため，リハビリテーション治療実施前の血液データや生化学データ，バイタルサイン，身体症状の確認は必ず行い，症状の程度により運動の強度や回数を調整する。有酸素運動の運動強度の決定方法を付録に示した（⇒ p296）。運動療法プログラムはストレッチング，筋力増強訓練，ウォーキング，エルゴメーターなどに加え，退院後の自宅環境や職場環境に応じた日常生活動作（ADL）訓練を実施する。退院前評価を実施して退院後の自主トレーニングでの強化ポイントを運動療法プログラムに反映させる。また，退院後の生活指導も主治医や看護師と協力して実施する。可能であれば，退院後も外来診察時などに自主トレーニングの実施状況や生活状況の確認，慢性 GVHD などの身体症状の有無，身体・精神機能の評価などの定期的なチェックや指導を実施することも重要である。

＊注３：自家および同種HSCT後の急激な白血球増加に伴って，非感染性の発熱，皮疹，肺陰影，肝障害，下痢などが出現することがある。自家HSCTでは，輸注細胞数が多く白血球の回復が急速であるほど発症頻度が上昇する。また，顆粒球コロニー刺激因子（G-CSF）製剤投与により発症頻度が上昇する。

●リハビリテーション治療の効果は？

HSCT患者にストレッチング，筋力増強訓練，エルゴメーターやトレッドミルを用いた有酸素運動などのリハビリテーション治療（運動療法）を実施することにより，実施しない群，もしくは自主トレーニングのみ実施した群と比べて，身体活動性，運動機能（歩行速度やバランス能力），筋力，運動耐容能が改善する。

HSCT患者に自重やエクササイズバンドを用いた上下肢筋・体幹筋の筋力増強訓練（運動強度：Borgスケール13）を入院中から退院後6週まで週3回実施することで，リストウォッチ型加速度計で評価した身体活動性，筋力，段差昇降テストおよびTimed Up & Goテストで評価した運動機能が向上する[4,5]。また，年齢予測最大心拍予備能の60～70%の運動強度での有酸素運動（エルゴメーターおよびトレッドミル），筋力増強訓練（マシントレーニング）を20～30分/セッション，3セッション/週を4週実施することで50-foot walk testで評価した歩行速度および6分間歩行テストで評価した運動耐容能が改善する[6]。Melloらの報告[7]ではストレッチング，上下肢筋力増強訓練，トレッドミルでのウォーキング（運動強度：年齢予測最大心拍予備能の70%）を40分/セッション，週5日を6週実施することで上下肢筋力が改善した。Persoonらのメタアナリシス/システマティックレビュー[8]でも有酸素運動と筋力増強訓練は上下肢筋力や運動耐容能の改善に有用とされている。

一方，リハビリテーション治療（運動療法）による疼痛，嘔気・嘔吐，睡眠障害，倦怠感の増悪，転倒などの有害事象増加の報告はなく，運動療法によって害が生じるリスクは少ない[4,9]。

以上のように，HSCT患者に対するリハビリテーション治療（運動療法）は，リスク管理を行えば安全に実施でき，また，身体活動性，運動耐容能や筋力などの身体機能の改善が期待できる。

（井上順一朗・熊野宏治・佐浦隆一）

引用文献

1) Fobair P, Hoppe RT, Bloom J, et al. Psychosocial problems among survivals of Hodgkin's disease. J Clin Oncol. 1986; 4: 805-14.
2) Graydon JE. Women with breast cancer: their quality of life following a course of radiation therapy. J Adv Nurs. 1994; 19: 617-22.
3) Coleman EA, Coon S, Hall-Barrow J, et al. Feasibility of exercise during treatment for multiple myeloma. Cancer Nurs. 2003; 26: 410-9.
4) Hacker ED, Larson J, Kujath A, et al. Strength training following hematopoietic stem cell transplantation. Cancer Nurs. 2011; 34: 238-49.
5) Hacker ED, Collins E, Park C, et al. Strength training to enhance early recovery after hematopoietic stem cell transplantation. Biol Blood Marrow Transplant. 2017; 23: 659-69.
6) Shelton ML, Lee JQ, Morris GS, et al. A randomized control trial of a supervised versus a self-directed exercise program for allogeneic stem cell transplant patients. Psychooncology. 2009; 18: 353-9.
7) Mello M, Tanaka C, Dulley FL. Effects of an exercise program on muscle performance in patients undergoing allogeneic bone marrow transplantation. Bone Marrow Transplant. 2003; 32: 723-8.
8) Persoon S, Kersten MJ, van der Weiden K, et al. Effects of exercise in patients treated with stem cell transplantation for a hematologic malignancy: a systematic review and meta-analysis. Cancer Treat Rev. 2013; 39: 682-90.
9) Jacobsen PB, Le-Rademacher J, Jim H, et al. Exercise and stress management training prior to hematopoietic cell transplantation: Blood and marrow transplant clinical trials network (BMT CTN) 0902. Biol Blood Marrow Transplant. 2014; 20: 1530-6.

血液腫瘍・造血幹細胞移植

2 QOL，倦怠感，精神心理面，身体症状に対するリハビリテーション治療の効果

チェックポイント

- ✓ 造血幹細胞移植（HSCT）患者では治療過程で，身体活動性の低下に伴う身体機能・ADL 低下とともに倦怠感の増悪や精神機能の低下などが生じて QOL の低下につながる。
- ✓ 入院中，退院後でもトレッドミルやエルゴメーターを用いた有酸素運動などを実施することで，QOL や倦怠感の改善，抑うつ，不安，気分などの精神的・心理的症状の改善が得られる。
- ✓ 移植後早期に生じる倦怠感だけでなく，慢性的な倦怠感に対しても運動療法の効果が認められる。退院後も運動を継続して実施できるように，パンフレットなどを用いた生活指導や運動指導と，外来診察時での定期的なチェックや指導を実施することも重要である。
- ✓ 近年，病院完結型の医療から地域完結型の医療である地域包括ケアシステムに移行しており，ケアマネージャー，通所系サービス施設や訪問リハビリテーション事業所のスタッフなどにも運動指導・生活指導の実施を依頼することが重要である。

関連 CQ・推奨グレード

CQ 01

血液腫瘍に対して造血幹細胞移植が行われた患者に対して，造血幹細胞移植中・後にリハビリテーション治療（運動療法）を行うことは，行わない場合に比べて推奨されるか？

▶ 推 奨

血液腫瘍に対して造血幹細胞移植が行われた患者に対して，造血幹細胞移植中・後にリハビリテーション治療（運動療法）を行うことを推奨する。

■グレード 1A　■推奨の強さ 強い推奨　■エビデンスの確実性 強

ベストプラクティス

●なぜ必要なのか？

HSCT 患者では治療過程で，原疾患の影響，寛解導入療法や地固め療法などの化学療法による有害事象，移植前処置の有害事象，移植後の合併症，感染症，GVHD，防護環境による生活・行動範囲の制限などにより身体的にも精神的にも強いストレスを受けることが多い。

HSCT 患者は，移植前には病名告知による死への不安や恐怖，難解な医療情報の理解や家庭内・家族間の関係調整，職場の業務調整，経済的問題などを抱える中での移植への意思決定，ドナーがみつかるかどうかやドナー都合でのキャンセル，原病悪化への不安など，さまざまな心理的・社会的ストレスの中にある。移植時には不安や緊張，生活範囲や行動範囲が制限されることによる拘束感や自己コントロール感の低下，移植前処置の有害事象や急性 GVHD，早期合併症による疼痛，倦怠感，嘔気，下痢などの身体症

状による身体的苦痛なども大きなストレスとなる。

移植後も再発不安や就労・復職，復学などの社会復帰の遅れや社会的役割の変化，慢性 GVHD や体力の低下などの心理的・社会的なストレスを受ける。病前の身体機能や ADL が十分に改善しないことから，職場や家庭への復帰ができない場合も多く，社会的役割の変化に伴う不安や抑うつを認めることが少なくない。HSCT 患者の 25〜50%に抑うつが認められたとの報告もあることから，不安や抑うつの早期発見，早期治療が必要である。

HSCT 患者の治療中〜後は身体活動性の低下，運動耐容能の低下，筋力の低下，体組成の変化，倦怠感，疼痛，体力の低下，不眠，消化器症状，呼吸器症状，発汗，食欲不振など，さまざまな症状が高頻度でみられる。精神症状には，抑うつ，不安，ストレス，自尊心の低下，精神的・心理的安寧の低下などがある。倦怠感は移植後早期から認められる症状であるが，倦怠感とそれに伴う身体的な制限は移植後 3〜10 年経過した HSCT 患者にも認められる。倦怠感の発生機序は明らかではないが，現時点では移植前処置療法の化学療法や全身放射線照射，HSCT の治療の影響，免疫抑制薬や睡眠薬などの影響，長期間にわたる治療やクリーンルームでの隔離に伴う身体的・精神的ストレス，合併症，GVHD，栄養障害，睡眠障害，身体活動量の低下などのさまざまな要因が考えられている。また，これらの症状により HSCT 患者では QOL も低下する。

HSCT 患者は，治療に伴う身体症状や栄養状態の不良により身体活動性の低下をきたしやすい。身体活動性の低下は，活動時の疲労の増大や廃用症候群を引き起こし，ADL の低下，QOL の低下，精神症状の低下を招く。移植治療中の継続した運動療法により身体活動性を維持し，廃用症候群の発症や ADL 低下を予防することが重要である。QOL の低下や精神症状は，身体機能の低下や身体症状に伴い退院後 2〜3 年は継続するとの報告もある。そのためにも入院中だけでなく，退院後も身体活動性を維持し，身体機能と ADL の維持・改善を目的とした運動の継続や，慢性 GVHD や感染などの身体症状を早期に発見するための生活指導が重要である。

●対象となるのはどのような患者か？

造血器悪性腫瘍に対して HSCT 施行のために入院中の患者，および HSCT 施行後に自宅療養している患者が対象となる。

●誰がいつどこで行うのか？

HSCT 患者では身体活動性の低下が身体機能・ADL の低下につながり，さらには倦怠感の増大，QOL の低下，精神機能の低下を招くことから，身体活動性の維持・向上を目指した移植治療中の継続的なリハビリテーション治療が重要である。入院中のリハビリテーション治療の具体的な方法は前項 （⇒ p198）を参照されたい。この章では退院後の運動療法および生活指導について述べる。

1．誰が行うのか？

退院後もリハビリテーション専門職による運動療法の指導や生活指導が望ましいが，診療報酬上の問題や施設により人員配置や人的資源の状況が違うためリハビリテーション専門職による継続的なリハビリテーション治療が難しいのが現状である。そのため入院中より退院後の運動継続を見据えたリハビリテーション専門職による運動療法の指導や生活指導が重要である。退院後は患者自身が生活の中で運動を継続し，可能であれば定期的に医師，リハビリテーション専門職もしくは看護師が運動の実施状況や生活状況のチェックを行うことが望ましい。また，近年，病院完結型の医療から地域完結型の医療である地域包括ケアシステムに移行しており，在宅療養でのがん患者のリハビリテーション医療の需要は増加しているので，在宅で継続したリハビリテーション医療を実現するためには，ケアマネージャー，通所系サービス施設や訪問リハビリテーション事業所のスタッフ，看護師や患者家族にも運動指導・生活指導の実施を依頼することが重要である。

2. いつ行うのか？

退院前にリハビリテーション専門職による運動指導および生活指導を行い，退院後も運動を継続することが望ましい。HSCT 後 6 カ月以上経過した患者や退院後に在宅で過ごしている患者に対して，自主トレーニングによる運動療法を実施することで倦怠感や不安・抑うつなどの精神症状が改善するとの報告もあることから[1,2]，退院後の運動継続は有益である。

3. どこで行うのか？

退院後は自宅や地域のスポーツセンターなどで運動療法を実施する。最近では，わが国でもがんサバイバーのためのグループでの運動教室などが開催されるようになっており，退院後の運動継続の助けになる。有酸素運動が倦怠感や精神症状の改善に有効であるので，自宅周辺のウォーキングやスポーツセンターの利用も勧められる。

退院直後～移植後 1 年は免疫抑制薬（シクロスポリンやステロイドなど）の使用により免疫機能が低下しているため感染リスクが高く，急性 GVHD あるいは慢性 GVHD を合併している可能性もあり，運動を実施する際には人混みや埃っぽい場所などを避ける必要がある。直射日光は皮膚に炎症を起こし，GVHD の原因となることもあるため，帽子，長袖，裾の長い服を着用したり可能な限り日差しを避けたりすることを指導する。また，日差しの強い場所（紫外線量は 3～8 月頃に増えるが，4～6 月が最も多くなる。日中は 10～14 時に紫外線量が多くなり，曇りの日は晴れの日の 70%，雨の日は 30% 程度の紫外線量である）で運動を行う際には，日焼け止めクリームを使用するなどの配慮も必要である。

●どのような方法で行うのか？

倦怠感の評価法には CFS（Cancer Fatigue Scale），日本語版簡易倦怠感尺度（Brief Fatigue Inventory；BFI），倦怠感 NRS（Fatigue Numerical Rating Scale；FNS），FACT-F（Functional Assessment of Cancer Therapy-Fatigue）改訂版 PFS（Piper Fatigue Scale），MFSI-SF（Multidimensional Fatigue Symptom Inventory-Short Form）などがある。CFS は身体的倦怠感，精神的倦怠感，認知的倦怠感の 3 要素 15 項目で構成される。各項目 1～5 点が配点され，各要素ごとに計算して得点化する。3 要素の得点を合計した総合的倦怠感は，最高 60 点，19 点がカットオフ値であり，日本語版 BFI は信頼性，妥当性の検討も行われている。「24 時間のうち，最も強い倦怠感」を尋ね 1～3 を軽症，4～6 を中等症，7～10 を重症と分類する。

精神機能・心理面の評価法には HADS（Hospital Anxiety and Depression Scale），POMS（Profile of Mood States），State Trait Anxiety Scale（STAI），つらさの寒暖指標などがある。HADS は身体疾患の抑うつ，不安のスクリーニングに用いられる。日本人のがん患者に対する使用は標準化されている。POMS は抑うつ，不安をはじめとした活気，怒り，疲労，混乱などの各種気分の状態を評価できる。STAI は不安へのなりやすさを示す特性不安とその時点での不安の程度を示す状態不安の測定が可能である。

QOL の評価法には包括的尺度の SF-36（MOS 36-Item Short-Form Health Survey），EQ-5D，疾患特異的尺度の EORTC（European Organization for Research and Treatment of Cancer）QLQ-C30（⇒ p302），FACT-G（Functional Assessment of Cancer Therapy-General ⇒ p304）などがある。HSCT に特化した QOL 評価法には，国際比較が可能な，がん臨床試験用の自己記入式 QOL 評価である FACT-BMT（Functional Assessment of Cancer Therapy-Bone Marrow Transplantation）がある[3]。FACT-G に BMT 項目をあわせて HSCT 患者を評価するもので，身体面，社会・家族面，心理面，機能面の 4 下位尺度と BMT 用項目で構成されている。

America Cancer Society のガイドライン（American Cancer Society Guideliens on nutrition and physical activity for cancer survivors）では，治療中・後の安定している時期の生活での継続的な目標として，①健全な体重の維持，②活動的な生活習慣，③健康的な生活習慣を掲げている[4]。また，活動の目標として，①定期的な運動を実施すること，②活動性低下を避け，可能な限り早期に通常の日常生活に戻ること，③少なくとも週150分の運動を行うこと，④少なくとも週に2回は筋力増強訓練を行うことが提唱されている。治療後の患者は倦怠感などから日常生活で臥位や座位で過ごす時間が多くなる傾向にあるので，活動的な生活習慣をつけるために，①エレベーターではなく階段を使用する，②可能な範囲で目的地まで徒歩または自転車で移動する，③家族，友人，同僚と運動をする，④ストレッチングや速歩を行う，⑤電子メールを送る代わりに歩いて近くの友人や同僚を訪問する，⑥アクティブな休暇を計画する，⑦歩数計を毎日装着し，毎日の歩数が増加するのを確認するなどの方法が推奨されている[5)]。

アメリカ総合がんセンターネットワーク（National Comprehensive Cancer Network；NCCN）のガイドラインでは，治療の有害事象と治療中の身体活動性の低下が身体機能の低下をもたらし，身体機能低下状態でのADL遂行時の消費エネルギーの増大が倦怠感につながるという観点から，活動性を向上させることを目的に治療中・後の運動療法の実施を推奨している[6)]。その内容として最大心拍数の60〜80％の運動強度の有酸素運動（ウォーキングやエルゴメーターなど）や筋力増強訓練を1日20〜30分，週3〜5回実施することが推奨され，治療開始早期から実施することが有用とされている。さらに，運動療法とともに患者自身が倦怠感を自己管理できるような生活指導も非常に重要である。倦怠感の自己管理方法に，ADL遂行時の消費エネルギーを温存しながら生活するECAM（Energy Conservation and Activity Management）があるが，NCCNのガイドラインでもECAMが推奨されている。移植治療中・後に倦怠感が生じているHSCT患者にもECAMを用いた生活指導は有用である。

●リハビリテーション治療の効果は？

入院中・退院後にHSCT患者に運動療法を実施することで，実施しない群と比べてQOLや倦怠感，安寧，気分などの精神的・心理的症状や睡眠障害が改善される。入院中の自家HSCT後の患者に，エルゴメーターとウォーキングの組み合わせ，もしくはエルゴメーターのみを用いた有酸素運動を実施して，実施時間を毎日記録したところ，1日あたりの実施時間が多い患者ほどQOL，抑うつ，不安が改善したと報告されている[7)]。

メタアナリシスの結果から，HSCT患者が入院中にトレッドミルやエルゴメーターを用いた有酸素運動を実施することで，実施しない群と比較して倦怠感が改善することが示されている[8)]。退院後の運動療法では，エルゴメーターを12週実施することでFACT-FおよびBFIを用いて評価した倦怠感，POMSで評価した気分が改善したとの報告もあり[2)]，移植後早期に生じる倦怠感だけでなく，移植後6カ月以上経過している慢性的な倦怠感に対しても有酸素運動を中心とした運動療法の効果が認められている。

運動療法による倦怠感の増悪などの有害事象の報告はなく，運動療法により生じるリスクは少ない。

（熊野宏治・井上順一朗・佐浦隆一）

引用文献

1) Carlson1 LE, Smith D, Russell J, et al. Individualized exercise program for the treatment of severe fatigue in patients after allogeneic hematopoietic stem-cell transplant: a pilot study. Bone Marrow Transplant. 2006; 37: 945-54.
2) Wilson RW, Jacobsen PB, Fields KK. Pilot study of a home-based aerobic exercise program for sedentary cancer survivors treated with hematopoietic stem cell transplantation. Bone Marrow Transplant. 2005; 35: 721-7.
3) FACIT. org. Questionnaires.
https://www.facit.org/FACITOrg/Questionnaires（最終アクセス日：2020年7月28日）
4) Rock CL, Doyle C, Demark-Wahnefried W, et al. Nutrition and physical activity guidelines for cancer survivors. CA Cancer J Clin. 2012; 62: 243-74.
5) Brown JK, Byers T, Doyle C, et al: American Cancer Society. Nutrition and physical activity during and after cancer treatment: an American cancer society guide for informed choices. CA Cancer J Clin. 2003; 53: 268-91.
6) Berger AM, Mooney K, Alvarez-Perez A, et al: National comprehensive cancer network. Cancer-Related Fatigue, Version 2.2015. J Natl Compr Canc Netw. 2015; 13: 1012-39.

7) Courneya KS, Keats MR, Turner AR. Physical exercise and quality of life in cancer patients following high dose chemotherapy and autologous bone marrow transplantation. Psychooncology. 2000; 9: 127-36.
8) Cramp F, Daniel J. Exercise for the management of cancer-related fatigue in adults. Cochrane Database Syst Rev. 2008; (2): CD006145.

3 認知機能障害に対する認知機能訓練の効果

チェックポイント

- ✓ がんサバイバーはがん治療を行う中でさまざまな有害事象を経験するが，認知機能障害もその一つである。
- ✓ 化学療法中・後にかけて記憶力や注意機能の低下，遂行機能障害などの高次脳機能障害（ケモブレイン）が出現することがある。
- ✓ 造血幹細胞移植患者でも認知機能障害が生じる。
- ✓ がん患者の認知機能は，がん治療法の選択や社会生活を送るうえで非常に重要な機能であり，認知機能の低下は治療のアドヒアランスやQOLの低下，意思決定や家族とのコミュニケーションの障害，就学・就労の困難など生活に大きく影響する。
- ✓ 血液腫瘍・造血幹細胞移植患者は感染防護のための生活・行動範囲の制限などに伴い，精神的なストレスが大きい環境下にあることが多いので，認知機能訓練，認知検査などのリハビリテーション治療の実施には患者の精神面への配慮が必要である。

関連CQ・推奨グレード

CQ 02

血液腫瘍に対して造血幹細胞移植が行われ，造血幹細胞移植後に認知機能障害を生じた患者に対して，リハビリテーション治療（神経認知機能訓練）を行うことは，行わない場合に比べて推奨されるか？

▶ 推 奨

血液腫瘍に対して造血幹細胞移植が行われ，造血幹細胞移植後に認知機能障害を生じた患者に対して，リハビリテーション治療（神経認知機能訓練）を行わないことを提案する。

■グレード 2D　■推奨の強さ 弱い推奨　■エビデンスの確実性 とても弱い

ベストプラクティス

●なぜ必要なのか？

がん治療の進歩により生存率が向上し，がんサバイバーが増加している。がんサバイバーは，がん治療を行う中でさまざまな有害事象を経験するが，認知機能障害もその一つである。最近では，化学療法中〜後にかけて記憶力や注意機能の低下，遂行機能障害などの高次脳機能障害（ケモブレイン）が出現することが報告されている[1)]。ケモブレインの発生頻度は17〜70%であり，発生機序として薬剤による神経新生や神経伝達物質産生・輸送の障害，脳血流や脳脊髄液の変化，海馬の機能低下などが示唆されている。頭部MRIを用いた画像研究では化学療法後の灰白質や白質の容積低下が報告されており，認知機能障害と関

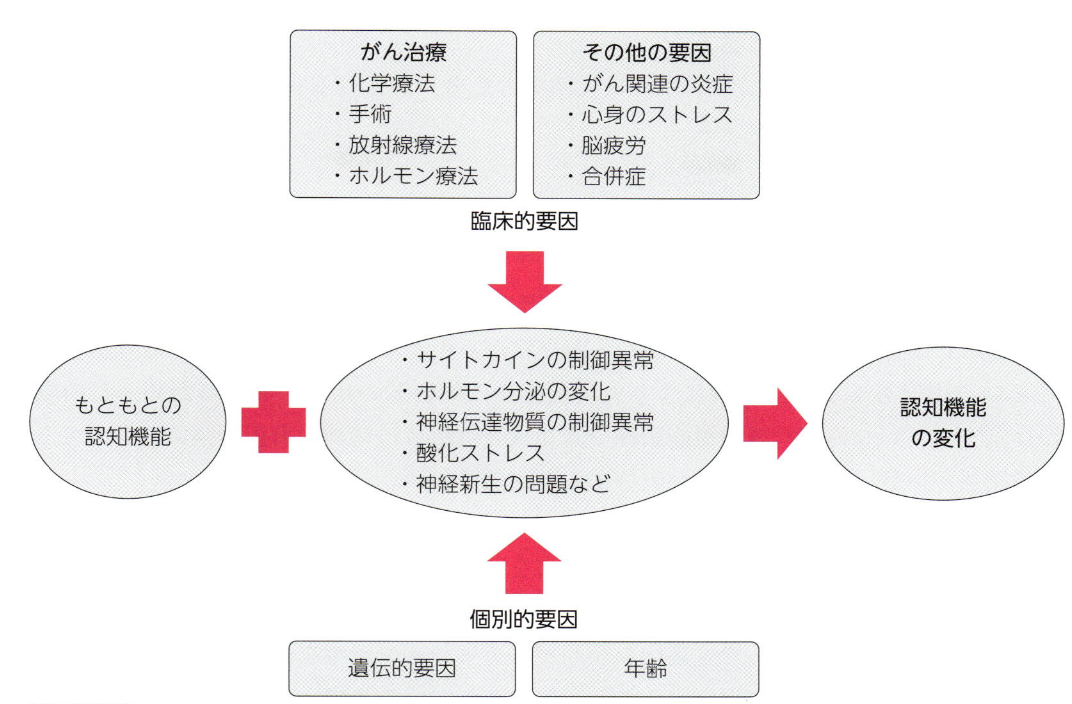

図 9-5　がん関連認知機能障害（CRCI）のメカニズム

（Merriman JD, Von Ah D, Miaskowski C, et al. Proposed mechanisms for cancer- and treatment-related cognitive changes. Semin Oncol Nurs. 2013; 29: 10.1016/j.soncn.2013.08.006. より引用）

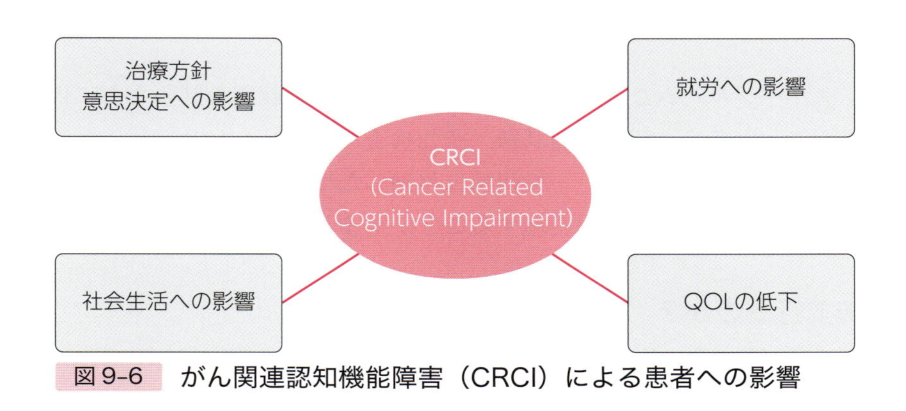

図 9-6　がん関連認知機能障害（CRCI）による患者への影響

係しているとの報告も多い。また，炎症やアポトーシス，酸化ストレスの間接的な関与も報告されている[2)]。

がん患者はがんの治療前から何らかの認知機能障害を認めることが多く，がん患者に認められる認知機能障害は総称してがん関連認知機能障害（cancer-related cognitive impairment；CRCI）とよばれている（図 9-5）[3)]。がんの治療前から約 30%，治療中には約 75%の認知機能障害が認められ，その中の 35%には治療終了後も数カ月～数年にわたり，認知機能障害が認められたとの報告もある[4)]。

HSCT 後の認知機能障害について，移植前に比べて移植後 6 カ月，3 年時点で言葉の流暢さや作業記憶などの神経心理学的スコアが低下していたとの報告[5)]や免疫抑制薬による認知機能障害を認めたとの報告[6)]，HSCT 後 2 年後に認知機能障害を認めたとの報告[7)]，HSCT 前や 80 日後に認知機能障害があったとの報告[8)]などがある。がん患者の認知機能は，がん治療法の選択や社会生活を送るうえで非常に重要な機能であり，認知機能障害は治療のアドヒアランスや QOL の低下，意思決定や家族とのコミュニケーションの障害，就学・就労の困難など生活に大きく影響する（図 9-6）。

そのため，がん患者の認知機能障害を評価して，適切なリハビリテーション治療を行うことは非常に重要である。

●対象となるのはどのような患者か？

造血器悪性腫瘍に対してHSCT施行のために入院中の患者，およびHSCT施行後に自宅療養している患者が対象となる。

●誰がいつどこで行うのか？

1．誰が行うのか？

作業療法士がHSCT後に認知機能低下を認めた患者に，記憶・想起・注意課題の認知機能訓練を実施している[9]。HSCT後患者ではないが，乳がん・前立腺がん患者に対し作業療法士が認知機能の評価・訓練を実施している報告もある[10]。施設により人員配置や人的資源の状況が異なるため，どの職種が治療するべきかは定まっていないが，認知機能訓練や認知検査は患者に精神的負担を強いるものであるので，患者との信頼関係が構築できている職種が実施するのが望ましい。

2．いつ行うのか？

がん患者はがんの治療前から何らかの認知機能障害を認めることが多い。がん患者の認知機能は，がん治療法の選択や社会生活を送るうえで非常に重要な機能であるため，がんと診断されたら認知機能障害を評価して，必要に応じて治療前からでも適切なリハビリテーション治療を行うことが大切である。また，化学療法に関連してケモブレインが出現することも報告されているので，治療中も精神・心理状態にあわせて認知機能訓練や運動療法を実施する。ただし，「がん患者リハビリテーション料」は現状，入院中のみ算定可能であるので，退院後の外来では認知機能に対する自己訓練や自主的に行う運動療法のアドヒアランスのチェック，日常生活での対処方法（コーピングストラテジー）の指導などが中心となる。

3．どこで行うのか？

HSCT後患者は，クリーンルームなど防護環境による生活・行動範囲の制限などに伴う精神的ストレスが大きい環境下にあることが多く，認知機能訓練，認知検査などのリハビリテーション治療の実施には患者の精神面への配慮が必要である。また，一般病棟に移動した場合には，リハビリテーション室内の個室など，認知機能訓練に集中できる環境下で実施することが望ましい。

●どのような方法で行うのか？

認知機能評価法にはTMT（Trail Making Test）part A，part B，FAB（Frontal Assessment Battery），MMSE（Mini-Mental State Examination），日本語版Montreal Cognitive Assessment（MoCA-J），Hopkins Verbal Learning Test-Revised，Controlled Oral Word Association Test，EORTC QLQ-C30の認知項目などがあるが，どの検査を行うべきかは標準化されていない。

認知機能検査は検査時の断片的な結果であり，検査を行うタイミングで認知機能障害を必ずしも評価できるとは限らないので，生活の中で患者が困っていることなどを踏まえて評価する必要がある。また，客観的に評価した検査結果と自覚症状とは関連性が高くないことも報告されており，認知機能検査の結果だけでなく，患者の自覚症状の訴えを十分に聞いたうえで生活場面の評価を行うなどのリハビリテーション治療に際しての配慮が必要である。

リハビリテーション治療には，認知機能訓練〔認知行動療法（Cognitive Behavioral Therapy；CBT）や注意機能や記憶，遂行機能の改善を目指した認知トレーニング〕や運動療法，日常生活での対処方法の指導（コーピングストラテジー）がある。認知機能訓練ではweb-basedの認知トレーニングやMemory and Attention Adaptation Trainingといった認知行動療法が実施される。運動療法では筋力増強訓練や有酸素運動のほか，認知トレーニングと運動療法を組み合わせたSpeed-Feedback療法[10]などが実施される。日常生活での対処方法の指導（コーピングストラテジー）（表9-4）[11]では，必要なことを書き出すこと，リマインダーとして何らかの手がかりを残す（cue）ことが非常に有効とされている。その他にも作業を行う際には一度に1つのことだけを行う，作業を行う際には焦らない，自分の失敗を許容する，

表 9-4 日常生活での対処方法（コーピングストラテジー）

個人的なマネジメント	物理的なサポート	社会的環境	ストレスと脳疲労の軽減	精神面への刺激
書きとめる	ものを同じ場所に置く	支援してくれ容認してくれる社会環境を探す	運動	クロスワードパズル
1 つのことに集中する	補助具を使用する（GPS など）	認知機能の変化について患者と家族に十分な情報提供がされている	瞑想	ナンバープレース
急がない		コミュニケーションをしっかりとって周囲からのサポートを引き出す	リラクセーション	言葉探しゲーム
間違いを許容する 思い出すための cue をもつ			ヨガ 十分な睡眠確保	
スケジュールをルーチンで組むようにする				

（Von Ah D, Storey S, Jansen CE, et al. Coping strategies and interventions for cognitive changes in patients with cancer. Semin Oncol Nurs. 2013; 29: 288-99. より引用）

自分のやるべき作業をルーチン化する，ものの置き場所を一定にすることなども有効である。日常生活の中でストレスを減らすこと，脳疲労を減らすこと，定期的な運動を実施することも非常に重要であり[11)]，リハビリテーション治療の実施時にこれらを助言することも大切である。

●リハビリテーション治療の効果は？

HSCT 後に認知機能低下を認めた入院中患者に作業療法士が記憶と想起・注意課題の認知トレーニング（1 時間/回，4 回/週）を実施したランダム化比較試験では，治療群と対照群で治療前後で注意・認知機能尺度 TAP（Test Battery for Attention Performance），EORTC QLQ-C30 “Cognitive”，MFI（Multidimension Fatigue Inventory），Questionnaire of Self-Perceived Deficits in Attention（FEDA）に有意な差はなかったことが報告されている[12)]。また，HSCT 後のリハビリテーション治療ではないが，Bray らは化学療法後患者に対して実施したランダム化比較試験で web-based の認知機能訓練 15 週，1 週間に 40 分のセッションを 4 回実施した治療群は，対照群と比較して FACT-COG（Functional Assessment of Cancer Therapy-Cognitive Function）ver.3 の得点に有意な差を認めたことを報告している[13)]。さらに，Ferguson らは Memory and Attention Adaptation Training といった認知行動療法を 2 カ月間，30～50 分の訓練を隔週 1 回の計 4 回実施した治療群では対照群と比較して記憶機能が改善したことを報告している[14)]。

認知機能訓練では倦怠感の増悪といった有害事象の報告はないが，訓練からの脱落理由として「検査・訓練が厳しすぎる」，「興味の低下」，「モチベーションの低下」などの報告があるので注意が必要である。

（熊野宏治・井上順一朗・佐浦隆一）

引用文献

1）Ahles TA. Brain vulnerability to chemotherapy toxicities. Psychooncology. 2012; 21: 1141-8.
2）Ahles TA, AJ Saykin. Candidate mechanisms for chemotherapy-induced cognitive changes. Nat Rev Cancer. 2007; 7: 192-201.

3) Merriman JD, Von Ah D, Miaskowski C, et al. Proposed mechanisms for cancer- and treatment-related cognitive changes. Semin Oncol Nurs. 2013; 29: 10.1016/j.soncn.2013.08.006.
4) Janelsins MC,Kohli S, Mohile SG, et al. An update on cancer- and chemotherapy-related cognitive dysfunction: current status. Semin Oncol. 2011; 38: 431-8.
5) Sharafeldin N, Bosworth A, Patel SK, et al. Cognitive functioning after hematopoietic cell transplantation for hematologic malignancy: results from a prospective longitudinal study. J Clin Oncol. 2018; 36: 463-75.
6) Shah AK. Cyclosporine A neurotoxicity among bone marrow transplant recipients. Clin Neuropharmacol. 1999; 22: 67-73.
7) Harder H , Cornelissen JJ, Van Gool AR, et al. Cognitive functioning and quality of life in long-term adult survivors of bone marrow transplantation. Cancer. 2002; 95: 183-92.
8) Syrjala KL, Dikmen S, Langer SL, et al. Neuropsychologic changes from before transplantation to 1 year in patients receiving myeloablative allogeneic hematopoietic cell transplant. Blood. 2004; 104: 3386-92.
9) Poppelreuter M, Weis J, Mumm A, et al. Rehabilitation of therapy-related cognitive deficits in patients after hematopoietic stem cell transplantation. Bone Marrow Transplant. 2008; 41: 79-90.
10) Miki E, Kataoka T, Okamura H. Feasibility and efficacy of speed-feedback therapy with a bicycle ergometer on cognitive function in elderly cancer patients in Japan. Psychooncology. 2014; 23: 906-13.
11) Von Ah D, Storey S, Jansen CE, et al. Coping strategies and interventions for cognitive changes in patients with cancer. Semin Oncol Nurs. 2013; 29: 288-99.
12) Poppelreuter M, Weis J, Mumm A, et al. Rehabilitaiotn of therapy-related cognitive deficits in patients after hematopoietic stem cell transplantation. Bone Marrow Transplant. 2008; 41: 79-90.
13) Bray VJ, Dhillon HM, Bell ML, et al. Evaluation of a web-based cognitive rehabilitation program in cancer survivors reporting cognitive symptoms after chemotherapy. J Clin Oncol. 2017; 35: 217-25.
14) Ferguson RJ, McDonald BC, Rocque MA, et al. Development of CBT for chemotherapy-related cognitive change: results of a waitlist control trial. Psychooncology. 2012; 21: 176-86.

血液腫瘍・造血幹細胞移植

4 高齢患者に対する高齢者総合的機能評価の有用性

チェックポイント

- ✓ 近年の診断・治療技術，支持療法の進歩に伴い，高齢がん患者にも造血幹細胞移植（HSCT）が実施されるようになってきている。
- ✓ 高齢がん患者は加齢に伴う併存疾患や老年症候群を合併していることが多く，移植前からすでに ADL や IADL の低下が危惧される。
- ✓ 高齢がん患者の治療前のフレイルやサルコペニアの有無が，治療に伴う有害事象や治療後の転帰，生命予後に影響するため，治療前にフレイルやサルコペニアの有無や程度を評価し，がん治療の方針に反映させる必要がある。
- ✓ HSCT 治療前の高齢者総合的機能評価は，HSCT 治療に伴う有害事象や転帰などの予測に有用である。

関連 CQ・推奨グレード

CQ 03

血液腫瘍に対して造血幹細胞移植が行われる予定の高齢患者に対して，造血幹細胞移植前に高齢者総合的機能評価（サルコペニア，フレイルの評価を含む）を行うことは，行わない場合に比べて推奨されるか？

▶ 推 奨

血液腫瘍に対して造血幹細胞移植が行われる予定の高齢患者に対して，造血幹細胞移植前に高齢者総合的機能評価（サルコペニア，フレイルの評価を含む）を行うことを提案する。

■グレード **2C**　■推奨の強さ **弱い推奨**　■エビデンスの確実性 **弱**

ベストプラクティス

●なぜ必要なのか？

わが国のがん患者の約 70％が 65 歳以上の高齢者であり，その割合は年々増加している。高齢がん患者は加齢に伴い併存疾患数が増加すると同時に，尿失禁，転倒，体重減少，めまい，視力低下などさまざまな病態（老年症候群）も重なる。これらの病態が 1 つ以上あると ADL 低下のリスクは増加し，複数あるとそのリスクはさらに大きくなる[1)]。つまり，高齢がん患者は，がんに罹患したときにすでに老年症候群に陥っており，ADL が低下している可能性が大きい。さらに，併存疾患による内服薬数の増加（ポリファーマシー），認知機能の低下や抑うつなどの精神心理的な問題，家族形態や経済状況などの社会的問題も存在する。

近年，老年医学の分野では，高齢者の健康寿命や要介護状態に影響を与える要因としてフレイルが注目

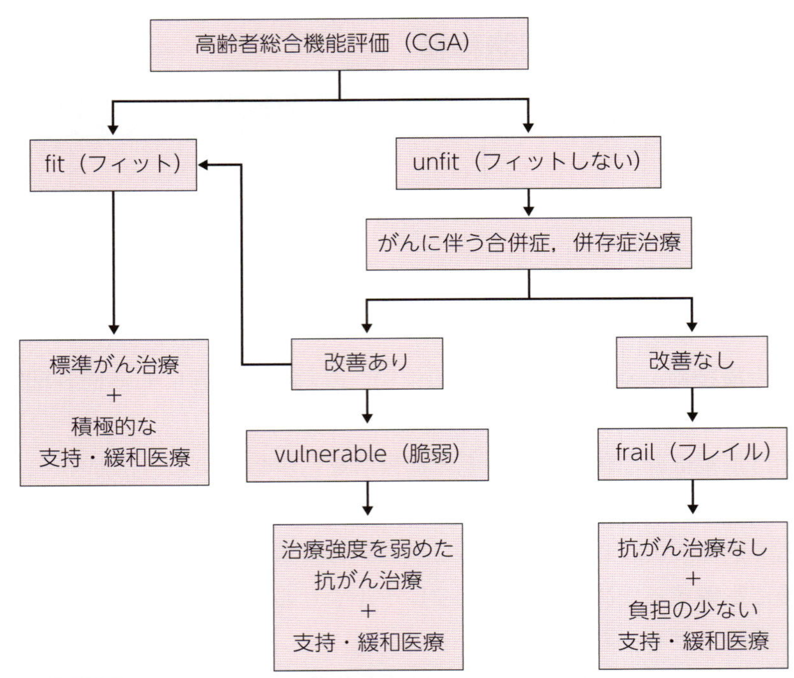

図 9-7　JCOG による高齢がん患者の治療選択フローチャート
がん患者≧65 歳（急性白血病≧60 歳）

されている。がん医療の分野でも，がん治療前から存在するフレイルと化学療法・放射線療法の完遂率の低下，治療関連毒性の増大，術後合併症の増加，死亡率の関連が報告され，高齢がん患者の治療に及ぼすフレイルの悪影響が明らかになってきた[2)]。

Japan Clinical Oncology Group（JCOG）は，高齢がん患者を標準治療を受けることのできる「fit（フィット）」と，そうではない「unfit（フィットしない）」（「unfit」はさらに「vulnerable（脆弱）」と「frail（フレイル）」に分けられる）に分類し[3)]（図 9-7），高齢がん患者では治療前の段階で「fit」と「unfit」を把握し，「unfit」な場合には，より適切な治療選択を行うことの重要性を提唱しているが，治療前に高齢がん患者の全身状態を総合的に判断するための評価法に高齢者総合的機能評価（Comprehensive Geriatric Assessment；CGA）がある。

CGA は，① ADL，② IADL，③認知機能，④情緒・気分・幸福度，⑤コミュニケーション，⑥社会的環境を基本的な構成因子とし，定量評価が可能な CGA のスクリーニングツールとして G8（Geriatric 8）（表 9-5）[4)] や VES-13（Vulnerable Elders Survey-13）（図 9-8）[5)] が開発されている。

近年，診断・治療技術，支持療法が進歩して HSCT の適応対象が拡大し，80 歳以上の高齢者に対する自家 HSCT や 70 歳代の患者に対する骨髄非破壊的前処置療法を用いた同種 HSCT が実施されるようになっている。さらに，虚弱（unfit）な患者に対する HSCT も検討されている[6)]。高齢がん患者の治療前のフレイルやサルコペニアの有無が，治療に伴う有害事象や治療後の転帰，生命予後に影響を与えること，また，治療前の CGA がそれらの予測に有用であることが報告され[7)]，HSCT 患者でも移植前のフレイルや CGA の評価により生存期間や再発率，有害事象・治療毒性の予測が可能となり，治療方針の決定や治療中のケアの選択にフレイルや CGA の評価が活用できることが期待されている。

●対象となるのはどのような患者か？

造血器悪性腫瘍に対して HSCT が施行される予定の高齢がん患者が対象となる。

表 9-5 Geriatric 8（G8）

質問項目	該当回答項目
過去 3 カ月間で食欲不振，消化器系の問題，咀嚼・嚥下困難などで食事量が減少しましたか	0：著しい食事量の減少
	1：中等度の食事量の減少
	2：食事量の減少なし
過去 3 カ月間で体重の減少はありましたか	0：3kg 以上の減少
	1：わからない
	2：1～3kg の減少
	3：体重減少なし
自力で歩けますか	0：寝たきりまたは車椅子を常時使用
	1：ベッドや車椅子を離れられるが，歩いて外出できない
	2：自由に歩いて外出できる
神経・精神的問題の有無	0：高度の認知症またはうつ状態
	1：中等度の認知障害
	2：精神的問題なし
BMI 値	0：19 未満
	1：19 以上 21 未満
	2：21 以上 23 未満
	3：23 以上
1 日に 4 種類以上の処方薬を飲んでいますか	0：はい
	1：いいえ
同年齢の人と比べて，自分の健康状態をどう思いますか	0：よくわからない
	0.5：わからない
	1：同じ
	2：よい
年齢	0：86 歳以上
	1：80 歳～85 歳
	2：80 歳未満

（Bellera CA, Rainfray M, Mathoulin-Pélissier S, et al. Screening older cancer patients: first evaluation of the G-8 geriatric screening tool. Ann Oncol. 2012; 23: 2166-72. より引用）

●誰がいつどこで行うのか？

1．誰が行うのか？

医師，看護師，およびリハビリテーション専門職が協働して評価を行うことが望ましい。G8 や VES-13 のようなスクリーニングツールでの評価は問診のみであり，医師や看護師でも実施が可能であるが，CGA の評価項目（表 9-6）[8] には身体機能や認知機能の評価も含まれるため，評価に慣れたリハビリテーション専門職により行われることが望ましい。

1. 年齢＿＿＿＿＿＿＿＿

スコア：75～84 歳：1 点、85 歳以上：3 点

2. 一般に、同年齢の他人と比較して、あなたの健康状態はどのようだと言えますか？
□不良*（1 点）
□普通*（1 点）
□良い
□非常に良い
□極めて良い

スコア：普通または不良に対して 1 点

3. 下記の身体的活動に関して、平均してどの程度の困難を感じていますか？

	なし	少し	幾分	たくさん※	できない※
a. かがむ、しゃがむまたはひざまずく。	□	□	□	□	□
b. 重さ 10 ポンドほどの物体を持ち上げるまたは運ぶ。	□	□	□	□	□
c. 肩より上で両腕を伸ばすまたは広げる。	□	□	□	□	□
d. 文字を書くまたは小さな物体を握るまたはつかむ。	□	□	□	□	□
e. 1/4 マイルを歩く。	□	□	□	□	□
f. 重労働の家事、例えば床をゴシゴシ洗う、または窓を洗うなど。	□	□	□	□	□

スコア：質問 3a～f における※の回答についてそれぞれ 1 点。最大 2 点。

4. あなたの健康状態または身体的状況が原因で、困難が生じることはありますか？

a. 個人的な用品（トイレ用品または医薬品）の買い物
□ はい　買い物を手伝ってもらっていますか？　□はい*　□いいえ
□ いいえ
□ しない　健康状態が原因ですか？　□はい*　□いいえ

b. 金銭管理（出費または支払いの証跡をつけるなど）
□ はい　金銭管理を手伝ってもらっていますか？　□はい*　□いいえ
□ いいえ
□ しない　健康状態が原因ですか？　□はい*　□いいえ

c. 部屋の中を歩く
杖または歩行器の使用は可とする。
□ はい　歩行を手伝ってもらっていますか？　□はい*　□いいえ
□ いいえ
□ しない　健康状態が原因ですか？　□はい*　□いいえ

d. 軽い家事労働（皿洗い、整理整頓または簡単な掃除など）
□ はい　軽い家事労働を手伝ってもらっていますか？　□はい*　□いいえ
□ いいえ
□ しない　健康状態が原因ですか？　□はい*　□いいえ

e. 入浴またはシャワー
□ はい　入浴またはシャワーを手伝ってもらっていますか？　□はい*　□いいえ
□ いいえ
□ しない　健康状態が原因ですか？　□はい*　□いいえ

スコア：質問 4a～e における*の回答が 1 個以上あると 4 点。

図 9-8　Vulnerable Elders Survey-13（VES-13）

(Saliba D, Elliott M, Rubenstein LZ, et al. The Vulnerable elders survey: a tool for identifying vulnerable older people in the community. J Am Geriatr Soc. 2001; 49: 1691-9. より引用)

表 9-6　高齢者総合的機能評価の代表的なドメインと評価項目など

ドメイン	評価項目
身体機能	ADL IADL
併存疾患	Charlson Comorbidity Index Cumulative Illness Rating Scale
社会経済的	生活状況，収入，介護者の有無，経済的問題，交通機関へのアクセス
老年症候群	認知症，うつ，せん妄，転倒，骨粗鬆症，持続的めまい，自律性の喪失など
認知機能	MMSE（Mini-Mental State Examination）
多剤投与	投薬数，薬物間相互作用
栄養	BMI Mini Nutritional Assessment

(小野玲．高齢がん患者のフレイル・サルコペニア．井上順一朗，神津玲（編）：がんの理学療法，pp238-46，三輪書店，2017. より引用)

2. いつ行うのか？

移植治療方針の決定や治療中のケアの選択に活用するため，移植が適応であると判断された時に評価することが望ましい。

移植治療開始後はリハビリテーション治療の開始時にフレイルの有無と程度を評価して，リハビリテーション治療の方針決定に役立てると同時に，フレイルと診断された場合には身体・精神機能およびADL・IADL 改善のために可及的早期からリハビリテーション治療を開始することができる体制の構築が必要である。

3. どこで行うのか？

移植治療の検討や方針の決定は，前療法の化学療法のための入院中に行われることが多く，入院中の全身状態が落ち着いているときに病棟やリハビリテーション室で実施する。

●どのような方法で行うのか？

G8 や VES-13 のようなスクリーニングツールと包括的評価方法の CGA を組み合わせて評価する。CGA の評価には 40〜60 分程度の時間を要するため，評価のための十分な時間や場所，人員を確保することが重要である。

●高齢者総合的機能評価の有用性は？

HSCT 施行予定の高齢患者に対する移植前の高齢者総合的機能評価（フレイル，サルコペニアの評価を含む）の有用性は先行研究で検討されている。

Muffly ら[9]は，同種 HSCT を施行予定の患者に，移植前の身体機能評価は ECOG PS（Eastern Cooperative Oncology Group Performance Status），ADL 評価は Kat'z Activities of Daily Living，IADL 評価は modified Lawton's Instrumental Activities of Daily Living，身体的 QOL 評価は SF-36 PCS（Physical Component Summary），フレイル評価は Fried Frailty Index，併存疾患評価は HCT-CI（Hematopoietic Cell Transplantation-specific Comorbidity Index）（表 9-7）[3]および CIRS-G（Cumulative Illness Rating Scale-Geriatric），メンタルヘルス評価は SF-36 MCS（Mental Component Summary），栄養評価は血清アルブミン値および自覚的体重減少，炎症評価は CRP 値といった複数の要素から構成される高齢者総合的機能評価を実施したところ，年齢（60 歳以上），骨髄破壊的移植前処置療法，サイトメガロウイルス抗原血症，HCT-CI 高値，IADL 制限，歩行速度低値，メンタルヘルス低値，

表 9-7　Hematopoietic Cell Transplantation-specific Comorbidity Index（HCT-CI）

合併症	定義	スコア
不整脈	心房細動・粗動，洞不全症候群，心室性不整脈	1
心機能障害	冠動脈疾患，うっ血性心不全，心筋梗塞，EF≦50%	1
炎症性腸疾患	クローン病，潰瘍性大腸炎	1
糖尿病	薬物療法が必要	1
脳血管障害	一過性脳虚血発作，脳血管発作	1
精神疾患	神経科受診や薬物療法が必要	1
軽症肝障害	慢性肝炎，Bil 上限値 1.5 倍までの上昇，AST・ALT 上限値 2.5 倍までの上昇	1
肥満	BMI>35	1
感染症	移植日に抗菌療法が必要	1
膠原病	SLE，RA，多発性筋炎，MCTD，リウマチ性多発筋痛症	2
消化性潰瘍	薬物療法が必要	2
腎疾患	血清クレアチニン>2mg/dL，透析中，腎移植既往	2
中等症肺疾患	DLCO 66〜80%，FEV1 66〜80%，軽度労作時呼吸困難	2
固形腫瘍既往	治療既往あり（非黒色腫皮膚がんを除く）	2
心臓弁膜症	僧帽弁逸脱を除く	3
重症肺疾患	DLCO≦65%，FEV1≦65%，安静時呼吸困難，酸素投与必要	3
中等症・重症肝疾患	肝硬変，ビリルビン上限 1.5 倍超，AST・ALT 上限 2.5 倍超	3

（Japan Clinical Oncology Group．JCOG 高齢者研究ポリシー．より引用改変）

血清アルブミン値低値，CRP高値が全生存期間と関連し，年齢（60歳以上），HCT-CI高値，IADL制限，CRP高値が無再発生存期間と関連していたこと，disease risk高値および歩行速度低値が再発率と関連していたこと，多変量解析の結果，IADL制限，歩行速度低値，SF-36 MCS低値，CRP高値が全生存期間と関連していたことを報告している。また，Artzら[6]は，同種HSCT施行前にFried Frailty Indexでフレイルを評価したところ，50歳以上の患者の81％が「プレフレイル」以上，そのうち24％が「フレイル」と判定され，「フレイル」の有無は無再発生存期間，全生存期間，急性GVHDの発症率とは関係がなかったが，再発率と関連していたことを報告している。さらに，Sorrorら[10]は高齢者総合的機能評価の一領域である併存疾患が移植関連毒性の発症率，2年無再発生存期間，および全生存期間と関連していたことと，HSCT患者の併存疾患の評価にはHCT-CIが有用であることを報告している。一方，HSCT施行前の高齢者総合的機能評価やフレイルの評価の実施に伴う有害事象の発症や増加の報告はない。

このように，HSCT施行前の高齢者総合的機能評価やフレイルの評価により生存期間や再発率，有害事象・治療毒性の予測が可能となるので，治療方針の決定や治療中のケアの選択へのHSCT施行前の高齢者総合的機能評価やフレイルの評価の活用が期待される。

（井上順一朗・熊野宏治・佐浦隆一）

引用文献

1) Cigolle CT, Langa KM, Kabeto MU, et al. Geriatric conditions and disability: the Health and Retirement Study. Ann Intern Med. 2007; 147: 156-64.
2) Handforth C, Clegg A, Young C, et al. The prevalence and outcomes of frailty in older cancer patients-a systematic review. Ann Oncol. 2015; 26: 1091-101.
3) Japan Clinical Oncology Group. JCOG高齢者研究ポリシー. http://www.jcog.jp/basic/policy/A_020_0010_39.pdf（最終アクセス日：2020年7月29日）
4) Bellera CA, Rainfray M, Mathoulin-Pélissier S, et al. Screening older cancer patients: first evaluation of the G-8 geriatric screening tool. Ann Oncol. 2012; 23: 2166-72.
5) Saliba D, Elliott M, Rubenstein LZ, et al. The Vulnerable elders survey: a tool for identifying vulnerable older people in the community. J Am Geriatr Soc. 2001; 49: 1691-9.
6) Artz A, Swanson K, Kocherginsky M, et al. Features of frailty are surprisingly common in adults 50 years and older undergoing allogeneic hematopoietic cell transplantation（HCT）in the modern era. Biol Blood Marrow Transplant. 2011; 17: s302.
7) Hamaker ME, Vos AG, Smorenburg CH, et al. The value of geriatric assessments in predicting treatment tolerance and all-cause mortality in older patients with cancer. Oncologist. 2012; 17: 1439-49.
8) 小野玲．高齢がん患者のフレイル・サルコペニア．井上順一朗，神津玲（編）：がんの理学療法，pp238-46，三輪書店，2017.
9) Muffly LS, Kocherginsky M, Stock W, et al. Geriatric assessment to predict survival in older allogeneic hematopoietic cell transplantation recipients. Haematologica. 2014; 99: 1373-9.
10) Sorror ML, Maris MB, Storb R, et al. Hematopoietic cell transplantation（HCT）-specific comorbidity index: a new tool for risk assessment before allogeneic HCT. Blood. 2005; 106: 2912-9.

第10章

化学療法・放射線療法

化学療法・放射線療法

1 身体活動性・身体機能・ADL 低下に対するリハビリテーション治療の効果

チェックポイント

- ✓ 化学療法や放射線療法中・治療後のがん患者では，がんそのものや治療による有害事象により，身体活動性や身体機能が低下するリスクが高い。
- ✓ 治療効果や有害事象を評価しながら，化学療法や放射線療法中からリハビリテーション治療を行うことが重要である。
- ✓ 化学療法や放射線療法中でもリスク管理を行えば，安全にリハビリテーション治療（運動療法）は実施でき，筋力や運動耐容能の改善が期待できる。
- ✓ 入院中や退院後に患者が自主トレーニングを継続できるような指導を行うことが重要である。

関連 CQ・推奨グレード

CQ 01

化学療法・放射線療法中の患者に対して，リハビリテーション治療（運動療法）を行うことは，行わない場合に比べて推奨されるか？

▶ 推 奨

化学療法・放射線療法中の患者に対して，リハビリテーション治療（運動療法）を実施することを推奨する。

■グレード 1B　■推奨の強さ 強い推奨　■エビデンスの確実性 中

ベストプラクティス

●なぜ必要なのか？

化学療法や放射線療法中・後のがん患者には，治療に伴うさまざまな有害事象が生じる。

化学療法に伴い骨髄抑制（白血球減少，血小板減少，貧血），嘔気・嘔吐，倦怠感，末梢神経障害，筋痛・関節痛などが高頻度に認められ，また，腎機能障害や心機能障害，肺障害などの重篤な有害事象を生じることもある（表 10-1）。

放射線療法の急性反応には，全身反応の放射線宿酔，局所反応の血管透過性亢進による脳浮腫・喉頭浮腫・気道浮腫，皮膚炎，口腔・咽頭粘膜障害，消化管障害などがある。また，晩期反応には，神経系障害（脳壊死，脊髄障害，末梢神経障害），皮下結節，リンパ浮腫，骨障害（大腿骨頭壊死，肋骨骨折など），口腔・唾液腺障害（口腔内乾燥症，開口障害など），咽頭・喉頭障害などがある（表 10-2）。急性反応は可逆性であるが，晩期反応は不可逆性であり回復は困難である。

このような有害事象が原因となり，疼痛や栄養障害，睡眠障害や不安・抑うつなどの精神的要因もあいまって，化学療法や放射線療法中・後のがん患者は身体活動性や身体機能の低下が生じやすい。そして，

表 10-1　化学療法による有害事象

症状	特徴
悪心・嘔吐	投与後数十分～数時間以内に出現し，数日～1 週間で軽快するが，個人差も大きい。対症療法としてセロトニン受容体拮抗薬の投与や食事内容の変更が行われる。
骨髄抑制	白血球減少に伴う易感染性，血小板減少に伴う易出血性，貧血に伴う動悸，頻脈，息切れなどが出現する。顆粒球コロニー刺激因子（G-CSF）製剤の投与や血小板・赤血球輸血が行われる。
末梢神経障害	タキサン系薬剤（パクリタキセル，ドセタキセルなど）で頻度が高く，投与後 2～3 週で手指や足底のしびれとして出現する。蓄積性で治療回数とともに増悪することが多い。通常は治療終了後数カ月～数年で消失もしくは軽快するが，ときに不可逆性となることもある。知覚異常や機能障害による転倒や熱傷・低温やけどなどの二次障害に注意が必要である。
筋痛・関節痛	タキサン系薬剤の投与により，数時間～2 日前後で出現し，数日以内に消失する。
腎機能障害	白金化合物（シスプラチン），メトトレキサートなどで出現する。腎機能低下があると急性心不全や急性呼吸不全のリスクが高まるため，採血データや尿量，体重変化，水分バランスの確認，臨床症状の把握が必要である。腎障害の予防として大量輸液と利尿を行うため，心不全徴候に注意が必要である。
心機能障害	アントラサイクリン系薬剤であるドキソルビシン（アドリアシン®）やダウノルビシン（ダウノマイシン®）などで出現する。薬剤による心筋ミトコンドリア障害を機序とし，蓄積性かつ不可逆性である。ドキソルビシンでは，総投与量が 500mg/m^2 を超えると重篤な心筋障害を起こすことが多くなるので，継時的な心エコー検査や累積投与量の把握が必要である。心毒性をもつ新規薬剤の使用や従来の薬剤の投与期間の長期化により，心機能障害の発生率が高まっているので，日常生活や運動時における循環動態の管理が重要である。
肺障害	薬剤性間質性肺炎による発熱・呼吸困難・咳嗽や，アナフィラキシーによる喘息様の症状，喀血・肺胞出血・血栓塞栓症が出現する。ゲフィチニブ（イレッサ®）による薬剤性肺炎の発生率は 5% 程度であるが，根本的な治療法はなく，重篤化しやすく致死率も高い。

身体活動性や身体機能の低下は活動時の疲労感をさらに増大させて，二次的な身体機能低下や体力低下を引き起こすといった悪循環を形成する。その結果，ADL や家事，仕事，余暇活動などの IADL や社会活動が制限され，がん患者の QOL は大きく低下する。そのため，治療開始後のできるだけ早期よりリハビリテーション治療を開始して，化学療法や放射線療法中・後にがん患者が陥りやすい悪循環を早期から断ち切り，機能障害や ADL 低下を予防することが重要である。

●対象となるのはどのような患者か？

がん治療のための化学療法や放射線療法が，入院もしくは外来にて施行されているがん患者が対象となる。

●誰がいつどこで行うのか？

化学療法・放射線療法中・後のがん患者に生じる身体活動性や身体機能の低下には，筋力増強訓練や有酸素運動だけなく，身体活動に関する生活指導を含めた包括的なリハビリテーション治療が必要である。

1．誰が行うのか？

化学療法・放射線療法中または治療後のリハビリテーション治療は，リハビリテーション専門職が中心となり実施することが望ましい。化学療法・放射線療法ではさまざまな有害事象が発生するため，リハビリテーション治療に対するモチベーションを保つことが困難な場合が多い。そのような時期にリハビリテーション専門職が関わることは，患者のリハビリテーション治療に対するモチベーションを保つのに効果的である。また，有害事象などの影響で身体を動かすのが困難な状況の中，患者が最大限の効果を得るためにもリハビリテーション専門職が中心となりリハビリテーション治療を実施することが必要である。

表 10-2 放射線療法による有害事象

	症状/部位	特徴
*急性反応	放射線宿酔	二日酔いのような症状であり，原因ははっきりしていない。倦怠感，めまい，悪心・嘔吐，頭痛などの症状が出現し，2〜3 日で治まることが多い。症状が重度のときには，制吐薬や抗ヒスタミン薬などを投与する。
*急性反応	皮膚炎	発赤，色素沈着，乾燥，皮膚剝離などが生じる。照射線量や部位によって異なるが，多くは治療開始から 2 週後に出現し，治療終了後 2〜4 週間で改善する。
*急性反応	口腔・咽頭粘膜障害	口腔粘膜に急性炎症が生じ，潰瘍や出血がみられる。また，唾液分泌腺に障害が生じることで口腔内が乾燥することもあり，口内炎を悪化させる原因にもなる。治療終了後 1〜2 週間で改善するが，化学療法を併用している場合には遷延することもある。
*急性反応	消化管障害	上腹部に照射されると胃や十二指腸の粘膜が炎症を起こし，胃の不快感・疼痛・悪心などが生じる。下腹部への照射では腸管粘膜の炎症によって下痢が生じる。治療終了後 1〜2 週間で改善するが，部位によっては制吐薬，胃粘膜保護薬，抗潰瘍薬などの投与で対処する。
*急性反応	味覚障害	舌の味蕾細胞が損傷を受けると味覚が変化し，鈍くなったり，苦みを感じるようになる。通常は数カ月で改善し，長期にわたることは少ない。
*急性反応	脱毛	放射線療法では化学療法とは異なり，照射部位だけが脱毛する。脱毛は治療開始から 1〜3 週後に出現するが，一時的なもので，治療終了後，数カ月で生え始める。
†晩期反応	神経障害	脳や脊髄へ大量に照射した場合には，脳や脊髄の一部の組織が壊死や梗塞を起こすことがある。また，白内障や網膜症などの視力障害が出ることがあり，耳への照射では中耳炎やめまいなどが生じることがある。
†晩期反応	口腔・唾液腺障害	唾液腺機能が低下し，口腔内の乾燥や味覚が変化することがある。また，開口障害が生じ，リハビリテーション治療が必要になる場合もある。
†晩期反応	骨障害	骨への照射によって骨壊死や易骨折性が生じることがある。また小児の場合は，少量の照射でも骨の成長が止まることがある。
†晩期反応	胸腹部障害	胸部に照射すると，肺の線維化が生じ呼吸困難となる場合がある。肋骨が脆弱になり骨折を起こしやすくなる。また，食道壁が線維化して食道が狭窄し，通過障害を生じることがある。腹部照射では，腎機能低下・腎炎，直腸・結腸の狭窄，潰瘍が生じる場合がある。
†晩期反応	その他	生殖器は放射線に対して敏感な器官であり，卵巣や精巣に照射されると不妊のリスクが高まる。骨盤照射ではリンパ浮腫が生じ，下肢の浮腫が出現することがある。

*照射期間中・直後に出現
† 照射後 6 カ月以降に出現

近年，標準治療が確立し有害事象の管理も可能となって，化学療法や放射線療法を外来で実施する患者が増加傾向にある。現在の医療保険制度では，がんのリハビリテーション治療を外来で行うことは難しいのが現状である。そのため，入院中より退院後の運動の継続を見据えたリハビリテーション専門職による運動療法の指導や生活指導が重要である。退院後は患者自身が運動や生活を行い，可能であれば定期的にリハビリテーション専門職もしくは看護師による運動の実施状況や生活状況のチェックを受けることが望ましい。また，近年，病院完結型の医療から地域完結型の医療である地域包括ケアシステムへ移行しており，在宅療養でのがん患者のリハビリテーション治療の需要は増加している。在宅で継続したリハビリテーション治療を実現するには，ケアマネージャー，通所系サービス施設や訪問リハビリテーション事業所のスタッフ，看護師や患者家族にも運動指導・生活指導の実施を依頼することが重要である。

2. いつ行うのか？

化学療法や放射線療法中のリハビリテーション治療は，全身状態に応じて化学療法や放射線療法開始後早期より実施することが望ましい。早期よりリハビリテーション治療を開始することで，廃用症候群を予防しADLやQOLが維持できるだけでなく，有害事象が出現する前に今後起こり得る症状や対策をあらかじめがん患者に説明しておくことは有害事象に対する心構えになり，また，リハビリテーション治療への意欲を保つことにもつながる。

3．どこで行うのか？

入院中，リハビリテーション室で積極的にリハビリテーション治療を行っても，訓練時間以外は病室のベッド上で臥床して過ごす患者がほとんどである。そのため，病棟での生活場面でも高い身体活動性を維持できるような生活指導が必要である。

化学療法や放射線療法中は，有害事象による体調の変化や制限された安静度によりベッドサイドでリハビリテーション治療を実施することも多い。一方，外来では，在宅での自主トレーニング，地域のスポーツセンターやリハビリテーション施設での運動など，リハビリテーション治療が行われる場面は状況により変化するので，体制を整えて円滑に移行できるように，入院中から退院後の生活期を見据えた指導などが必要である。

●どのような方法で行うのか？

がんは進行性の疾患のため，原疾患の進行に伴う機能障害の増悪や二次的障害，生命予後に配慮したリハビリテーション治療を行う必要がある。そのため，化学療法や放射線療法中・後にリハビリテーション治療を実施する際には，原疾患の進行度（ステージ）や治療の目的と効果，有害事象などを把握する必要がある。

化学療法の目的は，①がんの根治，②腫瘍の縮小・生存期間の延長，③症状緩和・QOLの維持と改善の3つに分けられる。化学療法への感受性が高く，治癒が期待できるがんは白血病や悪性リンパ腫，胚細胞腫瘍など一部のがんに限られており，多くの進行・再発した固形がんの化学療法は生存期間の延長や症状緩和・QOLの改善を目的に行われる。

放射線療法も化学療法と同様に，根治を目的としたものから症状緩和を目的としたものまである。放射線療法が標準治療の一部となっている主ながんは，頭頸部がん，肺がん，乳がん，子宮頸がん，前立腺がん，網膜芽細胞腫，悪性リンパ腫，食道がん，脳腫瘍であり，骨転移や転移性脳腫瘍には疼痛の軽減や神経症状の改善を目的に緩和的照射が行われる。

固形がんの治療効果判定には奏効率が用いられる。治療前後のCT画像で腫瘍の大きさを計測し縮小率を算出して判定する。世界共通の客観的な判定基準は「固形がんの治療効果判定のための新ガイドライン（RECISTガイドライン）」であり，わが国では日本臨床腫瘍研究グループ（Japan Clinical Oncology Group；JCOG）の日本語版RECISTガイドライン[1]が広く活用されている（⇒p8 図1-2）。

白血病などの血液腫瘍は病変が骨髄や末梢血中に存在し，固形がんのように腫瘍の大きさを計測できないため，骨髄検査所見によって治療効果を判定する（⇒p9 表1-9）。

化学療法や放射線療法中・後には，さまざまな有害事象が出現する（表10-1，表10-2）が，予測される有害事象の内容と出現時期（表10-3）[2]を把握して早期発見と増悪予防に努める。そして，有害事象共通用語基準v5.0日本語訳JCOG版（略称：CTCAE v5.0-JCOG）を用いて，出現した有害事象を客観的に評価しグレードに応じた対策をとる（⇒p9 表1-10）。

以上のように，治療効果の判定と有害事象の評価を行い，治療継続の可否を検討する。治療過程で主要臓器の機能やECOG PS（Eastern Cooperative Oncology Group Performance Status）の低下，重篤な有害事象の発生，治療効果が乏しいなどの理由から化学療法や放射線療法が中断・中止される場合も少なくないため，リハビリテーション専門職も治療効果の判定法や有害事象の評価法を理解し，適宜，リハビリテーション治療の内容や目標の修正を行うことが必要である。

アメリカスポーツ医学会（American College of Sports Medicine；ACSM）のガイドライン[3]では，化

表10-3 化学療法による有害事象の発現時期

経過	内容
投与日	アレルギー反応，血管痛，発熱，血圧低下，悪心・嘔吐（急性），下痢
2〜3日	倦怠感，食欲不振，悪心・嘔吐（遅発性），下痢
7〜14日	口内炎，食欲不振，骨髄抑制
14〜28日	臓器障害（心・肝・腎など），膀胱炎，脱毛，神経障害，色素沈着
2〜6カ月	肺線維症，うっ血性心不全
5〜6年	二次発がん

(富野恵子．化学療法実施前のアセスメント．佐々木常雄，岡元るみ子(編)．新がん化学療法ベスト・プラクティス．照林社，p82，2012．より引用)

学療法や放射線療法などのがん治療中・後であっても，運動療法を安全に実施できることが示されているが，リハビリテーション治療を実施する時はCTCAE v5.0-JCOGを用いて有害事象を評価し，運動負荷による有害事象の増悪が疑われる場合や運動実施に制限を与えるような症状が認められる場合には，医師や看護師，薬剤師など多職種が連携して対応する（表10-4）。

1．筋力増強訓練

運動処方は，FITT（頻度：frequency，強度：intensity，持続時間：time，内容：type）を考慮して行う。運動頻度は週3〜5回に設定し，運動強度は1最大反復回数（repetition maximum；RM）の60〜70%の強度とする。各種の運動回数は8〜12回を1〜2セットとし，12回以上実施できるようになったら運動強度を10%ずつ漸増していく。運動の持続時間は筋力増強訓練では設定されない。がん患者に生じる筋力低下は廃用性筋萎縮や低栄養，悪液質による蛋白質異化亢進が主体となって全身に生じるため，運動内容は大きい筋群を中心とした全身の筋力増強訓練が推奨される。

臨床研究では，膝・股関節周囲筋，下腿三頭筋，大胸筋・広背筋，上腕二頭筋・三頭筋，腹背筋などの筋力増強訓練を組み合わせたマシントレーニングが多く，1RMでの運動強度の設定も煩雑であり，医療機関や自宅での訓練としては実用的ではない。そのため，自重や重錘，エクササイズバンドなどを使用して簡単かつ効果的で持続的な訓練を行うための工夫が必要である。具体的には，運動強度は自覚的運動強度により調整し，運動後に筋疲労を自覚する程度が適当である（⇒p288）。Wiskemannら[4]は，自主トレーニングの運動強度の設定に自覚的運動強度であるBorgスケールの使用を提案している。開始時はBorgスケールが14〜16となるように運動強度を設定する。患者は疼痛や疲労，気分やストレスを毎日評価して自己の体調を3段階に分類し，段階に応じて運動強度を自己調整することで，87%と高い運動継続率が達成できたことが報告されている。

2．有酸素運動

一般的に，がん患者の場合，運動頻度は週3〜5回，1回の運動の持続時間は20〜30分とする。運動内容はエルゴメーターやトレッドミルだけでなく，ウォーキングも効果がある。運動強度は自覚的運動強度や目標心拍数を参考に設定する（⇒p288）。Borgスケールが6〜11，最大心拍数（220－年齢）の30〜54%の運動強度が低強度，Borgスケールが12〜13，最大心拍数の55〜70%の運動強度が中等度，Borgスケールが14〜19，最大心拍数の71〜95%の運動強度が高強度である。

Borgスケールが11〜13，目標心拍数が最大心拍数の80%程度の中〜高強度の運動でも，注意すれば安全に実施できる。有酸素運動の効果には量-反応関係があるので，患者個人の身体機能や運動時のリスク，がんやその他の併存疾患の状態や治療状況を確認したうえで，許容される状態であれば高強度の運動療法も考慮すべきである。ACSMガイドラインでは，中等度以上の運動強度で有酸素運動を行う場合は，心肺運動負荷試験（CPX）により心大血管リスク（血圧変動や心電図の変化）と運動耐容能（無酸素閾値：

表 10-4 リハビリテーション治療実施の際の有害事象への対応

有害事象	対応
過敏症・インフュージョンリアクション	・過敏症は，異物に対する生体防御のシステムが，過剰あるいは不適当な反応として発現するために生じるさまざまな症状の総称であり，インフュージョンリアクションは，分子標的薬の投与中または投与開始 24 時間以内に現れる有害事象の総称である。どちらも化学療法開始早期に出現し，重篤なものでは生命を脅かす危険性があるため注意が必要である。 ・薬剤によっては予防前投薬が推奨されており，前投与薬が確実に投与されているか，リハビリテーション治療前に確認を行う。現在これらの発症の予測は困難であり，皮疹や薬剤熱，気管支痙攣，浮腫，アナフィラキシーなどの代表的な症状が起こっていないか，リハビリテーション治療中，注意深い観察が必要であり，万が一症状を認める場合は，直ちにリハビリテーション治療を中止し，医師や看護師へ報告を行うなど迅速な対応が必要である。
血管外漏出	・血管外漏出は，皮膚壊死や潰瘍形成などの重大な皮膚障害を引き起こすことがあるため注意が必要である。 ・リハビリテーション治療を行う際は，点滴の穿刺部位を過度に動かさないようにリハビリテーション治療内容に配慮し，穿刺部位付近の不快感や掻痒感，灼熱感，圧迫感，疼痛などの自覚症状の確認と発赤，腫脹などの皮膚所見の観察を行う。また，患者自身でも異常を発見・報告できるように患者教育も重要である。 ・ドキソルビシンやダウノルビシン，パクリタキセル，ビンクリスチンなどは少量でも重篤な皮膚障害を引き起こすことが報告されており，投与中にリハビリテーション治療を行う際は注意が必要である。
疼痛	・安静時痛・体動時痛を評価し，安静時より強い疼痛がある場合や，体動により著明な疼痛増悪がある場合には，オピオイドや非ステロイド性消炎鎮痛薬（non-steroidal anti-inflammatory drugs；NSAIDs）などの使用や増量を検討する。 ・運動を行いやすいようリハビリテーション治療時間にあわせて投与時間を調整するなどの対策も有効である。
骨髄抑制	・白血球減少，赤血球減少，血小板減少のそれぞれに伴う症状に注意する。白血球減少では易感染状態となるため，患者・医療者双方が感染予防行動を徹底する。個室隔離や無菌室管理が行われる場合は，リハビリテーション治療の実施場所もそれに従う。特別な隔離が行われない場合であっても，感染防御の中心的役割を果たす好中球が最低値を示す化学療法投与後 7〜14 日は特に注意が必要であり，感染症状に注意するとともに，実施場所をリハビリテーション室からベッドサイドへ変更して多人数との接触を避けるなどの対応を行う。 ・赤血球減少による貧血症状を確認し，リハビリテーション治療実施時にはふらつき・めまいに注意する。転倒予防のための指導や環境整備も重要である。 ・血小板減少時は易出血状態となる。運動は骨格筋組織内の微小血管損傷を引き起こすため，運動強度に注意が必要である。 ・化学療法の繰り返しによって骨髄抑制の期間が延長するため，継続した対応が必要である。
心機能障害	・化学療法によって引き起こされる心機能障害の中で，最も重要なものとして心筋虚血や心室性不整脈，さらには突然死があり，運動中は厳密なリスク管理が必要である。 ・がん患者の心機能障害と運動に関する報告は少ないが，循環器疾患のリスクに関係なく，化学療法による心機能障害はすべての人に起こる可能性があり，治療中の臨床症状の把握が重要である。 ・実際に運動療法を行う際には，運動中のバイタル測定だけでなく，血液データや尿量，体重変化，水分バランス，心不全徴候を確認する。運動強度の設定に関して明確な基準はなく，心拍数に基づいて設定するのが一般的であるが，がん患者では骨髄抑制による貧血，悪心や下痢による脱水のため頻脈となりやすいので，心拍数だけでなく自覚的運動強度も確認し，総合的に運動強度を判断する必要がある。
腎機能障害	・腎機能低下による急性心不全や急性呼吸不全に注意し，血液データや尿量，体重変化，水分バランス，臨床症状の確認を行う。腎保護のための大量輸液や利尿剤の使用によりトイレ移動の回数が増加し，転倒のリスクが高まる。身体機能や動作能力を評価し，必要であれば尿器の使用などの排尿方法の検討や，履物やベッド周囲の環境設定，看護師に移動介助を依頼するなどの対応を行う。
末梢神経障害	・CTCAE v5.0-JCOG を用いて感覚性，運動性それぞれについて症状を評価し，日常生活への影響を把握する。末梢神経障害は，医療者の評価と患者評価が大きく異なるので，患者の自覚症状を積極的に確認することが必要である。手袋靴下型の症状を呈し，特に移動能力が障害を受けやすいため，必要であれば補装具の使用や病棟での介助方法を提案し，身体活動性の低下で廃用症候群を引き起こさないよう注意する。

AT 値）の評価を行うことを推奨している[3)]。

3．生活指導

化学療法や放射線療法施行中に身体活動を低強度や短時間に制限する必要が出てくることも少なくないが，可能な限り身体活動性を維持・増加するべきである。

「がんサバイバーのための栄養と身体活動ガイドライン」（Nutrition and Physical Activity Guidelines for Cancer Survivors）[5)]では，がんの診断あるいは治療後のできるだけ早期から不活動を避け，定期的な身体活動や通常の日常生活活動を行うことを推奨している。筋力・体力の維持や向上を目的とした身体活動の目標は，週 150 分以上の中等度の強度，または週 75 分以上の高強度，またはそれらに相当する有酸素運動の実施，そしてそのうち週 2 日以上は筋力増強訓練を取り入れることである。この基準に達しない身体活動でも，何もしないことに比べると健康上の利益が得られ，また，基準を超えて身体活動を行うことで，さらなる利益が得られる。これらの基準を参考に患者の状態やモチベーションに応じて，身体活動の方法や負荷量・時間・運動様式などを個別に決定する。決定する際に考慮すべき事項を以下に挙げる。

①貧血：重度の貧血状態にある患者は，貧血が改善するまでは ADL 以外の身体活動を制限する。

②骨髄抑制：免疫機能が低下している患者は，白血球が回復するまで，公共のスポーツセンターやスイミングプールでの運動を避ける。

③倦怠感：治療による重度の倦怠感により運動意欲が低下している患者には，毎日 10 分間程度の軽度の運動を勧める。

④放射線療法：放射線療法施行中の患者は，スイミングプールの水のように塩素を含む物質が照射部の皮膚に触れることを避ける。

⑤カテーテルやフィーディング（栄養）チューブの留置：プールや川，海などの微生物が多い環境への接触は感染を招く危険性が高く避ける。偶発的な抜去事故を防ぐために，カテーテル留置部付近の筋力増強訓練も避ける。

⑥身体活動：身体活動性の低い患者は，ストレッチングやゆっくりとしたウォーキングのような低強度の身体活動から開始し徐々に負荷や活動性を上げていく。

⑦その他：骨転移や骨粗鬆症，変形性関節症や末梢神経障害，運動失調などの重大な障害を合併している患者は，身体活動による転倒や外傷の危険性を減らすために安全面に細心の注意を払う。

●リハビリテーション治療の効果は？

化学療法や放射線療法中・後のがん患者が筋力増強訓練，エルゴメーターやトレッドミルなどを用いた有酸素運動を行うことは，身体活動性の向上や筋力，運動耐容能などの身体機能の改善に有用である。

Adamsen ら[6)]は，化学療法中のさまざまながん種の患者に 1 回 90 分，週 3 回の監督下の運動療法（有酸素運動，筋力増強訓練）および週 2 回のリラクセーションプログラムを実施した結果を報告している。30 分間のウォームアップ，45 分間の筋力増強訓練（leg press，chest press，70〜100%1RM），15 分間の有酸素運動〔50〜70W，85〜95%MHR（最大心拍数）〕からなる運動療法（週 43 メッツ・時）で四肢筋力および最大酸素摂取量が向上した。また，Henke ら[7)]は，化学療法中の進行非小細胞肺がん患者が治療開始時から化学療法 3 コース終了時までの連日の運動療法で，筋力および運動耐容能，階段昇降能力が改善したことを報告している。なお，この研究では週 5 日の 6 分間のウォーキングおよび 2 分間の階段昇降訓練，active cycle breathing 訓練（ACBT）などの呼吸訓練，エクササイズバンド（4.6 ポンド＝2.1kg）などを使用した上下肢・体幹の全身的な筋力増強訓練が実施されている。

Segal ら[8)]は放射線療法中の前立腺がん患者を筋力増強訓練群，有酸素運動群，対照群に分けて実施したランダム化比較試験の結果から週 3 回，24 週の監督下での運動療法の効果を報告している。筋力増強訓練群は leg extension や biceps curl など 10 種類の 8〜12RM の強度で 2 セット行う上下肢筋力増強訓練，有酸素運動群は最高酸素摂取量 50〜60%・15 分から開始して最高酸素摂取量 70〜75%・45 分まで負荷を漸増させるエルゴメーターやトレッドミルを用いた訓練を実施させたところ，筋力増強訓練群は対照群と比較して有意に筋力および最大酸素摂取量が改善していた。また，有酸素運動群では治療前後で最大酸素摂取量の変化に改善傾向が認められた。化学放射線療法中の頭頸部がん患者に対する運動療法についてSamuelら[9]は，自覚的運動強度3〜5/10の強度の速歩を1回15〜20分，週5回行う有酸素運動と上下肢筋群を中心に自覚的運動強度3〜5/10の強度，1セット8〜10回，2〜3セットを週5回，6週実施する筋力増強訓練の結果，筋力および6分間歩行テストで評価した運動耐容能が改善したことを報告している。

非監督下の運動について，化学療法中の乳がん患者に歩数計で歩数をカウントしながら在宅を基盤とした1回30分，週5回のウォーキングや運動指導を中心とした治療により，General Practice Physical Activity Questionnaireで評価した身体活動性が治療群で有意に向上したことが報告されている[10]。また，ADT（androgen deprivation therapy）中の前立腺がん患者に対する有酸素運動と低強度の筋力増強訓練を組み合わせた在宅を基盤とした16週にわたる運動療法の指導により，筋力（握力）やGodin's LSI（Leisure Score Index）で評価した身体活動性が向上したことも報告されており[11]，ウォーキングなどの低強度の運動やホームエクササイズなどの身体活動性向上のための運動指導は有用である。

一方，監督下，非監督下ともにリハビリテーション治療（運動療法）に伴う血小板低値時の出血，倦怠感・疲労の増悪，転倒などの有害事象増加の報告はほとんどなく，運動療法は安全に実施できると判断できる。

（井上順一朗・熊野宏治・佐浦隆一）

引用文献

1) Japan Clinical Oncology Group. 固形がんの治療効果判定のための新ガイドライン（RECISTガイドライン）―改訂版version 1.1―日本語訳JCOG版ver.1.0.
http://www.jcog.jp/doctor/tool/RECISTv11J_20100810.pdf（最終アクセス日：2020年7月28日）
2) 佐々木常雄，岡元るみ子（編）．新がん化学療法ベスト・プラクティス．照林社，p82，2012.
3) Campbell KC, Winters-Stone KM, Wiskemann J, et al. Exercise guidelines for cancer survivors: consensus statement from international multidisciplinary roundtable. Med Sci Sports Exerc. 2019; 51: 2375-90.
4) Wiskemann J, Dreger P, Schwerdtfeger R, et al. Effects of a partly self-administered exercise program before, during, and after allogeneic stem cell transplantation. Blood. 2011; 117: 2604-13.
5) Rock CL, Doyle C, Demark-Wahnefried W, et al. Nutrition and physical activity guidelines for cancer survivors. CA Cancer J Clin. 2012; 62: 243-74.
6) Adamsen L, Quist M, Andersen C, et al. Effect of a multimodal high intensity exercise intervention in cancer patients undergoing chemotherapy: randomised controlled trial. BMJ. 2009; 339: b3410.
7) Henke CC, Cabri J, Fricke L, et al. Strength and endurance training in the treatment of lung cancer patients in stages IIIA/IIIB/IV. Support Care Cancer. 2014; 22: 95-101.
8) Segal RJ, Reid RD, Courneya KS, et al. Randomized controlled trial of resistance or aerobic exercise in men receiving radiation therapy for prostate cancer. J Clin Oncol. 2009; 27: 344-51.
9) Samuel SR, Maiya GA, Babu AS, et al. Effect of exercise training on functional capacity & quality of life in head & neck cancer patients receiving chemoradiotherapy. Indian J Med Res. 2013; 137: 515-20.
10) Gokal K, Wallis D, Ahmed S, et al. Effects of a self-managed home-based walking intervention on psychosocial health outcomes for breast cancer patients receiving chemotherapy: a randomised controlled trial. Support Care Cancer. 2016; 24: 1139-66.
11) Culos-Reed SN, Robinson JW, Lau H, et al. Physical activity for men receiving androgen deprivation therapy for prostate cancer: benefits from a 16-week intervention. Support Care Cancer. 2010; 18: 591-9.

化学療法・放射線療法

2 QOL，倦怠感，精神心理面に対するリハビリテーション治療の効果

チェックポイント

- ✓ 化学療法や放射線療法中・後の患者ではQOLの低下が生じる。
- ✓ 化学療法や放射線療法中・後の患者では，倦怠感，不安，抑うつなどの身体的・精神心理的症状が出現する。
- ✓ リハビリテーション治療により身体機能を改善することがQOL向上につながる。
- ✓ 化学療法や放射線療法中の運動は，不安や抑うつを軽減させる。
- ✓ 近年では病院完結型の医療から地域完結型の医療である地域包括ケアシステムに移行しており，ケアマネージャー，通所系サービス施設や訪問リハビリテーション事業所のスタッフなどに運動指導・生活指導の実施を依頼することも重要である。

関連CQ・推奨グレード

CQ 01

化学療法・放射線療法中の患者に対して，リハビリテーション治療（運動療法）を行うことは，行わない場合に比べて推奨されるか？

▶ 推 奨

化学療法・放射線療法中の患者に対して，リハビリテーション治療（運動療法）を実施することを推奨する。

■グレード 1B　■推奨の強さ 強い推奨　■エビデンスの確実性 中

ベストプラクティス

●なぜ必要なのか？

がん患者の多くはがん治療中・後にかけてQOLを低下させる多くの有害事象を経験する。化学療法では，腎機能・心機能障害，嘔気・嘔吐，骨髄抑制，末梢神経障害，放射線療法では，嘔気，食欲不振，倦怠感，皮膚炎，口腔咽頭粘膜，消化管障害などの有害事象が生じる。また，有害事象に伴う疼痛，感染症，栄養障害，睡眠障害，倦怠感，身体活動量の低下，運動耐容能の低下，がん悪液質などの身体的ストレスとともに，長期間にわたる精神的ストレスも加わりがん患者のQOLは低下しやすい状況にある。

多くの研究で運動療法によりQOLが改善することが示されており，コクラン・レビューでも運動療法はQOLの改善に効果的であるとされている[1]。

倦怠感はがん患者の多くに認められる症状の一つであり，化学療法や放射線療法中の患者約80%で認められる[2,3]。倦怠感は「身体的・精神的消耗を含む衰弱として特徴づけられる主観的症状」と定義されるが，健常人の疲労感と異なり，がん患者の倦怠感は睡眠や休息によっても改善しないことが特徴である。

倦怠感は化学療法や放射線療法治療中～後以外にも，痛みや呼吸困難，がん悪液質や体重減少，貧血，アルブミン値の低下，抑うつや睡眠障害，不十分なソーシャルサポートなどさまざまな要因が絡み合って生じる（図 10-1）[4]。身体活動性の減少により身体機能が低下し，日常生活活動に対する身体の耐容能も失われ，倦怠感の増悪につながる。NCCN（National Comprehensive Cancer Network）のガイドラインでは，倦怠感に対する非薬物療法として身体活動性の向上と運動療法が質の高いエビデンスでコンセンサスの得られた治療と推奨されている[5]。また，身体活動と休息のバランスを取るような生活指導も重要であり，身体への負担を減らしながら，日常生活に必要な活動を維持するための生活指導を行う（表 10-5）[6]。

がん患者が抱える精神的・心理的障害には不安や抑うつなどがある。化学療法中の患者の不安や抑うつなどの発生要因として，抗がん剤そのものが脳内の神経伝達物質に作用して不安・抑うつを引き起こす場合と，化学療法中に起こるさまざまなストレスが不安や抑うつを引き起こす場合が考えられている。化学療法や放射線療法中のがん患者にみられるストレスは，身体的苦痛，心理的苦痛，喪失体験の 3 つに分類される（表 10-6）[6]。そして，運動による倦怠感などの身体症状の緩和や身体機能の改善による身体的・社会的機能の再獲得は，がん患者の不安・抑うつなどの改善につながることが期待できる。

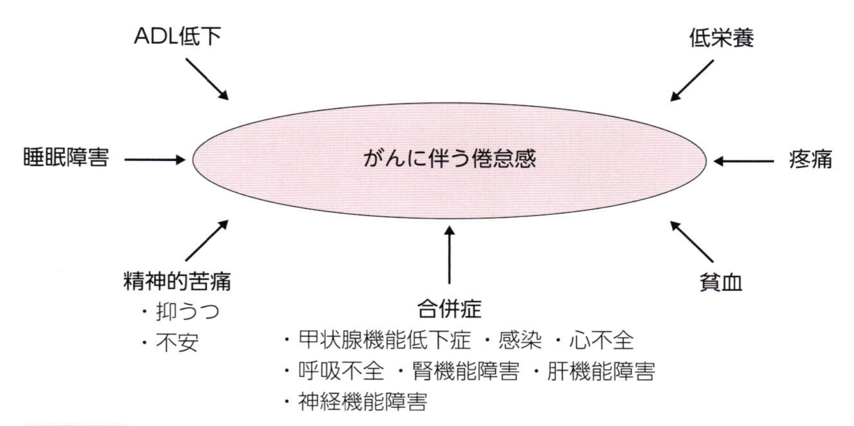

図 10-1　治療可能な倦怠感

（Carroll JK, Kohli S, Mustian KM, et al. Pharmacologic treatment of cancer-related fatigue. Oncologist. 2007; 12 Suppl 1: 43-51. より引用）

表 10-5　日常生活における負担の軽減

入浴	・湯船（入槽）よりシャワーを使う ・バスタブ内での椅子の使用 ・長めのタオルの使用 ・シャワーチェアーの使用 ・液体石鹸の使用
衣類	・脱着が容易なゆったりとした洋服の着用 ・靴べらの使用 ・前開きの服の着用
家事	・週単位→月単位へ仕事の分散 ・長い柄のついたほうきやモップの使用 ・軽いアイロンの使用
買い物	・あらかじめリストを作成する ・自宅への宅配サービスの利用 ・缶詰・冷蔵庫などで保存のきく食材の購入

（山口茂夫，都築あおさ，岡本るみ子．全身倦怠感（疲労）．佐々木常雄，岡本るみ子（編）．新がん化学療法ベスト・プラクティス．p217，照林社，2012．より一部改変）

表 10-6　化学療法・放射線療法中にみられる心理社会的ストレス

身体的苦痛	・治療の有害事象（倦怠感，悪心，脱毛など） ・がんそのものによる身体症状（疼痛，呼吸困難など）
心理的危機	・病状の進行（再発，転移） ・治療経過（治療継続の断念） ・スピリチュアルペイン
喪失体験	・身体機能の喪失 ・社会参加機会の喪失
その他	・経済的問題 ・家族調整不和

（赤穂理絵，東麻美．不安・抑うつ．佐々木常雄，岡本るみ子（編）．新がん化学療法ベスト・プラクティス．p219，照林社，2012．より一部改変）

●対象となるのはどのような患者か？

がん治療のための化学療法や放射線療法が，入院もしくは外来にて施行されているがん患者が対象となる。

●誰がいつどこで行うのか？

化学療法・放射線療法中または治療後のがん患者の身体活動や身体機能の低下には，有酸素運動や筋力増強訓練だけでなく，身体活動に関する生活指導を含めた包括的なリハビリテーション治療が必要となる。

1. 誰が行うのか？

前頁（⇒ p222）で述べた通り，化学療法や放射線療法中・後のリハビリテーション治療は，リハビリテーション専門職が中心となり実施することが望ましい。リハビリテーション専門職の関与は，がん患者のリハビリテーション治療に対する意欲を保つために効果的であり，効率のよい運動療法などにより最大限の効果を得るためにも必要である。

近年，標準治療が確立し外来で化学療法や放射線療法が実施される患者も増加しているが，「がん患者リハビリテーション料」を外来診療では算定できないので，外来での積極的な実施は難しい。そのため，リハビリテーション専門職は，多職種連携の中で生活指導や自主トレーニングをさまざまな資料を用いて実施するなどの工夫により，病院外でも運動療法を継続できる仕組みを整えていくことが必要である。

2. いつ行うのか？

化学療法・放射線療法中のリハビリテーション治療は，全身状態が許す範囲で可能な限り早期より開始することが望ましい。早期からのリハビリテーション治療の開始により，廃用症候群を予防して ADL・QOL が維持できるだけでなく，起こり得る症状と対策について有害事象が出現する前から患者本人や家族に説明しておくことで，患者のリハビリテーション治療へのモチベーションを維持できる。

3. どこで行うのか？

入院中，リハビリテーション室で積極的にリハビリテーション治療を行っても，リハビリテーション治療の時間以外は病室のベッドで寝て過ごす患者も多い。そのため病棟でも，高い身体活動性を維持できるように生活指導を行う。

化学療法中や放射線療法中は，ベッドサイドでリハビリテーション治療を実施することが多い。退院後は自宅周辺のウォーキングやスポーツセンターの利用を勧める。また，最近は高齢がん患者も増加傾向にあり，介護保険下での通所リハビリテーションや訪問リハビリテーションなどの利用も考慮する。そのためにも入院中より退院後の運動の継続を見据えた，医師，看護師やリハビリテーション専門職による運動療法や生活様式の指導が重要である。

●どのような方法で行うのか？

倦怠感，精神機能・心理面，QOLの評価法については第9章（⇒p198）を参照されたい。

運動療法は，ACSMの運動処方の指針[7]や，他の生活習慣病と同じ運動療法プログラムが適用される。60～70％最大酸素摂取量（中等度）の負荷の有酸素運動を10～15分から開始し，最終的に45分程度を週3回と最大負荷70％程度の負荷量で上下肢体幹の筋力増強訓練を週3回行うことを基本とし，状況にあわせて負荷量や内容を調整することが多い。有酸素運動はエルゴメーターやトレッドミル，ダンスなど，在宅であれば，主にウォーキング，水泳などを指導する。近年，標準治療が確立し有害事象の管理も可能となり，化学療法や放射線療法を外来で実施する患者が増加傾向にある。現在の医療保険制度では，がんのリハビリテーション治療を外来で行うことは難しいのが現状である。しかし，がんサバイバーのためにグループでの運動教室などもわが国で実施されるようになり，退院後の運動継続の助けになっている。退院後の運動療法継続のために，電話での指導やカウンセリング[8]，インターネットを使った運動指導などが行われ[9]，一定の効果も報告されている。

●リハビリテーション治療の効果は？

多くの文献で運動療法による倦怠感への効果が報告されているが，在宅を基盤とした治療の効果判定は今後の課題であり，監督下での運動療法が望ましい。

化学療法を受けている急性骨髄性白血病患者に対し1日12分のウォーキングを週5回繰り返したところ，投薬後1週間および2週間時点でのBFIで評価した平均的な倦怠感，最も強い倦怠感，倦怠感による生活の障害の程度は治療群で有意に減少し，交互作用が認められたことが報告されている[10]。また，治療中のがん患者に12週間の運動療法を行うと，行わない場合に比べて倦怠感が減少することも報告されている[11]。

運動療法の精神機能・心理面への効果について，放射線療法もしくはホルモン療法を行う前立腺がん患者を対象にした研究では，EORTC（European Organization for Research and Treatment of Cancer）QLQ-C30（⇒p302）やFACT-G（Functional Assessment of Cancer Therapy-General⇒p304）で評価した精神機能，BSI-18（The Brief Symptom Inventory-18）の下位項目である全体的な悩みが監督下運動療法により改善されたと報告されている[11,12]。また，Chang[10]やAdamsen[13]らは，対照群と比較して運動療法によりPOMSやHADSの精神機能が改善したと報告し，コクラン・レビューでも，治療中のがん患者に12週間の運動療法を行うと，行わない場合に比べて不安と抑うつが軽減することが示されている[1]。さらに，Adamsenらは化学療法を受けるさまざまながん種に対して運動療法を実施した結果，治療群ではSF-36（MOS 36-Item Short-Form Health Survey）のPCS（Physical Component Summary）およびMCS（Mental Component Summary）などの身体的，精神的なQOLが有意に改善したことを報告し[13]，コクラン・レビューでも，治療中のがん患者に12週間の運動療法を行うと，行わない場合に比べてQOLが改善することが示されているが[1]，在宅を基盤にした治療では運動療法のQOLに与える明らかな効果は認められず，現在のところは監督下でのリハビリテーション治療が望ましいが，未だ解決しなければならない課題も多い。

（熊野宏治・井上順一朗・佐浦隆一）

引用文献

1) Mihara SI, Schere RW, Snyder C, et al. Exercise interventions on health-related quality of life for people with cancer during active treatment. Cochrane Database Syst Rev. 2012; 8: CD008465.
2) Hofman M, Ryan JL, Figueroa-Moseley CD, et al. Cancer-related fatigue: the scale of the problem. Oncologist. 2007; 12 Suppl 1: 4-10.
3) Henry DH, Viswanathan HN, Elkin EP, et al. Symptoms and treatment burden associated with cancer treatment: results from a cross-sectional national survey in the U.S. Support Care Cancer. 2008; 16: 791-801.

4) Carroll JK, Kohli S, Mustian KM, et al. Pharmacologic treatment of cancer-related fatigue. Oncologist. 2007; 12 Suppl 1: 43-51.
5) Berger AM, Mooney K, Alvarez-Perez A, et al: National comprehensive cancer network. Cancer-Related Fatigue, Version 2.2015. J Natl Compr Canc Netw. 2015; 13: 1012-39.
6) 佐々木常雄, 岡本るみ子（編）. 新がん化学療法ベスト・プラクティス. p219, 照林社, 2012.
7) Schmitz KH, Courneya KS, Matthews C, et al. American College of Sports Medicine roundtable on exercise guidelines for cancer survivors. Med Sci Sports Exerc. 2010; 42: 1409-26.
8) Goodwin PJ, Segal RJ, Vallis M, et al. Randomized trial of a telephone-based weight loss intervention in postmenopausal women with breast cancer receiving letrozole: the LISA trial. J Clin Oncol. 2014; 32: 2231-9.
9) Galiano-Castillo N, Cantarero-Villanueva I, Fernández-Lao C, et al. Telehealth system: A randomized controlled trial evaluating the impact of an internet-based exercise intervention on quality of life, pain, muscle strength, and fatigue in breast cancer survivors. Cancer. 2016; 122: 3166-74.
10) Chang PH, Lai YH, Shun SC, et al. Effects of a walking intervention on fatigue-related experiences of hospitalized acute myelogenous leukemia patients undergoing chemotherapy: a randomized controlled trial. J Pain Symptom Manege. 2008; 35: 524-34.
11) Hojan K, Kwiatkowska-Borowczk E, Leporowska E, et al. Inflammation, cardiometabolic markers, and functional changes in men with prostate cancer. A randomized controlled trial of a 12-month exercise program. Pol Arch Intern Med. 2017; 127: 25-35.
12) Cormie P, Newton RU, Taaffe DR, et al. Exercise maintains sexual activity in men undergoing androgen suppression for prostate cancer: a randomized controlled trial. Prostate Cancer Prostatic Dis. 2013; 16: 170-5.
13) Adamsen L, Quist M, Andersen C, et al. Effect of a multimodal high intensity exercise intervention in cancer patients undergoing chemotherapy: randomised controlled trial. BMJ. 2009; 339: b3410.

化学療法・放射線療法

3 有害事象，その他に対する物理療法，運動療法と栄養療法の併用の効果

チェックポイント

- ✓ 化学療法や放射線療法中のがん患者では，嘔気・嘔吐，口内炎，骨髄抑制，脱毛など，さまざまな有害事象によりQOLが低下し，また，有害事象が重症化すると治療の継続にも影響する。
- ✓ 化学療法や放射線療法中の物理療法により有害事象が軽減する。
- ✓ 化学療法や放射線療法中・後の前立腺がん・乳がん患者の過体重は死亡率や再発率に影響する。
- ✓ 化学療法や放射線療法中・後に運動療法に栄養療法を併用することは，患者の体組成の改善に有用である。

関連CQ・推奨グレード

CQ 02

化学療法・放射線療法中もしくは治療後のがん患者に対して，化学療法・放射線療法中・後に物理療法（寒冷療法，電気鍼治療）を行うことは，行わない場合に比べて推奨されるか？

▶ **推 奨**

化学療法・放射線療法中もしくは治療後のがん患者に対して，化学療法・放射線療法中・後に物理療法（寒冷療法，電気鍼治療）を行うことを提案する。

■グレード 2B　■推奨の強さ **弱い推奨**　■エビデンスの確実性 **中**

CQ 06

化学療法・放射線療法中の患者に対して，運動療法とあわせて栄養療法を行うことは，行わない場合に比べて推奨されるか？

▶ **推 奨**

化学療法・放射線療法中の患者に対して，運動療法とあわせて栄養療法を行うことを提案する。

■グレード 2C　■推奨の強さ **弱い推奨**　■エビデンスの確実性 **弱**

CQ 07

化学療法・放射線療法後の患者に対して，運動療法とあわせて栄養療法を行うことは，行わない場合に比べて推奨されるか？

▶ **推 奨**

化学療法・放射線療法後の患者に対して，運動療法とあわせて栄養療法を行うことを提案する。

■グレード 2B　■推奨の強さ **弱い推奨**　■エビデンスの確実性 **中**

ベストプラクティス

●なぜ必要なのか？

1．物理療法（寒冷療法，電気鍼治療）

化学療法や放射線療法中のがん患者は，嘔気・嘔吐，口内炎，下痢，骨髄抑制，脱毛など，さまざまな有害事象によりQOLが低下する。有害事象が重症化すると治療の中断や中止を余儀なくされ，その後の転帰にも影響が及ぶ。近年，薬物療法の他にこれらの有害事象に対する支持療法としての物理療法が注目されている。寒冷療法や電気鍼治療などの物理療法は，有害事象を軽減し治療の完遂率向上に寄与できる可能性があり，臨床での実施を提案する。

2．運動療法と栄養療法の併用

化学療法や放射線療法中・後のがん患者は，有害事象などにより活動性が低下し，身体機能の低下を招く。活動性の低下は体重増加のリスク因子であり，過体重は前立腺がんや乳がん患者の死亡率や再発率と密接な関係にあることが示されている[1,2]。また，化学療法による嘔気・嘔吐や食欲不振は，体重減少を惹起して悪液質に至らせ，予後に影響を与える[3]。そのため，化学療法や放射線療法中・後の身体機能の維持や体重のコントロールのために運動療法とあわせて栄養療法を行うことは重要である。

●対象となるのはどのような患者か？

1．物理療法（寒冷療法，電気鍼治療）

がん治療としての化学療法および放射線療法中・後のがん患者で，がん治療に伴う口内炎，嘔気・嘔吐，脱毛などの有害事象が生じると予測される／生じている患者が対象となる。

2．運動療法と栄養療法の併用

がん治療としての化学療法および放射線療法中・後のがん患者で，がん治療に伴う体重減少／増加のリスクのある患者が対象となる。

●誰がいつどこで行うのか？　どのような方法で行うのか？

1．物理療法（寒冷療法，電気鍼治療）

1）口内炎予防のための口腔内寒冷療法（クライオテラピー）

メルファランやエトポシドなどの抗がん剤は口腔粘膜障害を生じやすい薬剤である（表10-7）。がん治療に伴う口腔粘膜炎は，免疫抑制を引き起こす化学療法による口腔粘膜炎が全身感染症のリスクを増大させ，また，口腔粘膜炎と好中球減少の両方をもつ患者が敗血症になる相対リスクは，口腔粘膜炎をもたない患者の4倍以上との報告もある[4]。そのため，口腔粘膜障害に対する予防的治療は非常に重要である。

口腔粘膜障害対策の一つに口腔内寒冷療法（クライオテラピー）がある。化学療法時に口腔内を冷却（クライオテラピー）することにより局所の血管が収縮して，口腔粘膜へ到達する抗がん剤が減少するので，結果としてフリーラジカルによる口腔粘膜への酸化ストレスが軽減され，口腔粘膜障害の発症や重症化が予防される。メルファラン大量投与時の血中濃度半減期は分布相（distribution phase）6～16分，排泄相（elimination phase）40～80分と短いため，その投与中にクライオテラピーを実施することが効果的である。

・誰が行うのか？

看護師が化学療法導入前のオリエンテーション時にパンフレットを用いて，患者に口腔内寒冷療法（クライオテラピー）の実施方法を指導する。化学療法開始までに患者の好みの飲料（水，スポーツドリンクなど）を製氷しておき，指導された方法で患者自身が行う。

・いつ行うのか？

抗がん剤投与開始10分前より開始し，投与後1時間30分まで継続する。

表 10-7 口腔粘膜炎を起こしやすい抗がん剤

抗がん剤の種類	薬剤名（一般名）
1. 抗生物質	ブレオマイシン，ダウノルビシン，ドキソルビシン，アクチノマイシンD
2. トポイソメラーゼ阻害薬	イリノテカン，エトポシド
3. 代謝拮抗薬	フルオロウラシル，メトトレキサート，テガフール・ギメラシル・オテラシルカリウム，カペシタビン，シタラビン
4. アルキル化薬	メルファラン，シクロホスファミド
5. 白金製剤	シスプラチン
6. タキサン	パクリタキセル，ドセタキセル

表 10-8 血管外漏出時の組織障害性に基づく分類

1. vesicant drug（壊死性抗がん剤）	
商品名	アドリアシン，ダウノマイシン，イダマイシン，ファルモルビシン，ノバントロン，テラルビシン，ピノルビン，カルセド，マイトマイシン，コスメゲン，タキソール，タキソテール，アブラキサン，エクザール，オンコビン，フィルデシン，ナベルビン，サイメリン，エルプラット，ブスルフェクス
特徴	・少量の漏出でも，紅斑，発赤，腫脹，水疱，壊死を経て，難治性潰瘍へと進行する可能性がある。 ・重度の皮膚障害を起こし，ときに著しい疼痛を伴う難治性潰瘍となり，治癒に数カ月の時間を要するばかりではなく，変性や機能障害を起こすこともある。
2. irritant drug（炎症性抗がん剤）	
商品名	キロサイド，サンラビン，メソトレキセート，ブレオ，ペプレオ，ロイナーゼ，フトラフール，リツキサン，ハーセプチン，アバスチン，アービタックス，スミフェロン，オーアイエフ，フエロン，イムネース，セロイク，アリムタ，フルダラ，アイソボリン，アルケラン
特徴	・一過性の腫脹，発赤，疼痛はあるが，潰瘍形成には至らない局所の炎症を起こす可能性がある。
3. non vesicant drug（非壊死性抗がん剤）	
商品名	ランダ，ブリプラチン，パラプラチン，アクプラ，イホマイド，エンドキサン，ダカルバジン，カンプト，トポテシン，ラステット，ベプシド，5-FU，ジェムザール，アクラシノン，ニドラン，トーリセル，トレアキシン，ハラヴェン，ベルケイド，ドキシル，ロイスタチン，トリセノックス，ベクティビックス，ビダーザ，ミリプラ，コホリン，ハイカムチン
特徴	・多少漏出しても炎症や壊死を生じにくい。

・どこで行うのか？

病室もしくは外来化学療法室のベッド上で行う。抗がん剤投与中は血管外漏出のリスクがあるのでベッド上安静とする。血管外漏出時の組織障害性に基づく抗がん剤の分類を表 10-8 に示す。

・どのような方法で行うのか？

クライオテラピーの実施方法を表 10-9 に示す。

2）嘔気（吐き気）に対する電気鍼治療

・誰が行うのか？

嘔気誘発性の化学療法を受ける患者に，リストバンド式電気鍼を用いて実施する。リハビリテーション専門職もしくは看護師が使用方法のオリエンテーションを行い，患者自身が実施する。

表10-9 クライオテラピーの実施方法

1. 抗がん剤投与10分前より氷水で含嗽をする。 2. 抗がん剤投与時より，氷を口腔内に含み，口の中で転がす。 ・氷が1カ所に留まらないようにする。 ・氷が溶けたら，次の氷を追加する。 ・口腔内で溶けた氷は飲み込んでも，吐き出してもよい。 3. 可能であれば，10分ごとに氷水の飲水を行う（咽頭炎の予防のため）。 4. 投与終了から1.5時間まで継続する。 5. 実施中，気分不良や寒気を感じたら看護師を呼ぶ。

氷は水以外の飲み物（例：スポーツドリンクなど）でも作製が可能
（神戸大学医学部附属病院 腫瘍・血液内科，4階北病棟 患者指導用パンフレット「造血幹細胞移植を受けられる方へ」より引用改変）

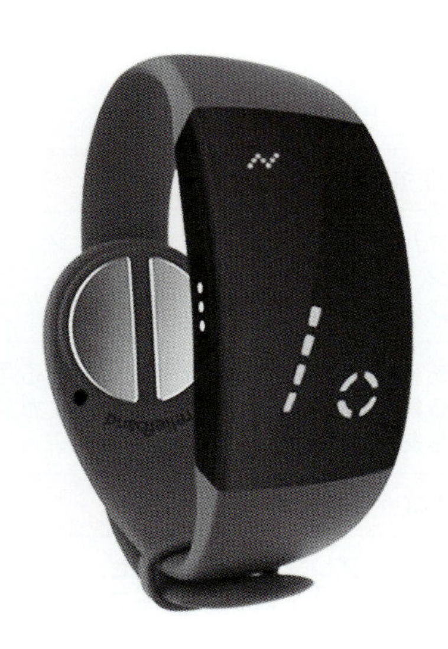

図10-2 ReliefBand®
（Reliefband Technologies社 web page：https://www.reliefband.com/より引用）

・いつ行うのか？

投薬開始から5日間，2時間ごとに2〜3分の刺激を加える[5,6]。

・どこで行うのか？

病室もしくは外来化学療法室のベッド上にて行う。

・どのような方法で行うのか？

リストバンド式電気鍼〔SeaBand®やReliefBand®（図10-2）など〕を手関節掌側・手関節の皺から3横指近位に位置するP6ポイント周囲に巻き付けて刺激する[5,6]。

3）脱毛に対する頭皮冷却法

・誰が行うのか？

化学療法を受ける患者に，専用の頭皮冷却装置を用いて実施する。医師もしくは看護師が実施方法や有用性，有害事象などの説明を行い，頭皮冷却装置を操作する。

・いつ行うのか？

抗がん剤投薬前30分，投与中，投与後90分実施しているもの[7]や投与後は20分〜45分実施しているもの[8]など，実施時間は統一されておらず，未だ検討段階である。

・どこで行うのか？

病室もしくは外来化学療法室のベッド上もしくは着座位で行う。

・どのような方法で行うのか？

頭皮冷却装置〔Paxman®（図10-3）やColdCap®など〕を頭部に装着して冷却する。

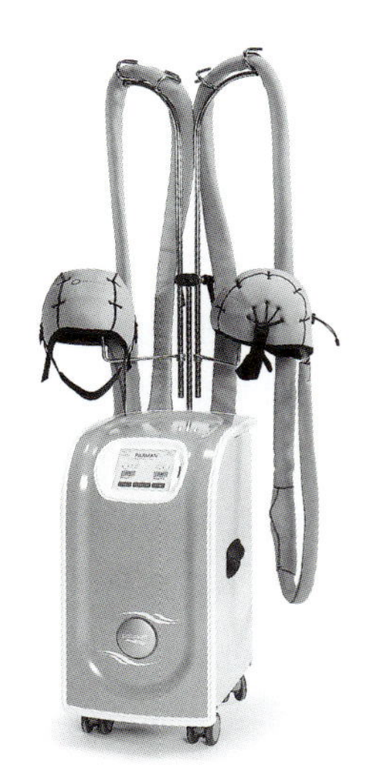

図 10-3　Paxman scalp cooler

(Paxman 社 web page: https://paxmanscalpcooling.com/the-system/paxman-scalp-cooler より引用)

2．運動療法と栄養療法の併用

運動療法の詳細は，本章「身体活動性・身体機能・ADL 低下に対するリハビリテーション治療（運動療法）の効果」の項目（⇒ p222）を参照されたい。

化学療法や放射線療法中・後に，運動療法（運動指導を含む）とともに，管理栄養士が中心となり，医師，看護師，リハビリテーション専門職と協働して栄養指導（食事指導，食事内容，摂取カロリー，栄養素，体組成測定など）を実施する。

●リハビリテーション治療の効果は？

1．口腔内寒冷療法（クライオテラピー）

コクラン・レビューに，Worthington ら[9] の口腔内寒冷療法（クライオテラピー）の有用性についてのシステマティックレビューがある。ランダム化比較試験 14 件のうち 11 件のメタアナリシスが実施されている。主に，5-FU（ランダム化比較試験 5 件）とメルファラン（ランダム化比較試験 5 件）に対するクライオテラピーの有用性が検討されており，5-FU ではクライオテラピー実施群の口内炎発症のリスク比は 0.61（95%CI：0.52-0.72），重篤な口内炎発症のリスク比は 0.40（95%CI：0.27-0.61）であった。一方，メルファランではクライオテラピー実施群の重篤な口内炎発症のリスク比は 0.38（95%CI：0.20-0.72）であった。また，クライオテラピーに伴う著明な有害事象は認めず，安全性も担保されている。

2．電気鍼治療

Shen ら[10] は，化学療法を受けた乳がん患者を電気鍼治療群，プラセボ群，対照群の 3 群に割り付けたランダム化比較試験を行い，抗がん剤投与後 5 日間の治療では，他の 2 群と比較して電気鍼治療群で嘔気のエピソードが有意に少なかったことを報告している。また，Molassiotis ら[6] は，初回化学療法を施行される乳がん患者に SeaBand®を配布し，抗がん剤投与開始から 5 日間の電気鍼治療を行ったところ，嘔気・嘔吐が 1～5 日目にかけて改善したことを報告している。これらの先行研究では，電気鍼治療による有害事象の増加は報告されていない。

3．頭皮冷却法

Nangia ら[7] の報告（The Scalp Cooling Alopecia Prevention trial；SCALP）では，抗がん剤投与前 30 分，投与中，投与後 90 分に化学療法を受けている乳がん患者の頭部を専用の頭皮冷却装置で冷却したところ，4 コースの治療終了時に，対照群と比較して冷却群で有意に脱毛の予防効果があったことが示されている。また，Komen ら[8] は，乳がん患者を Paxman®を用いて抗がん剤投与後 20 分間の冷却を行う群，投与後 45 分間の冷却を行う群（両群ともに投与前 30 分，投与中は冷却）に割り付けたところ，20 分冷却群は 73%，45 分冷却群は 79%の成功率であった（両群に有意差なし）ことを報告している。

冷却による有害事象は頭痛 10%，寒気 25%，悪寒 5%と報告されている[11)]。

4．運動療法と栄養療法の併用

化学療法・放射線療法中の効果について Djuric ら[12)]は，管理栄養士が化学療法中の乳がん患者に食事指導や運動指導といった患者教育および電話での栄養相談を 6 カ月間行うことで，腹囲が 95.3cm から 87.7cm へ減少し，特に治療開始時の BMI が 30kg/m^2 を超えていた患者では，運動療法と栄養療法の併用により BMI が 1.5kg/m^2 低下したと報告している。また，化学療法もしくは放射線療法終了後の乳がん患者に 24 週の監督下での運動療法および摂取カロリー制限による栄養指導を行うことで，BMI が低下したとの Ghavami ら[13)]の報告や，放射線療法後の前立腺がん患者に食生活や運動指導，ストレスコーピングに関するグループでの患者教育（1 回 2.5 時間程度，週 1 回，3 カ月），およびその後 3 カ月の電話によるカウンセリングを実施したところ，総脂肪率や飽和脂肪率が減少したとの Hébert ら[14)]の報告もある。

一方，運動療法と栄養療法の併用に伴う有害事象の増加は報告されておらず，安全に実施できる。

（井上順一朗・熊野宏治・佐浦隆一）

引用文献

1) Su LJ, Arab L, Steck SE, et al. Obesity and prostate cancer aggressiveness among African and Caucasian Americans in a population-based study. Cancer Epidemiol Biomarkers Prev. 2011; 20：844-53.
2) Kroenke CH, Chen WY, Rosner B, et al. Weight, weight gain, and survival after breast cancer diagnosis. J Clin Oncol. 2005; 23: 1370-8.
3) Silver HJ, Dietrich MS, Murphy BA. Changes in body mass, energy balance, physical function, and inflammatory state in patients with locally advanced head and neck cancer treated with concurrent chemoradiation after low-dose induction chemotherapy. Head Neck. 2007; 29: 893-900.
4) Sonis ST. Mucositis as a biological process: a new hypothesis for the development of chemotherapy-induced stomatotoxicity. Oral Oncol. 1998; 34: 39-43.
5) Jones E, Isom S, Kemper KJ, et al. Acupressure for chemotherapy-associated nausea and vomiting in children. J Soc Integr Oncol. 2008; 6: 141-5.
6) Molassiotis A, Helin AM, Dabbour R, et al. The effects of P6 acupressure in the prophylaxis of chemotherapy-related nausea and vomiting in breast cancer patients. Complement Ther Med. 2007; 15: 3-12.
7) Nangia J, Wang T, Osborne C, et al. Effect of a scalp cooling device on alopecia in women undergoing chemotherapy for breast cancer: the scalp randomized clinical trial. JAMA. 2017; 317: 596-605.
8) Komen MM, Breed WP, Smorenburg CH, et al. Results of 20- versus 45-min post-infusion scalp cooling time in the prevention of docetaxel-induced alopecia. Support Care Cancer. 2016; 24: 2735-41.
9) Worthington HV, Clarkson JE, Eden OB. Interventions for preventing oral mucositis for patients with cancer receiving treatment. Cochrane Database Syst Rev. 2006: CD000978.
10) Shen Y, Liu L, Chiang JS, et al. Randomized, placebo-controlled trial of K1 acupoint acustimulation to prevent cisplatin-induced or oxaliplatin-induced nausea. Cancer. 2015; 121: 84-92.
11) van den Hurk CJ, Breed WP, Nortier JW. Short post-infusion scalp cooling time in the prevention of docetaxel-induced alopecia. Support Care Cancer. 2012; 20: 3255-60.
12) Djuric Z, Ellsworth JS, Weldon AL, et al. A diet and exercise intervention during chemotherapy for breast cancer. Open Obes J. 2011; 3: 87-97.
13) Ghavami H, Akyolcu N. The impact of lifestyle interventions in breast cancer women after completion of primary therapy: a randomized study. J Breast Health. 2017; 13: 94-9.
14) Hébert JR, Hurley TG, Harmon BE, et al. A diet, physical activity, and stress reduction intervention in men with rising prostate-specific antigen after treatment for prostate cancer. Cancer Epidemiol. 2012; 36: e128-36.

化学療法・放射線療法

4 認知機能障害に対する運動療法，認知機能訓練の効果

チェックポイント

- ✓ がんサバイバーはがん治療を行う中でさまざまな有害事象を経験するが，認知機能障害もその一つである。
- ✓ 化学療法中・後にかけて記憶力や注意機能の低下，遂行機能障害などの高次脳機能障害（ケモブレイン）が出現することがある。
- ✓ がん患者には，がんの治療前から何らかの認知機能障害を認めることが報告されている。
- ✓ がん患者は，生活の制限などにより精神的なストレスが大きい環境下にあることが多く，認知機能訓練，認知検査などのリハビリテーション治療の実施には患者の精神面への配慮が必要である。
- ✓ がん患者の認知機能は，がん治療法の選択や社会生活を送るうえで非常に重要な機能であり，認知機能の低下は治療のアドヒアランスやQOLの低下，意思決定や家族とのコミュニケーションの障害，就労が困難になるなど，さまざまな形で生活に大きく影響する。

関連CQ・推奨グレード

CQ 03

化学療法・放射線療法中もしくは治療後に認知機能障害のあるがん患者に対して，リハビリテーション治療（運動療法）を行うことは，行わない場合に比べて推奨されるか？

▶ 推 奨

化学療法・放射線療法中もしくは治療後に認知機能障害のあるがん患者に対して，リハビリテーション治療（運動療法）を行うことを推奨する。

■グレード 1A　■推奨の強さ 強い推奨　■エビデンスの確実性 強

CQ 04

化学療法・放射線療法中もしくは治療後に認知機能障害のあるがん患者に対して，リハビリテーション治療（認知機能訓練）を行うことは，行わない場合に比べて推奨されるか？

▶ 推 奨

化学療法・放射線療法中もしくは治療後に認知機能障害のあるがん患者に対して，リハビリテーション治療（認知機能訓練）を行うことを提案する。

■グレード 2B　■推奨の強さ 弱い推奨　■エビデンスの確実性 中

ベストプラクティス

●なぜ必要なのか？

第9章で述べた通り，がん患者の生存率が向上するにつれて，認知機能障害の合併が増加している。

がん患者の認知機能は，がん治療の選択や社会生活を送るうえで必要な機能であり，その障害は治療成績のみならず，がん患者の生活すべてに大きく影響する（⇒p211 図9-6）。がん患者の認知機能障害を評価して，適切なリハビリテーション治療を行うことの重要性は議論をまたない。

●対象となるのはどのような患者か？

がん治療のための化学療法や放射線療法を，入院もしくは外来にて施行されているがん患者が対象となる。

●誰がいつどこで行うのか？

1．誰が行うのか？

運動療法は医師，理学療法士，作業療法士，看護師などが，認知機能訓練は作業療法士や言語聴覚士が実施することが多いが，認知機能訓練は臨床心理士/公認心理師が行うこともある。

2．いつ行うのか？

がん患者はがんの治療前から何らかの認知機能障害を認めることが多い。がん患者の認知機能は，がん治療法の選択や社会生活を送るうえで非常に重要な機能であるため，がんと診断されたら認知機能障害を評価して，必要に応じて治療前からでも適切なリハビリテーション治療を行うことが大切である。特に，化学療法では治療に関連してケモブレインが出現することも報告されているので，化学療法・放射線療法中・後も精神・心理状態にあわせて認知機能訓練や運動療法を実施する。ただし，「がん患者リハビリテーション料」は現状，入院中のみ算定可能であるので，退院後の外来では認知機能に対する自己訓練や自主的に行う運動療法のアドヒアランスのチェック，日常生活での対処方法（コーピングストラテジー）の指導などが中心となる。

3．どこで行うのか？

運動療法は外来では医療保険制度上，実施が困難であり，理学療法士の監督下で運動療法を実施できる施設が少ない。

入院中の化学療法・放射線療法の実施期間は短いので，認知機能訓練の有効性は明らかではない。先行研究ではwebアプリを利用した在宅を基盤とする認知課題訓練もあり，退院後も実施は可能ではあるが，フォローする施設は限られる。

化学療法中や放射線療法中の運動療法は，有害事象による状態変化や隔離管理のために，ベッドサイドでリハビリテーション治療を実施することが多い。有害事象が軽減すれば，リハビリテーション室でエルゴメーターやトレッドミルなどを用いた有酸素運動や筋力増強訓練を実施する。

化学療法中や放射線療法中の認知機能訓練は，有害事象による状態変化や隔離管理のために，運動療法と同じくベッドサイドで実施することになる。しかし，生活の制限など精神的ストレスが大きい環境下にあることが多いので，認知機能訓練，認知検査などのリハビリテーション治療の実施には，患者の精神面への配慮が必要である。一般病棟に移動した場合は，リハビリテーション治療（認知機能訓練）に集中できるリハビリテーション室内の個室環境下などで実施することが望ましい。

●どのような方法で行うのか？

認知機能評価法には第9章（⇒p212）で述べた検査法があるが，どの検査を行うべきかのコンセンサスは得られていない。検査実施時の注意はp212を参照されたい。

●リハビリテーション治療の効果は？

認知機能障害に対する運動療法は，乳がん化学療法後で自覚的に認知機能低下を認めた患者に実施されたランダム化比較試験の結果から，TMT（Trial Making Test）part A では有意な改善を認めたが，FACT-COG（Functional Assessment of Cancer Therapy-Cognitive Function）ver.3 の両群間の得点に有意な差はなかったことが報告されている[1]。また，化学療法，手術療法，ホルモン療法などの治療歴のある乳がん・前立腺がん患者に第 9 章（⇒ p212）で述べた Speed-Feedback 療法（認知トレーニングを取り入れた運動療法を 5 分間，週 1 回で 4 週間）を実施したところ，Speed-Feedback 療法群では対照群と比較して前頭葉機能評価の FAB（Frontal Assessment Battery）が有意に改善したことが報告されている[2]。

インターネットを使った認知療法プログラム 15 週，1 週間に 40 分のセッションを 4 回実施した化学療法後患者への認知機能訓練のランダム化比較試験では，対照群と比較して治療群では FACT-COG ver.3 の得点に有意差を認めたことが示されている[3]。また，2 カ月間，30〜50 分の Memory and Attention Adaptation Training といった認知行動療法を隔週 1 回の計 4 回実施したところ，対照群と比較して記憶機能が改善したことも報告されている[4]。

（熊野宏治・井上順一朗・佐浦隆一）

引用文献

1) Campbell KL, Kam JWY, Neil-Sztramko SE, et al. Effect of aerobic exercise on cancer-associated cognitive impairment：a proof-of-concept RCT. Psychooncology. 2018; 27: 53-60.
2) Miki E, Kataoka T, Okamura H. Feasibility and efficacy of speed-feedback therapy with a bicycle ergometer on cognitive function in elderly cancer patients in Japan. Psychooncology. 2014; 23: 906-13.
3) Bray VJ, Dhillon HM, Bell ML, et al. Evaluation of a web-based cognitive rehabilitation program in cancer survivors reporting cognitive symptoms after chemotherapy. J Clin Oncol. 2017; 35: 217-25.
4) Ferguson RJ, McDonald BC, Rocque MA, et al. Development of CBT for chemotherapy-related cognitive change: results of a waitlist control trial. Psychooncology. 2012; 21: 176-86.

化学療法・放射線療法

5 高齢がん患者に対する高齢者総合的機能評価の有用性

チェックポイント

- ✓ 近年の診断・治療技術，支持療法の進歩に伴い，化学療法および放射線療法がリスクの高い高齢がん患者にも実施されるようになってきている。
- ✓ 高齢がん患者は，加齢に伴う併存疾患や老年症候群を合併していることが多く，化学療法・放射線療法開始前からすでにADLやIADLが低下している可能性が高い。
- ✓ 高齢がん患者の治療前のフレイルやサルコペニアの有無が，治療に伴う有害事象や治療後の転帰，生命予後に影響するため，治療前にフレイルやサルコペニアの有無や程度を評価し，がん治療の方針に反映させる必要がある。
- ✓ 化学療法・放射線療法開始前の高齢者総合的機能評価は，化学療法・放射線療法に伴う有害事象の予測に有用である。

関連CQ・推奨グレード

CQ 05

化学療法・放射線療法施行予定の高齢患者に対して，治療前の高齢者総合的機能評価を行うことは，行わない場合に比べて推奨されるか？

▶ **推 奨**

化学療法・放射線療法施行予定の高齢患者に対して，治療前の高齢者総合的機能評価を行うことを提案する。

■グレード 2C　■推奨の強さ 弱い推奨　■エビデンスの確実性 弱

ベストプラクティス

●なぜ必要なのか？

第9章（⇒ p215）で述べた通り，わが国のがん患者の高齢化が問題となっている。

化学療法や放射線療法を受ける高齢がん患者は，老年症候群を合併しフレイルに陥っている可能性が高く，複数の併存疾患に伴う多剤併用や加齢による薬物の代謝および排泄機能の低下などにより有害事象の発症リスクが増大する。そのため，高齢がん患者に対する化学療法や放射線療法では，治療効果や有害事象などのメリットとリスク，全身状態や生命予後を考慮してその実施を慎重に検討する必要がある。

また，治療前から存在するフレイルと化学療法・放射線療法の完遂率の低下，治療関連毒性の増大の関連が報告され，高齢がん患者の治療に及ぼすフレイルの悪影響が明らかになってきた。そのため，化学療法や放射線療法を受ける高齢がん患者では，フレイルによるPS（Performance Status）の低下が有害事象の増加や治療の完遂率の低下につながり生命予後などの転帰にも影響を与えるため，治療前よりフレイルの評価を行うとともに評価結果に基づいた適切なリハビリテーション治療を行うことが重要である。

●対象となるのはどのような患者か？

化学療法および放射線療法などを施行予定の高齢がん患者が対象となる。

●誰がいつどこで行うのか？

1. 誰が行うのか？

第９章で述べた通り，各職種が協働して評価することが望ましい（⇒ p217）。

2. いつ行うのか？

第９章（⇒ p218）で述べた移植治療時の評価の実際を参照されたい。

3. どこで行うのか？

化学療法や放射線療法などの治療法の検討や方針の決定は外来診察時に行われることが多いため，外来診察診察室や外来診察時にリハビリテーション室で実施する。入院中に治療法の検討や方針の決定が行われる場合には病棟やリハビリテーション室で実施する。

●どのような方法で行うのか？

第９章（⇒ p219）を参照されたい。

●高齢者総合的機能評価の有用性は？

種々の先行研究で，高齢がん患者の化学療法や放射線療法に伴う有害事象の予測に対するフレイルやCGA（Comprehensive Geriatric Assessment）の評価の有用性が検証されている。

ESOGIA-GFPC-GECP 08-02 study[1]では，494名の高齢の進行非小細胞肺がん患者をPSおよび年齢の２要因のみで治療を決定した通常群と，PS，ADL，IADL，MMSE（Mini-Mental State Examination），老年症候群，合併症，抑うつ状態などのCGA評価により「fit」「vulnerable」「frail」に分類された３群それぞれに対応した治療を行ったCGA群に無作為に割り付けて有害事象や転帰を検討している。結果として，通常群とCGA群では全生存期間（OS）や無再発生存期間の有意な差は認められなかったが，有害事象の発症率はCGA群で有意に低かった。また，Cailletら[2]は治療計画を一旦立案した高齢がん患者にCGA評価を実施したところ，20.8％の患者で治療方針の変更が必要になったことを報告している。Hurriaら[3]は，IADLや治療前の歩行能力の低下，社会活動の制限が，化学療法を受ける65歳以上の高齢がん患者の治療毒性出現の予測因子であると報告している。アメリカ臨床腫瘍学会（American Society of Clinical Oncology；ASCO）のガイドライン[4]でも，化学療法を受ける65歳以上の高齢がん患者では，治療前にCGAを用いて身体機能，併存疾患，転倒歴，抑うつ，認知機能，栄養状態を評価し，化学療法毒性の予測のためにG8（Geriatric 8）やVES-13（Vulnerable Elders Survey-13）を用いることが推奨されている。また，Sprodら[5]は化学療法・放射線療法中に運動療法を実施した65歳以上の高齢がん患者では，実施していない群と比べて治療中の息切れや自覚的健康観が良好であり，運動療法を実施した80歳以上の高齢がん患者では，実施していない群と比べて記銘力が維持でき，自覚的健康観が良好であったことを報告しており，高齢がん患者の治療前のフレイル評価やCGA実施と治療開始後の運動療法の有用性が明らかになってきている。

一方，高齢がん患者に対する治療開始前のフレイル評価やCGA実施に伴う転倒や倦怠感の増悪などの有害事象の報告はなく，安全に実施できる。

以上より，高齢がん患者では化学療法や放射線療法開始前にフレイル評価やCGAを実施して治療方針の決定に役立てるとともに，その結果に基づき，可及的早期から積極的なリハビリテーション治療を開始することが重要である。

（井上順一朗・熊野宏治・佐浦隆一）

引用文献

1) Corre R, Greillier L, Le Caër H, et al. Use of a comprehensive geriatric assessment for the management of elderly patients with advanced non-small-cell lung cancer: the phase III randomized ESOGIA-GFPCGECP 08-02 study. J Clin Oncol. 2016; 34: 1476-83.
2) Caillet P, Canoui-Poitrine F, Vouriot J, et al. Comprehensive geriatric assessment in the decision-making process in elderly patients with cancer: ELCAPA study. J Clin Oncol. 2011; 29: 3636-42.
3) Hurria A, Togawa K, Mohile SG, et al. Predicting chemotherapy toxicity in older adults with cancer: a prospective multicenter study. J Clin Oncol. 2011; 29: 3457-65.
4) Mohile SG, Dale W, Somerfield MR, et al. practical assessment and management of vulnerabilities in older patients receiving chemotherapy: ASCO guideline for geriatric oncology. J Clin Oncol. 2018; 36: 2326-47.
5) Sprod LK, Mohile SG, Demark-Wahnefried W, et al. Exercise and cancer treatment symptoms in 408 newly diagnosed older cancer patients. J Geriatr Oncol. 2012; 3: 90-97.

第11章

進行がん・末期がん

進行がん・末期がん

1 運動機能低下に対するリハビリテーション治療の効果

チェックポイント

- ✓ 進行がん・末期がん患者では疼痛，倦怠感，体重減少，食思不振，嘔気，便秘，呼吸困難，不眠などが頻度の高い症状であり，これらの症状はすべて運動機能低下に直結する。運動機能低下は活動制限につながり，身体活動の低下がさらに身体機能の低下を助長する悪循環に陥り，QOL が低下する。
- ✓ エンドオブライフケアにおけるリハビリテーション医療は，がん診療医およびリハビリテーション科医の指示のもと，理学療法士，作業療法士，言語聴覚士によって行われる。運動機能低下の予防を目的とした運動療法を含めると，進行がん・末期がん患者のすべてが，死の直前までリハビリテーション医療の適応となる。
- ✓ 運動療法は週 1 回以上の頻度が望ましく，リラクセーション，呼吸法などの準備運動，局所性の機能障害に対する関節可動域訓練，筋力増強訓練，神経筋再教育訓練，基本動作・応用動作訓練，全身性機能障害に対する自転車エルゴメーター・トレッドミルでの有酸素運動などを行う。
- ✓ 進行がん・末期がん患者の運動機能低下に対する運動療法の効果は，自覚的評価，満足度，生活機能，QOL などをアウトカムとする研究が多く，労作時の息切れ・疼痛・運動時の倦怠感の改善，ADL・QOL 改善の効果が報告されている。

関連 CQ・推奨グレード

CQ 01

根治治療対象外の進行がん患者に対しても，監督下での運動療法を行うことは，行わない場合と比べて推奨されるか？

▶ 推 奨

根治治療対象外の進行がん患者に対しても，全身状態が安定している場合，監督下での運動療法（supervised exercise）を行うことを提案する。

■グレード **2B**　■推奨の強さ **弱い推奨**　■エビデンスの確実性 **中**

ベストプラクティス

●なぜ必要なのか？

進行がん（advanced cancer）は，がんの進展の程度を示す用語であり，早期がんに対応して用いられる。がんが浸潤性に進行し，転移をきたし，治癒の可能性が少ない状態である。一方末期がん（end stage cancer，terminal cancer）とは，がんの原発巣の拡大が著しく，遠隔転移もあり，患者の全身状態が低下し，生命予後が不良であることが予想されるがんの病期をいう。

末期がん患者へのケアを終末期ケア（terminal care）とよぶが，最近は「エンドオブライフケア（end of life care）」を用いることが多い。

進行がん・末期がん患者では食思不振，嘔気・嘔吐，体重減少，悪液質，疲労・倦怠感，疼痛，抑うつ，便秘，呼吸困難，不眠，傾眠などが頻度の高い症状であり[1]，これらの症状はすべて運動機能低下に直結する。運動機能低下は活動制限につながり，身体活動の低下がさらに心身機能の低下を助長する悪循環に陥り，QOL が低下する。

身体活動の低下は，筋萎縮・筋力低下，関節拘縮，骨萎縮，深部静脈血栓症，起立性低血圧，沈下性肺炎，褥瘡，精神機能障害などの廃用症候群により運動機能低下を助長する[2]。これら全身性の運動機能低下に加えて，転移性脳腫瘍に伴う片麻痺，圧迫性脊髄障害による対麻痺，転移性骨腫瘍による脊椎・四肢の疼痛，末梢神経障害による単麻痺などの局所性機能障害が，進行がん・末期がん患者の運動機能低下を複雑にする。

エンドオブライフケアの時期においても患者の機能障害を改善あるいは代償し，生活機能を可能な限り高く維持し，社会参加を保つために運動機能低下の予防，運動機能低下の改善，運動機能の維持が必要である。運動機能を保つことで，エンドオブライフ期においても人間は人生に希望をもち，個人の自律性と人間の尊厳を保つことができる[3]。

●対象となるのはどのような患者か？

年齢，がん種にかかわらず，末期がんの状態にあり，エンドオブライフケアを必要とする患者で，運動機能の低下を認める，あるいは運動機能の低下が予想されるものが対象となる。

●誰がいつどこで行うのか？

リハビリテーション治療を含むエンドオブライフケアは，住み慣れた環境で，家族に見守られながら在宅ホスピスケアとして行われるのが理想であるが，わが国では在宅医療のシステムがハード・ソフトの両面で十分でないため，ホスピス・緩和ケア病棟，あるいはがん拠点病院の一般病棟において緩和ケアチームにより実施されていることが多いと思われる。入院中のリハビリテーション治療から外来でのリハビリテーション治療，あるいは訪問リハビリテーションで，一貫したリハビリテーション治療が提供できる環境整備が望まれる。

エンドオブライフケアにおけるリハビリテーション医療は，がん診療医およびリハビリテーション科医の指示に基づき，理学療法士，作業療法士，言語聴覚士によって行われる。運動機能低下の予防を目的とした運動療法を含めると，進行がん・末期がん患者のすべてが，死の直前までリハビリテーション医療の適応となる。

●どのような方法で行うのか？

1．リハビリテーション評価

図 11-1 にがん患者リハビリテーション治療の流れを示す。がん診療医，かかりつけ医からの依頼によってリハビリテーション科医の診察・機能評価が行われ，障害像の分析と個々の患者家族の個人因子，環境因子を把握したうえで，治療目標を定め，リハビリテーション治療計画，リハビリテーション処方がなされる。

リハビリテーション処方の際に把握すべき情報としては表 11-1[4] のように，患者の健康状態，すなわち原発巣の進行度，遠隔転移，特に骨転移の程度，疼痛のコントロール状態，がん関連倦怠感の程度，併存疾患の治療状況などを，診療記録と患者面接から把握する。

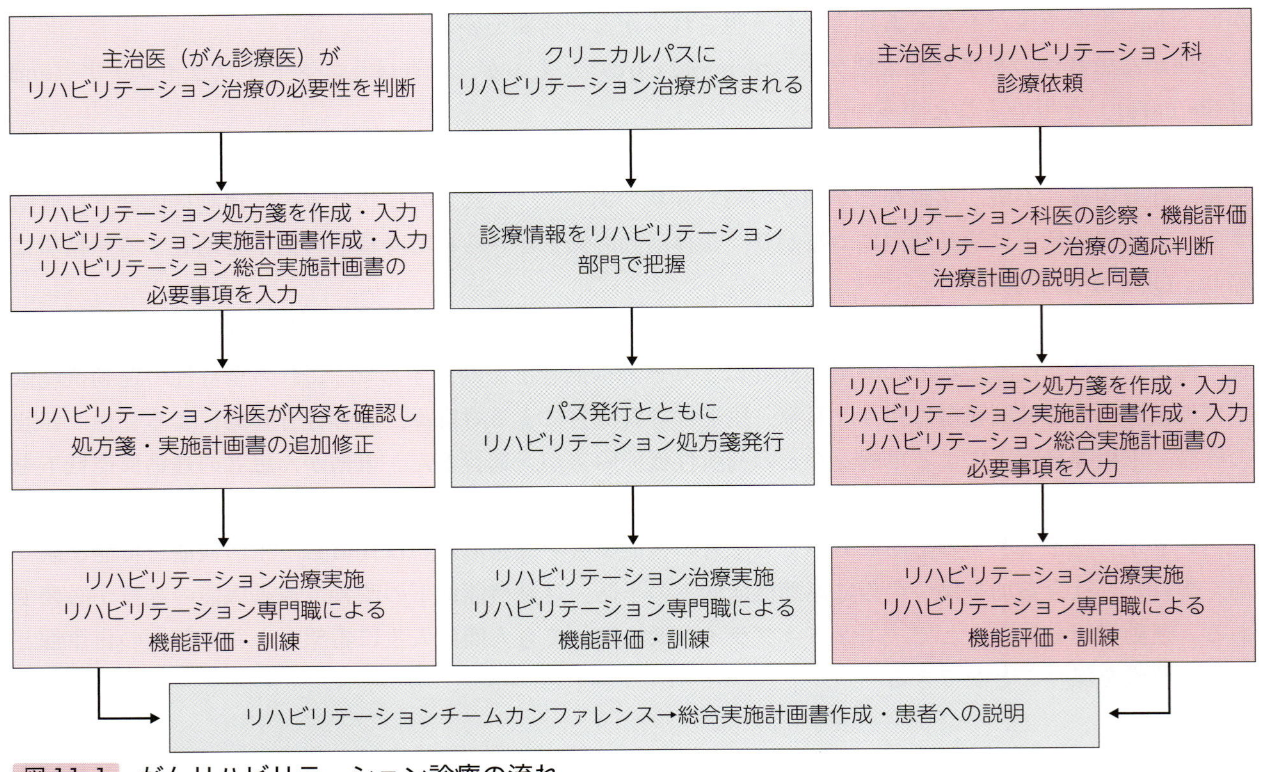

図 11-1　がんリハビリテーション診療の流れ

表 11-1　がん患者の運動療法導入時の留意点

1. インフォームドコンセント	・患者の病態把握 ・家族の病態把握 ・患者・家族の期待	・運動療法のリスクの説明 ・運動療法の目標と内容
2. 医療情報	・病名告知 ・原発巣の進行度 ・転移巣の部位・進行度	・機能予後 ・生命予後
3. 患者の身体因子	・自覚症状 ・全身状態 ・合併症	・血液検査結果 ・画像診断 ・治療内容と有害事象
4. 個人因子・環境因子	・患者の心理状況 ・心理的ストレスへの対処 ・運動経験・運動習慣	・家族関係 ・家屋環境 ・社会参加の状況

（水落和也．全身体力低下とフィジカルリハビリテーション．J Clin Rehabil. 2003; 12: 873-8．より引用）

検査所見では，血液検査，画像検査所見を把握する。末梢血液検査ではヘモグロビン値，白血球数，血小板数，血液生化学検査ではアルブミン値，電解質，血清カルシウム値，腎機能・肝機能などを把握する。画像所見では骨転移の評価として，骨関節の単純 X 線撮影，MRI，骨シンチグラフィ，CT などで原発巣の進行，骨転移と病的骨折のリスクを判定する。

患者診察では，バイタルサインの把握が基本である。バイタルサインとは，意識レベル，体温，呼吸数，脈拍，血圧であるが，これに身長，体重を加えて全身状態を把握する。運動療法開始前，運動中，運動療法後のバイタルサインの確認は，運動療法を安全に実施するために必須である。特に，検査所見が容易に得られない在宅ケアにおいては，バイタルサインの見極めが重要となる。

運動機能評価としては一般的運動機能評価，すなわち関節可動域測定，徒手筋力テスト（manual

muscle test；MMT），VAS（Visual Analogue Scale）による疼痛評価，Borg スケールによる疲労度の評価（⇒ p297），心機能として NYHA 心機能分類（New York Heart Association functional classification），呼吸機能として Fletcher-Hugh-Jones 分類などが簡便に行える評価である。

疼痛については，疼痛の部位，性質，程度，薬物コントロールを確認する。骨転移のある患者では，疼痛部位，荷重の際の疼痛，切迫骨折のリスクなどを把握する。

これらの診療情報から，運動療法の適応，実施可能な運動療法の内容，運動療法中の注意事項を決定し，リハビリテーション処方を作成する。

緩和ケア病棟におけるリハビリテーション治療の例を図 11-2 に示す。

a. 対象者の内訳

	n=21
年齢中央値（歳）	72.0（50-82）
性別（男性：女性）	13：8
Body Mass Index 平均	19.7（14.0-26.1）
転帰	
死亡退院	15 例（72%）
自宅退院	3 例（14%）
転院	3 例（14%）
入院日数中央値（日）	23（7-99）
リハビリテーション治療日数中央値（日）	12（1-55）
Palliative Prognostic Index（PPI）	
6.5 点以上：週単位の予後	9 例
3.5 点以下：月単位の予後	7 例
3.6 - 6.4 点	5 例

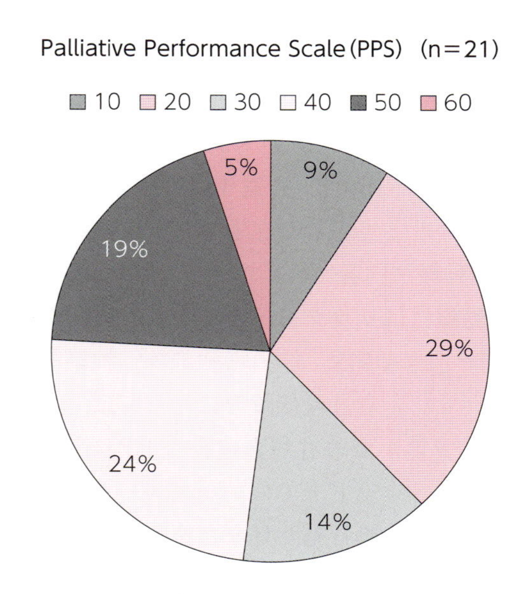

※PPS 40%：ほぼベッド上，PPS 30%以下：常に臥床

b. リハビリテーション治療内容

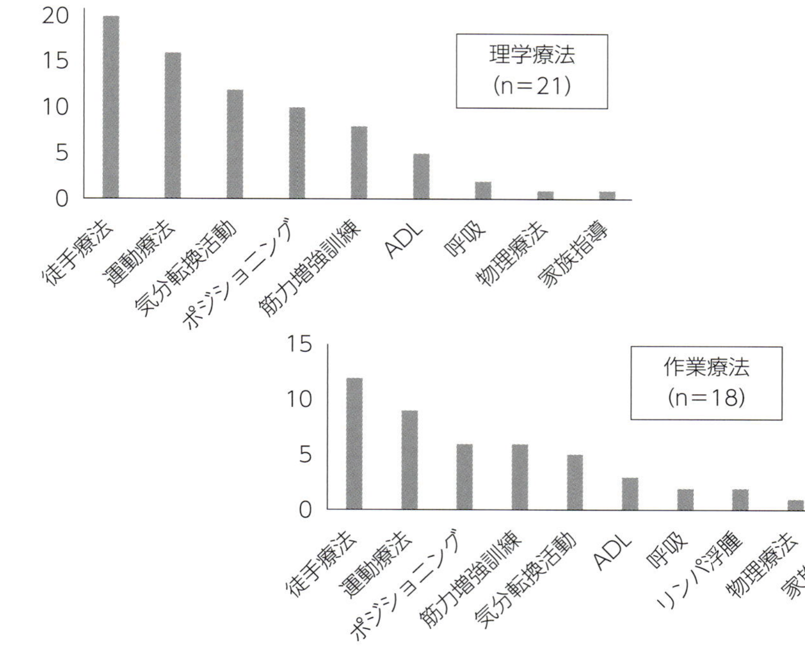

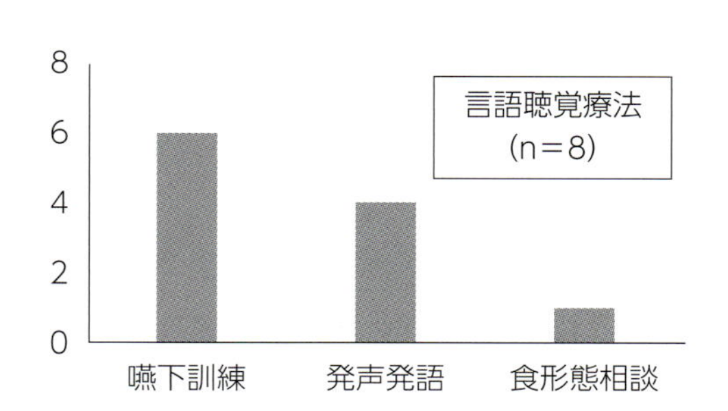

（リハビリテーション治療目的）

本人・家族の希望：14例
自宅退院目的：7例

図 11-2　緩和ケア病棟入院患者に対するリハビリテーション医療サービス
（神奈川県立がんセンター 2017 年 4 月～2018 年 3 月）

2. リハビリテーション処方

1）目標設定

エンドオブライフ期でも，回復的な目標設定はあり得る。転移性脳腫瘍による片麻痺，脊髄圧迫に伴う対麻痺などの局所性機能障害に対しては，座位の確保，基本動作の獲得，安全な移乗動作の獲得などがある。全身性機能障害についても，筋力増強，関節拘縮の改善などは回復的リハビリテーション治療である。体力低下・疼痛・倦怠感・呼吸困難などに伴う機能障害には，運動機能維持，セルフケア・移動等の生活機能の維持など，支持的な目標設定がなされる。常に臥床状態であっても，ベッド上で起き上がり動作や四肢の自動運動を行うことで心理的安定が得られ，疼痛緩和にも有効なことがあり，患者家族の満足度は高い。

2）治療強度

機能回復目的のリハビリテーション治療の頻度は，週3回以上，機能維持目的のためには週1～2回，症状緩和目的では週1回程度が適切と思われるが，進行がん・末期がん患者に対する運動療法の適切な頻度については結論には至っていない。

ランダム化比較試験で用いられた治療強度は，1回60分×週2回×8週間[5)]，60～70%1RM（repetition maximum）×9種類の筋力増強訓練×1回3セット×週3回×12週間[6)]，1回20～30分×週3回×3～4週間[7)]，週4回のウォーキング×週2回以上の四肢体幹筋力増強訓練×8週間（電話による指導のもと実施した在宅を基盤とした運動療法）[8)]であった。

3）運動療法内容

運動療法はリラクセーション，呼吸法などの準備運動から始まり，局所性の機能障害がある場合は局所の関節可動域訓練，筋力増強訓練，神経筋再教育などを行い，基本動作，移乗動作といった動作訓練に進めていく。全身性機能障害に対しては，ストレッチング，準備運動，歩行練習，自転車エルゴメーター・トレッドミルでの有酸素運動などが行われる。座位保持や下肢荷重，歩行が困難な例では，上肢エルゴメーター，ベッド上でのエルゴメーターなどが利用できる。転移性骨腫瘍に伴う疼痛，姿勢保持困難に対しては装具，歩行補助具などを利用する。軽度の意識障害や感覚障害がある場合は自動介助運動を原則とし，筋力増強訓練は療法士の徒手抵抗で行う。疲労感が強い場合は休息をとり，動作訓練のみ行うなど，バイタルサイン，体調を確認しながら臨機応変にプログラムを変更する。有酸素運動の運動強度の設定法は付録に示した（⇒ p296）。

4）安全管理

運動療法実施中の安全管理は，日本リハビリテーション医学会の『リハビリテーション医療における安全管理・推進のためのガイドライン 第2版』の「運動負荷を伴う訓練を実施するための基準」などを参考に判断する。

ランダム化比較試験では有害事象の報告はないが，進行がん・末期がん患者の運動療法では，起立性低血圧，呼吸困難の増悪，病的骨折，皮膚障害，皮下出血などに細心の注意が必要である。

●リハビリテーション治療の効果は？

進行がん・末期がん患者の運動機能低下に対する運動療法の効果は，対象がホスピス・緩和ケア病棟，在宅ホスピスケアなど，血液検査や運動負荷試験，客観的運動能力評価が得られにくい環境にあるため，自覚的評価，満足度，生活機能，QOLなどをアウトカムとする研究が多い。

ランダム化比較試験では，運動耐容能（shuttle walking test），運動機能（sit-to-stand test），握力と歩幅の改善[5)]，総合的運動機能（standard load test）の改善，疾患関連QOL〔FACT-P（Functional Assessment of Cancer Therapy-Prostate）〕の改善[6)]，疲労度と身体症状の改善[7)]，運動機能（Ambulatory Post Acute Care Basic Mobility Short Form）と倦怠感〔FACT-F（Functional Assessment of Cancer Therapy-Fatigue）〕の改善[8)]が報告されている。

（水落和也・小林　毅）

引用文献

1) Asher A. The role of rehabilitation in palliative care. Stubblefield MD (ed), Cancer Rehabilitation- Principles & Practice, 2nd ed, pp917-34, Demos Medical Publishing, 2019.
2) 水落和也．全身性機能障害―廃用症候群，全身体力消耗状態，癌悪液質症候群．辻哲也，里宇明元，木村彰男（編）：癌（がん）のリハビリテーション，pp346-56，金原出版，2006.
3) 水落和也．エンドオブライフケアにおけるリハビリテーション．Jpn J Rehabil Med. 2016; 53: 135-40.
4) 水落和也．全身体力低下とフィジカルリハビリテーション．J Clin Rehabil. 2003; 12: 873-8.
5) Oldervoll LM, Loge JH, Lydersen S, et al. Physical exercise for cancer patients with advanced disease: a randomized controlled trial. Oncologist. 2011; 16: 1649-57.
6) Segal RJ, Reid RD, Courneya KS, et al. Resistance exercise in men receiving androgen deprivation therapy for prostate cancer. J Clin Oncol. 2003; 21: 1653-9.
7) Buss T, de Walden-Gałuszko K, Modlińska A, et al. Kinesitherapy alleviates fatigue in terminal hospice cancer patients-an experimental, controlled study. Support Care Cancer. 2010; 18: 743-9.
8) Cheville AL, Kollasch J, Vandenberg J, et al. A home-based exercise program to improve function, fatigue, and sleep quality in patients with Stage IV lung and colorectal cancer: a randomized controlled trial. J Pain Symptom Manage. 2013; 45: 811-21.

進行がん・末期がん

2 疼痛や呼吸困難などに対する患者教育（教育プログラム）の効果

チェックポイント

- ✓ 疼痛や呼吸困難などは，進行がん・末期がん患者の多くが訴える症状である。
- ✓ 疼痛や呼吸困難などは，身体的な ADL・IADL などの活動性を低下させるだけではなく，不安や抑うつを助長し，本人の主観的満足度を低下させる。
- ✓ 多職種による疼痛や呼吸困難に対するマネジメント・患者教育は，症状を改善し，活動性や主観的満足度を向上する。

関連 CQ・推奨グレード

CQ 03

緩和ケアを主体とする時期の進行がん患者に対して，疼痛や呼吸困難などの症状緩和を目的とした患者教育を行うことは，行わない場合に比べて推奨されるか？

▶ **推 奨**

緩和ケアを主体とする時期の進行がん患者に対して，疼痛や呼吸困難などの症状緩和を目的とした患者教育を行うことを提案する。

■グレード **2B**　■推奨の強さ **弱い推奨**　■エビデンスの確実性 **中**

ベストプラクティス

●なぜ必要なのか？

進行がん・末期がんでは，疼痛や呼吸困難，倦怠感などは身体的な活動性，ADL や IADL を困難にするだけでなく，不安や抑うつを助長し，本人の主観的満足度や QOL を低下させるため，適切に症状の緩和に努める必要がある。

疼痛は，骨転移などの病変では関節運動自体が禁忌となるほか，全身的な動きを大きく制限し，単関節の運動だけではなく，活動と参加そのものの制限因子となる。このような場合には，リラクセーションなどのような直接的な疼痛軽減を図るほか，疼痛教育などにより適切な疼痛管理を行うことで活動性を維持・向上することが重要である。

呼吸困難は，動脈血酸素飽和度を下げ，低酸素血症による全身の機能低下を引き起こし，全身状態を悪化させる。このため，呼吸機能自体を改善させるために呼吸理学療法が必要である。日常生活の各動作では，その動作に応じて酸素消費が増加し，呼吸困難が増悪する。このような場合には，動作に休憩を入れる，動作を単純にするなどの ADL 指導が重要である。

また，疼痛や呼吸困難などの症状とあいまって出現する倦怠感は，より一層に活動と参加を制限することになる。

加えて，疼痛や呼吸困難，倦怠感などの症状は，不安や抑うつなどの精神心理面に悪影響を及ぼし，トータルペイン（全人的苦痛）として苦痛を増悪することにつながる。それぞれの症状を軽減し，日常生活の動作を安楽にして，精神的な平穏を維持することは進行がん・末期がん患者に必須の事項である。

●対象となるのはどのような患者か？

運動機能，活動度については，化学療法・放射線療法後の呼吸困難を有する進行肺がん患者[1)]，疼痛については外来通院中の骨転移を有する乳がん，前立腺がん，大腸がん，肺がん，その他のがん患者[2)]とがん性疼痛を有するⅣ期の消化器がん，肺がん，頭頸部がん，泌尿器・生殖器系がん，乳がん，その他の進行がん患者[3)]，病期は示されていないが，がん性疼痛を有する乳がん，肺がん，前立腺がん，泌尿器・生殖器系がん，大腸がん，その他の進行がん患者[4)]，がん性疼痛を有する消化器がん，乳がん，泌尿器・生殖器系がん，肺がん，造血器腫瘍，その他の転移性がん患者[5)]，骨転移を有する乳がん，前立腺がん，肺がん，その他のがん患者[6)]で改善した報告がある。

倦怠感については，緩和的放射線療法を受けるⅢ・Ⅳ期の進行肺がん患者[7)]，呼吸困難では同じ緩和的放射線療法を受けるⅢ・Ⅳ期の進行肺がん患者[7)]に加えて，治療終了後に外来通院中の呼吸困難を有する肺がん患者[8)]，化学療法・放射線療法後の呼吸困難を有する進行肺がん患者[1)]で軽減・改善した報告がある。

精神心理面については，外来通院中のがん性疼痛を有するⅣ期の進行がん患者[3)]，病期の記載はないが消化器がん，肺がん，泌尿器・生殖器系がん，乳がんの進行がん患者[4)]，消化器がん，肺がん，泌尿器・生殖器系がん，乳がんの進行がん患者[9)]で改善した報告がある。

QOLについては，外来通院中のがん性疼痛を有するⅣ期の進行がん患者[3)]，病期の記載はないが進行がん患者[4)]で改善した報告がある。

身体症状（疼痛・呼吸困難など）の増悪や精神心理面の負担といった有害事象では，病期の記載はないが進行がん患者[9)]，外来通院中のがん性疼痛を有する消化器がん，乳がん，泌尿器・生殖器系がん，肺がん，造血器腫瘍，その他の転移性がん患者[5)]，骨転移を有するがん患者[6)]，Ⅲ・Ⅳ期の緩和的放射線療法を受ける進行肺がん患者[7)]，外来治療終了後の呼吸困難を有する肺がん患者[8)]，化学療法・放射線療法後の呼吸困難を有する進行肺がん患者[1)]で有意差はなく，患者に対する害もなく，また負担にもならないという報告がある。

●誰がいつどこで行うのか？

疼痛や呼吸困難，倦怠感などの症状は検査データだけではなく，本人の自覚症状や訴えが重要となることもあり，主治医や看護師だけではなく早期からリハビリテーション科医・理学療法士・作業療法士など，リハビリテーション医療に関わるすべての職種が注意深く，観察や評価を行うことが必要である。特に，看護師や作業療法士は，ADLの中で呼吸困難の訴えを聞き取る機会が多いので，病棟生活などの場面で動作指導の声掛けなどを行うことが望ましい。理学療法士による呼吸理学療法も，理学療法室だけではなく，病棟などの日常生活場面でも呼吸法の指導が行われるべきである。

疼痛については，日本癌治療学会が「疼痛管理治療ガイドライン」をまとめている[10)]。ここでは，患者の個別に継続することが重要であり，その内容は「痛みとオピオイドに関する正しい知識，痛みの治療計画と具体的な鎮痛薬の使用方法，医療従事者への痛みの伝え方，非薬物療法と生活の工夫，セルフコントロールなどを含める」と記されている。呼吸困難への対応と同様に，必要な患者にいつでもどこでも，多職種によるチームでの関わりが重要である。

また，進行の時期によりトータルペインに関連した不安やうつなどの心理的な要因も大きいため，患者教育（教育プログラム）に関わるすべての職種が，日常生活の場面から心理的な訴えを傾聴し，情報を共有して適切に対応する必要がある。

●どのような方法で行うのか？

1．呼吸困難について

1）呼吸困難の評価

ECOG PS（Eastern Cooperative Oncology Group Performance Status）は，がん患者の生活範囲や行動を評価するための有効な評価法であるが，呼吸困難患者の場合は，PSだけの評価では全体の評価ができないため，いくつかの評価法と組み合わせて行う。

呼吸困難を簡便に評価するには，Borgスケールを用いる（⇒p297）。その際，患者が感じている呼吸困難の程度を，直接，聞き取り評価する。また，ある程度の歩行やADLができるのであれば，慢性閉塞性肺疾患（chronic obstructive pulmonary disease；COPD）患者の評価であるイギリスMRC（Medical Research Council）息切れスケールやFletcher-Hugh-Jones分類の使用も可能である。呼吸困難という主観的な評価ではなく，客観的な数値で簡便に評価するには，経皮的動脈血酸素飽和度（SpO_2）が有効である。

呼吸困難は不安を喚起するので，うつ気分の評価は重要である。しかし，在宅進行がん・末期がんの時期には，死に直面する問題や人生，さまざまな症状に対する喪失感などから気分障害（うつ）が重複するために，鑑別が困難である。全般的な精神的機能評価は，DSM-Ⅲ-R以来，機能の全体的評定（Global Assessment of Functioning；GAF）が用いられることが多い。うつ病の全般的評価ではDMS（Diagnostic Melancholia Scale）などが，うつの重症度評価ではハミルトン評価尺度（Hamilton Rating Scale for Depression；HAM-D／HRSD）などが一般的である。しかし，これらは精神科疾患としての評価であり，成書を参考にすべきである。ここでは，抑うつ症状のアセスメントを紹介する（表11-2）[11]。

ADLでは，Barthel指数（Barthel Index；BI）や機能的自立度評価法（Functional Independence Measure；FIM）が，標準的な評価尺度として使われる[11]ことが多い。呼吸困難という観点では，COPD患者の評価として国内で開発された上肢の日常生活活動評価表（図11-3）[12]やNRADL（Nagasaki University Respiratory ADL Questionnaire）（表11-3）[12]を使用すれば，呼吸困難に応じた評価をすることができる。また，動作時の呼吸困難の程度を観察することも，日常生活を指導するためには重要な評

表11-2　抑うつ症状のアセスメント

尋ねる	1．悲しい気持ちや空しい気持ちが，1日中毎日続いていますか？ 2．これまで楽しいと思えていたことを，楽しむことはできますか？ 気晴らしはできますか？ 3．食欲はどうですか？ 4．夜は眠れますか？ 5．疲れやすくなったり，気力がなくなったように感じますか？ 6．過去のことをくよくよ考えたり，後悔したりすることが多いと感じますか？ 周りの人の重荷になっていると感じることがありますか？ 7．集中力がなくなったと感じますか？ 8．死んでしまった方がいいと考えることがありますか？
観察する	1．身なり（服装や髪形などに気を使っているか） 2．表情・声の調子（泣いているようなことがあるか，暗くふさぎこんでいないか） 3．時間のすごし方（趣味・読書・外出などの活動を楽しめているか，活気があるか） 4．活動レベル（イライラ，あるいは動きの遅さなどはあるか） 5．話し方（発話のペース，言葉がスムーズに出てくるか） 6．集中力・決断力（1つのことに集中できるか，適切な判断ができているか） 7．認知力・記憶力（状況を理解できているか，時間や場所を間違えないか）
チェックする	1．精神疾患の既往があるか 2．家族にうつ病や自殺の既往があるか 3．新しく始めた薬，中止した薬は何か 4．患者の訴えや身体症状は何か（新たな愁訴はあるか，身体疾患の作用で説明できるか） 5．もともとの性格はどうか

（辻哲也（編），がんのリハビリテーションマニュアル，p332，医学書院，2011．引用改変）

上肢の日常生活活動評価表

氏名：＿＿＿＿＿＿＿＿＿＿　年齢：＿＿＿＿　性別：男・女

下に書かれた動作を行うときにいつも感じている息切れ感を，
0～4のうち一番近いものを選んでください。
その動作をしていない場合は，もししたらどれくらい息切れが
起こるか想像して選んでください。

	楽だ	少し きつい	きつい	かなり きつい	最大限に きつくて できない
1. シャツを脱ぎ着する	4	3	2	1	0
2. ズボンを脱ぎ着する	4	3	2	1	0
3. 靴下を脱ぎ着する	4	3	2	1	0
4. 靴を脱ぎ着する	4	3	2	1	0
5. 歯磨きをする	4	3	2	1	0
6. 頭を洗う	4	3	2	1	0
7. 背中を洗う	4	3	2	1	0
8. 足を洗う	4	3	2	1	0
9. 重たいものを床から テーブルに上げる	4	3	2	1	0
10. 頭上のものを取る	4	3	2	1	0
11. 雑巾や布巾を手洗いする	4	3	2	1	0

図 11-3　上肢の日常生活活動評価表

（千住秀明．呼吸リハビリテーション入門―理学療法士の立場から（第 4 版）．pp79-80，九州神陵文庫，2004．より引用改変）

価[12]である。しかし，ADL 評価では，身の回りのことを「できる」「している」ということが評価の対象となるため，ECOG PS のスコアが 4 になると評価できないことが多い。

QOL の評価尺度では，SF-36（MOS 36-Item Short-Form Health Survey）や SF-8（SF8 Health Survey）などが用いられることが多い。その他，WHO が開発した WHO/QOL-26 も手引き[13]になっており，田崎ら[14-16]ががん患者などへの結果を報告している。しかし，QOL も不安やうつ気分などに大きく影響を受けるので，評価には十分な注意が必要である。

2）呼吸困難の管理に関する教育（患者本人・家族）

呼吸困難の管理は，大きく「身体的な動作上の指導」と「不安などの精神心理的な働きかけ」に分けることができる。ここでは，動作時と休憩のバランスをとること，動作方法と呼吸方法を理解すること，不要な不安感を意識しないこと，リラクセーションを学ぶことなどが原則となる。

ECOG PS のスコアが 3 までの対象者では，身の回りのことがある程度できることを前提に，日常生活の評価から教育内容を十分に検討する。一般的事項では，辻らが挙げているポイント（表 11-4）[12]や「日常の生活をマネジメントして呼吸困難と付き合う方法― 5P を覚えましょう！」（表 11-5）[17]が活用できる。呼吸困難に陥りやすい具体的な動作は，呼吸器疾患患者の動作指導が参考になる。排便時や靴下やズボン更衣時の体幹屈曲（前屈）位での息こらえ，入浴の洗髪時の両上肢の挙上動作，洗体時の反復・継続動作などに対して，動作の工夫を指導[18]をすることで動作時の呼吸困難を軽減する（図 11-4）。

表 11-3 Nagasaki university respiratory ADL questionnaire（NRADL）

項目	動作速度	息切れ（Borg）	酸素流量	小計
食事	0 1 2 3	0 1 2 3	0 1 2 3	
排泄	0 1 2 3	0 1 2 3	0 1 2 3	
整容	0 1 2 3	0 1 2 3	0 1 2 3	
入浴	0 1 2 3	0 1 2 3	0 1 2 3	
更衣	0 1 2 3	0 1 2 3	0 1 2 3	
病室内移動	0 1 2 3	0 1 2 3	0 1 2 3	
病棟内移動	0 1 2 3	0 1 2 3	0 1 2 3	
院内移動	0 1 2 3	0 1 2 3	0 1 2 3	
階段	0 1 2 3	0 1 2 3	0 1 2 3	
外出・買物	0 1 2 3	0 1 2 3	0 1 2 3	
小計	/ 30 点	/ 30 点	/ 30 点	—
連続歩行距離	0：50m 以内，2：50～200m，4：200～500m，8：500～1km，10：1km 以上			
			合計	/ 100 点

〈動作速度〉
0：できないか，かなり休みをとらないとできない（できないは，以下すべて 0 点とする）
1：途中で一休みしないとできない
2：ゆっくりであれば休まずにできる
3：スムーズにできる

〈息切れ（Borg スケール）〉
0：非常にきつい，これ以上は耐えられない
1：きつい
2：楽である
3：まったく何も感じない

〈酸素流量〉
0：2L/分以上
1：1～2L/分
2：1L/分以下
3：酸素を必要としない

（千住秀明．呼吸リハビリテーション入門―理学療法士の立場から（第 4 版）．pp79-80, 九州神陵文庫，2004．より引用改変）

表 11-4 動作時の呼吸コントロールのポイント

・呼気と息切れが生じる動作の開始にあわせて，息を止めないようにする。
・動作を呼吸にあわせてゆっくりと行う。
・動作を連続的に行わず，1 つの動作の後には休憩を入れる。
・息切れを感じたら途中で休憩を入れ，呼吸を整える。

（千住秀明．呼吸リハビリテーション入門―理学療法士の立場から（第 4 版）．pp79-80, 九州神陵文庫，2004．より引用改変）

不安については，疾患自体の経過などから起こるうつの要因も大きく影響することを認識しておく。呼吸困難に関する不安を軽減するには，いわゆる「パニック」状態になったときに，安全に回避できるような呼吸方法や姿勢を指導することが重要である。指導内容は，動作指導と同様に，台などに肘をついて立位や座位で安楽な姿勢をとる，浅い頻呼吸のときは少しずつ深い呼吸を挿入する[19]など，呼吸器疾患患者への対応が参考になる。この他にも，他者に介助してもらう方法[18]もあり，家族に指導しておくと家族だけではなく本人の不安も軽減できる。

3）呼吸方法と訓練方法

この時期の呼吸困難の患者の場合，「浅い」頻呼吸に陥りやすく，胸郭の動きを補うために努力性呼吸の筋収縮を伴うことが多い。その結果，他のがんの症状とあわせて，特に頸部筋群の筋緊張亢進を認める

表 11-5 日常の活動をマネジメントして呼吸困難とつき合う方法— 5P を覚えましょう！

Prioritize（優先順位をつける）
日々の生活の中であなたにとって大切な活動は何かを考えましょう。そして，その活動を行えるようにエネルギーを温存しておきたい活動は何か，優先順位をつけましょう。 あなたのエネルギーを温存するために，必ずしも必要でない活動はやめてしまいましょう。
Plan（計画を立てる）
あなたのエネルギーをできるだけ温存するために，活動を可能なかぎり系統だててみましょう。 1 日の中で最も活動的になれるのはいつで，休息するのに最適なのはいつか，考えてみましょう。 1 日にたくさんのことをしすぎないようにしましょう。この先 1 週間で行える活動の計画を立てましょう。
Pace（ペースを守る）
活動する時間と休息する時間のバランスが重要です。活動の合間には休息をとり，物事を片づけてしまうために少し余分な時間をとっておくようにしましょう。
Position（姿勢を調整する）
呼吸苦を感じたときに楽になれる姿勢をみつけて，自己対処法として訓練しましょう。 あなた自身が苦痛を感じないように，またエネルギーを温存するために，自分の姿勢について考え，それを維持するように努めましょう。
Permission（許容する）
呼吸困難や疲労を引き起こす活動をしないことを，自分自身に許しましょう。 「しなければならない」，「すべき」という言葉で考える代わりに，物事の考え方を変えて，「……したい」，「……できたらいいな」と自分自身に言うようにしてみましょう。

（三木恵美，岡村仁（監訳），がんと緩和ケアの作業療法 原著第 2 版，p210，三輪書店，2013. より引用）

ことが多い。

このような場合，目的とする動作のパターンにあわせて呼気と吸気のリズムをとるように指導する。「浅い」頻呼吸では，「口すぼめ呼吸」のように鼻からゆっくりと吸気を行い，ゆっくりと口から呼気をする。このときに，口をすぼめて，息をゆっくりと吐くようにする（図 11-5a）。あわせて，腹式呼吸（横隔膜呼吸）のパターンを習得するために，自身の腹部に手を当てて，息を吐きながら腹部を軽く圧迫する。次の吸気では，腹部が持ち上がるように息を吸い込む（図 11-5b）。自身で難しいようであれば，介助者が腹部に手を置いて，指示をしながら行うとよい（図 11-5c）。なお，口すぼめ呼吸は，呼気時に負荷がかかるため，患者の状態を十分に確認して，呼吸困難を増悪させないよう注意する。

動作にあわせた呼気と吸気では，動作リズムにより呼気を長くするように同調させる。例えば，歩行では息を吸ってから 4 歩で息を吐き，その後の 2 歩でまた息を吸うというリズム[18]がよい（図 11-6）。

重度になると，食事の際に食物を飲み込む嚥下だけでも，呼吸困難が増悪する。このような場合は，ひと口を少量にして飲み込み，すぐには次の食物を口に入れずに，呼吸を整えてから次の食物を口に運ぶといった指導や食物の形態自体を変更するなどの工夫が必要となる。

4）リラクセーション

浅い頻呼吸による努力性呼吸とあわせて，頸部筋群の筋緊張が亢進している場合には，頸部筋群のリラクセーションが第一の目的となる。しかし，頸部筋群だけではなく，病状にあわせた全身のリラクセーションを行うことが，全身体的な筋緊張の緩和だけではなく，精神的なゆとりにつながることも重要である。

具体的には，自動運動を中心として，目的とする筋のゆっくりとした持続伸長（ストレッチング）を行う。頸部の屈曲-伸展，側屈，回旋などの他，隣接する関節に関与する筋に対しても行う[18]とよい（図 11-7）。このような動作を行うときにも，動作パターンにあわせて呼吸することが重要である。

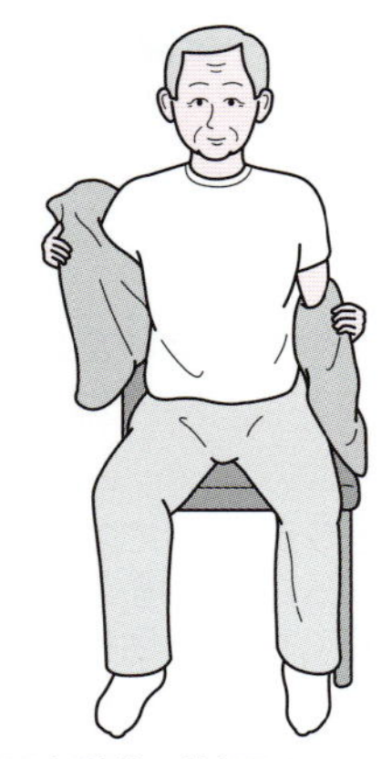

更衣動作（前開きシャツ）
- ・両上肢を肩より高く挙上しない。
- ・服は床に置かず，台などの上に置く。

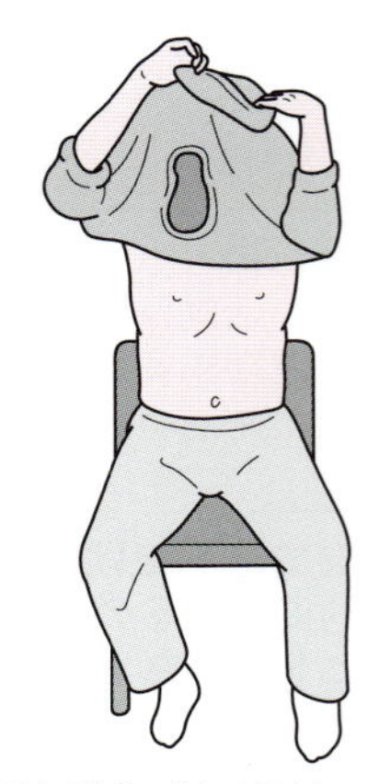

更衣動作（かぶりシャツ）
- ・両上肢の袖を通し，肩口まで上げておく。
- ・その後，鼻から息を吸って，ゆっくりと吐きながら首を通す。

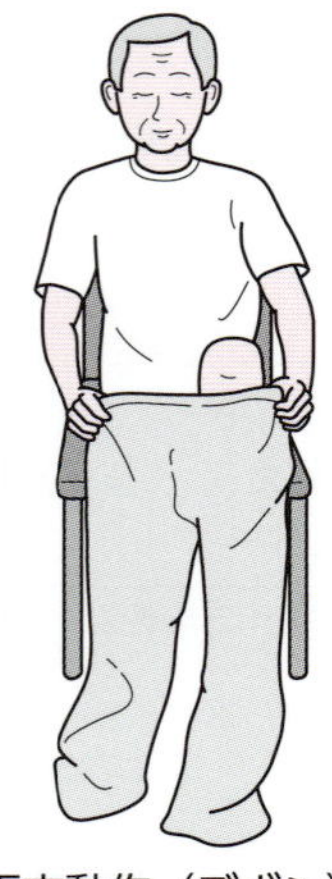

更衣動作（ズボン）
- ・椅子などに座って，鼻から息を吸って，ゆっくりと吐きながら片方の下肢を上げて，ズボンに通す。反対側も同様に行う。
- ・姿勢は，体幹を起こし，腹圧をかけないようにする。

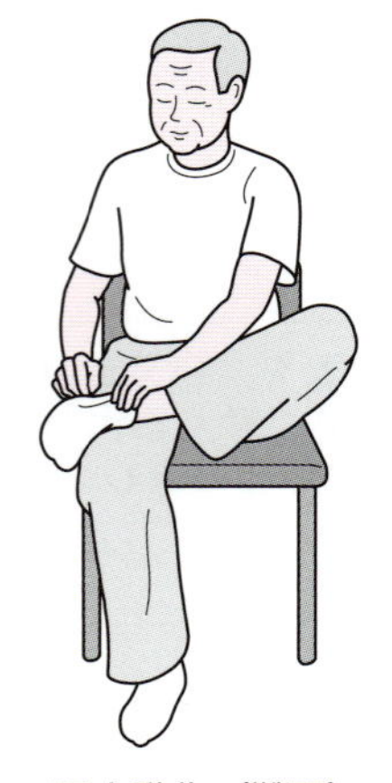

更衣動作（靴下）
- ・椅子などに座って，鼻から息を吸って，ゆっくりと吐きながら片方の下肢を反対の大腿に乗せて靴下を履く。反対側も同様に行う。
- ・姿勢は，体幹を起こし，腹圧をかけないようにする。

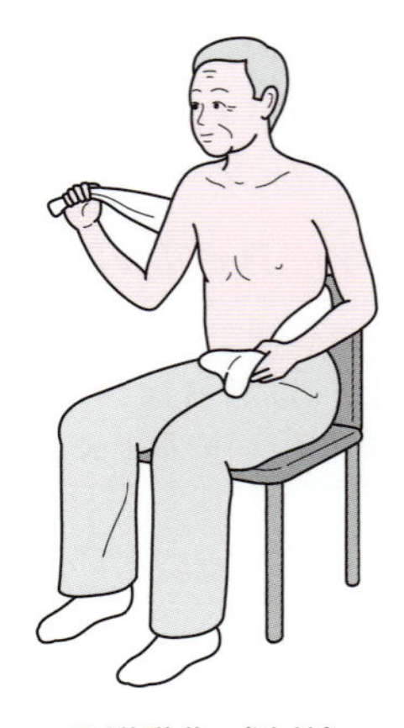

入浴動作（洗体）
- ・浴室用のシャワーチェアよりも高めの椅子に座って行う。
- ・鼻から息を吸って，ゆっくりと吐きながら上肢を小さく動かす。

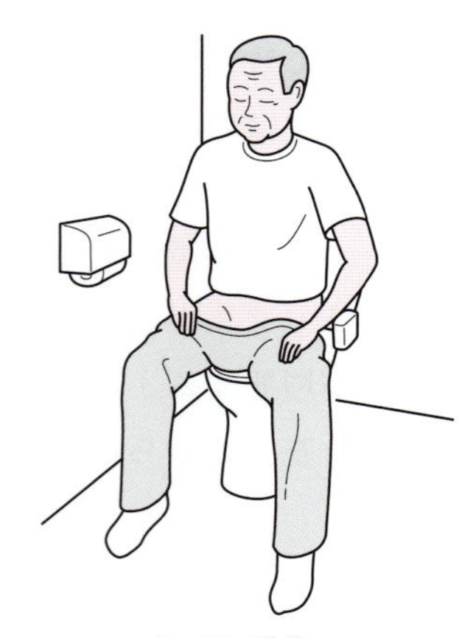

トイレ動作
- ・「いきむ」ときは，鼻から息を吸って，ゆっくりと吐きながら行う。
- ・姿勢は体幹を起こし，腹圧をかけないようにする。
- ・トイレットペーパーを取り，いったん呼吸を整える。
- ・洋式トイレ，ウォシュレットつきが望ましい。

整容動作（歯磨き）
- ・肘を上げずに，小さい範囲で歯ブラシを動かす。
- ・洗面所で，椅子などに座って行う。
- ・電動歯ブラシが便利なときもある。

図 11-4　呼吸疾患患者に対する ADL の工夫の例

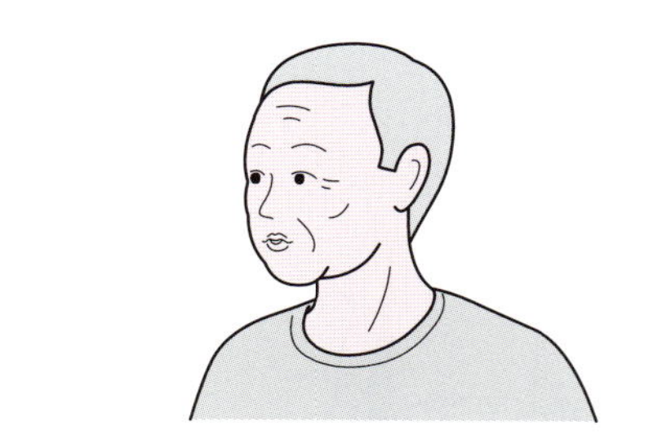

a

【aの方法】
1. 吸気は口を軽く閉じて，ゆっくりと鼻から息を吸う。
2. 呼気は，口をすぼめて（「ウ」と発音するように），吸気の2倍ぐらい時間をかけてゆっくりと息を吐く。

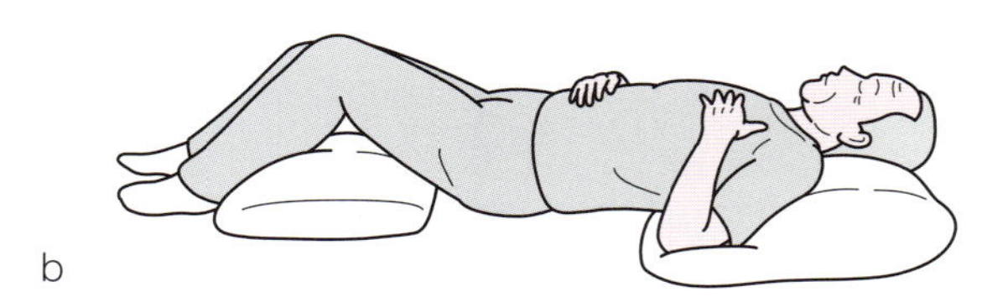

b

【bの方法】
1. 患者自身で利き手を腹部にのせ，もう片方を胸部に当てる。
2. 吸気のときは，腹部が膨らんで自分の手が持ち上がるように息を吸う。
3. 呼気のときは利き手で腹部を軽く圧迫し（押すように）息を吐く。
4. 呼気は，吸気の 2 倍ぐらいの時間をかけて，ゆっくりと息を吐き，利き手で腹部が沈む（へこむ）ことを意識する。

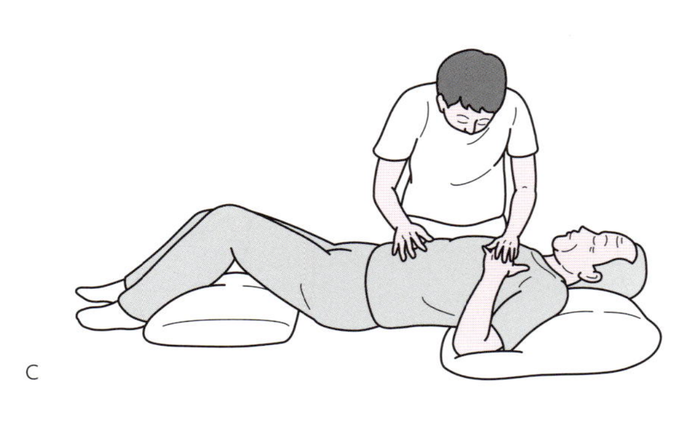

c

【cの方法】
1. 患者の利き手を本人の腹部にのせ，もう片方を胸部に当てる。両肘は浮かないように，クッションなどを入れて，上肢に力が入らないようにする。治療者は，患者の手の上に手をのせる。患者が呼吸を意識しすぎるときは，会話などで注意をそらして，力を抜かせる。
2. 吸気のときは，「鼻から息を吸って，お腹を膨らませます」などの声をかけ，吸気時に腹部に当てた手で軽く，断続的に圧迫する。
3. 呼気のときは，「口を少し開けて，ゆっくりと息を吐きます」などの声をかけて，ゆっくりと呼気を促す。

【cの注意点】
1. 口の周りや頬などの顔面筋群や腹筋群に力が入りすぎないように，リラックスさせて呼気を誘導する。
2. 普段の呼吸も，頑張って深呼吸をするのではなく，楽に力を入れずに呼吸することを指導する。

図 11-5　呼吸方法と訓練方法の例

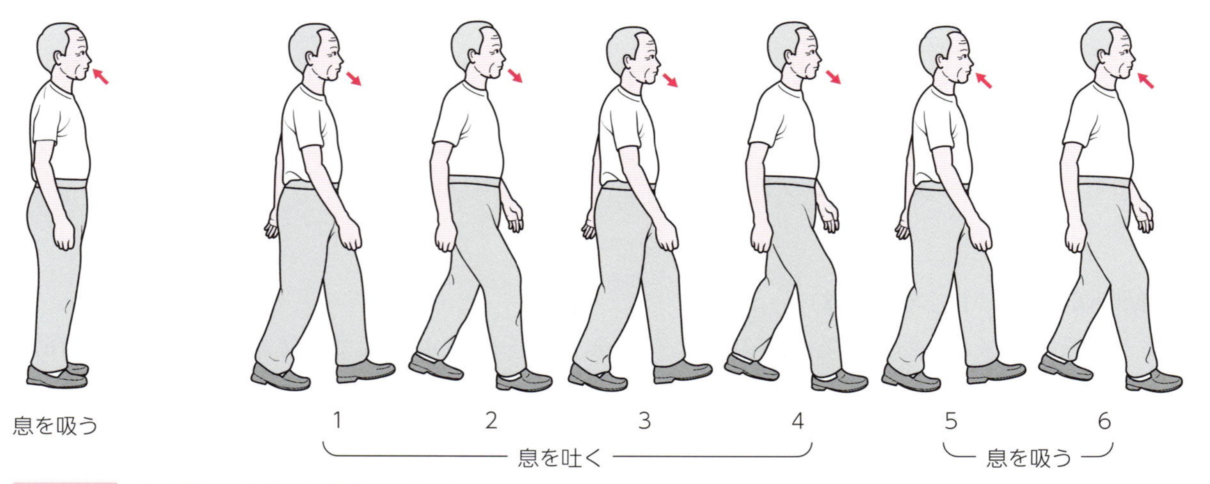

図 11-6　歩行時の呼気と吸気のリズム

頸部の回旋

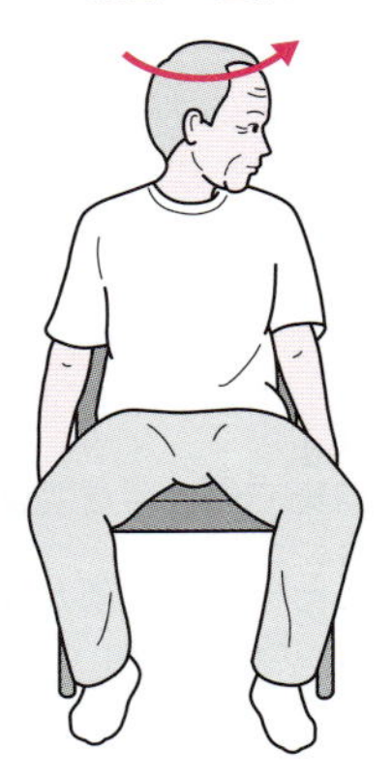

開始肢位：椅子座位
・座位で正面を向く。
・開始肢位から頸部を左右にゆっくりと回旋させる。
・これを動作と呼吸をあわせながら繰り返す。

肩の挙上

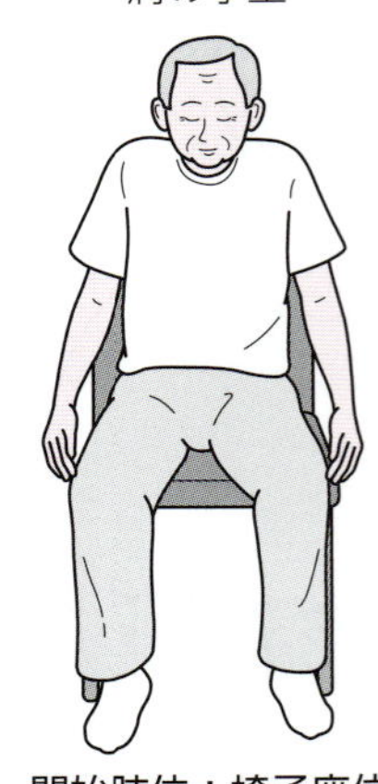

開始肢位：椅子座位
・椅子座位で肩をすくめて，下ろす。
・この運動を動作と呼吸をあわせながら繰り返す。

肩関節回旋

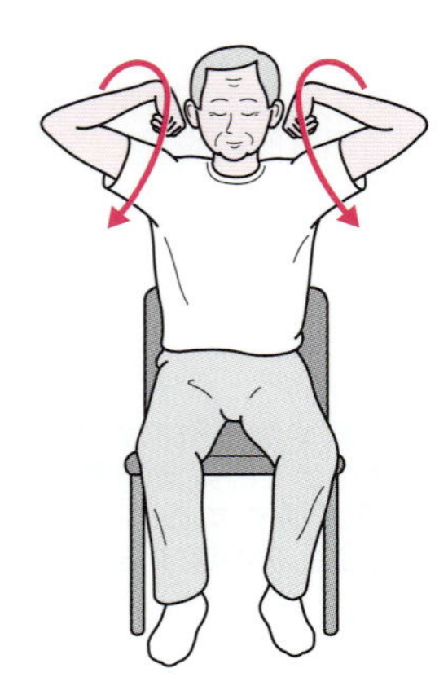

開始肢位：椅子座位
・椅子座位で両手を肩の上に置き，肘で円を描くように肩を前に回す。
・同様に，後ろにも回す。
・動作と呼吸をあわせながら行う。

座位体幹の側屈

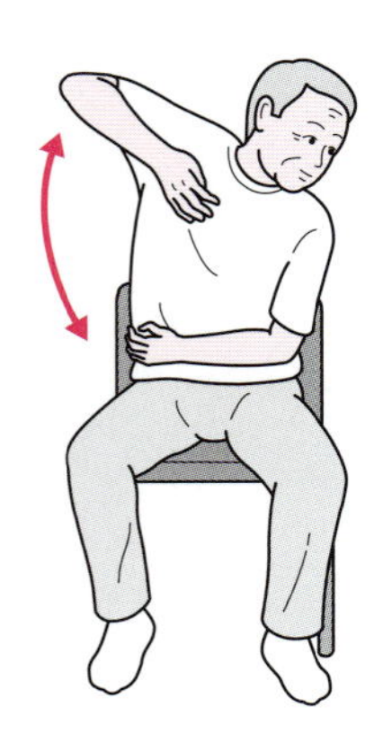

開始肢位：椅子座位
・座位でイラストのように手を置く。
・開始肢位から上肢を外転させながら，手を置いた反対側へ体幹を側屈させる。
・動作と呼吸をあわせながら行う。

棒体操肩関節屈曲

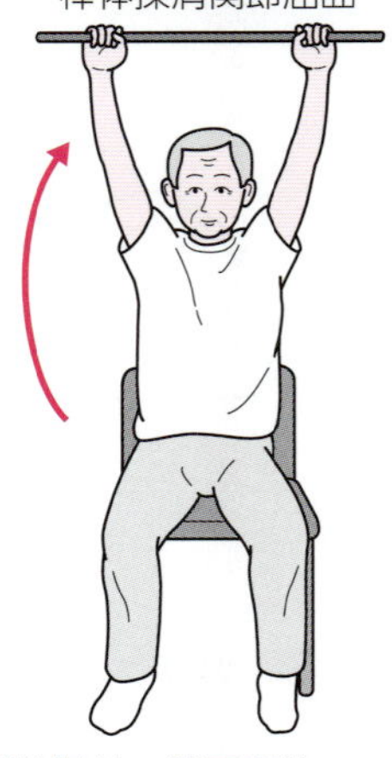

開始肢位：椅子座位
・椅子座位で棒を肩幅の広さで両手で持つ。
・肘を伸ばしたまま上肢を挙上する。
・動作と呼吸をあわせながら行う。

図 11-7　自動運動によるストレッチングの方法（例示）

5）補助呼吸方法（ADL での指導）

動作と呼吸のリズムをあわせる指導の内容[18, 19]を，実際の ADL 場面でも確認することで，補助呼吸方法を習得できるように促す。入院中であれば実際の病室での ADL 場面で実施し，自宅生活であれば家族に確認してもらえるように協力を依頼する。家族に確認の協力を依頼するときには，確認事項をチェック式のリストにしておくと家族に受け入れられやすい。

6）緊急時（パニック）の対処方法

動作時に呼吸困難が増悪した場合，肘を台につくなどの安全で安楽な姿勢をとるように実技の指導をしておく。しかし，このような行動をとれるかどうかは，経験的な学習による影響も大きいため，指導方法には工夫の必要がある。

むしろ，緊急的な状況にならないために，呼吸方法や動作時の工夫などを身につけるとともに，呼吸器疾患患者の基本原則の中から，関係する内容を指導しておくとよい（表 11-6）[18]。

表 11-6 呼吸困難の自己管理のための基本原則

① 息苦しくなる動作を理解する
② 呼吸困難に慣れる
③ 自ら呼吸を整えることを覚える：パニックコントロールに従って呼吸を調節する
④ 負担のかからない動作の方法や要領を習得する：前屈み動作，上肢を挙上する動作，息こらえ動作などは呼吸困難が生じやすい
⑤ ゆっくりと動作を行う
⑥ 休息の取り方を工夫する：息苦しさが出現する前に計画的に休息を入れる，呼吸困難の軽減に有用な姿勢の取り方や呼吸法を取り入れる
⑦ 計画性をもった余裕のある生活リズムの確立
⑧ 低酸素血症が強い場合には適切な酸素吸入を行う
⑨ 居住環境の整備，道具の利用：効率よく動けるよう，また負担を軽減するために環境の整備や，道具の利用などを検討する

（日本呼吸ケア・リハビリテーション学会，日本呼吸器学会，日本リハビリテーション医学会，日本理学療法士協会（編）．呼吸リハビリテーションマニュアル—運動療法—第 2 版．p68，照林社，2012．より引用）

2．疼痛について

1）疼痛の評価

『がんのリハビリテーション診療ガイドライン第 2 版』で示されている「簡易疼痛質問票（Brief Pain Inventory；BPI）」[20] は，がん性疼痛の評価として作成されたものであり，質問に対して 0〜10 までの 11 段階を患者本人の主観で答えるものであり（図 11-8），簡便に評価できる。この他，主観的な評価では，VAS や Face Scale も使用頻度が高い。

疼痛は，ADL や QOL，不安やうつ気分に大きく影響する因子であり，「1．呼吸困難について」（⇒ p256）に引用した評価方法などを参考に，必要な評価を組み合わせて評価すべきである。

2）疼痛に関する教育（疼痛マネジメント）

前述した日本癌治療学会の「疼痛管理治療ガイドライン」を参考に，多職種で，統一した接し方で臨むことが重要である。不統一な言動などは，患者の疼痛を増悪させるばかりではなく，不安やうつ気分を増悪し，ますます ADL や IADL，QOL を大きく阻害する要因となり得る。

特に作業療法では，生活の工夫は重要な役割である。疼痛を緩和できる姿勢や動作を評価，その姿勢の保持や動作をすることで，対象者の ADL などが拡大する。姿勢の保持などに対する環境整備では，福祉用具等の活用を積極的に考慮するとともに，自助具などを考案することで，動作自体を安楽にすることができる。また，鎮痛薬，特にレスキューといわれる速効性鎮痛薬は，食事や排泄といった欠かせない ADL が疼痛のために制限されることを防止し，その人らしい生活を営むことを可能にするものであり，効果の開始時間や持続時間などと目的動作を主治医と相談することも有効である（図 11-9）。

●リハビリテーション治療の効果は？

理学療法士による呼吸理学療法は，呼吸機能を改善することができる。ただし，状態によっては，運動負荷がかかることなどに注意が必要となり，医師・看護師などと連携して，情報共有することが重要である。

看護師や作業療法士による ADL 指導は，呼吸機能などの検査値の結果で測定することは困難であるが，本人の負担感の軽減や動作のしやすさなど，安心して日常生活を送ることを支援し，QOL などの満足度を向上させることができる。

簡易疼痛質問票（Brief Pain Inventory）

1．この24時間にあなたが感じた最も強い痛みはどのくらいでしたか？最も近い数字を選んでください．

0　1　2　3　4　5　6　7　8　9　10

痛みなし　想像できる最も激しい痛み

2．この24時間にあなたが感じた最も弱い痛みはどのくらいでしたか？最も近い数字を選んでください．

0　1　2　3　4　5　6　7　8　9　10

痛みなし　想像できる最も激しい痛み

3．あなたが感じた痛みは平均するとどのくらいでしたか？最も近い数字を選んでください．

0　1　2　3　4　5　6　7　8　9　10

痛みなし　想像できる最も激しい痛み

4．あなたが今感じている痛みはどのくらいですか？最も近い数字を選んでください．

0　1　2　3　4　5　6　7　8　9　10

痛みなし　想像できる最も激しい痛み

5．自分の痛みを表す数字を選んでください．

A.　横になっているとき

0　1　2　3　4　5　6　7　8　9　10

痛みなし　想像できる最も激しい痛み

B.　座っているとき

0　1　2　3　4　5　6　7　8　9　10

痛みなし　想像できる最も激しい痛み

C.　立っているとき

0　1　2　3　4　5　6　7　8　9　10

痛みなし　想像できる最も激しい痛み

D.　動かしたとき

0　1　2　3　4　5　6　7　8　9　10

痛みなし　想像できる最も激しい痛み

図 11-8　簡易疼痛質問票

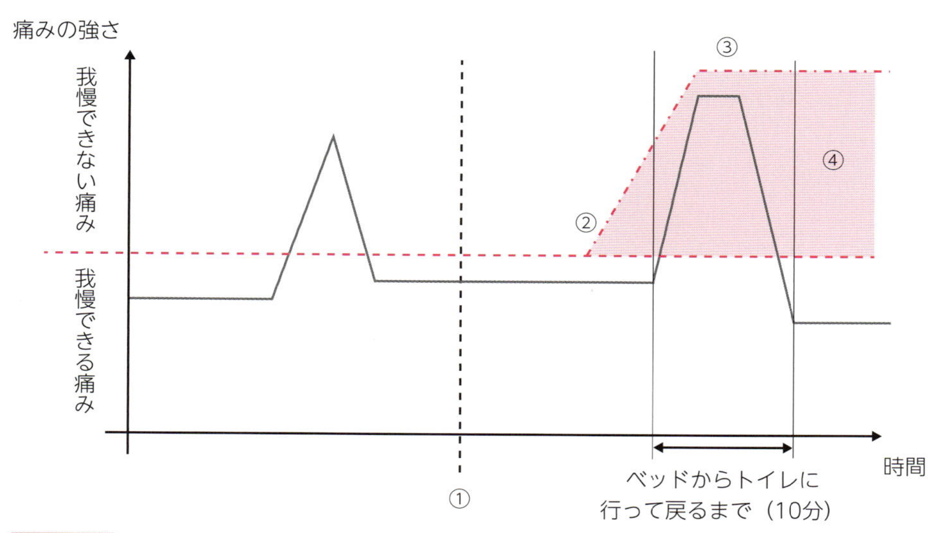

図11-9　レスキューを使用したADL遂行のイメージ

①トイレに行く時間に効果をあわせられるように，速効性鎮痛薬の効果にあわせて服用する。
②薬の効果にあわせて，必要な動作を始める。
③鎮痛効果の閾値を超えないように，主治医と相談することが重要である。
④鎮痛効果を利用して，必要な動作（ここでは排泄）を行うことができる。

（小林　毅・水落和也）

引用文献

1) Corner J, Plant H, A'Hern R, Bailey C. Non-pharmacological intervention for breathlessness in lung cancer. Palliat Med. 1996; 10: 299-305.
2) Rustøen T, Valeberg BT, Kolstad E, et al. A randomized clinical trial of the efficacy of a self-care intervention to improve cancer pain management. Cancer Nurs. 2014; 37: 34-43.
3) Kim HS, Shin SJ, Kim SC, et al. Randomized controlled trial of standardized education and telemonitoring for pain in outpatients with advanced solid tumors. Support Care Cancer. 2013; 21: 1751-9.
4) Lovell MR, Forder PM, Stockler MR, et al. A randomized controlled trial of a standardized educational intervention for patients with cancer pain. J Pain Symptom Manage. 2010; 40: 49-59.
5) Ward S, Donovan H, Gunnarsdottir S, et al. A randomized trial of a representational intervention to decrease cancer pain（RIDcancerPain）. Health Psychol. 2008; 27: 59-67.
6) Miaskowski C, Dodd M, West C, et al. Randomized clinical trial of the effectiveness of a self-care intervention to improve cancer pain management. J Clin Oncol. 2004; 22: 1713-20.
7) Chan CW, Richardson A, Richardson J. Managing symptoms in patients with advanced lung cancer during radiotherapy: results of a psychoeducational randomized controlled trial. J Pain Symptom Manage. 2011; 41: 347-57.
8) Bredin M, Corner J, Krishnasamy M, et al. Multicentre randomised controlled trial of nursing intervention for breathlessness in patients with lung cancer. BMJ. 1999; 318: 901-4.
9) Bakitas M, Lyons KD, Hegel MT, et al. Effects of a palliative care intervention on clinical outcomes in patients with advanced cancer: the Project ENABLE II randomized controlled trial. JAMA. 2009; 302: 741-9.
10) 日本癌治療学会．がん診療ガイドライン　疼痛管理治療ガイドライン　4．がん疼痛マネジメントにおける患者教育．http://jsco-cpg.jp/guideline/23.html（最終アクセス日：2020年7月29日）
11) 辻哲也（編）．がんのリハビリテーションマニュアル．医学書院，2011．
12) 千住秀明．呼吸リハビリテーション入門―理学療法士の立場から（第4版）．pp79-80, 九州神陵文庫，2004．
13) 田崎美弥子，中根允文．WHO/QOL―26手引．金子書房，1997．
14) 田崎美弥子，中根允文．がん患者のQOL：WHO評価のありかた．心身医療．1995; 7: 1166-71．
15) Tazaki M, Nakane Y, Endo T, et al. Results of a qualitative and field study using the WHOQOL instrument for cancer patients. Jpn J Clin Oncol. 1998; 28: 134-41.
16) 田崎美弥子，野地有子，中根允文．肺癌の現況と将来　WHOのQOL．診断と治療．1995; 83: 2183-98．
17) 三木恵美，岡村仁（監訳）．がんと緩和ケアの作業療法 原著第2版．p210，三輪書店，2013．
18) 日本呼吸ケア・リハビリテーション学会，日本呼吸器学会，日本リハビリテーション医学会，日本理学療法士協会（編）．呼吸リハビリテーションマニュアル―運動療法―第2版．照林社，2012．

19) 島崎寛将，倉都滋之，山崎圭一，他（編）．緩和ケアが主体となる時期のがんのリハビリテーション．pp99-110，中山書店，2013.
20) 日本リハビリテーション医学会（編）．がんのリハビリテーション診療ガイドライン　第2版．金原出版，2019.

進行がん・末期がん

3 倦怠感，疼痛に対する患者教育，物理療法などの効果

チェックポイント

- ✓ がんに伴う倦怠感・疲労は，がん自体とがんの治療による，苦痛を伴う持続的な身体的，感情的，認知的倦怠感あるいは消耗状態で，身体活動の程度に関係なく生活機能を妨げる。
- ✓ がん性疼痛は，がん自体とがん治療による組織障害に関連して生じる，不快で，多元的，感覚的，感情的な経験である。
- ✓ 倦怠感・疼痛のコントロールによって生活機能は改善し，QOL の向上が期待できる。リハビリテーション治療は薬物療法を補完する。
- ✓ 疼痛のリハビリテーション治療には身体的アプローチ，認知戦略，行動変容などがあり，身体的アプローチには徒手療法，物理療法，経皮的電気神経刺激がある。
- ✓ 倦怠感・疼痛に対するリハビリテーション治療の効果は患者教育，経皮的電気神経刺激，マッサージで有効との報告があるが，研究の質に課題があり推奨は弱い。

関連 CQ・推奨グレード

CQ 03

緩和ケアを主体とする時期の進行がん患者に対して，疼痛や呼吸困難などの症状緩和を目的とした患者教育を行うことは，行わない場合に比べて推奨されるか？

▶ 推 奨

緩和ケアを主体とする時期の進行がん患者に対して，疼痛や呼吸困難などの症状緩和を目的とした患者教育を行うことを提案する。

■グレード **2B**　■推奨の強さ **弱い推奨**　■エビデンスの確実性 **中**

CQ 04

疼痛（内臓痛を除く）を有するがん患者に対して，疼痛緩和を目的とした経皮的電気神経刺激（TENS）を行うことは，行わない場合に比べて推奨されるか？

▶ 推 奨

疼痛（内臓痛を除く）を有するがん患者に対して，疼痛緩和を目的とした経皮的電気神経刺激（TENS）を行うことを提案する。

■グレード **2C**　■推奨の強さ **弱い推奨**　■エビデンスの確実性 **弱**

CQ 05

緩和ケアを主体とする時期の進行がん患者に対して，症状緩和を目的としたマッサージを行うことは，行わない場合に比べて推奨されるか？

▶ 推 奨

緩和ケアを主体とする時期の進行がん患者に対して，症状緩和を目的としたマッサージを行うことを提案する。

■グレード 2C ■推奨の強さ 弱い推奨 ■エビデンスの確実性 弱

ベストプラクティス

●なぜ必要なのか？

がん患者の倦怠感・疲労（cancer related fatigue；CRF）は，アメリカ総合がんセンターネットワーク（National Comprehensive Cancer Network；NCCN）により，「がん自体とがんの治療による，苦痛を伴う持続的な身体的，感情的，認知的倦怠感あるいは消耗状態で，身体活動の程度に関係なく，生活機能を妨げる症状」と定義される[1)]。倦怠感によって患者は動作が億劫になり，身体活動性が低下し，活動制限が助長される。

また，NCCN では疼痛を，IASP（International Association for the Study of Pain）の定義により，「現在生じている，あるいはこれから生じる可能性のある組織障害に関連して生じる，あるいはこのような組織障害に関して表現される，不快で，多元的，感覚的，感情的な経験」と定義し，がん治療において最大のアウトカムを得るためには，疼痛コントロールが必須要因であり，疼痛コントロールの目標は快適さの獲得と生活機能の改善にあること，多専門職のチームアプローチが必要なこと，心理社会的視点が重要であることを強調している[2)]。

エンドオブライフ期において倦怠感，疼痛を軽減し，少しでも快適な時間を過ごすことは患者本人だけでなく家族にとっても福音である。倦怠感，疼痛のコントロールによって生活機能は改善し，QOL の向上が期待できる。リハビリテーション治療は倦怠感，疼痛に対する非薬物療法の一つとして，薬物療法を補完する。チームアプローチの手法は，患者の孤立感を軽減する心理的効果も期待できる。

●対象となるのはどのような患者か？

年齢，がん種にかかわらず，進行がん・末期がんの状態にあり，エンドオブライフケアを必要とする患者で，倦怠感・疲労，疼痛により生活機能が妨げられているもの。

●誰がいつどこで行うのか？

倦怠感，呼吸困難，疼痛などの症状緩和を目的とした患者教育は，がん看護専門看護師やがん性疼痛看護認定看護師，緩和ケア認定看護師などによる対面の指導，訪問，電話等による指導で行われる。

物理療法はホスピス・緩和ケア病棟において，あるいは一般病棟の緩和ケア対象患者に対し，入院中のリハビリテーション治療の一手段として提供され，退院後は自宅で訪問リハビリテーションとして行われる。運動療法・物理療法はがん診療医・リハビリテーション科医の指示により，理学療法士・作業療法士によって行われる。

わが国には徒手療法の専門職として，あん摩マッサージ指圧師があり，医師の指示により患者居住地の近隣の治療院で，あるいは訪問で徒手療法を実施することができる。

●どのような方法で行うのか？

1．評価

倦怠感の評価は倦怠感の有無の確認からはじまり，倦怠感がある場合はその程度を VAS，Likert scale など自覚的尺度に基づき量的に評価する。がん患者は，がん治療開始前に倦怠感の評価が行われ，定期的に評価が継続されるべきである。

疼痛の評価は，疼痛の部位，程度，性質，日常生活への影響，持続時間，日内変動，症状増悪・軽減因子などを評価する。疼痛の部位は人体図に患者自身が書き入れる pain drawing が有効である。疼痛の程度は VAS，NRS（Numerical Rating Scale），Face Scale などの自覚的評価で量的に評価する。疼痛の性質の評価として，McGill 痛みの質問表（図 11-10）[3] があり，疼痛の性質により疼痛の原因を推測することで，適切な治療法の選択に役立つ。

国際生活機能分類（International Classification of Functioning, Disability and Health；ICF）では，精神機能の章の，活力と欲動のドメイン（b130）に，活力レベル，動機づけ，食欲，渇望のカテゴリーがあり，感覚機能と痛みの章の，痛みの感覚のドメイン（b280）に，全身的な痛み，身体の局所的な痛み，身体の複数部位の痛み，同一皮節内の放散痛，体節性あるいは領域性の放散痛のカテゴリーがある。それぞれのカテゴリーで評価点（0：機能障害なし，1：軽度の機能障害，2：中等度の機能障害，3：重度の機能障害，4：完全な機能障害，8：詳細不明，9：非該当）を採点する構造をとっている。表 11-7 に ICF による障害分析，障害評価を示す。

倦怠感，疼痛の評価は，がん患者の QOL 評価の一部として組み込まれていることが多い。FACT-G（Functional Assessment of Cancer Therapy-General ⇒ p304）[4] は，身体面，社会／家族面，心理面，活動面の 27 項目からなる質問紙で，身体面の項目に "I have a lack of energy"，"I have pain" があり，0（not at all）から，4（very much）の 5 段階で評価する。Edmonton Symptom Assessment Scale[5] は，緩和ケア対象患者に頻度の高い症状 10 項目の自覚的評価尺度（0：なし～10：最もひどい，の 11 段階に評価）で，痛み，だるさ（元気が出ないこと）の項目がある。

疼痛緩和の介入研究で疼痛評価に多く用いられている BPI[6] は，疼痛の程度（過去 1 週間の最高，最低，平均の痛み，今の痛み）を 0（no pain）～10（pain as bad as you can image）の 11 段階で評価し，痛みの性質，鎮痛薬の自覚的効果，さらに，疼痛による活動への影響，すなわち，活動全般，気分，歩行能力，仕事，他者との交流，睡眠，生きる喜びへの影響を 0（does not interfere）～10（completely interferes）で評価する，多面的・網羅的な評価表である。

緩和ケア対象患者・家族の自覚的評価尺度として臨床で利用しやすい POS（Palliative care Outcome Scale）の疼痛，その他の諸症状の項目を表 11-8 に示す。POS は web site から各国語版をダウンロードして利用可能であり [7] 汎用性が高い。

薬物療法による疼痛コントロールの状態の把握は，リハビリテーション治療の内容や実施する時間帯などを判断するうえで重要な情報である。

2．リハビリテーション処方

1）目標設定

倦怠感・疼痛の評価，および患者の基本情報，すなわち患者の原発巣・転移巣の医療情報，全身状態・合併症，生活機能，心理状況などの評価に基づき，目標設定を行う。進行がん・末期がん患者の倦怠感・疼痛を完全に解決することは困難であり，支持的，緩和的目標設定が主体になる。

2）治療頻度

ホスピス・緩和ケア病棟入院，あるいは一般病棟入院で緩和ケアを提供している場合は，リハビリテーション室や病室でリハビリテーション治療を実施する。外来通院ではリハビリテーション室が，訪問リハビリテーションでは自宅が実施場所となる。入院リハビリテーション治療では週 2 回以上の治療が，外来でのリハビリテーション治療や訪問リハビリテーションでは週 1 回ないし 2 週に 1 回の頻度が適当と思われる。

●あなたの痛みはどのように感じられますか

あなたの現在の痛みを表す表現が以下に示されています。最も適切に痛みを表現する単語に○をつけて下さい。
当てはまらないものには○をつけないで下さい。各群で最もよく当てはまる単語１つのみに○をつけて下さい。

1	2	3	4
・ちらちらする ・ぶるぶる震えるような ・ずきずきする ・ずきんずきんする ・どきんどきんする ・がんがんする	・びくっとする ・ぴかっとする ・ビーンと走るような	・ちくりとする ・千枚通しで押し込まれるような ・ドリルでもみ込まれるような ・刃物で突き刺されるような ・槍で突きぬかれるような	・鋭い ・切り裂かれるような ・引き裂かれるような
5	**6**	**7**	**8**
・つねられたような ・圧迫されるような ・かじり続けられるような ・ひきつるような ・押しつぶされるような	・ぐいっと引っ張られるような ・引っ張られるような ・ねじ切られるような	・熱い ・灼けるような ・やけどしたような ・こげるような	・ひりひりする ・むずがゆい ・ずきっとする ・蜂に刺されたような
9	**10**	**11**	**12**
・じわっとした ・はれたような ・傷のついたような ・うずくような ・重苦しい	・さわられると痛い ・つっぱった ・いらいらする ・割れるような	・うんざりした ・げんなりした	・吐き気のする ・息苦しい
13	**14**	**15**	**16**
・こわいような ・すさまじい ・ぞっとするような	・いためつけられるような ・苛酷な ・残酷な ・残忍な ・死ぬほどつらい	・ひどく惨めな ・わけのわからない	・いらいらさせる ・やっかいな ・情けない ・激しい ・耐えられないような
17	**18**	**19**	**20**
・ひろがっていく（幅） ・ひろがっていく（線） ・貫くような ・突き通すような	・きゅうくつな ・しびれたような ・引きよせられるような ・しぼられるような ・引きちぎられるような	・ひんやりした ・冷たい ・凍るような	・しつこい ・むかつくような ・苦しみもだえるような ・ひどく恐ろしい ・拷問にかけられているような

図 11-10　疼痛の性質の段階付けに用いられる McGill 痛みの質問表（日本語訳）

（「日本疼痛学会，日本ペインクリニック学会（編），標準痛みの用語集，pp252-61，1999，南江堂」より許諾を得て抜粋し転載）

3）リハビリテーション治療内容

倦怠感を有する例に対する活動指導としては，安楽姿勢，呼吸法，四肢ストレッチングなどの他動的運動で緊張感を和らげ，疲労感を確認しながら四肢の自動運動，基本動作訓練など自動的運動に進め，体調がよければ全身運動として軽負荷で自転車エルゴメーター，トレッドミルでの有酸素運動などを行う。有酸素運動の運動強度の決め方は付録に示した（⇒ p296）。

1回の治療時間は短くして疲労度を確認しながら，徐々に治療時間を長くする，あるいは1日の治療回数を増やす。

表 11-7 ICF による生活機能分析と評価（70 歳代男性上顎洞癌再発，頭蓋底浸潤，頸椎転移，軸椎病的骨折）

心身機能

domain	code	classification	開始時評価点	退院時評価点
b	1263	精神的安定性	9	1
b	1300	活力レベル	2	1
b	1342	睡眠の維持	2	8
b	2151	眼瞼の機能	2	1
b	2152	外眼筋の機能	8	1
b	28010	頭頸部の痛み	3	1
b	28013	背部の痛み	2	0
b	3101	音声の質	8	1
b	4550	全身持久力	9	1
b	5103	口中での食物の処理	1	0
b	7101	複数の関節の可動性	9	2
b	7151	複数の関節の安定性の機能	2	1
b	7304	四肢の筋力	8	1
b	7305	体幹の筋力	8	1
b	7355	体幹の筋緊張	1	0
b	820	皮膚の修復機能	1	1

身体構造

domain	code	classification	開始時評価点	退院時評価点
s	12000	頸髄の構造	8	1
s	210	眼窩の構造	2	1
s	2203	網膜の構造	8	8
s	3101	鼻中隔の構造	1	8
s	3102	鼻腔の構造	2	8
s	3108	その他の特定の鼻の構造	8	2
s	7100	頭蓋の骨の構造	1	1
s	7101	顔面の骨の構造	8	2
s	76000	頸部脊柱の構造	2	2
s	8100	頭頸部の皮膚の構造	1	1

活動と参加

domain	code	classification	開始時評価点	退院時評価点
d	4100	横たわること	3	1
d	4101	しゃがむこと	4	1
d	4103	座ること	4	1
d	4104	立つこと	4	2
d	4106	体の重心を変えること	4	2
d	4153	座位の保持	4	2
d	4154	立位の保持	4	2
d	4200	座位での乗り移り	4	2
d	4201	臥位での乗り移り	4	1
d	4301	手に持って運ぶ	4	3
d	4500	短距離歩行	4	2
d	4600	自宅内の移動	9	2
d	510	自分の身体を洗うこと	9	2
d	520	身体各部の手入れ	4	1
d	540	更衣	4	1
d	550	食べること	2	1
d	560	飲むこと	2	1
d	870	経済的自給	4	4

環境因子

domain	code	classification	開始時評価点	退院時評価点
e	1151	日常生活における個人用の支援的な製品と用具	9	+2
e	1201	個人的な屋内外の移動と交通のための支援的な製品と用具	9	+1
e	320	友人	9	+2
e	340	対人サービス提供者	9	+2
e	355	保健の専門職	9	+2
e	5700	社会保障サービス	9	+2
e	5750	一般的な社会的支援サービス	9	+3
e	5800	保健サービス	9	+3

表 11-8 Palliative care Outcome Scale（POS：日本語版　患者用 version2）

下記の質問の答えとして最も当てはまるところにチェックを入れてください。この回答は，あなたと他の患者さんのケアの向上のために役立てられます。

1．この3日間，痛みによる支障がありましたか？	
□0	全くなかった，支障はなかった
□1	少しあった―しかし気にならなかった
□2	中くらいあった―痛みでいくらか生活に支障がでた
□3	とてもあった―生活や集中力に大きな支障がでた
□4	耐えられないくらいあった―他のことを考えられなかった
2．この3日間，痛み以外の症状，例えばはき気，せき，便秘などによる支障がありましたか？	
□0	いいえ，全くなかった
□1	少しあった
□2	中くらいあった
□3	とてもあった
□4	耐えられないくらいあった

（The Palliative care Outcome Scale（POS）．より引用）

身体的アプローチ
●物理療法 温熱療法，超音波療法，寒冷療法，経皮的電気神経刺激，イオン浸透療法 ●徒手療法 マッサージ，筋膜リリース，関節モビライゼーション，治療的接触，経穴刺激

認知戦略
●リラクセーション，身体スキャンニング，治療的ユーモア

行動変容
●全身運動，オペラント動機づけ，催眠療法，バイオフィードバック

図 11-11 慢性疼痛に対するリハビリテーション治療

鍼治療を含めた東洋医学，瞑想療法，アロマ療法，音楽療法などの補完代替医療も含めることがある。

（Mirabelli-Susens L. Pain management. Umphred DA（ed），Neurological Rehabilitation（4th ed）．pp889-912, Mosby, 2001．より引用）

患者教育は，がん看護専門看護師，緩和ケア認定看護師など，がん患者の疼痛管理に精通した看護師，あるいは療法士により，入院中，外来受診時に講義形式あるいは冊子や動画教材を用いて実施し，退院後は週１回の訪問評価・指導や電話による症状確認・指導が行われる。

疼痛に対するリハビリテーション治療には図 11-11[8] に示すように，徒手療法，物理療法などの身体的アプローチだけでなく，認知戦略，行動変容なども含まれ，物理療法には表 11-9 に示したさまざまな手段がある。疼痛の原因，性質によって，これらの手段から最も適切なものを選択し実施するが，進行がん・末期がん患者に対しては，徒手療法のマッサージ（表 11-10），物理療法の温熱療法，経皮的電気神経刺激（transcutaneous electrical nerve stimulation；TENS）などを選択することが多い。

表 11-9 物理療法の種類

温熱療法	ホットパック，パラフィン浴，極超短波，超音波，渦流浴
寒冷療法	コールドパック・アイスマッサージ
水治療法	全身浴（ハバードタンク），水中運動療法，水中歩行訓練，渦流浴
電気刺激療法	経皮的電気神経刺激
光線療法	紫外線療法，低出力レーザー
振動療法	バイブレーター

表 11-10 マッサージの種類

軽擦法（stroking）	手掌や指頭で患部を常に一定の圧力で抑えつつ移動させる
強擦法（friction）	深部組織に対してなされる強い圧迫
柔捏法（kneading）	母指と他の 4 指で筋をつかみ揉む
叩打法（percussion）	握りこぶしの尺側，手掌と小指の外側縁で軽く律動的に叩く
振動法（vibration）	指先で細かい振動を加える

4）安全管理

物理療法では，表面温熱療法時の皮膚障害（熱傷）に注意する。特に末梢神経障害を有する例では，細心の注意が必要である。TENS は，体内金属（ペースメーカー等）部位への適用は禁忌である。TENS の介入研究で，疼痛増悪を認めた例があったとの報告がある[9, 10]。

●リハビリテーション治療の効果は？

ランダム化比較試験で，外来通院中のがん性疼痛を有する進行がん患者に，ビデオ・冊子を用いた疼痛マネジメント専門のナース・プラクティショナーによる疼痛教育と，電話による症状モニタリングを行い，介入 1 週後に疼痛強度が有意に改善した[11]，がん専門看護師による，がん性疼痛軽減のための患者教育により，2 カ月後の疼痛が有意に改善した[12]，骨転移を有するがん患者に，がん専門看護師による 6 週間のがん性疼痛マネジメント教育と訪問，電話による指導を行い，がん性疼痛が有意に改善した[13]などの報告がある。システマティックレビューにおいても，患者・家族教育を中心とした疼痛マネジメントは有効であり，中等度のエビデンスであったと報告されている[14]。

倦怠感に対しても，進行肺がん患者に対して症状マネジメント教育や漸進的筋弛緩法を活用する心理教育的アプローチで呼吸困難，倦怠感が有意に改善したとの報告がある[15]。

TENS については，80Hz，200 μs，1 回 60 分，2〜7 日の疼痛部位への TENS により体動時痛が有意に軽減し[9]，連続，高頻度刺激 TENS で有意な疼痛軽減と高い満足度を得たとの報告がある[10]。しかし，システマティックレビューでは報告自体が少なく，サンプルサイズが小さく，研究の質に課題があるためエビデンス不足とされている[16]。

マッサージについては，骨転移による疼痛を有するがん患者に，マッサージの訓練を受けた看護師による 1 回 45 分，3 日間のフルボディマッサージを行い，有意に疼痛が改善した[17]，ホスピスにおける中等度以上のがん性疼痛を有する進行がん患者に，免許を有するマッサージ療法士による 1 回 30 分，2 週間に 6 回のマッサージを行い，短期的に有意な疼痛改善がみられたとの報告がある[18]が，介入群と対照群に有意な差がみられなかったとする報告もある[19-21]。マッサージの効果として，気分の改善も報告されている[17, 18]。

（水落和也・小林　毅）

引用文献

1) NCCN Clinical practice guidelines in oncology (NCCN Guidelines®) Cancer-Related fatigue, Version2.2020. http://www.nccn.org/professionals/physician_gls/default.aspx#/fatigue（最終確認日：2020年5月10日）
2) NCCN Clinical practice guidelines in Oncology (NCCN Guidelines®) Adult Cancer Pain, Version1.2020. http://www.nccn.org/professionals/physician_gls/default.aspx#pain（最終確認日：2020年5月10日）
3) 日本疼痛学会，日本ペインクリニック学会（編）．標準 痛みの用語集．pp250-66，南江堂，1999.
4) Bruera E, Kuehn N, Miller MJ, et al. The Edmonton symptom assessment system (ERAS) : a simple method for the assessment of palliative care patients. J Palliat Care. 1991; 7: 6-9.
5) Cella DF, Tulsky DS, Gray G, et al. The functional assessment of cancer therapy scale; development and validation of the general measure. J Clin Oncol. 1993; 11: 570-9.
6) Daut RL, Cleeland CS, Flanery RC. Development of the Wisconsin brief pain questionnaire to assess pain in cancer and other disease. Pain. 1983; 17: 197-210.
7) The Palliative care Outcome Scale (POS). http://www.pos-pal.org（最終確認日：2020年7月29日）
8) Mirabelli-Susens L. Pain management. Umphred DA (ed), Neurological Rehabilitation (4th ed). pp889-912, Mosby, 2001.
9) Bennett MI, Johnson MI, Brown SR, et al. Feasibility study of transcutaneous electrical nerve stimulation (TENS) for cancer bone pain. J Pain. 2010; 11: 351-9.
10) Robb KA, Newham DJ, Williams JE. Transcutaneous electrical nerve stimulation vs. transcutaneous spinal electroanalgesia for chronic pain associated with breast cancer treatments. J Pain Symptom Manage. 2007; 33: 410-9.
11) Kim HS, Shin SJ, Kim SC, et al. Randomized controlled trial of standardized education and telemonitoring for pain in outpatients with advanced solid tumors. Support Care Cancer. 2013; 21: 1751-9.
12) Ward S, Donovan H, Gunnarsdottir S, et al. A randomized trial of a representational intervention to decrease cancer pain (RIDcancerPain). Health Psychol. 2008; 27: 59-67.
13) Miaskowski C, Dodd M, West C, et al. Randomized clinical trial of the effectiveness of a self-care intervention to improve cancer pain management. J Clin Oncol. 2004; 22: 1713-20.
14) Martinez KA, Aslakson RA, Wilson RF, et al. A systematic review of health care interventions for pain in patients with advanced cancer. Am J Hosp Palliat Care. 2014; 31: 79-86.
15) Chan CW, Richardson A, Richardson J. Managing symptoms in patients with advanced lung cancer during radiotherapy: results of a psychoeducational randomized controlled trial. J Pain Symptom Manage. 2011; 41: 347-57.
16) Hurlow A, Bennett MI, Robb KA, et al. Transcutaneous electric nerve stimulation (TENS) for cancer pain in adults. Cochrane Database Syst Rev. 2012: CD006276.
17) Jane SW, Chen SL, Wilkie DJ, et al. Effects of massage on pain, mood status, relaxation, and sleep in Taiwanese patients with metastatic bone pain: a randomized clinical trial. Pain. 2011; 152: 2432-42.
18) Kutner JS, Smith MC, Corbin L, et al. Massage therapy versus simple touch to improve pain and mood in patients with advanced cancer: a randomized trial. Ann Intern Med. 2008; 149: 369-79.
19) Toth M, Marcantonio ER, Davis RB, et al. Massage therapy for patients with metastatic cancer: a pilot randomized controlled trial. J Altern Complement Med. 2013; 19: 650-6.
20) Soden K, Vincent K, Craske S, et al. A randomized controlled trial of aromatherapy massage in a hospice setting. Palliat Med. 2004; 18: 87-92.
21) Wilkie DJ, Kampbell J, Cutshall S, et al. Effects of massage on pain intensity, analgesics and quality of life in patients with cancer pain: a pilot study of a randomized clinical trial conducted within hospice care delivery. Hosp J. 2000; 15: 31-53.

進行がん・末期がん

4 リハビリテーション専門職を含むチーム医療・アプローチの効果

チェックポイント

- ✓ がん患者は，疾患に対する治療のほか，トータルペインにみるように多種多様，かつ複雑多岐にわたる問題を抱えている。
- ✓ これらの問題解決のためには，多角的・多面的に問題を評価し，多職種で関わることが重要である。
- ✓ リハビリテーション専門職を含む多職種でのチーム医療・アプローチは，症状の改善とあわせて，QOL 向上や精神心理面の改善などが期待できる。

関連 CQ・推奨グレード

CQ 06

進行がん患者に対して，リハビリテーション専門職を含む多職種チーム医療・アプローチを行うことは，行わない場合に比べて推奨されるか？

▶ 推 奨

進行がん患者に対して，リハビリテーション専門職を含む多職種チーム医療・アプローチを行うことを提案する。

■グレード **2C**　■推奨の強さ **弱い推奨**　■エビデンスの確実性 **弱**

ベストプラクティス

●なぜ必要なのか？

進行がん・末期がん患者は，身体症状だけではなく，精神心理面など複雑多岐にわたる問題を抱えていることが多く，これらの問題を解決するために多職種の専門性を連携するチーム医療・アプローチが勧められている。また，身体症状のみならず，精神心理的な問題は，患者本人の主観的な QOL に大きく影響するため[1]，チーム医療・アプローチの重要性はますます高くなる。

がん患者とその家族の QOL で特徴的なことは，「がんに罹患することは，良性疾患とは根本的に異なり，生命を脅かすという極めて衝撃的な体験の一つ」[2] であり，「症状の自覚，検査，病名や転移病巣の告知から予後の説明，治療に関するインフォームドコンセントの各段階で否認，怒り，取り引き，抑うつ，受容といった心理的反応が繰り返される」[2] ことである。つまり，がん患者とその家族は，トータルペイン（全人的苦痛）（図 11-12）を理解したうえでのチーム医療・アプローチが求められることになる。また，WHO は，「緩和ケアとは，生命を脅かす病に関連する問題に直面している患者とその家族の QOL を，痛みやその他の身体的・心理社会的・スピリチュアルな問題を早期に見出し的確に評価を行い対応することで，苦痛を予防し和らげることを通して向上させるアプローチである」と定義している。このように「が

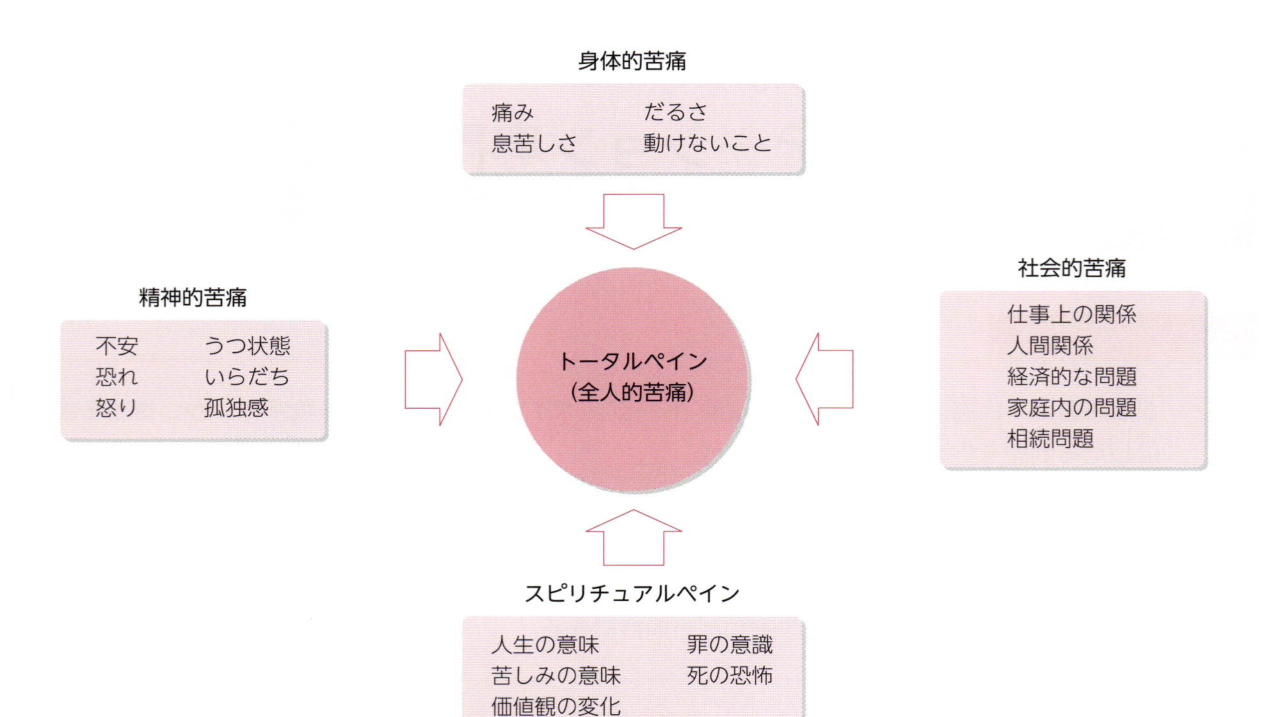

図 11-12 トータルペインをもたらす背景

患者を「がんの患者さん」と病気の側からとらえるのではなく,「患者さんらしさ」を大切にし,身体的・精神的・社会的・スピリチュアル(霊的)な苦痛について,つらさを和らげる医療やケアを積極的に行い,患者と家族の社会生活を含めて支える「緩和ケア」の考え方を早い時期から取り入れていくことで,がんの患者と家族の療養生活の質をよりよいものにすることができる。

(国立がん研究センターがん対策情報センターホームページより引用改変)

患者

Team A
(Active Care)
診断型ケア

Team B
(Base Support)
対話型ケア

Team C

(Community Resource)
共存型ケア

	Team A	Team B	Team C
担い手	医師,薬剤師	スピリチュアルケア専門職	家族,支援者,地域文化,制度,システム研究,基金,マスコミ,企業など
	看護師		
	臨床心理士 / 公認心理師 / MSW		
	リハビリテーション専門職		
医療における役割	科学的根拠に基づく医療 EBM の実施	患者の主体的な治療基盤の整備	医療の公共性 ケアの社会性の保証
課題	集学的直接医療の実現	自己決定支援医療主体としての患者	共同体資源の活用
役割	Team A 内の協力 Team ABC におけるリーダーシップ	主観への共感 語り(narrative)への傾聴	「責任ある市民」育成

図 11-13 チームオンコロジーのコンセプト Team ABC

(島崎寛将,倉都滋之,山崎圭一,他(編).緩和ケアが主体となる時期のがんのリハビリテーション.pp14-6,中山書店,2013.より引用改変)

ん」という疾患そのものは多職種での関わりが必要であり,つまり特有の臓器的な病理的変化を治癒させるだけではないために,患者とその家族のさまざまな問題に対してそれぞれの職種の専門性の相乗効果が QOL を高める結果につながる(図 11-13)[3]。

●対象となるのはどのような患者か？

呼吸困難については，病期やがん種等は示されていないが有意に改善した報告がある[4,5]。あわせて，費用対効果も高いとしている[4]。

Well-being（身体的，精神的，社会的な状態）については，外来通院放射線療法中の進行がん患者[6]，また病期等は示されていないが外来進行がん患者[5]では身体症状で有意な改善を認め，満足度も高かったという報告がある。

QOLについては，病期等は示されていないが進行がん患者で有意差はないが改善を認めた[4]，また外来通院放射線療法中の進行がん患者では，有意に改善を認めたという報告がある[6,7]。

精神心理面については，病期等は示されていないが進行がん患者で不安スコアが有意差はないが改善した[4]，精神的サポートや身体機能，日常生活，ケアサポートの必要性が優位に減少し，費用対効果も高い[9]，不安，抑うつ，睡眠が優位に改善し，かつ満足度も高い[5]という報告がある。

●誰がいつどこで行うのか？

がん対策推進基本計画（第3期）＜平成30年3月9日閣議決定＞[10]では，「予防の施策の充実」「早期発見・早期治療」「AYA世代のがんへの対策」「新たな治療法等を推進」「就労を含めた社会的問題への対応」が盛り込まれている。このことから，本来のチーム医療・アプローチは予防からすべての時期に，すべての関係する多職種が，社会的な課題にも対応できるよう，医療機関だけではなく，職場などの社会参加に関する場面に至るまで多岐多様に及ぶべきである。本書では，「リハビリテーション医療」に関わる職種に焦点を当てているが，私たちリハビリテーション関連職種は，多くの職種が，すべての時期に，あらゆる場所で関わっていることを認識し，チームとして機能できるように取り組むことが重要である。

特に，就労などの社会参加に向けた場面や在宅での治療，高齢がん患者の介護保険の利用などのように地域での関係者や社会資源の活用は，今後ますます重要になる。

●どのような方法で行うのか？

前述のように，がんという疾患の特性からは，すべての時期に，多岐多様の方法（アプローチ）がある。ここでは，「在宅進行がん・末期がん」の項であることを念頭に置く。

「チーム医療・アプローチ」は，それぞれの職種の専門性を駆使した評価と治療はもちろんのこと，多職種が連携・協働した情報共有のもとで提供する「患者教育・マネジメント教育」が重要となる。

1．疼痛と呼吸困難について

詳細は「疼痛や呼吸困難などに対する患者教育（教育プログラム）の効果」の項（⇒p254）を参照していただきたい。例えば，理学療法士と作業療法士では，呼吸のコントロール，排痰訓練，ポジショニングや環境調整，動作指導，不安などの心理的支持などをしているが，専門性をもって患者に提供することは当然だが，理学療法士と作業療法士が連携・協働することで効果を向上させることができる。また，看護師も関わることで，多角的な視点での問題解決が期待できる。

2．Well-beingについて

1）Well-beingの評価

Well-beingは，WHOの「健康の定義（1946年）」の中で，「肉体的，精神的，社会的に完全に良好な状態」として記載がある。評価については，主観的ではあるがVASや「1～10」の数値を用いた段階付けを質問するものが用いられることが多い。エドモントン症状評価システム改訂版（日本語版）〔Edmonton Symptom Assessment System Revised Japanese version（ESAS-r-J）〕[11]は，緩和医療の対象となる患者が頻回に経験する「痛み」「だるさ」「眠気」「吐き気」「食欲不振」「息苦しさ」「気分の落ち込み」「不安」「全体的な症状」のアセスメントのために開発された評価票である（図11-14）。

エドモントン症状評価システム改訂版
日本語版（ESAS-r-J）
Edmonton Symptom Assessment System revised. (Japanese version) (ESAS-r-J)

あなたは、今、どのように感じていますか。最もよくあてはまる数字に○を付けて下さい。

症状	0	1	2	3	4	5	6	7	8	9	10
痛み	0（なし）	1	2	3	4	5	6	7	8	9	10（最もひどい）
だるさ（元気が出ないこと）	0（なし）	1	2	3	4	5	6	7	8	9	10（最もひどい）
眠気（うとうとする感じ）	0（なし）	1	2	3	4	5	6	7	8	9	10（最もひどい）
吐き気	0（なし）	1	2	3	4	5	6	7	8	9	10（最もひどい）
食欲不振	0（なし）	1	2	3	4	5	6	7	8	9	10（最もひどい）
息苦しさ	0（なし）	1	2	3	4	5	6	7	8	9	10（最もひどい）
気分の落ち込み（悲しい気持ち）	0（なし）	1	2	3	4	5	6	7	8	9	10（最もひどい）
不安（心配で落ち着かない）	0（なし）	1	2	3	4	5	6	7	8	9	10（最もひどい）
[　　] 他の症状（例：便秘など）	0（なし）	1	2	3	4	5	6	7	8	9	10（最もひどい）
全体的な調子（全体的にどう感じるか）	0（最もよい）	1	2	3	4	5	6	7	8	9	10（最も悪い）

患者名 ＿＿＿＿＿＿
日付 ＿＿＿＿ 時間 ＿＿＿＿

記入した人（チェックを一つ入れて下さい）
□患者さんご自身が記入
□ご家族
□医療従事者
□ご家族・医療従事者が手伝い、患者さんが記入
裏面にからだの図があります。

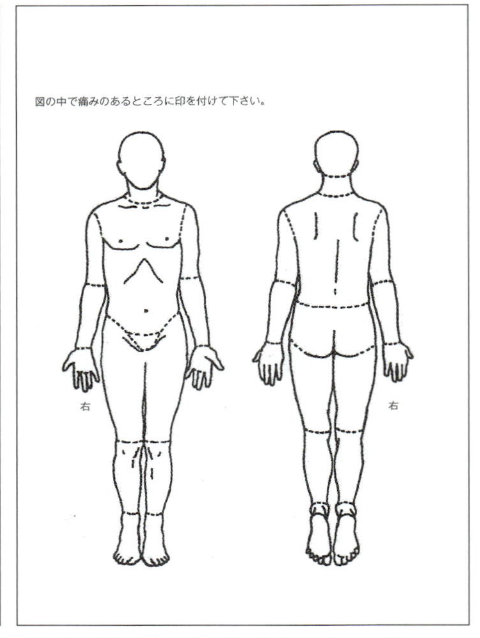

図 11-14　エドモントン症状評価システム改訂版日本語版（ESAS-r-J）

（エドモントン症状評価システム改訂版（日本語版）（Edmonton Symptom Assessment System Revised Japanese version: ESAS-r-J）の使用法に関するガイドライン．より引用）

2）Well-being のマネジメント

理学療法士や作業療法士と精神科医，臨床心理士/公認心理師，看護師，ソーシャルワーカー，チャプレンなどによるカウンセリング，心理療法等との組み合わせが身体的な症状に対して有効であるという報告がある[2]。

3．QOL について

1）QOL の評価

がん特異的 QOL 尺度には，①身体面（身体症状，有害事象，身体の痛みなど），②機能面（日常活動など），③心理面（不安，うつ，認知能力，心の痛みなど），④社会面（家族や社会との調和，社会的役割，経済環境）などが含まれている[13]。一般的な尺度では，がん薬物療法における QOL 調査票（Quality of Life Questionnaire for Cancer Patients Treated with Anticancer Drugs；QOL-ACD ⇒ p306）や EORTC（European Organization for Research and Treatment of Cancer）QLQ-C30（⇒ p302）などがある。また，心理的な痛みや不安・うつについては POMS（Profile of Mood Stated）などの併用を考えるべきである。健康関連 QOL では，SF-36（SF-36v2）[14] が使われている。

2）QOL のマネジメント

「2．Well-being について」で述べたように，さまざまな内容と職種の組み合わせのほか，「栄養-リハビリテーションプログラム」として，医師や看護師の症状マネジメントに加え，理学療法士による筋力・持久力の練習と自宅での自主トレーニング，作業療法士による患者自身によるエネルギー温存の動作指導やレジャーを含めた IADL，栄養カウンセリング，看護師によるケアプランの作成，必要に応じた臨床心理士/公認心理師やソーシャルワーカーの対応が有効であるという報告がある[8]。

4．精神心理面について

1）精神心理面の評価

不安や抑うつでは，HADS（Hospital Anxiety and Depression Scale）や CES-D（Center for Epidemiological Study-Depression Scale）のほか，POMS などの併用も考慮する。また，ESAS の項目を活用して，不安や抑うつ，睡眠などの改善を評価した報告がある[5]。

2）精神心理的なマネジメント

精神心理面は，トータルペインにみるように，「がん」という診断を受けてからさまざまな反応を繰り返す。診断直後の心理的反応から起こる「がんに関する通常反応」と「適応障害」[15]では，基本的な対応が異なる。「がんに関する通常反応」であれば，基本的なコミュニケーションスキル（表 11-11）[15]を心がけ，アセスメントする（図 11-15）[15]ような「こころのケア」で対応することが重要である。しかし，不安やうつによる「適応障害」や「うつ病」であれば，精神科の専門医による治療が望ましい。

表 11-11 基本的なコミュニケーションスキル

●コミュニケーションにおいて大切なこと

・相手を一個人として尊重する。	・誠意をもって，丁寧に，相手の意思や意向を尊重する。

●コミュニケーションにおけるマナー

1. 身だしなみ	・場にふさわしい服装をする。	・髪型，服装などは清潔を心がける。
2. 個人情報の取り扱い	・個人情報の取り扱いに注意を払う。	
3. 約束	・患者・家族との約束を守る。	・約束の時間などは守る。守れない場合は，丁寧に説明し，謝る。
4. 医療者間の会話場所と不快な声	・不特定の者に聞こえる場所で患者に関わる話をしない。 ・大きな声や笑い声に注意する。	・不快を与えないような場所，話題，声に注意する。
5. 敬語	・相手との関係，場，話題の重要性にあわせた敬語を用いる。	・年齢や親しさ，話題の重要性などにより使い分ける。

●コミュニケーションしやすい環境づくり

1. 対話の場所	・話題や患者の体調にあわせて，対話の場所を柔軟に選ぶ。	・患者の負担にならないように配慮する。
2. 対話時間と時間帯	・体調や治療の都合を考慮して対話時間や時間帯を調整する。	・患者のスケジュールなどにあわせた時間設定をする。
3. 対話を妨げるもの	・相手との間にある障害物をよける。	・話の妨げとなる点滴台などは，脇によける。
4. 同席者	・同席者について患者の希望を確認する。 ・同席者に丁寧に対応する。	

●コミュニケーションを始める

1. 治療経過の理解	・患者の治療経過を知る。
2. 自己紹介と対面する目的の説明	・初対面の際には自己紹介する。 ・対面する目的を説明する。
3. あいさつ	・日常的にあいさつする。

●コミュニケーションを進める

1. 質問	・開かれた質問（オープンクエスチョン）と閉じられた質問を使い分ける。	・「はい」「いいえ」で答えられる質問と答えられない質問を使い分ける。

表 11-11 基本的なコミュニケーションスキル（続き）

2. 聴く	・相手の話に耳を傾ける。	・「話を聞くスキル」で大切な9つを示す。
	・話しやすい環境をつくる。	
1）相づち	・言葉の合間に相づちを入れる。	
2）反射	・相手の言葉を繰り返す。	
3）言い換え	・別の言葉に言い換えて伝える。	
4）要約	・相手の話を要約する。	・「今のお話は……ですね」「要するに……ですね」などの方法でまとめる。
5）相手との距離	・相手と近すぎず，遠すぎずの距離をとる。	
6）視線の高さ	・視線を相手と同じ高さにする。	
7）身体の向きと姿勢	・相手の方に向く。 ・軽く前傾するような姿勢をとる。	・正面で向かい合うよりも，斜めの方が緊張が和らぐ。
8）アイコンタクト	・アイコンタクトを適度に保つ。	・聞き手の時は，適度に相手の顔を見る。
9）表情	・話題に合った表情をとる。	
3. 沈黙	・相手が話し終わるまで沈黙する。	・相手の話を途中で遮らない。
4. 非言語的な表現による情報	・非言語的な表現からの情報を集める。	・表情，視線，声の大きさやスピードなどから感情を読み取る。
5. 情報の明確化	・回答を得た情報にあいまいな点があれば明らかにする。	・わかりやすく質問し，相手の話を丁寧に聴く。
6. 説明	・わかりやすく説明する。	
7. 理解度の確認	・理解度を確認する。	・こちらの説明がどの程度理解できているか確認する。
8. 対話の中断	・何らかの理由で対話を中断する際には相手に配慮する。	・急な呼び出しなどの際は，事情を説明し，謝る。次の予定などを伝える。
9. 治療以外の話題	・患者と治療以外の話題を取り上げる。	・治療以外の日常的な話題を提供し，生活感を感じさせる。
10. 医療者間の報告・連絡・相談	・医療者間の情報交換を密にする。	・医療者側が情報を共有して，信頼されるような行動をとる。

●つらい気持ちに対応する

1. つらい気持ちへの対応	・つらい気持ちを知る。 ・つらい気持ちの背景を知る。 ・つらい気持ちに共感する。 ・つらい気持ちが自然なものであることを伝える。	・具体的な「つらさ」は尋ねるとよい。 ・伝える内容や自分の表情，声などに注意を払い，気持ちを伝える。
2. 医療者自身の気持ちと行動への影響	・医療者自身の気持ちに関心を向けつつ行動する。	・医療者自身の陰性感情などに注意を払う。
3. 対応に関わる相談とカンファレンスの開催	・難しいケースの場合には他者と検討する。	・多職種で連携，かつ同様の対応を心がける。

表 11-11 基本的なコミュニケーションスキル（続き）

●コミュニケーションを終える

1. 質問や要望の確認	・質問，疑問，要望などの有無を確認する。	・相手が話しやすいように，質問を確認する。
2. 要約	・説明や協議した場合には重要な点を要約する。	
3. あいさつ	・終わりのあいさつをする。	

（日本サイコオンコロジー学会（監），小川朝生，内富庸介（編）．ポケット精神腫瘍学　医療者が知っておきたいがん患者さんの心のケア．創造出版，2010．より引用改変）

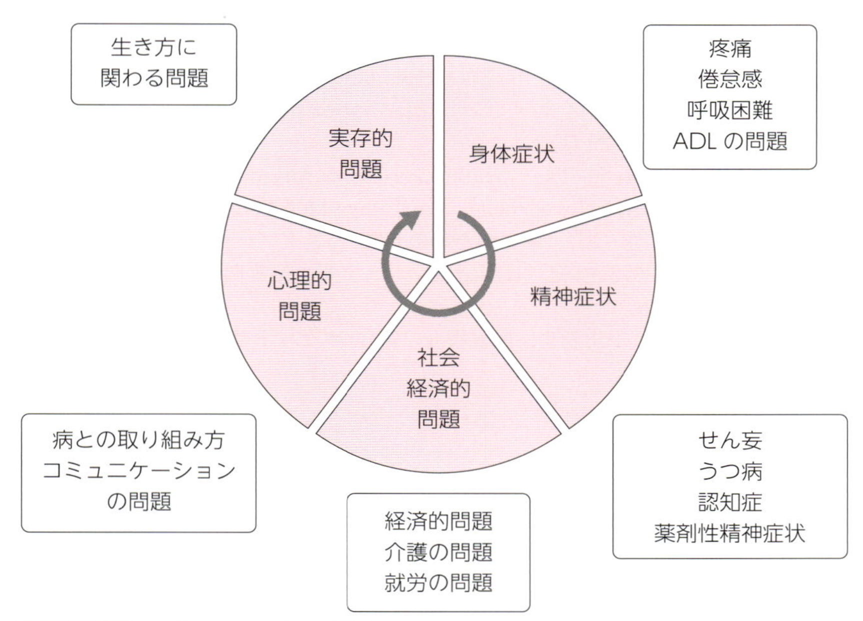

図 11-15 アセスメントの順序

（日本サイコオンコロジー学会（監），小川朝生，内富庸介（編）．ポケット精神腫瘍学　医療者が知っておきたいがん患者さんの心のケア．p42，創造出版，2010．より引用）

●リハビリテーション治療の効果は？

それぞれの専門職種が身体的・精神心理的などの多くの症状に対応することで，本人の心身の苦痛を和らげ，平穏を維持することができる。また，家族にとっても，多くのリハビリテーション専門職が関わることで，安心感を得ることができる。

その一方で，それぞれの専門職種によって統一性がないままに関わることは，かえって本人と家族の不安を助長し，うつなどの精神的な症状を悪化させることになるので，十分な情報の共有と連携が重要である。

（小林　毅・水落和也）

引用文献

1) ピーター・M・フェイヤーズ，デビッド・マッキン著，福原俊一，数間恵子（監訳）．QOL 評価学―測定・解析・解釈のすべて．p2-4，中山書店，2005.
2) エリザベス・キューブラー・ロス著，川口正吉（訳）．死ぬ瞬間―死にゆく人々との対話．読売新聞社，1971.
3) 島崎寛将，倉都滋之，山崎圭一，他（編）．緩和ケアが主体となる時期のがんのリハビリテーション．pp14-6，中山書店，2013.
4) Farquhar MC, Prevost AT, McCrone P, et al. Is a specialist breathlessness service more effective and costeffective for patients with advanced cancer and their carers than standard care? Findings of a mixedmethod randomised

controlled trial. BMC Med. 2014; 12: 194.
5) Strasser F, Sweeney C, Willey J, et al. Impact of a half-day multidisciplinary symptom control and palliative care outpatient clinic in a comprehensive cancer center on recommendations, symptom intensity, and patient satisfaction: a retrospective descriptive study. J Pain Symptom Manage. 2004; 27: 481-91.
6) Cheville AL, Girardi J, Clark MM, et al. Therapeutic exercise during outpatient radiation therapy for advanced cancer: feasibility and impact on physical well-being. Am J Phys Med Rehabil. 2010; 89: 611-9.
7) Rummans TA, Clark MM, Sloan JA, et al. Impacting quality of life for patients with advanced cancer with a structured multidisciplinary intervention: a randomized controlled trial. J Clin Oncol. 2006; 24: 635-42.
8) Gagnon B, Murphy J, Eades M, et al. A prospective evaluation of an interdisciplinary nutrition-rehabilitation program for patients with advanced cancer. Curr Oncol. 2013; 20: 310-8.
9) Jones L, Fitzgerald G, Leurent B, et al. Rehabilitation in advanced, progressive, recurrent cancer: a randomized controlled trial. J Pain Symptom Manage. 2013; 46: 315-25. e3.
10) 厚生労働省HP．がん対策推進基本計画（第3期）＜平成30年3月9日閣議決定＞．https://www.mhlw.go.jp/file/06-Seisakujouhou-10900000-Kenkoukyoku/0000196975.pdf
11) エドモントン症状評価システム改訂版（日本語版）（Edmonton Symptom Assessment System Revised Japanese version: ESAS-r-J）の使用法に関するガイドライン．https://www.ncc.go.jp/jp/ncce/clinic/psychiatry/040/ESAS-r-J.pdf（最終アクセス日：2020年7月29日）
12) Cheville AL, Girardi J, Clark MM, et al. Therapeutic exercise during outpatient radiation therapy for advanced cancer: Feasibility and impact on physical well-being. Am J Phys Med Rehabil. 2010; 89: 611-9.
13) 池上直己，福原俊一，下妻晃二郎，他（編）．臨床のためのQOLハンドブック．pp52-61，医学書院，2001.
14) 福原俊一，鈴鴨よしみ（編）．SF-36v2［TM］日本語版マニュアル：健康関連QOL尺度．健康医療評価研究機構，2009.
15) 日本サイコオンコロジー学会（監），小川朝生，内富庸介（編）．ポケット精神腫瘍学　医療者が知っておきたいがん患者さんの心のケア．創造出版，2010.

付　録

【患者向けのパンフレット例】

【運動強度の決め方】

1 乳がん術後の生活上の注意とリハビリテーション治療

乳がん術後の生活上の注意とリハビリテーション治療の流れを示したパンフレットの例です。可能であれば術前に患者さんに渡し，術後の生活やリハビリテーション治療の理解に役立ててください。

◎ ポイント 1

- ☑ 術後は段階的に手術した側の手・腕・肩を動かすリハビリテーション治療をしましょう。
- ☑ 手術した側の腕は特に，傷や締めつけを防ぎましょう。
- ☑ むくみや，腫れ・熱感などが出たら，すぐに主治医に相談してください。

☞ 肩の運動

- 乳房や腋の下（腋窩リンパ節郭清）の手術をした後は，腕が上がりにくいなど，肩関節の動きが悪くなりやすく，日常生活上の動作がしにくくなることがあります。
- 入院中，段階的に腕や肩のリハビリテーション治療を行い，退院後も自分で継続することで，上肢や肩の動きを良くしましょう。

☞ リンパ浮腫への対応

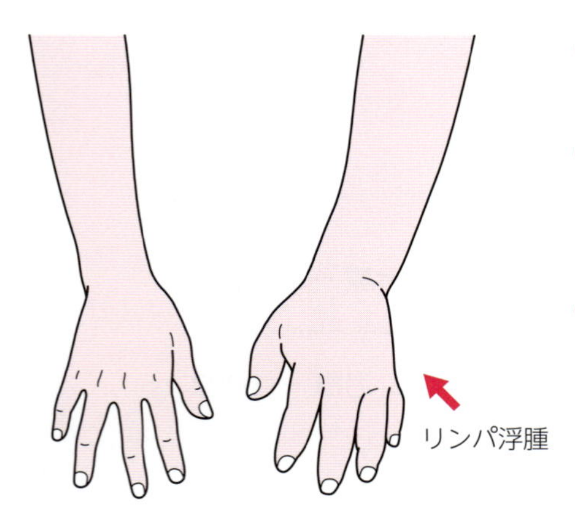

- 術後，手術した側の腕に「リンパ浮腫」と呼ばれるむくみが生じることがあります。
- 入院中・術後早期のリハビリテーション治療はリンパ浮腫のリスクを減らすので，その意味でも上肢のリハビリテーション治療は大切です。
- また，リンパ浮腫を起こしにくくするには，日常生活上の注意も大切です。

◎ ポイント 2

✓ 手術後 1～4 日目までは，決められた範囲内で手や腕を動かし，使いましょう。

☞ ベッド上での姿勢

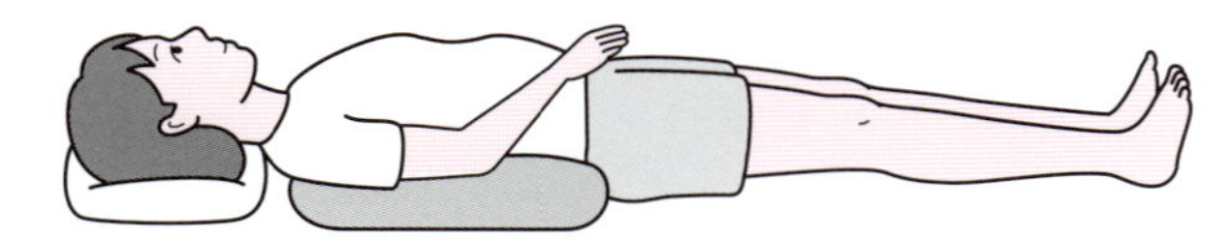

- 手術した側の肩から腕にかけて，下にタオルなどを置いてやや高くします。手はお腹の上など，少し高い位置に置きましょう。

☞ 肘や手の運動

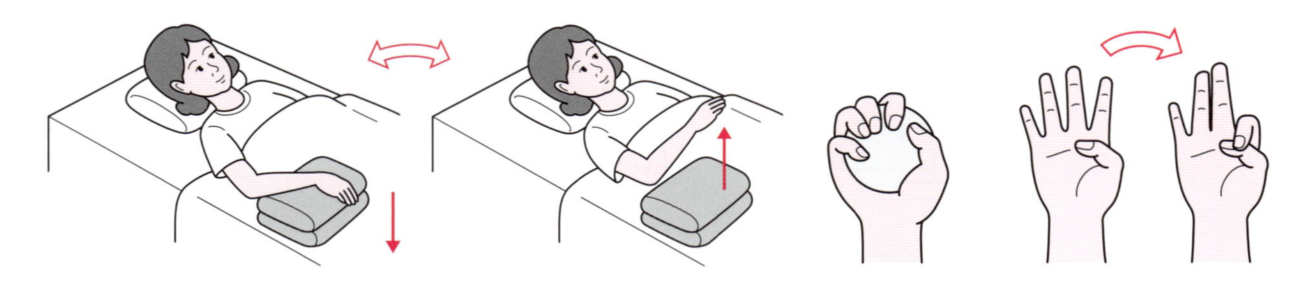

- 肘の曲げ伸ばしや手を握ったり開いたり，指を折ったり，といった肘・手の運動をしましょう。
- この時期はまだ肩の運動は積極的に行いません（手術によっては制限がない場合もあります）。

☞ 日常生活での上肢の使用

- 手術した側の手も日常生活で積極的に使うようにしましょう。主に机の上での動作に使いましょう。
- この時期には，手術した側の肩をあまり動かし過ぎないように，手を頭まで上げず，前もしくは横までの範囲の動作で使います。

《 注意点 》

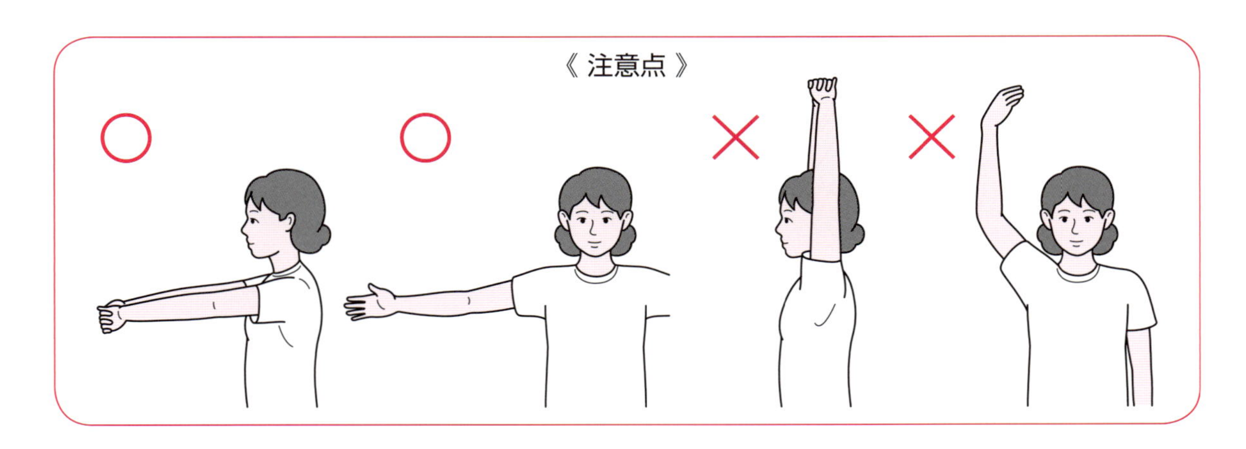

付録

◎ ポイント３

- ✓ 手術後５日目以降は，積極的に肩関節を動かすリハビリテーション治療を行います。
- ✓ 日常生活でも手術した側の手や腕を使いましょう。

☞ 肩の運動（さまざまな方向に）

- 動く範囲や痛みなどによって，行う運動は変わります。最初は指導を受けて行いましょう。
- はじめはリハビリテーションスタッフに動かしてもらい，徐々に自分で動かしていきます。自分で動かすことで筋力訓練にもなります。
- 退院後も，継続してリハビリテーション治療を行いましょう。日常生活でもこのような動作（高いところに物を干す，背中を洗う，髪をとかす，など）を意識して行いましょう。
- 例えば，手を前から上げる，壁を伝うようにして少しずつ高いところまで届くように上げていく，肘を曲げて体につけたまま，棒やタオルを左右に振る，などの動作を行いましょう。

☞ 筋のストレッチング

- 胸の筋を伸ばすために両手を後ろ手に組んで引き上げる，背中（肩甲骨付近）の筋を伸ばすために片側の肘をもう一方の手でつかんで引っ張る，などのストレッチングを行いましょう。

◎ ポイント4

☑ 退院に向けて，リンパ浮腫予防のための日常生活上の注意点を覚え，浮腫が起きても早期に発見できるようセルフチェックを心がけてください。

リンパ浮腫予防のために

- 治療のために，手から腕のリンパ液の出口である「腋窩リンパ節」が切除されたり，周囲に放射線を当てたりしていると，腕のリンパの流れが滞り，リンパ浮腫（むくみ）を生じることがあります。
- スキンケア（清潔に保ち保湿する）をしましょう。体を洗うときもゴシゴシこすらず，優しく洗いましょう。
- 感染や炎症を防ぎましょう。小さな傷や虫刺されでも腕全体の炎症につながることがあります。日焼けや傷の予防になるべく長袖の服を着る，夏は虫よけをつけるなど，感染や炎症を防ぐよう心がけてください。
- 体を温め過ぎないようにしましょう。サウナや長い入浴は避けましょう。
- 腕や手への締めつけは避けましょう。服のゴムや腕時計のバンドなどで締めつけないようにします。
- 手術した腕・手も日常生活や家事で使いましょう。家事では小さな火傷や傷にも気をつけますが，普段から反対側と同じように使いましょう。ただし，重い荷物を持つことは避けましょう。「翌日に腕に疲労を残さない」程度を目安にしてください。
- 体重をコントロールしましょう。肥満はリンパ浮腫を起こしやすくします。体重コントロールのためにも活動性を保ち，運動をしましょう。

リンパ浮腫のセルフチェック

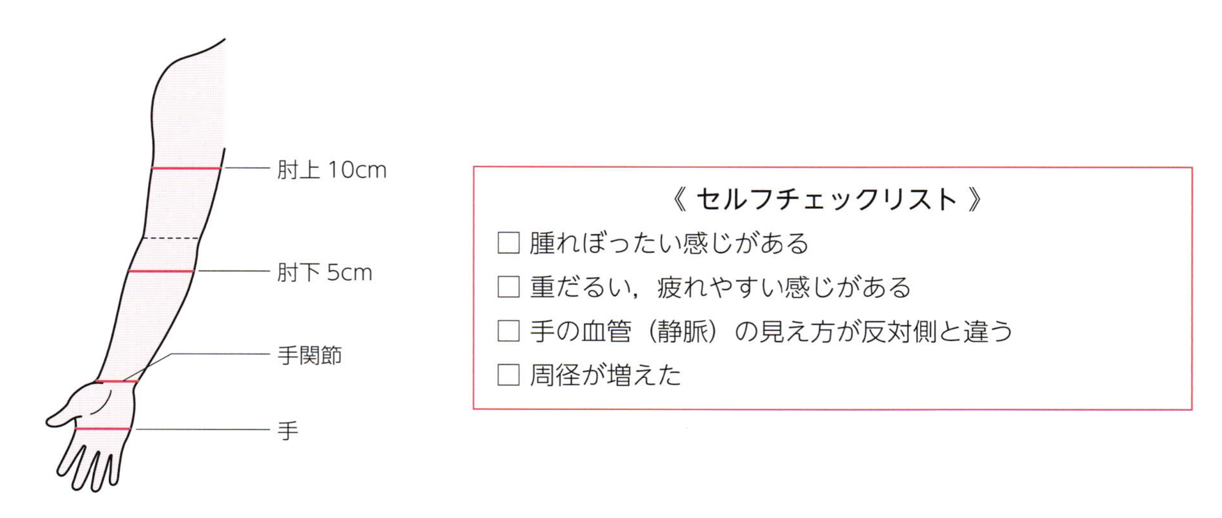

- 肘上 10cm，肘下 5cm など，場所を決めて周径を自分で定期的に測るようにしていると変化がわかりやすいです（ときどき反対も測って比べます）。
- 腕が赤くなる，急に腫れる，痛む，熱をもつ，などの症状が出たら，なるべく早く病院に行き診察を受けましょう。

付録

2　運動療法のすすめ

多くのがんで運動療法の実施が勧められています。有酸素運動や筋力トレーニングの方法は，このようなパンフレットを利用しながら個別に指導することが望ましいです。

◎ ポイント 1

☑ 治療中も治療後も，身体活動を保つこと，定期的な運動をすることが大切です。

- 運動は，体力や筋力を改善するほか，だるさなどのさまざまな不快症状の改善に有効です。
- 家事をする，買い物に外出する，階段を登る，レジャーを楽しむなどの日常生活の中での身体活動はなるべく維持し，増やしましょう。
- 定期的な運動は主治医に相談して強さや量を決め，続けやすい方法で継続しましょう。特に，心臓や骨，関節に問題がある方は，始める前に主治医とよく相談しましょう。

◎ ポイント 2

☑ 運動は有酸素運動と筋力トレーニングの両方を行いましょう。

☞ 有酸素運動と筋力トレーニング

- 有酸素運動には，ウォーキング，自転車，エルゴメーター（固定式自転車），ランニング，トレッドミル（いわゆるランニングマシン），水泳，ダンス，などがあります。
- 筋力トレーニングは，ダンベルなどの道具を用いて行います。ウォーミングアップ → 一連の筋力トレーニング → ウォーキングなどの有酸素運動 → クールダウンストレッチング，というプログラムを，週 2～3 回を目標に行いましょう。

◎ ポイント 3

有酸素運動の強さと量

- 有酸素運動は，ウォーキングや水泳などを，中程度から強度の強さで 20～45 分，週 3 回程度行います。
- 「中程度から強度の強さ」は，速歩き（時速 4.5～6km），水泳の反復，サイクリング 6km 程度が目安です。
- 運動時のきつさの感じ方が，中程度は「やや楽（いつまでも続く・充実感がある・汗が出る）」，強度は「ややきつい（どこまで続くか不安・緊張する・汗びっしょり）」程度というのも目安になります。
- また，自分にとってちょうどよい有酸素運動の強さは，運動しているときの心拍数でモニターできます。運動が強くなると，心拍数が上がります。以下の心拍数に達するような強さにする（速く歩く，坂道を歩くなどの負荷をかける）のが効果的です。

○参考：年齢別・中程度から強度の運動時の心拍数

年齢	心拍数	年齢	心拍数
40 歳	108～144 /分	60 歳	96～128 /分
50 歳	102～136 /分	70 歳	90～120 /分

心拍数の測り方

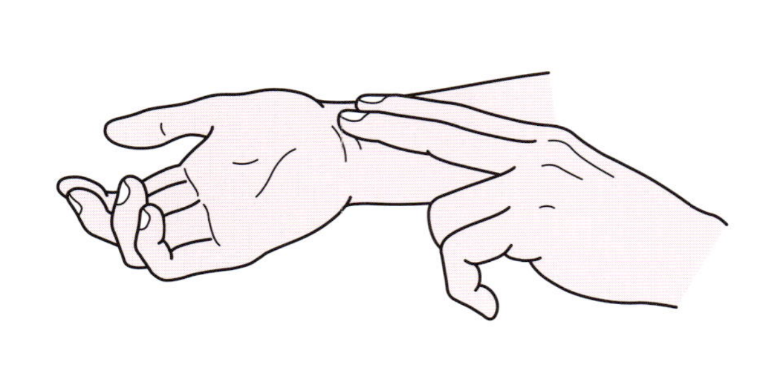

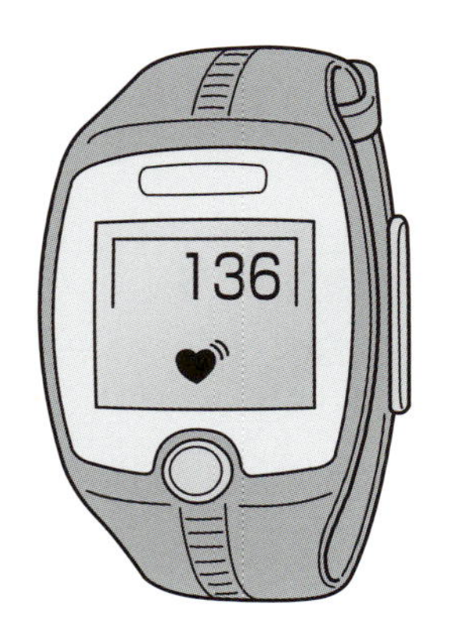

- 心拍数は，手首の動脈の拍動（脈拍）で測ることができます。手首の親指側に指を置き，15 秒間に何回拍動するか数え，それを 4 倍すると 1 分間の脈の数＝心拍数となります。
- 心拍数モニターは多数市販されています。腕時計型，胸に巻くバンド型，耳などに挟むクリップ型など，さまざまなタイプがあります。

《 運動継続のコツ 》

- 特に最初は主治医や運動療法担当者の指導を受け，適切な強さ・量で始めましょう。
- ウォーキングなら歩数計，自転車であれば時間などを記録し，主治医や運動療法担当者にみてもらうようにしましょう。
- 家族や患者の会などで，一緒に運動を行うパートナーをみつけましょう。

◎ ポイント4

☞ 筋力トレーニングの種類・強さと量

- 筋力トレーニングは，上肢・下肢・体幹の筋肉でバランスよく行います。中程度から強度の強さで，9種類程度の筋力トレーニングを，それぞれ8～12回繰り返し，週3回程度行います。
- 「中程度から強度の強さ」とは，10回繰り返すことができる重さ・強さです。ダンベルなどであれば，10回より多く・楽に繰り返せるようになったら負荷量（重さ）を増やします。
- 機器を用いた筋力トレーニングを行うときには，必ず指導を受けてください。ダンベルなどを用いるときも，指導を受けて行う方が効果的です。下のイラストは，ダンベルを用いて家で行うことができる筋力トレーニングの例ですが，他にもたくさんの方法があります。指導を受け，続けやすい方法で行いましょう。

【①背中】

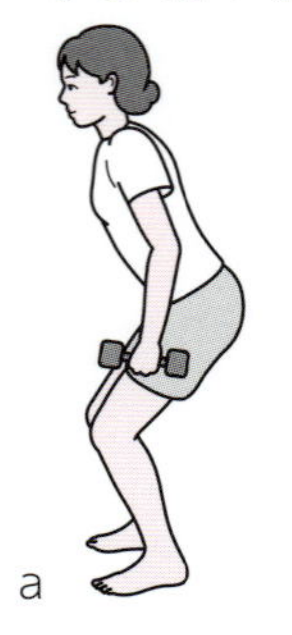

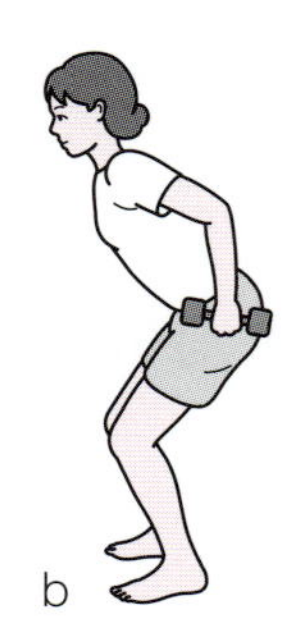

- ダンベルを持ち，背中を意識して，肘を上に引き上げるように曲げます。
- 低い位置（臀部）まで上げると腰部（b），肘を曲げて高い位置まで上げると背中の上の方（c）の筋力トレーニングになります。

【②胸】

- 肘がまっすぐになるまで伸ばし，ダンベルを押し上げます。

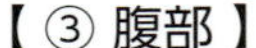

【③腹部】

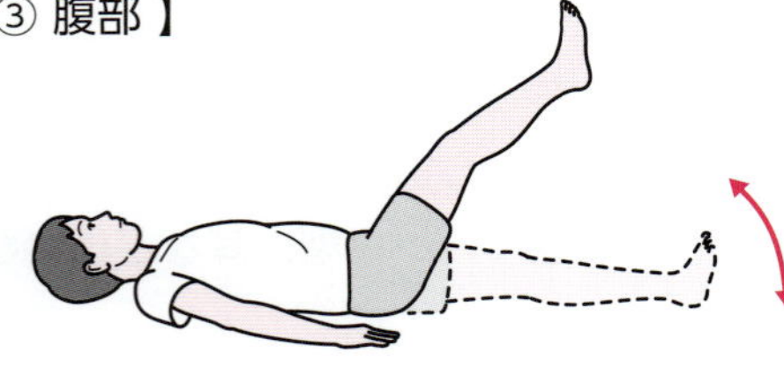

- 仰向けに寝て両脚を伸ばします。
- 両脚を45°程度まで引き上げ，腹筋を意識しながらゆっくりと元に戻します。

【④上肢（肩付近）】

- ダンベルを真上に，肘を伸ばして持ち上げます。

【⑤ 上肢（上腕）】

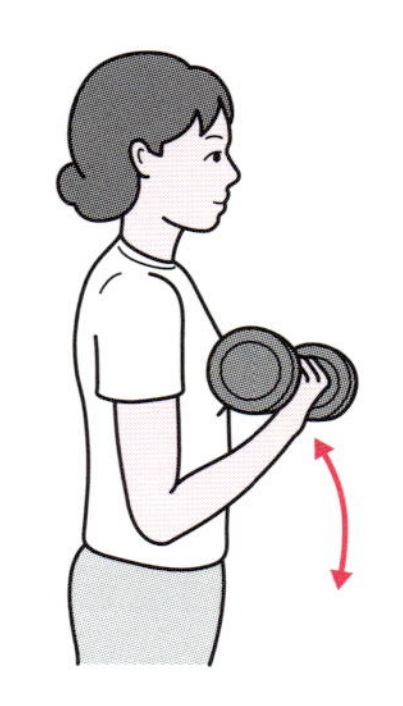

- ダンベルを持って，肘を曲げ，ゆっくりと脇まで肘を伸ばします。

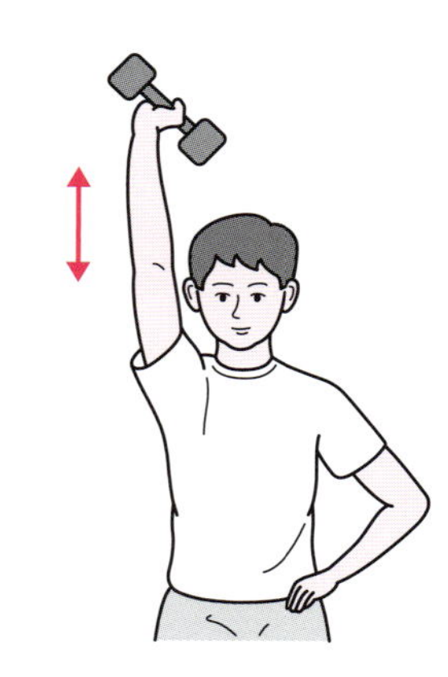

- 片手にダンベルを持って立ち，腕を真上に伸ばして肘を曲げ，ダンベルを頭の後ろにセットします。
- ダンベルを持ち上げ，ゆっくり戻します。

【⑥ 下肢（臀部・腰の筋）】

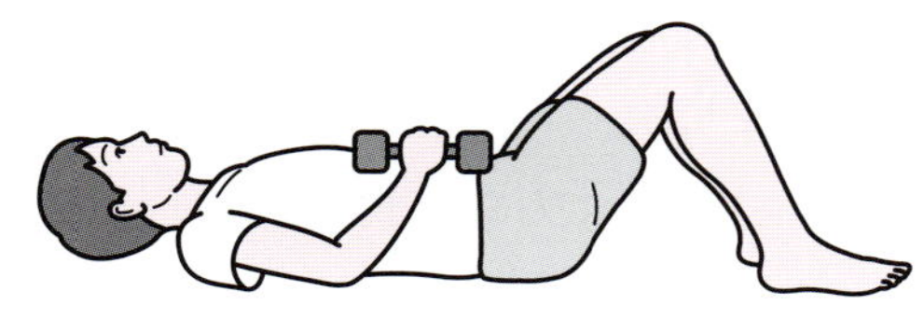

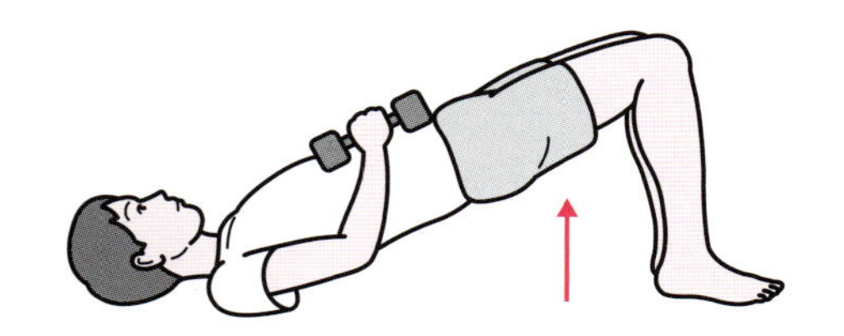

- 両膝を立てた状態で上向きに寝て，ダンベルをお腹に乗せます。
- 腰をできるだけ持ち上げ，数秒間止め，元に戻します。

【⑦下肢（臀部・太もも）】

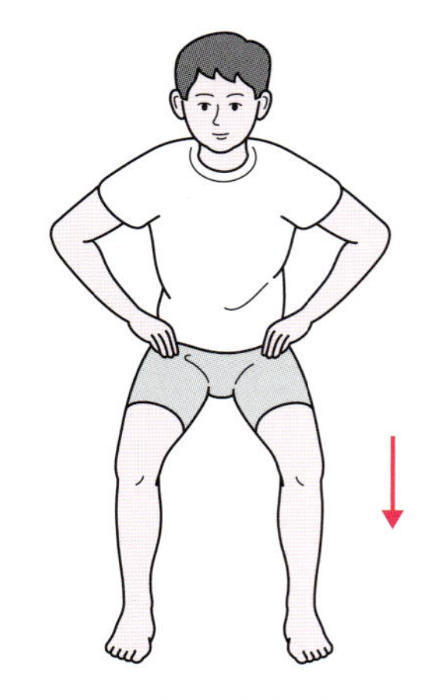

- スクワットでゆっくり下降します。
- 膝は 90°以上は曲げません。
- 手にダンベルを持ったり，片足立ちで行うと負荷が増えます。

【⑧下肢（ふくらはぎ）】

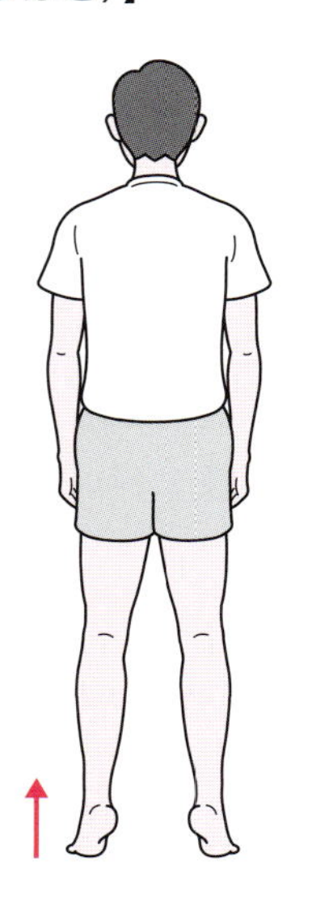

- 足を肩幅で開き，つま先立ちをします。

3 血液腫瘍・化学療法後の退院後リハビリテーション治療

血液腫瘍・化学療法後は体力が低下し，感染予防・体調管理をしながらの運動療法が必要になります。血液腫瘍・化学療法後で，特に注意して体力回復に努める時期のリハビリテーション治療の指導サンプルとしてお役立てください。体調・体力とも回復し，ウォーキングなどが目標レベルまで達するようになれば，前掲の「運動療法のすすめ」を用いても構いません。

◎ 自宅生活のポイント

1. 体調管理
   - ☑ 「体重」と「体温」は毎日測定，記録
   - ☑ 「感染予防」の徹底（手洗い，うがい，マスク着用の励行）
2. 適度な運動の継続

【 1. 体調管理 】

- 体重と体温は毎日同じ時間に測定し，記録しましょう。自分の体調の把握や，診察時に提示することで医師の体調把握にも有効です。
- 造血幹細胞移植後は「感染予防」が重要です。
- 自分だけでなく同居の家族や友人にも手洗い，うがいを実施してもらいましょう。

【 2. 適度な運動の継続 】

- 退院後も運動を継続しましょう。
- 健康的な生活を送るために，150 分/週以上の運動の継続と 2 回/週以上の筋力トレーニングの継続が推奨されています。
- 運動には散歩のような歩行も含まれます。
- 体調に応じて徐々に運動量を増やしましょう（1～2 週間ごとを目安に）。(⇒ p294，295 のイラスト中の目標値の達成を目指しましょう)
- 自宅での運動には「ストレッチング」と「筋力トレーニング」，「ウォーキング」が理想的です。
- 筋力トレーニング：週 3～5 日（1 日おき），各 15～30 回を目標に実施しましょう。力を入れるときは「息を吐きながら行う」といったように呼吸を意識して行いましょう。体調に合わせて無理をせずに行いましょう。

▶ 手洗い手順（①〜⑦を 2 回繰り返す）

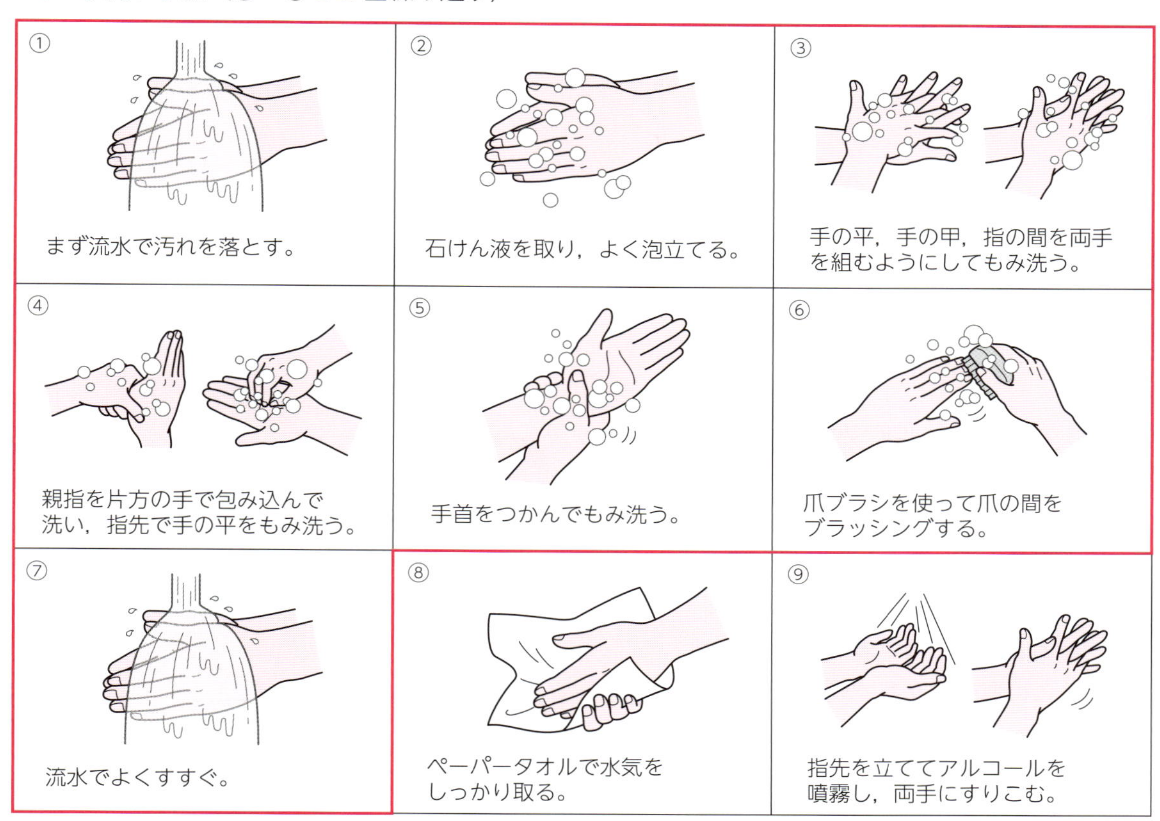

ストレッチング

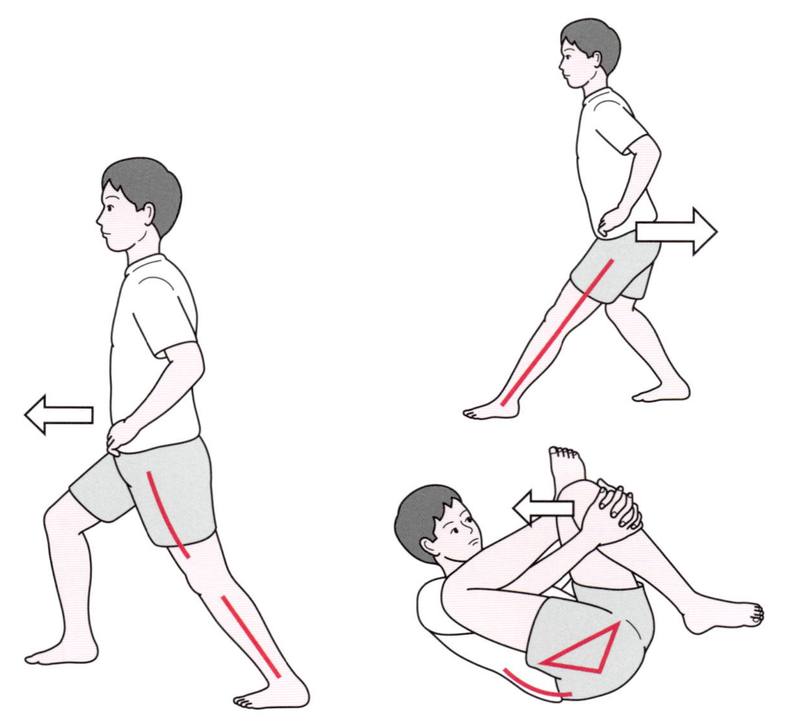

⇨ 体重をかける・力を入れる方向 / ━ 筋の伸長部位 / ストレッチング：30 秒×2 回

各種の運動

① お尻上げ運動

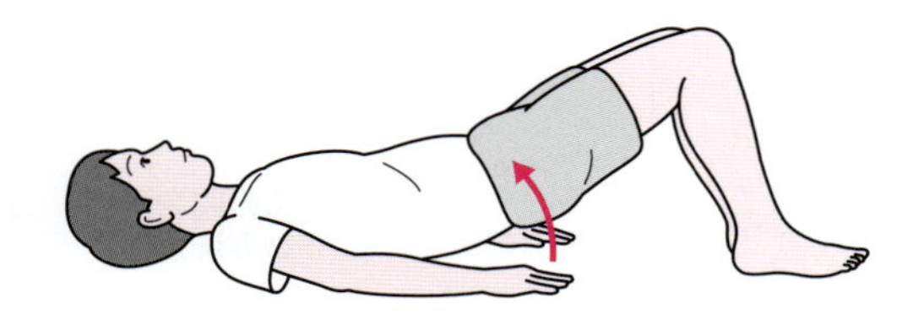

- お尻を上げるときに息を吐き，下げるときに息を吸います。
- お尻を上げたところで息と体を２秒程度止めます。

② SLR（straight leg raising）

- 膝を伸ばしたまま片側の下肢全体を30°程度持ち上げます。
- 足首を上に反らした状態で行います。
- 下肢を上げるときに息を吐き，下ろすときに息を吸います。
- この運動を左右で繰り返します。

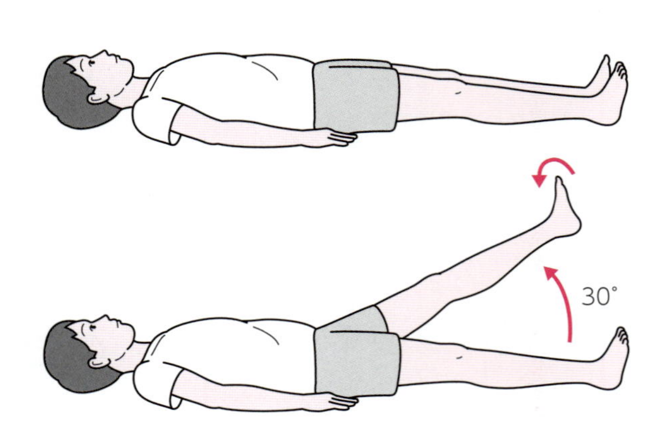

③ 足こぎ運動

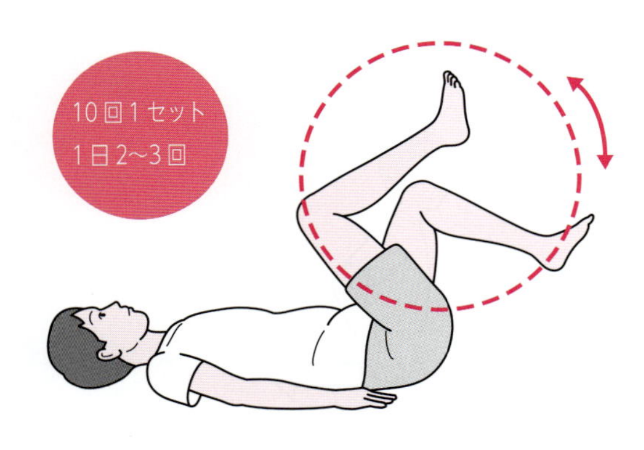

- 自転車をこぐように両脚をぐるぐる回します。
- 時計回り，反時計回りでそれぞれ行います。

④ 足踏み運動

- 机や手すりなどをつかみながら，片脚立ちで太ももの引き上げを行います。
- バランスをとりながら，太ももをできるだけお腹に近づけるように意識して持ち上げます。

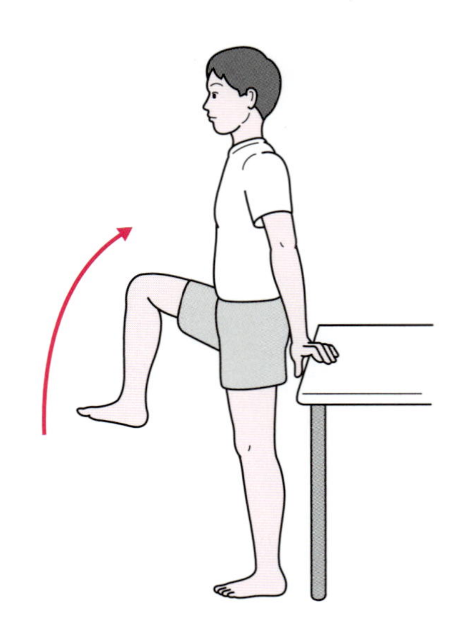

各種の運動

⑤ 立ち上がり

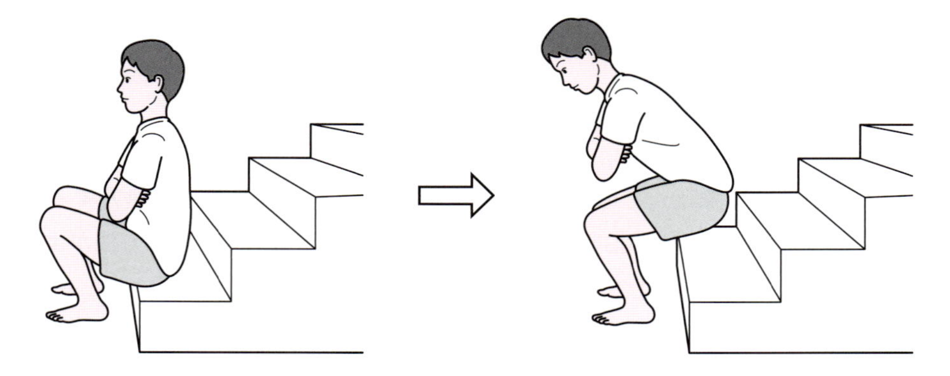

- 手を胸の前で組んで体重を前にかけながら，階段の 1～2 段目から立ち上がるのがポイントです。
- 手が横に広がらないように行ってください。

⑥ スクワット

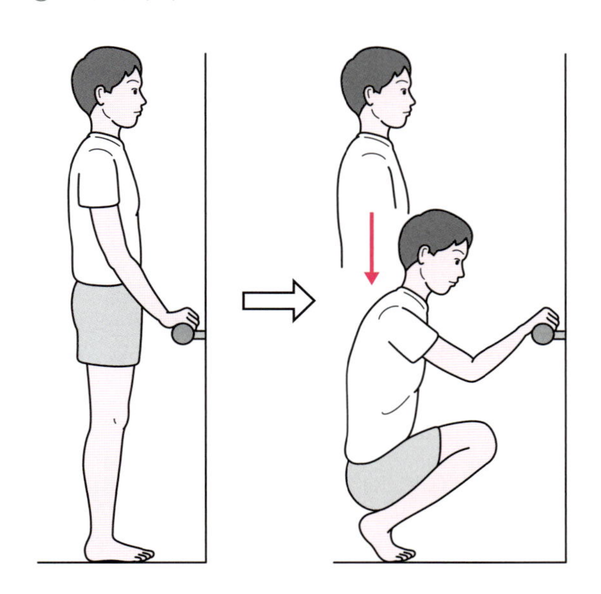

（ゆっくり息を吐きながら，机や手すりを利用するなどして）

- 立った位置から，しゃがみ込みます。
- しゃがんだ位置から立ち上がります。
- 体調にあわせてしゃがみ込む高さを調整してください。

⑦ ウォーキング

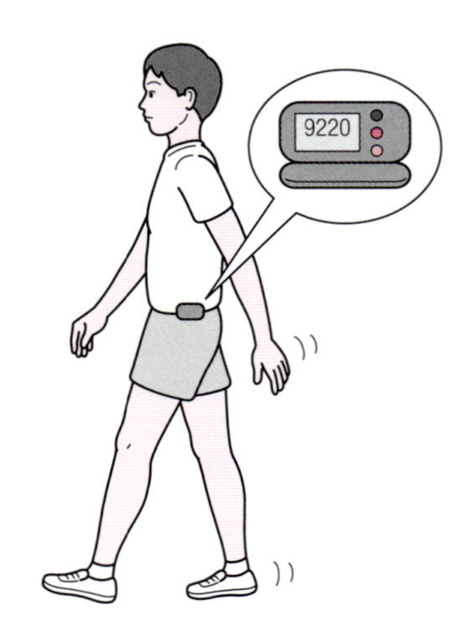

- 退院後 3 カ月では，1 日平均歩数 6,000 歩を目指しましょう。
- 退院後半年で 1 日平均歩数 9,000 歩を目標に少しずつ歩数を増やしましょう。

4 目標心拍数・自覚的運動強度による運動処方

有酸素運動を指導する際は，その強度を個人に合わせ，適切に設定して処方する。強度の設定には，目標運動量（強度）を目標心拍数で示す方法と，自覚的運動強度で示す方法がよく用いられる。

◎ 目標心拍数を用いた運動処方

運動強度が増加すると，エネルギー産生のための酸素摂取量（$\dot{V}O_2$）が増える。このとき，心拍出量が増えるため心拍数が増加する（右図）。運動強度と心拍数の直線的な関係を利用して，ある目標強度の運動をある一定の心拍数（目標心拍数）に達するまでの運動として処方することができる。

目標心拍数の求め方には，下表のような方法・計算式がある。大きな違いは運動負荷試験を行うか，年齢から推定するかである。がん患者のリハビリテーション治療であれば，運動負荷試験の実施は必須ではないとされ，多くのケースでは年齢による推定を用いるが，心疾患があるケースや一般と異なる心拍応答が疑われるときには，運動負荷試験で実測した最大心拍数（HR max）を用いて目標心拍数を決定することが望ましい。

●漸増負荷運動中の酸素摂取量と心拍数

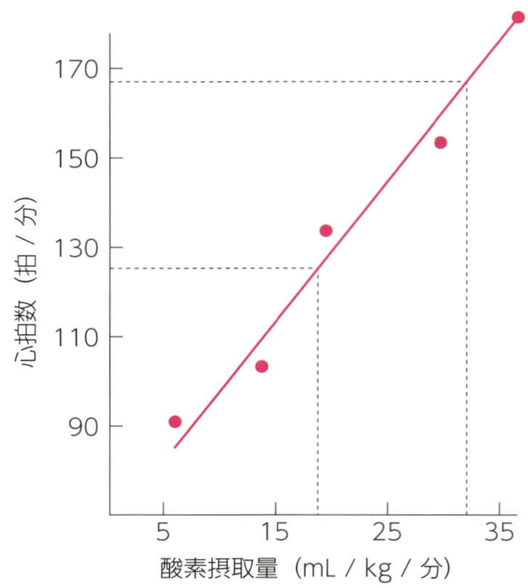

（日本体力医学会体力科学編集委員会（監訳）．運動処方の指針 原著第8版．南江堂，2011．より引用改変）

●目標心拍数の求め方

方法	最大心拍数実測法*	最大心拍数推定法	心拍数予備能法
必要なデータ	・最大酸素摂取量（$\dot{V}O_2$ max）と，そのときの最大心拍数：HR max（運動負荷試験・酸素摂取量測定で得られる）	・年齢	・安静時心拍数：HR rest ・最大心拍数：HR max（運動負荷試験で得た実測値もしくは年齢からの推定値）
計算式	・目標心拍数＝HR max×目標運動強度（%）**	・目標心拍数＝推定 HR max×目標運動強度（%） ・推定 HR max＝220－年齢***	・目標心拍数＝（HR max－HR rest）×目標運動強度（%）＋HR rest（Karvonen 法）
特徴	・運動に対する心拍応答が通常と異なる恐れがあるケースにはリスク管理上よい。ただし，酸素摂取量測定（特別な機器を要する）をしながらの運動負荷試験を要する	・誤差が大きいが簡便	・エネルギー消費量を最も正確に反映した運動処方が可能とされる。HR max を実測する場合には運動負荷試験と酸素摂取量の測定を要し，推定では誤差の問題がある

*エルゴメーターやトレッドミルで漸増運動負荷をかけると，酸素摂取量が増えていくが，最終的には運動負荷を上げてもそれ以上酸素摂取量が上昇しなくなる点があり，最大酸素摂取量（$\dot{V}O_2$ max）とよぶ。

**目標運動強度は，40～80%（0.4～0.8）といった数値で表される（最大運動強度が 100%）。概ね，30～59%は低強度，60～79%は中等強度，80%以上は高強度の運動強度とされる。

***年齢を用いた推定最大心拍数は，表の推定式が以前からよく用いられているが誤差が大きいことも知られており，より正確とされる推定式がいくつか提唱されている。なかでも，Gellish らの式〔HR max＝206.9－（0.67×年齢）〕が最も正確とされている。

◎ 自覚的運動強度を用いた運動処方

前頁で述べたように，有酸素運動の運動強度は目標心拍数で処方し，心拍数をモニターしながら調整することが基本である。

しかし，心拍数が薬の影響（ベータ遮断薬内服など）で運動によって上昇しないこともあり，心拍数のモニターのみでは運動強度が強くなり過ぎる危険性がある。このため，自覚的運動強度の評価も同時に行うことが望ましい。自覚的運動強度の評価には，Borg スケールを用いるのが一般的である（下表）。

Borg スケールを用いて 60～79％最大酸素摂取量に相当するような中等強度の有酸素運動を処方したい場合，自覚的運動強度は 11～14（「楽である」から「ややきつい」程度）になるよう設定する。すなわち，心拍数が目標心拍数に達していなくても，自覚的運動強度が処方量よりも強い場合は負荷量を調整する必要がある。

なお，Borg スケールを 0～10（0，0.5，1，2，3……）の 12 段階に細分化した修正 Borg スケールが用いられることもある。

● Borg スケール

得点	状態	運動強度目安*
6	疲労を感じない	30
7	非常に楽である	
8		
9	かなり楽である	
10		
11	楽である	60
12		
13	ややきつい	
14		
15	きつい	80
16		
17	かなりきつい	
18		
19	非常にきつい	
20		

*％最大心拍数

付　表

◎ 生活習慣に関わる指導

付表 1 American Cancer Society のガイドラインによる指導内容

●日常生活上の目標

1. 健全な体重の維持	・体重過多や肥満の場合は，高カロリーの飲食物を制限し，身体活動性を増やして体重のコントロールを行う。
2. 活動的な生活習慣	・定期的な運動を実施する。
	・不活動を避け，可能な限り早期に通常の日常生活に戻る。
	・少なくとも週 150 分の運動を行う。
	・少なくとも週 2 回は筋力増強訓練を行う。
3. 健康的な食生活	・健全な体重を維持できるように適切な量の飲食物を選ぶ。
	・毎日 5 種類以上の野菜や果物を摂取する。
	・精製された穀物よりも全粒粉を選ぶ。
	・加工品や牛肉などの消費を制限する。
	・アルコールの摂取を制限する。

(Rock CL, Doyle C, Demark-Wahnefried W, et al. Nutrition and physical activity guidelines for cancer survivors. CA Cancer J Clin. 2012; 62: 243-74. より引用)

●活動的な生活習慣のために推奨される方法

・エレベーターを使わず階段を使う。
・可能な限り，外出時は徒歩か自転車に乗る。
・昼食時に同僚，家族または友人と運動をする。
・仕事中に速歩やストレッチングを行う。
・同僚に電子メールを送る代わりに，歩いて訪ねていく。
・配偶者，友人と踊りに行く。
・ドライブ旅行だけではなく，活動的な休暇の過ごし方を計画する。
・歩数計を用いて，日々の歩数を増加させる。
・スポーツチームに参加する。
・テレビを見ながら，エルゴメーターやトレッドミルを行う。
・段階的に運動時間を増加させるために，運動の日課を計画する。
・子どもと遊ぶ時間をつくる。

(Kushi LH, Doyle C, McCullough M, et al. American Cancer Society 2010 Nutrition and Physical Activity Guidelines Advisory Committee. American Cancer Society Guidelines on nutrition and physical activity for cancer prevention: reducing the risk of cancer with healthy food choices and physical activity. CA Cancer J Clin. 2012; 62: 30-67. より引用)

◎ 化学療法・放射線療法中・後の運動処方

付表 2 メイヨークリニックのフィットネス・ガイドによる運動処方

●運動療法開始前のチェックポイント

・骨転移・骨粗鬆症による骨折のリスクは高くないか
・患側のリンパ浮腫はないか
・心疾患やそのリスク（□高血圧/□高脂血症/□糖尿病/□喫煙/□家族歴）がないか
・肺疾患やそのリスクがないか
・関節症がないか
・肥満度のチェック

(Dahm D, Smith J（編），坂本雅昭，小室史恵（監訳）．メイヨークリニックのフィットネス・ガイド．ナップ，2007. を参考に作成)

●化学療法・放射線療法中の運動処方

準備運動・ストレッチング		・有酸素運動や筋力増強訓練前のストレッチングと，患側の上肢機能訓練を行う。
有酸素運動	運動種類	・エルゴメーターまたはトレッドミルで行う。
	強度	・60％最大心拍数から開始。自覚的運動強度が 11 程度になるように調整する。徐々に強度を上げ，80％最大心拍数・自覚的運動強度 14 を目指す。
	時間	・10〜15 分から開始し 30〜45 分程度継続できることを目指す。
	頻度	・週 3 回程度
有酸素運動のポイント		・補助療法中の有酸素運動は，医療施設でエルゴメーターやトレッドミルなど負荷量を調整しやすい運動を選び，モニターと調整・指導を行いながら実施されるのが望ましい。
		・有酸素運動の強度は，目標心拍数により定める（⇒ p296）。60 歳以上であれば中等度の運動とは運動中に心拍数 96/分に達する強度である。 ・さらに自覚的運動強度を聞き，運動量を調整することが望ましい。自覚的運動強度 11 は「楽である」，14 は「ややきつい〜きつい」の間の強度である。 ・（時間・頻度について）非常に疲労や倦怠感が強いときには，強度や時間を短くして，頻度を週 5〜7 日と増やすことが望ましい。
筋力増強訓練	運動種類	・可能であれば，筋力トレーニング機器を使用。アームカール・レッグエクステンションなど，9 種類程度の主要筋群を網羅した筋力増強訓練を行う。
	強度（負荷量）	・それぞれの機器で，10 回程度繰り返すことができる負荷量（重錘の重さや抵抗の強さ）とする。
	回数	・上記の負荷量でそれぞれ 8〜12 回繰り返す。
	頻度	・週 2〜3 回
筋力増強訓練のポイント		・有酸素運動と同様，補助療法中には，負荷量が調整しやすい機器を用いた筋力増強訓練を指導下で行うことが望ましい。
		・運動強度は，10 回程度繰り返すことができる重さや抵抗の大きさをそれぞれの機器で評価し，その負荷量を用いる（10 回程度繰り返すことができる負荷量は，概ね 1 回のみ可能な負荷量の 60〜70％であるが，筋などへの障害を防ぐ点からも最大負荷量を調べるのではなく，それより少ない負荷量で評価する）。

(Dahm D, Smith J（編），坂本雅昭，小室史恵（監訳）．メイヨークリニックのフィットネス・ガイド．ナップ，2007. を参考に作成)

●治療後の運動処方

準備運動・ストレッチング		・患側上肢機能訓練は 12 カ月程度継続する。
有酸素運動	運動種類	・ウォーキング，水泳など
	強度	・70％予測最大心拍数，自覚的運動強度 12 程度から開始。徐々に強度を上げ，80％予測最大心拍数・自覚的運動強度 14 を目指す。
	時間	・10〜15 分から開始し 30〜45 分程度継続できることを目指す。
	頻度	・週 3 回程度
有酸素運動のポイント		・治療後の有酸素運動では，スポーツクラブなどでエルゴメーターなどを用いてもよいが，ウォーキングなどの方が在宅で継続しやすいことが多い。中等度の強度の活動には，雪かき・落ち葉の清掃・洗車やワックスかけなどの身体活動も挙げられており，それらを同じ時間行うことも有酸素運動になる。ただし，そういった身体活動は，実際に行った量よりも多く見積もられる（実際には目標より運動量が少ない）ことが多いとされており，ウォーキングやエルゴメーターなどの方が確実に負荷をかけることができる。
		・心拍数のチェック法を指導し，目標とする心拍数を伝える。自覚的運動強度を用いてもよい。
筋力増強訓練	運動種類	・ダンベル・重錘などを利用した 9 種類程度の主要筋群を網羅した筋力増強訓練を行う。
	強度（負荷量）	・それぞれ 10 回程度繰り返すことができる負荷量（重錘の重さや抵抗の強さ）で行う。
	回数	・上記負荷量で，それぞれ 8〜12 回繰り返す。
	頻度	・週 2〜3 回
筋力増強訓練のポイント		・治療後の筋力増強訓練も，有酸素運動と同じく，スポーツクラブなどで機器を用いたトレーニングを行ってもよいが，ダンベルや重錘程度の器具を用いての在宅での実施の方が継続しやすい。

(Dahm D, Smith J（編），坂本雅昭，小室史恵（監訳）．メイヨークリニックのフィットネス・ガイド．ナップ，2007. を参考に作成)

●リスクごとのリハビリテーション治療方針

リスク	リハビリテーション治療方針
骨転移あり	・骨折や麻痺のリスクなどについて整形外科医と相談（⇒ p136）。
骨粗鬆症あり	・有酸素運動ではジャンプ・ランニングなど高衝撃の運動を避けるが，荷重が加わる有酸素運動が望ましいのでウォーキング・低衝撃のエアロビクスやダンスを選ぶ。 ・非常に重度の場合には，水中ウォーキングなどさらに荷重の少ないものを選ぶ。 ・筋力増強訓練では，腰から屈曲したり回旋するものを避ける（シットアップ・ローイングなど）。 ・それ以外の上肢・上部体幹の筋力増強訓練は積極的に行う。特に強度を慎重に調整しての背筋・肩甲骨の間の筋の増強を行う。
リンパ浮腫あり	・弾性着衣（スリーブ）着用下で行う。
心疾患やそのリスクあり	・心機能の評価，できれば運動負荷試験を行ってから開始する。 ・有酸素運動はエルゴメーターやトレッドミルなど負荷量が管理できる方法で，医学的管理下で低負荷から実施する。 ・筋力増強訓練はさらに厳格な医学的管理下で行う必要がある。
肺疾患やそのリスクあり	・運動誘発性の喘息では運動前の気管支拡張薬の吸入などを行い，ウォーミングアップをしてから，短い断続的な運動を行うなどの工夫があるが，専門医の指導を仰ぐ。
関節症あり	・有酸素運動では，自転車漕ぎや水泳など関節にストレスがかかりにくいものを選び，1 週間の中でさまざまな運動を行うクロストレーニングが望ましい。 ・運動後 1〜2 時間しても疼痛が続いたり，関節の腫脹があったりする場合には運動量を減らす。 ・関節周囲筋をターゲットとした筋力増強訓練を行う。
肥満がある	・心疾患や関節症に配慮する。 ・継続が困難になりやすいため，好きな運動を選んでもらい（なるべく関節にストレスのかからないものの中で），非常に低負荷から始め，疲労や筋・骨格系の障害を防ぎながら行う。

(Dahm D, Smith J（編），坂本雅昭，小室史恵（監訳）．メイヨークリニックのフィットネス・ガイド．ナップ，2007. を参考に作成)

付表3 日本語版 EORTC QLQ-C30

JAPANESE

質問表　EORTC QLQ-C30 (version 3)

私達は、あなたとあなたの健康状態について関心を持っています。 あなたの状態に、もっともよく当てはまる番号一つを○で囲み、全設問にお答え下さい。「正しい」答えや「誤った」答え、といったものはありません。なお、お答え頂いた内容については秘密厳守とさせていただきます。

あなたの名前の頭文字を書いて下さい。　姓：＿＿ 名：＿＿ （例：山田花子さん。姓：や 名：は）
あなたの生年月日を書いて下さい。　19＿＿（明 大 昭 平　年）年＿＿月＿＿日生
year　month　day
今日の日付を記入して下さい。　19＿＿（平成　）年＿＿月＿＿日生
year　month　day

		まったくない	少しある	多い	とても多い
1.	重い買い物袋やスーツケースを運ぶなどの力仕事に支障がありますか。	1	2	3	4
2.	長い距離を歩くことに支障がありますか。	1	2	3	4
3.	屋外の短い距離をあるくことに支障がありますか。	1	2	3	4
4.	一日中ベッドやイスで過ごさなければなりませんか。	1	2	3	4
5.	食べること、衣類を着ること、顔や体を洗うこと、便所にいくことに人の手を借りる必要がありますか。	1	2	3	4

この一週間について		まったくない	少しある	多い	とても多い
6.	仕事をすることや日常生活活動に支障がありましたか。	1	2	3	4
7.	趣味やレジャーをするのに支障がありましたか。	1	2	3	4
8.	息切れがありましたか。	1	2	3	4
9.	痛みがありましたか。	1	2	3	4
10.	休息をとる必要がありましたか。	1	2	3	4
11.	睡眠に支障がありましたか。	1	2	3	4
12.	体力が弱くなったと感じましたか。	1	2	3	4
13.	食欲がないと感じましたか。	1	2	3	4
14.	吐き気がありましたか。	1	2	3	4
15.	吐きましたか。	1	2	3	4

次のページにお進みください

　1

(EORTC web サイト：https://www.eortc.org/より引用．使用の際は，EORTC Quality of Life Department より許可を得ることが必要である)

付表3 日本語版 EORTC QLQ-C30（続き）

JAPANESE

この一週間について	まったくない	少しある	多い	とても多い
16. 便秘がありましたか。	1	2	3	4
17. 下痢がありましたか。	1	2	3	4
18. 疲れていましたか。	1	2	3	4
19. 痛みがあなたの日々の活動の*さまたげ*になりましたか。	1	2	3	4
20. ものごとに集中しにくいことがありましたか。 たとえば新聞を読むときや、テレビを見るようなときなど。	1	2	3	4
21. 緊張した気分でしたか。	1	2	3	4
22. 心配がありましたか。	1	2	3	4
23. 怒りっぽい気分でしたか。	1	2	3	4
24. 落ち込んだ気分でしたか。	1	2	3	4
25. もの覚えが悪くなったと思いましたか。	1	2	3	4
26. 身体の調子や治療の実施が、家族の一員としてのあなたの生活の*さまたげ*になりましたか。	1	2	3	4
27. 身体の調子や治療の実施が、あなたの社会的な活動の*さまたげ*になりましたか。	1	2	3	4
28. 身体の調子や治療の実施が、あなたの経済上の問題になりましたか。	1	2	3	4

次の二つの質問では、1から7の数字のうち、あなたにもっともよく当てはまる数字を○で囲んで答えて下さい。

29. この一週間のあなたの健康状態は全体としてどの程度だったでしょうか。

1	2	3	4	5	6	7
とても悪い						とてもよい

30. この一週間、あなたの全体的な生活内容は質的にどの程度だったでしょうか。

1	2	3	4	5	6	7
とても悪い						とてもよい

(EORTC web サイト：https://www.eortc.org/より引用．使用の際は，EORTC Quality of Life Department より許可を得ることが必要である)

付表4 日本語版FACT-G

FACT-G（第4-A版）

下記はあなたと同じ症状の方々が重要だと述べた項目です。項目ごとに，ごく最近（過去7日間程度）のあなたの症状に最もよくあてはまる番号をひとつだけ選び○で囲んでください。

	身体症状について	全くあてはまらない	わずかにあてはまる	多少あてはまる	かなりあてはまる	非常によくあてはまる
GP1	体に力が入らない感じがする。	0	1	2	3	4
GP2	吐き気がする。	0	1	2	3	4
GP3	体の具合のせいで家族への負担となっている。	0	1	2	3	4
GP4	痛みがある。	0	1	2	3	4
GP5	治療による副作用に悩んでいる。	0	1	2	3	4
GP6	自分は病気だと感じる。	0	1	2	3	4
GP7	体の具合のせいで，床（とこ）（ベッド）で休まざるを得ない。	0	1	2	3	4

	社会的・家族との関係について	全くあてはまらない	わずかにあてはまる	多少あてはまる	かなりあてはまる	非常によくあてはまる
GS1	友人たちを身近に感じる。	0	1	2	3	4
GS2	家族から精神的な助けがある。	0	1	2	3	4
GS3	友人からの助けがある。	0	1	2	3	4
GS4	家族は私の病気を充分受け入れている。	0	1	2	3	4
GS5	私の病気について家族間の話し合いに満足している。	0	1	2	3	4
GS6	パートナー（または自分を一番支えてくれる人）を親密に感じる。	0	1	2	3	4
Q1	次の設問の内容は，現在あなたの性生活がどの程度あるのかとは無関係です。答えにくいと思われる場合は四角に✓印を付け，次のページの設問に進んで下さい。 □					
GS7	性生活に満足している。	0	1	2	3	4

Japanese 10/24/1997

（FACIT group webサイト：https://www.facit.org/より引用．使用の際は，登録と許可が必要である）

付表4 日本語版 FACT-G（続き）

FACT-G（第4-A版）

項目ごとに，ごく最近（過去７日間程度）のあなたの状態に最もよくあてはまる番号をひとつだけ選び，○で囲んでください。

	精神的状態について	全くあてはまらない	わずかにあてはまる	多少あてはまる	かなりあてはまる	非常によくあてはまる
GE1	悲しいと感じる。	0	1	2	3	4
GE2	病気を冷静に受け止めている自分に満足している。	0	1	2	3	4
GE3	病気と闘うことに希望を失いつつある。	0	1	2	3	4
GE4	神経質になっている。	0	1	2	3	4
GE5	死ぬことを心配している。	0	1	2	3	4
GE6	病気の悪化を心配している。	0	1	2	3	4

	活動状態について	全くあてはまらない	わずかにあてはまる	多少あてはまる	かなりあてはまる	非常によくあてはまる
GF1	仕事（家のことも含む）をすることができる。	0	1	2	3	4
GF2	仕事（家のことも含む）は生活の張りになる。	0	1	2	3	4
GF3	生活を楽しむことができる。	0	1	2	3	4
GF4	自分の病気を充分受け入れている。	0	1	2	3	4
GF5	よく眠れる。	0	1	2	3	4
GF6	いつもの娯楽（余暇）を楽しんでいる。	0	1	2	3	4
GF7	現在の生活の質に満足している。	0	1	2	3	4

Japanese

10/24/1997

（FACIT group web サイト：https://www.facit.org/より引用．使用の際は，登録と許可が必要である）

付表5 「がん薬物療法における QOL 調査票」（QOL-ACD）

氏名：＿＿＿＿＿＿＿＿＿＿＿＿＿＿　　平成＿＿年＿＿月＿＿日

年齢：＿＿＿＿歳　　性別：1．男　2．女　体重：＿＿＿Kg

この調査票は，あなたの現在の状態を正しく理解するために用いるものです。
ここ数日間のあなたの状態にあてはまると思われる番号に○をつけてください。
（個人のプライバシーが外部にもれたり，治療のうえで不利益になることは決してありませんので，感じたありのままをお答え下さい）

（この数日の間）

質問	尺度（左→右）	左端	右端
1．日常の生活（活動）ができましたか。	1　2　3　4　5	全くできなかった	十分できた
2．ひとりで外出することができましたか。	1　2　3　4　5	全くできなかった	十分できた
3．30分くらいの散歩はできましたか。	1　2　3　4　5	全くできなかった	十分できた
4．少し歩いてもつらいと思いましたか。	1　2　3　4　5	全く問題なかった	非常につらかった
5．階段の昇り降りができましたか。	1　2　3　4　5	全くできなかった	十分できた
6．ひとりで風呂にはいることができましたか。	1　2　3　4　5	全くできなかった	十分できた
7．体の調子はいかがでしたか。	1　2　3　4　5	非常に悪かった	非常に良かった
8．食欲はありましたか。	1　2　3　4　5	全くなかった	非常にあった
9．食事がおいしいと思いましたか。	1　2　3　4　5	非常にまずかった	非常においしかった
10．吐くことがありましたか。	5　4　3　2　1	全く吐かなかった	よく吐いた
11．やせましたか。	5　4　3　2　1	全くやせなかった	非常にやせた
12．よく眠れましたか。	1　2　3　4　5	全く眠れなかった	よく眠れた
13．何かに没頭（熱中）することができましたか。	1　2　3　4　5	全くできなかった	よくできた
14．日々のストレス（いらいら）はうまく解消できましたか。	1　2　3　4　5	全くできなかった	うまくできた
15．集中力が落ちたと感じましたか。	5　4　3　2　1	全く感じなかった	強く感じた
16．何か心の支えになるものによって勇気づけられていますか（家族，知人，宗教，趣味など）	1　2　3　4　5	全くない	強く勇気づけられている
17．あなたの病状に不安を感じましたか。	5　4　3　2　1	全く感じなかった	強く感じた
18．家族以外の人と接するのが苦痛でしたか。	5　4　3　2　1	全く苦痛でなかった	非常に苦痛だった
19．あなたが治療をうけていることで家族に迷惑をかけていると思いましたか。	5　4　3　2　1	全く思わない	強く思っている
20．あなたの将来の社会生活について不安を感じますか。	5　4　3　2　1	全く感じない	強く感じる
21．病気による経済的な負担が気になりますか	5　4　3　2　1	全く気にならない	非常に気になる

22．ここ数日間の状態に相当する顔の番号に○をつけてください。

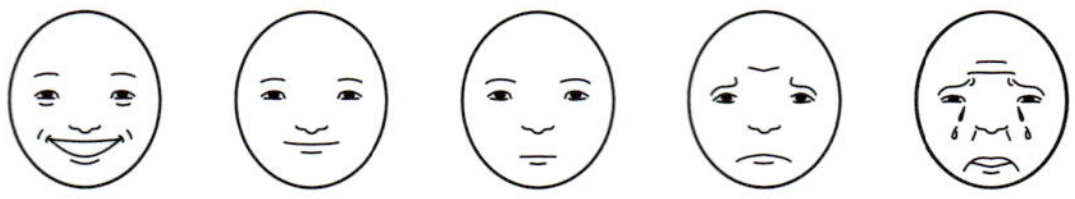

5　　4　　3　　2　　1

★　最後にもう一度，つけ落としがないか確認してください。

【医師・看護師　記入欄】

a．　1．入院　　2．外来　　　d．　記載日　平成＿＿年＿＿月＿＿日

b．　PS　＿＿＿＿＿＿　　　e．　備考

c．　体重　＿＿＿＿＿　　　記載者＿＿＿＿＿＿＿＿＿＿

（江口研二，栗原稔，下妻晃二郎，他．がん薬物療法における QOL 調査票．日癌治．1993; 28: 1140-4．より引用改変）

◎ 倦怠感調査票

付表6 日本語版 Brief Fatigue Inventory（BFI）

簡易倦怠感調査票

登録番号 ＿＿＿＿＿＿　　　病院番号 ＿＿＿＿＿＿

日付：＿＿＿／＿＿＿／＿＿＿　　　時刻：＿＿＿＿＿

氏名：＿＿＿＿＿＿＿＿（姓）　＿＿＿＿＿＿＿＿（名）

だれでも一生のうちには，とても疲れたり，とてもだるかったりすることがあります。
この1週間に，普通とは異なる疲れやだるさを感じましたか？

はい □　　いいえ □

1．あなたが今感じているだるさ（倦怠感，疲労感）を
もっともよく表す数字1つに○をして下さい。

0	1	2	3	4	5	6	7	8	9	10
だるさなし										これ以上考えられないほどのだるさ

2．この24時間にあなたが感じた通常のだるさ（倦怠感，疲労感）を
もっともよく表す数字1つに○をして下さい。

0	1	2	3	4	5	6	7	8	9	10
だるさなし										これ以上考えられないほどのだるさ

3．この24時間にあなたが感じたもっとも強いだるさ（倦怠感，疲労感）を
もっともよく表す数字1つに○をして下さい。

0	1	2	3	4	5	6	7	8	9	10
だるさなし										これ以上考えられないほどのだるさ

4．この24時間のうちで，だるさがあなたの生活にどれほど支障になったかを
もっともよく表す数字1つに○をして下さい。

A．日常生活の全般的行動

0	1	2	3	4	5	6	7	8	9	10
支障なし										完全に支障になった

B．気持ち，情緒

0	1	2	3	4	5	6	7	8	9	10
支障なし										完全に支障になった

C．歩行能力

0	1	2	3	4	5	6	7	8	9	10
支障なし										完全に支障になった

D．通常の仕事（家庭外での仕事や毎日の生活における雑事を含む）

0	1	2	3	4	5	6	7	8	9	10
支障なし										完全に支障になった

E．対人関係

0	1	2	3	4	5	6	7	8	9	10
支障なし										完全に支障になった

F．生活を楽しむこと

0	1	2	3	4	5	6	7	8	9	10
支障なし										完全に支障になった

(Okuyama T, Wang XS, Akechi T, et al. Validation study of the Japanese version of the brief fatigue inventory. J Pain Symptom Manage. 2003; 25: 106-17. より引用)

付表7 日本語版 Cancer Fatigue Scale（CFS）

ID　　　　　　　　　　　　　　　　　　　　　　　　　　　　　　　　　　CFS

氏名　　　　　　　　　　　　様　　　　　　　記入日　　　年　　月　　日　　時

この質問票ではだるさについておたずねします。各々の質問について，
現在のあなたの状態に最も当てはまる番号に，ひとつだけ○をつけて下さい。
あまり深く考えずに，第一印象でお答え下さい。

いま現在……		いいえ	すこし	まあまあ	かなり	とても
1	疲れやすいですか？	1	2	3	4	5
2	横になっていたいと感じますか？	1	2	3	4	5
3	ぐったりと感じますか？	1	2	3	4	5
4	不注意になったと感じますか？	1	2	3	4	5
5	活気はありますか？	1	2	3	4	5
6	身体がだるいと感じますか？	1	2	3	4	5
7	言い間違いが増えたように感じますか？	1	2	3	4	5
8	物事に興味をもてますか？	1	2	3	4	5
9	うんざりと感じますか？	1	2	3	4	5
10	忘れやすくなったと感じますか？	1	2	3	4	5
11	物事に集中することはできますか？	1	2	3	4	5
12	おっくうに感じますか？	1	2	3	4	5
13	考える早さは落ちたと感じますか？	1	2	3	4	5
14	がんばろうと思うことができますか？	1	2	3	4	5
15	身の置き所のないような だるさを感じますか？	1	2	3	4	5

国立がんセンター

(Okuyama T, Akechi T, Kugaya A, et al. Development and validation of the Cancer Fatigue Scale: a brief, three-dimensional, self-rating scale for assessment of fatigue in cancer patients. Journal of Pain and Symptom Management. 2000; 19: 5-14. より引用)

◎ 倦怠感への対応

付表 8 アメリカ総合がんセンターネットワーク（NCCN）のガイドラインよる倦怠感への対応

●生活指導内容（ECAM による）

・活動の優先順位を決める。
・休憩をはさみながら活動する。
・エネルギーが十分ある時間帯にあわせて活動する。
・夜間の睡眠に影響しない程度で，1 時間未満の午睡をとる。
・日々の計画を立てる。
・一度に複数の作業を行わない。
・自助具や補装具をうまく利用する（ソックスエイド，移動・買い物中のカート，エレベーター，エスカレーターなど）。

NCCN のガイドラインでは，energy conservation and activity management（ECAM）による ADL 上の消費エネルギーの温存を推奨している。
(Berger AM, Abernethy AP, Atkinson A, et al. National Comprehensive Cancer Network Practice Guideline in Oncology: Cancer-Related Fatigue 2008 Version I. より引用)

●活動的な生活習慣のために推奨される方法とその理由

1. 活動の強化の重要性	・治療の有害事象と治療中の活動レベル低下が身体能力を低下させ，日常生活活動において消費エネルギーが増大し倦怠感につながる
	・身体能力を維持する活動強化が必要である
2. 運動の効果	・運動 → 身体機能向上 → 活動時の労力軽減 → 倦怠感軽減
	・がん活動中の運動 → 精神的苦痛が軽減し，QOL が向上
3. 運動開始時期	・治療中に開始するとより効果が高い
4. 推奨される運動内容	・ウォーキング，エルゴメーターなどの有酸素運動
	・筋力増強訓練
	・最大心拍数の 60〜80％の運動強度にて 20〜30 分間を週 3〜5 日
	・年齢，性別，がんのタイプ，がん治療，運動能力に基づく個別プログラム
	・低レベルの強度と頻度から始め，ゆっくり漸増

(Berger AM, Abernethy AP, Atkinson A, et al. National Comprehensive Cancer Network Practice Guideline in Oncology: Cancer-Related Fatigue 2008 Version I. より引用)

索　引

和　文

[あ行]

[か行]

[さ行]

[た行]

[な行]

[は行]

[ま行]

[や行]

[ら行]

欧 文

[A]

[B]

がんのリハビリテーション診療ベストプラクティス
第2版

定価(本体 3,800 円+税)

2015 年 1 月 30 日　第 1 版発行
2020 年 11 月 20 日　第 2 版第 1 刷発行

編　集　日本がんリハビリテーション研究会

発行者　福村　直樹
発行所　金原出版株式会社
〒 113-0034 東京都文京区湯島 2-31-14
電話　編集 (03) 3811-7162
　　　営業 (03) 3811-7184
FAX　　(03) 3813-0288
振替口座　00120-4-151494
http://www.kanehara-shuppan.co.jp/

ISBN 978-4-307-75064-6
印刷・製本/横山印刷